1 MONTH OF
FREE
READING

at

www.ForgottenBooks.com

By purchasing this book you are eligible for one month membership to ForgottenBooks.com, giving you unlimited access to our entire collection of over 1,000,000 titles via our web site and mobile apps.

To claim your free month visit:
www.forgottenbooks.com/free986309

ISBN 978-0-260-91423-1
PIBN 10986309

This book is a reproduction of an important historical work. Forgotten Books uses
state-of-the-art technology to digitally reconstruct the work, preserving the original format
whilst repairing imperfections present in the aged copy. In rare cases, an imperfection in
the original, such as a blemish or missing page, may be replicated in our edition. We do,
however, repair the vast majority of imperfections successfully; any imperfections that
remain are intentionally left to preserve the state of such historical works.

Kleyers

Encyklopädie

der gesamten

mathematischen, technischen und exakten

Natur-Wissenschaften.

———— ◄◆► ————

Lehrbuch

der

Induktionselektricität

von

Dr. Adolf Krebs.

1889, May 15 – Nov. 15.
Famous fund.

Lehrbuch

der

Induktionselektricität

und

ihrer Anwendungen

(Elemente der Elektrotechnik).

Mit 432 Erklärungen und 213 in den Text gedruckten Figuren

nebst einer

Sammlung gelöster Aufgaben.

Für

das Selbststudium und zum Gebrauch an Lehranstalten,
sowie zum Nachschlagen für Fachleute

bearbeitet

nach System Kleyer

von

Dr. Adolf Krebs.

———— •◄■►• ————.

Stuttgart.

Verlag von Julius Maier.

1889.

Buchdruckerei von Carl Hammer in Stuttgart.

Vorwort.

Mit vorliegendem Lehrbuch der Induktionselektricität ist nunmehr der 6. Band von Kleyers Encyklopädie, Abteilung „Die elektrischen Erscheinungen in Theorie und Praxis", abgeschlossen. Das Lehrbuch ist analog den bis jetzt erschienenen Bänden (Magnetismus, Reibungselektricität, Kontaktelektricität, Elektrodynamik und Elektromagnetismus) eingeteilt in einen experimentellen und einen theoretischen Teil. Ausserdem aber enthält es noch einen dritten Teil, welcher von den praktischen Anwendungen der Induktion in der Elektrotechnik handelt.

Im ersten Teil werden aus Versuchen die Wirkungen und die Gesetze der Induktion abgeleitet. Letztere sind in der älteren (Lenzschen) Form ausgedrückt. Es schien dies um so mehr geboten, als die Form, welche wir mittels der sog. Kraftlinientheorie erhalten, erst aus der älteren Form sozusagen übersetzt ist. Die ältere Form der Gesetze muss daher erst bekannt sein, ehe wir sie in die Ausdrucksweise der Kraftlinientheorie bringen können.

Der zweite Teil leitet die Gesetze der Induktion aus dem allgemeinen Prinzip der Erhaltung der Energie ab und skizziert die Kraftlinientheorie, um mit ihrer Hilfe die Induktionsgesetze in der jetzt üblichen Form aufzustellen.

Ich verzichte, an dieser Stelle auf die Vorteile und Nachteile der älteren und der jetzt üblichen Form der Induktionsgesetze einzugehen. Die erstere ist abstrakter, die letztere anschaulicher. Da es jedoch eine Anschauung von abstrakten Dingen nicht gibt, so ist jede Art der Anschauung falsch und geeignet, falsche Vorstellungen von abstrakten Vorgängen zu geben.

Die Kraftlinientheorie rührt ebenso wie die Entdeckung der Induktion von *Faraday* her. Letztere wurde sofort überall Gemeingut, erstere, und das ist sehr bezeichnend, fand erst in jüngster Zeit in der deutschen Wissenschaft Eingang; die älteren Gelehrten (*Gauss*, *Weber*, *Lenz* u. A.) schienen also der abstrakteren Fassung der Induktionsgesetze den Vorzug zu geben, wie es ja auch der Natur des deutschen Geistes mehr entspricht.

Der dritte Teil endlich umfasst unter dem Titel „Elemente der Elektrotechnik" die Anwendung der Elektricität in der Technik, wie sie durch die praktische Verwertung der Induktion hervorgerufen wurde. Ich habe es bei der Fülle der praktischen Errungenschaften für zweckmässig gehalten, nur die leitenden Prinzipien klarzulegen, dagegen auf die Beschreibung des Einzelnen zu verzichten, denn die Prinzipien sind es, welche beharren, während das Einzelne stetige Umwandlungen erfährt.

Hinsichtlich des Stoffs habe ich mich bemüht, eine streng übersichtliche Einteilung zu treffen; ausserdem sind alle Errungenschaften bis in die jüngste Zeit gebührend berücksichtigt.

Berlin, im Juli 1889.

Der Verfasser.

Inhaltsverzeichnis.

I. Teil.

(Experimenteller Teil).

II. Teil.
(Theoretischer Teil.)

III. Teil.

Die Anwendung der Induktion.

(Elemente der Elektrotechnik.)

I. Teil.

(Experimenteller Teil.)

513. Heft.

Preis des Heftes **25 Pfc.**

Die Induktionselektricität

Seite 1—16.

Mit 6 Figuren.

Vollständig gelöste
Aufgaben-Sammlung

— nebst Anhängen ungelöster Aufgaben, für den Schul- & Selbstunterricht —

mit

Angabe und Entwicklung der benutzten Sätze, Formeln, Regeln, in Fragen und Antworten

. erläutert durch

viele Holzschnitte & lithograph. Tafeln,

aus allen Zweigen

der **Rechenkunst,** der **niederen** (Algebra, Planimetrie, Stereometrie, ebenen u. sphärischen Trigonometrie, synthetischen Geometrie etc.) u. **höheren Mathematik** (höhere Analysis, Differential- u. Integral-Rechnung, analytische Geometrie der Ebene u. des Raumes etc.); — aus allen Zweigen der **Physik, Mechanik, Graphostatik, Chemie, Geodäsie, Nautik,** mathemat. **Geographie, Astronomie;** des **Maschinen-, Strassen-, Eisenbahn-, Wasser-, Brücken- u. Hochbau's;** der **Konstruktionslehren** als: darstell. **Geometrie, Polar- u. Parallel-Perspektive, Schattenkonstruktionen etc. etc.**

für

Schüler, Studierende, Kandidaten, Lehrer, Techniker jeder Art, Militärs etc.

zum einzig richtigen und erfolgreichen

Studium, zur **Forthülfe** bei Schularbeiten und zur **rationellen Verwertung** der exakten Wissenschaften,

herausgegeben von

Dr. Adolph Kleyer,

Mathematiker, vereideter königl. preuss. Feldmesser, vereideter grossh. hessischer Geometer I. Klasse

in **Frankfurt a. M.**

unter Mitwirkung der bewährtesten Kräfte.

Die Induktionselektricität.

Nach **System Kleyer** bearbeitet von **Adolf Krebs** in Darmstadt.

Seite 1—16. Mit 6 Figuren.

Inhalt:

Stuttgart 1889.

Verlag von Julius Maier.

PROSPEKT.

Dieses Werk, welchem kein ähnliches zur Seite steht, erscheint monatlich in 3—4 Heften zu dem billigen Preise von 25 ₰ pro Heft und bringt eine Sammlung der wichtigsten und praktischsten Aufgaben aus dem Gesamtgebiete der Mathematik, Physik, Mechanik, math. Geographie, Astronomie, des Maschinen-, Strassen-, Eisenbahn-, Brücken- und Hochbaues, des konstruktiven Zeichnens etc. etc. und zwar in vollständig gelöster Form, mit vielen Figuren, Erklärungen nebst Angabe und Entwickelung der benutzten Sätze, Formeln, Regeln in Fragen mit Antworten etc., so dass die Lösung jedermann verständlich sein kann, bezw. wird, wenn eine grössere Anzahl der Hefte erschienen ist, da dieselben sich in ihrer Gesamtheit ergänzen und alsdann auch alle Teile der reinen und angewandten Mathematik — nach besonderen selbständigen Kapiteln angeordnet — vorliegen.

Fast jedem Hefte ist ein Anhang von ungelösten Aufgaben beigegeben, welche der eigenen Lösung (in analoger Form wie die bezüglichen gelösten Aufgaben) des Studierenden überlassen bleiben, und zugleich von den Herren Lehrern für den Schulunterricht benutzt werden können. Die Lösungen hierzu werden später in besonderen Heften für die Hand des Lehrers erscheinen. Am Schlusse eines jeden Kapitels gelangen: Titelblatt, Inhaltsverzeichnis, Berichtigungen und erläuternde Erklärungen über das betreffende Kapitel zur Ausgabe.

Das Werk behandelt zunächst den Hauptbestandteil des mathematisch-naturwissenschaftlichen Unterrichtsplanes folgender Schulen: Realschulen I. und II. Ordn., gleichberechtigten höheren Bürgerschulen, Privatschulen, Gymnasien, Realgymnasien, Pregymnasien, Schullehrer-Seminaren, Polytechniken, Techniken, Baugewerkschulen, Gewerbeschulen, Handelsschulen, techn. Vorbereitungsschulen aller Arten, gewerbliche Fortbildungsschulen, Akademien, Universitäten, Land- und Forstwissenschaftsschulen, Militärschulen, Vorbereitungs-Anstalten aller Arten als z. B. für das Einjährig-Freiwillige- und Offiziers-Examen etc.

Die Schüler, Studierenden und Kandidaten der mathematischen, technischen und naturwissenschaftlichen Fächer werden durch diese, Schritt für Schritt gelöste, Aufgabensammlung immerwährend an ihre in der Schule erworbenen oder nur gehörten Theorien etc. erinnert und wird ihnen hiermit der Weg zum unfehlbaren Auffinden der Lösungen derjenigen Aufgaben gezeigt, welche sie bei ihren Prüfungen zu lösen haben, zugleich aber auch die überaus grosse Fruchtbarkeit der mathematischen Wissenschaften vorgeführt.

Dem Lehrer soll mit dieser Aufgabensammlung eine kräftige Stütze für den Schul-Unterricht geboten werden, indem zur Erlernung des praktischen Teils der mathematischen Disciplinen — zum Auflösen von Aufgaben — in den meisten Schulen oft keine Zeit erübrigt werden kann, hiermit aber dem Schüler bei seinen häuslichen Arbeiten eine vollständige Anleitung in die Hände gegeben wird, entsprechende Aufgaben zu lösen, die gehabten Regeln, Formeln, Sätze etc. anzuwenden und praktisch zu verwerten. Lust, Liebe und Verständnis für den Schulunterricht wird dadurch erhalten und belebt werden.

Den Ingenieuren, Architekten, Technikern und Fachgenossen aller Art, Militärs etc. etc. soll diese Sammlung zur Auffrischung der erworbenen und vielleicht vergessenen mathematischen Kenntnisse dienen und zugleich durch ihre praktischen in allen Berufszweigen vorkommenden Anwendungen einem toten Kapital lebendige Kraft verleihen und somit den Antrieb zu weiteren praktischen Verwertungen und weiteren Forschungen geben.

Alle Buchhandlungen nehmen Bestellungen entgegen. Wichtige und praktische Aufgaben werden mit Dank von der Redaktion entgegengenommen und mit Angabe der Namen verbreitet. — Wünsche, Fragen etc., welche die Redaktion betreffen, nimmt der Verfasser, Dr. Kleyer, Frankfurt a. M., Fischerfeldstrasse 16, entgegen, und wird deren Erledigung thunlichst berücksichtigt.

Stuttgart.   Die Verlagshandlung.

Die Induktionselektricität.

A. Ueber die Induktionselektricität im allgemeinen.

Frage 1. Was versteht man ganz allgemein unter Induktionselektricität?

Erkl. 1. Das Wort „Induktion" (vom lat. inducere = einführen, erregen) bedeutet „Einführung", „Erregung".

Antwort. Unter Induktionselektricität (s. Erkl. 1) versteht man ganz allgemein jene Elektricität, welche in einem Leiter erregt wird, wenn man

1). den Strom eines stromdurchflossenen Leiters in der Nähe jenes Leiters öffnet oder schliesst,

2). einen stromdurchflossenen Leiter oder einen Magnet jenem Leiter nähert oder von ihm entfernt,

3). jenen Leiter einem stromdurchflossenen Leiter oder einem Magnet nähert oder von ihnen entfernt.

Da ferner ein Nähern und Entfernen nur durch Bewegung erreicht werden kann und Bewegung eine Veränderung der relativen Lage ist, so dass es gleichgültig ist, ob wir von zwei Körpern den einen oder den andern bewegen, so kann man auch sagen:

Unter Induktionselektricität versteht man ganz allgemein jene Elektricität, welche in einem Leiter erregt wird

a). durch Oeffnen und Schliessen des Stroms eines stromdurchflossenen Leiters in der Nähe jenes Leiters,

b). durch Veränderung der relativen Lage eines stromdurchflossenen Leiters oder eines Magnets in der Nähe eines Leiters.

Frage 2. Wie kann man die Induktionselektricität experimentell nachweisen?

Antwort. Die Induktionselektricität kann man hauptsächlich
1). durch Ablenkung einer Galvanometernadel,
2). durch Magnetisierung einer Stahlnadel,
3). durch Zersetzung chemischer Substanzen
nachweisen.

Frage 3. Wie kann man mittels der Induktionselektricität die Magnetnadel eines Galvanometers ablenken?

Antwort. Wir nehmen eine Rolle *A*, siehe Fig. 1, welche mit gut isoliertem Kupferdraht umwickelt ist und stecken in die Höhlung derselben eine zweite Drahtrolle *B*, deren beide Drahtenden mit den Polen einer starken galvanischen

Figur 1.

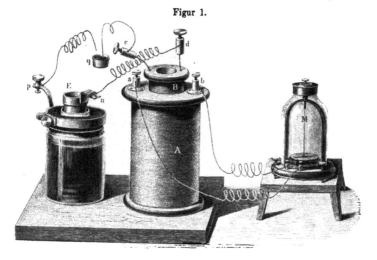

Batterie verbunden sind. Legt man an die Drahtenden *a* und *b* der Rolle *A* ein empfindliches Galvanometer, also etwa einen Multiplikator (s. Erkl. 2) an, und öffnet man den Strom in *B* dadurch, dass man den einen Draht aus dem Quecksilbernapf *q* herauszieht, so schlägt die Galvanometernadel augenblicklich nach der einen Seite aus, geht jedoch ebensorasch wieder in ihre Ruhelage zurück. Schliesst man jetzt den Strom

in *B* wieder, so schlägt die Galvano-
meternadel momentan nach der andern
Seite aus und geht dann sofort in ihre
Ruhelage zurück.

Figur 2.

Nehmen wir ferner die Rolle *A*, siehe
Fig. 3, und verändern wir die relative
Lage einer stromdurchflossenen Rolle
oder eines Magnets *NS* gegen *A* (etwa
durch Eintauchen in und Herausziehen
der Rolle oder des Magnets *NS* aus
der Höhlung der Rolle *A*), so treten
ganz dieselben Erscheinungen auf. Die
Nadel des mit der Rolle *A* verbundenen
Multiplikators schlägt beim Nähern der
stromdurchflossenen Spirale momentan
nach der einen, beim Entfernen nach
der andern Seite aus und geht in ihre
Ruhelage zurück, sobald die relative
Lage nicht mehr verändert wird, sobald
also eine Bewegung der stromdurchflos-

Erkl. 2. Man muss ein empfindliches Galvanometer nehmen, da die Induktionselektricität, welche in der Spule *A* erregt wird, meist
sehr schwach ist. Man wendet aus diesem
Grund häufig einen Multiplikator an, dessen
Konstruktion gerade auf den Nachweis schwacher Ströme gerichtet ist (siehe *May & Krebs*,
Lehrb. des Elektromagnetismus Antw. auf Frage
110 und Antw. auf Frage 174). Fig. 2 zeigt
einen Multiplikator.

senen Drahtrolle nicht mehr erfolgt.
Das gleiche gilt für den Magnet *NS*.

In Bezug auf den Magnet *NS* ist
noch zu bemerken, dass beim Eintauchen
des Nordpols in die Rolle *A* die Nadel
nach der einen, beim Eintauchen des
Südpols nach der andern Seite ausschlägt; umgekehrt ist es beim Herausziehen des Magnets aus der Höhlung
der Rolle *A*.

Figur 3.

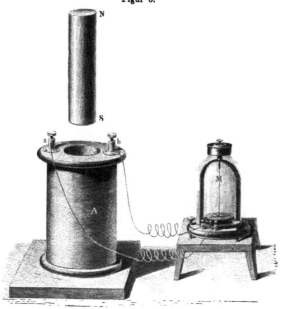

Frage 4. Auf welche Weise kann
man mittels der Induktionselektricität
eine Stahlnadel magnetisieren?

Antwort. Anstatt die Enden der
Drähte der Spule *A* mit einem Galvanometer zu verbinden, kann man dieselben
spiralenförmig um eine Glasröhre win-
den und miteinander verbinden. In diese
Glasröhre legt man die Stahlnadel.
Taucht man dann die stromdurchflossene Spule oder einen Magnet in die
Spule *A*, so wird die Stahlnadel magnetisch. Zieht man die Spule oder den
Magnet wieder aus *A* heraus, so wird

die Stahlnadel wiederum magnetisch, diesmal jedoch in entgegengesetztem Sinne, d. h. in diesem Falle wird an Stelle des Nordpols ein Südpol und an Stelle des Südpols ein Nordpol in der Stahlnadel erregt. Dieselben Erscheinungen treten auf, wenn man die Spule B in die Spule A schiebt, siehe Fig. 1, und den Strom, welcher durch B fliesst, öffnet und schliesst. Es wird dabei die Nadel beim Oeffnen des Stroms entgegengesetzt magnetisch, wie beim Schliessen.

Frage 5. Auf welche Weise kann man mittels der Induktionselektricität chemische Substanzen zersetzen?

Antwort. Bringt man die Enden der Spule A auf ein mit Jodkaliumkleister (s. Erkl. 3) getränktes Papier und taucht man in die Spule A die stromdurchflossene Spule B oder den Magnet NS, so scheidet sich an dem einen Ende der Spule A Jod auf dem Papier ab, welches man an der bläulichen Färbung des Jodkaliumkleisters bemerkt. Zieht man die Spule B oder den Magnet NS wieder aus der Spule A heraus, so scheidet sich an dem andern Ende Jod ab. Dasselbe gilt, wenn man die Spule B in die Spule A steckt und den Strom in B öffnet und schliesst. Es scheidet sich dann beim Oeffnen an dem einen Ende der Spule A, beim Schliessen an dem andern Ende der Spule A Jod ab. Für Zersetzungen chemischer Substanzen ist es jedoch notwendig, die Induktionswirkung in der Spule A zu verstärken. Wie eine solche Verstärkung erreicht wird, soll später gezeigt werden.

Erkl. 3. Jodkaliumkleister ist eine Mischung von Jodkalium (chemisches Zeichen: KJ) in Stärkekleister. Das Jodkalium hat die Eigenschaft, sich leicht zu zersetzen, indem sich Jod abscheidet, welches den Stärkekleister bläulich färbt. Näheres über Jodkaliumkleister siehe *Steffen*, Lehrb. der anorganischen Chemie.

Frage 6. Welcher Art ist die in den Antw. auf die Fragen 2 bis 5 experimentell nachgewiesene Induktionselektricität?

Antwort. In den vorhergehenden Antworten wurde gezeigt, dass die in einem Leiter erregte Induktionselektricität

1). magnetische Wirkungen, und zwar

a). ablenkende
b). magnetisierende } Wirkungen,

2). chemische Wirkungen

besitzt; späterhin werden auch noch Wärme-, Licht-, physiologische und dynamische Wirkungen der Induktions-

Erkl. 4. Die Wirkungen, welche der elektrische Strom hervorbringt, sind:

  1). Wärmewirkungen,
  2). Lichtwirkungen,
  3). chemische   )
  4). physiologische |
  5). dynamische   } Wirkungen.
  6). magnetische   )

(Siehe *May*, Lehrbuch der Kontaktelektricität Antw. auf Frage 245.)

elektricität nachgewiesen werden (siehe in diesem Lehrb. den Abschnitt „Ueber die Wirkungen des Induktionsstroms"). Alle diese Wirkungen aber stimmen genau überein mit den Wirkungen eines elektrischen Stroms (s. Erkl. 4). Ausserdem haben wir gesehen, dass die Induktionselektricität nur von momentaner Dauer ist, da die Nadel eines Multiplikators alsbald wieder in ihre Ruhelage zurückkehrt (siehe Antw. auf Frage 3).

Es berechtigen somit die Wirkungen der Induktionselektricität zu der Annahme, dass die Induktionselektricität eine strömende, ein elektrischer Strom von momentaner Dauer sei.

Man spricht daher auch meistens von Induktionsströmen und nicht von Induktionselektricität.

Frage 7. Von wem wurde die Induktionselektricität entdeckt?

Erkl. 5. *Michael Faraday*, geb. 22. Sept. 1791 zu Newington bei London, † 25. Aug. 1867, war ein bedeutender Physiker, welcher namentlich für den ungeheuren Aufschwung der Elektricität bahnbrechend war. Er war Professor an der Royal Institution und an der Militärakademie zu Woolwich. Die Induktionselektricität entdeckte er im Jahre 1831 (Faraday, Experimental researches, Serie I und II, 1831 u. 1832).

Antwort. *Faraday* war es, welcher zuerst die Induktionselektricität entdeckte und ihr Wesen erforschte (siehe Erkl. 5).

Frage 8. In welche Hauptteile kann man die Induktion einteilen?

Antwort. Mit Rücksicht auf die Form der Leiter, in welchen Induktionsströme erregt werden sollen, kann man unterscheiden zwischen

  a). Induktion in linearen Leitern,
  b). Induktion in körperlichen Leitern.

Da ferner in einem und demselben Leiter, welcher von einem Strom durchflossen wird, die einzelnen Elemente desselben induzierend aufeinander wirken, so ergibt sich als dritter Hauptteil

  c). die Selbstinduktion.

B. Ueber die Induktion in linearen Leitern.

Frage 9. Was versteht man unter Induktion in linearen Leitern?

Antwort. Induktion in linearen Leitern ist diejenige Induktion, welche in Leitern, deren Länge im Verhältnis zum Querschnitt sehr gross ist, also etwa in Metalldrähten erregt wird.

Frage 10. In welcher Form werden die linearen Leiter zu Induktionszwecken verwendet?

Antwort. Bei linearen Leitern, in welchen Induktionsströme erregt werden sollen, muss darauf geachtet werden, dass die induzierende Kraft eines stromdurchflossenen Leiters oder eines Magnets möglichst gleichmässig auf die einzelnen Teile des linearen Leiters wirkt. Der lineare Leiter muss daher so angeordnet werden, dass er einen möglichst kleinen Raum einnimmt. Dies wird erreicht, wenn man ihn auf eine Rolle wickelt. Eine solche Rolle nennt man Induktions- oder Nebenrolle.

1). Ueber die Richtung der in linearen Leitern erregten Induktionsströme.

Frage 11. Wie bestimmt man die Richtung der in linearen Leitern erregten Induktionsströme?

Antwort. Die Richtung der in linearen Leitern, also in Induktionsrollen (siehe Antw. auf vorige Frage) erregten Induktionsströme bestimmt man durch die Richtung der Ablenkung einer Multiplikatornadel, welche der Wirkung des Induktionsstroms ausgesetzt ist.

Frage 12. Welches Gesetz besteht in betreff der Richtung der Induktionsströme, welche durch Oeffnen und Schliessen des in einer andern Rolle fliessenden Stroms erregt werden?

Antwort. Nennt man die stromdurchflossene Rolle, welche einen Strom in der Induktionsrolle erregen soll, die Hauptrolle, und den durch sie fliessenden Strom den Hauptstrom, so lautet das Gesetz für die Richtung des Induktionsstroms:

„Beim Schliessen des Stroms in der Hauptrolle wird in der Induktionsrolle ein Strom erregt,

welcher dem Hauptstrom entgegengesetzt, beim Oeffnen ein
Induktionsstrom erregt, welcher
ihm gleichgerichtet ist.

Frage 13. Wie kann man dieses Gesetz experimentell bestätigen?

Antwort. Es bezeichne in Fig. 4 *A*
die Hauptrolle, *B* die Induktionsrolle.
Die Drahtenden von *A* seien *a* und *b*,
die von *B* aber *c* und *d*; ferner stelle
R eine galvanische Säule, *G* ein empfindliches Galvanometer (Multiplikator)
mit den beiden Klemmen *e* und *f* und
W ein Gefäss mit Wasser dar.

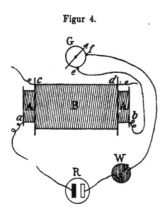

Figur 4.

Um zunächst die Richtung der Ablenkung der Multiplikatornadel zu erhalten, welche der durch die Hauptrolle
A fliessende Strom bewirkt, verbinden
wir den positiven Pol der Säule *R* mit
a, die Klemme *b* mit *e*, leiten von *f* aus
einen Draht in das Gefäss *W* und von
W aus einen Draht nach dem negativen
Pol der Säule *R*. Dabei ist darauf zu
achten, dass die beiden in das Gefäss
W tauchenden Drähte einander nicht berühren. Es läuft dann der Strom von
dem positiven Pol der Säule *R* nach *a*,
durchfliesst die Hauptrolle *A*, geht von
b über *e* durch den Multiplikator *G* nach
f, von da nach dem in das Gefäss *W*
tauchenden Drahtende *g*, dann durch
das Wasser nach dem Drahtende *h* (siehe
Erkl. 6) und von da aus nach dem negativen Pol der Säule *R*. Sobald aber ein
Strom die Multiplikatorwindungen zwischen *e* und *f* durchfliesst, wird die
Multiplikatornadel in einer bestimmten Richtung abgelenkt. Diese Richtung merken wir uns.

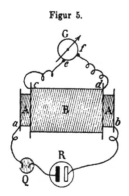

Figur 5.

Verbinden wir jetzt den positiven Pol
von *R* mit dem Quecksilbergefäss *Q*,
ausserdem den negativen Pol von *R*
mit *b*, *c* mit *e* und *d* mit *f*, so wird,
sobald wir *a* mit *Q* verbinden, ein Strom
durch die Hauptrolle *A* in der Richtung
von *a* nach *b* fliessen und dieser in der
Induktionsrolle *B* einen momentanen
Strom erregen, welcher die Multiplikatornadel in einer bestimmten Richtung ablenkt. Vergleichen wir aber
diese Richtung mit jener Richtung, in

welcher der Hauptstrom die Nadel abgelenkt hat, so finden wir, dass diese Richtung jener Richtung entgegengesetzt ist. Fliesst also der Hauptstrom in der Hauptrolle in der Richtung von *a* nach *b*, so fliesst der in *B* beim Schliessen des Hauptstroms erregte Induktionsstrom gerade in entgegengesetzter Richtung, also von *d* nach *c*.

Oeffnet man dagegen den Strom in der Hauptrolle *A* z. B. dadurch, dass man die Verbindung zwischen *Q* und *a* löst, so wird im Moment des Oeffnens in *B* ein Induktionsstrom erregt, welcher die Multiplikatornadel in entgegengesetzter Richtung ablenkt, als wie beim Schliessen des Hauptstroms. Im Moment des Oeffnens wird daher in *B* ein Induktionsstrom erregt, welcher von *c* nach *d* läuft, also in gleicher Richtung wie der Hauptstrom, daher:

„Der beim Schliessen des Hauptstroms in der Induktionsrolle erregte Induktionsstrom ist dem Hauptstrom entgegengesetzt, der beim Oeffnen erregte Induktionsstrom dem Hauptstrom gleichgerichtet.

Erkl. 6. Man schaltet ein Gefäss mit Wasser in den Stromkreis ein, weil der Hauptstrom zu stark ist für ein so empfindliches Galvanometer. Dadurch aber, dass der Hauptstrom an einer Stelle durch Wasser fliesst, wird er derart geschwächt, dass er eine zweckentsprechende Ablenkung bewirkt. Das Wasser ist bekanntlich ein schlechter Leiter im Vergleich zu Metalldrähten.

Frage 14. Welches Gesetz gilt für die Richtung der Induktionsströme, welche in einer Induktionsrolle erregt werden, wenn man eine stromdurchflossene Rolle oder einen Magnet der Induktionsrolle nähert, bezw. von ihr entfernt?

Erkl. 7. Dieses Gesetz wurde zuerst von *Lenz* aufgestellt und experimentell nachgewiesen. Man nennt es nach seinem Entdecker das „Lenzsche Gesetz" (Lenz, Pogg. Annalen Bd. 31, 1834).

Antwort. Das Gesetz für die durch Bewegung einer stromdurchflossenen Rolle oder eines Magnets in der Induktionsrolle erregten Induktionsströme lautet:

Die Richtung des Induktionsstroms ist immer eine solche, dass derselbe dem Magnet resp. der vom Hauptstrom durchflossenen Rolle die entgegengesetzte Bewegung erteilen würde (siehe Erkl. 7).

Frage 15. Wie kann man dieses Gesetz durch Versuche bestätigen?

Antwort. Die Lehren des Elektromagnetismus haben dargethan (siehe *May* u. *Krebs*, Lehrb. des Elektromagnetismus Antw. auf Frage 128), dass man eine stromdurchflossene Drahtrolle als einen Magnet betrachten darf. Der Südpol einer solchen Rolle befindet sich an dem Ende der Rolle, an welchem der Strom von aussen betrachtet in demselben Sinne kreist, wie der Zeiger einer Uhr, der Nordpol an dem Ende, an welchem der Strom in entgegengesetztem Sinne kreist (siehe *May*, Lehrb. der Elektrodynamik Antw. auf Frage 56). Es genügt daher, wenn wir das Gesetz nur für Magnete nachweisen. In Fig. 6 sind verschiedene Momente der Bewegung eines Magnets *NS* gegen eine Drahtrolle *AB* gezeichnet. Es sei *N* der Nordpol, *S* der Südpol. Verbindet man die Drahtenden mit einem empfindlichen Multiplikator und nähert man den Magnet der Drahtrolle in der Richtung des Pfeils in Fig. 6a, so wirkt zunächst hauptsächlich der Südpol *S* auf die Rolle ein und erregt in derselben einen Induktionsstrom, welcher gemäss der beobachteten Ablenkung der Multiplikatornadel so verläuft, dass er die Rolle, von rechts gesehen, im Sinne des Zeigers einer Uhr umkreist. Es wird demgemäss an der dem Pole *S* zunächst gelegenen Fläche *A* der Rolle ein Südpol gebildet, welcher den Südpol des Magnets abzustossen sucht (siehe Erkl. 8). Dieselbe Richtung hat der Induktionsstrom in Fig. 6b, wie man aus der Richtung der Ablenkung der Multiplikatornadel ersieht. Sobald jedoch die Bewegung des Magnets so weit fortgeschritten ist, dass der Südpol des Magnets weiter von der Rolle entfernt ist als der Nordpol (siehe Fig. 6c), kehrt sich die Richtung der Ablenkung der Multiplikatornadel um und der Induktionsstrom durchfliesst die Rolle in einem Sinne, dass er an der dem Pol *N* zunächst gelegenen Fläche *A* der Rolle

Figur 6.

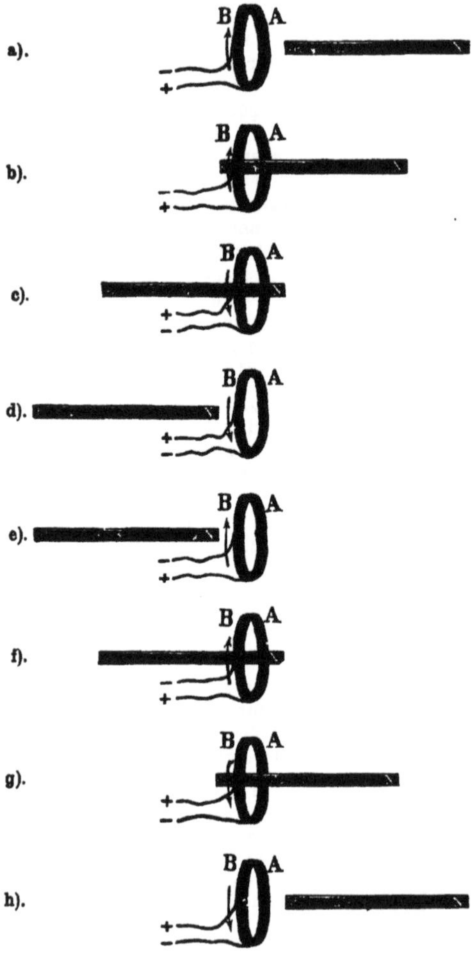

a).

b).

c).

d).

e).

f).

g).

h).

Erkl. 8. Nach den Lehren des Magnetismus ziehen ungleichnamige Pole (Nordpol und Südpol) einander an, stossen gleichnamige (Nordpol und Nordpol, Südpol und Südpol) einander ab. Der Südpol S in Fig. 6 a bewegt sich gegen den Südpol an der Fläche A; es wird daher der Südpol an A die Bewegung des Pols S zu hemmen suchen.

Erkl. 9. In dem durch Fig. 6 h dargestellten Fall bewegt sich der Südpol von dem in der Fläche A erzeugten Nordpol weg. Der Nordpol in A zieht aber den Südpol S an; er wird daher die Bewegung des Südpols S hemmen.

einen Nordpol erzeugt, welcher die Bewegung des Pols N gegen die Rolle zu verlangsamen strebt. Dieselbe Richtung hat der Induktionsstrom noch in Fig. 6 d.

Bewegen wir jetzt den Magnet in der Richtung des Pfeils Fig. 6 e, also in entgegengesetzter Richtung, so kehrt sich die Richtung der Ablenkung der Multiplikatornadel um und an der dem Pol N am nächsten gelegenen Fläche B der Rolle bildet sich in der Rolle ein Nordpol, welcher die Bewegung des Magnets zu hemmen sucht. Dieselbe Richtung hat der Induktionsstrom auch noch in Fig. 6 f. Sobald aber die Mitte des Magnetstabs durch die Rolle hindurchgegangen ist, siehe Fig. 6 g, kehrt sich der Induktionsstrom um; es bildet sich in der Rolle an der Fläche B ein Südpol, welcher die Bewegung des Pols S zu hemmen sucht. Dieselbe Richtung hat der Induktionsstrom in Fig. 6 h und der an der Fläche A bewirkte Nordpol sucht die Bewegung des Pols S zu hemmen indem er auf ihn eine anziehende Kraft ausübt (s. Erkl. 9).

2). Ueber die Verstärkung der in linearen Leitern erregten Induktionsströme.

Frage 16. Auf welche Weise kann man die in linearen Leitern und zwar speziell die in einer Induktionsrolle erregten Induktionsströme verstärken?

Antwort. Induktionsströme werden verstärkt:

1). Durch Vergrösserung der durch die Hauptrolle fliessenden Stromstärke,
2). durch Vermehrung der Windungen der Hauptrolle,
3). durch Vermehrung der Windungen der Induktionsrolle,
4). durch Einführen eines weichen Eisenstabs oder eines Bündels weichen Eisendrahts.

Frage 17. Wie kann man diese Verstärkungen der in der Induktionsrolle erregten Induktionsströme experimentell nachweisen?

Antwort. Diese Verstärkungen werden am einfachsten mittels eines Galvanometers nachgewiesen und zwar wendet man zum Nachweis der in voriger

Antwort unter 1)., 2). und 3). angegebenen Verstärkungen einen Multiplikator
(s. Erkl. 2) an, während zum Nachweis
der unter 4). angegebenen Verstärkung
schon ein weniger empfindliches Galvanometer benutzt werden kann.

---

a). Ueber die Verstärkung der Induktionsströme durch Vergrösserung der Stromstärke und der Anzahl der Windungen der Hauptrolle.

Frage 18. Wie kann man sich die Verstärkung der in der Induktionsrolle erregten Induktionsströme durch Vergrösserung der Stromstärke und die Vermehrung der Anzahl der Windungen der Hauptrolle erklären?

Antwort. Die Lehren des Elektromagnetismus und der Elektrodynamik zeigen, dass die Fernwirkung einer stromdurchflossenen Spule um so grösser ist, je grösser das Produkt aus der durch diese Spule fliessenden Stromstärke und der Anzahl der Windungen dieser Spule ist. Nun beruht aber die Induktion auf der Fernwirkung von stromdurchflossenen Leitern oder von Magneten (siehe Erkl. 9a); es wird daher die Induktion um so stärker sein, je grösser diese Fernwirkung ist.

Erkl. 9a. Unter Fernwirkung versteht man allgemein jene Wirkung zweier Körper, die einander nicht direkt berühren, wie z. B. die Wirkung zweier Magnete, die sich in einiger Entfernung von einander befinden.

Die Fernwirkung als Produkt aus Stromstärke und Windungszahl kann aber einerseits vermehrt werden durch die Vergrösserung der Stromstärke bei gleichbleibender Windungszahl, anderseits durch Vermehrung der Anzahl der Windungen bei gleichbleibender Stromstärke. Es ist daher erklärlich, dass auch die Induktionsströme einerseits durch Vergrösserung der Stromstärke bei gleichbleibender Windungszahl, anderseits durch Vermehrung der Anzahl von Windungen verstärkt werden können.

Frage 19. Was ist bei der Verstärkung der Induktionsströme durch Vermehrung der Anzahl der Windungen der Hauptrolle besonders zu beachten?

Antwort. Man muss bei der Vermehrung der Windungen, oder was dasselbe ist, bei der Verlängerung des Drahts auf der Hauptrolle besonders beachten, dass die Stromstärke auch in dem verlängerten Draht noch die gleiche bleibt. Nun nimmt aber die Stromstärke bei gleichem Querschnitt des Drahts mit der Verlängerung des Drahts ab, da der Leitungswiderstand eines Drahts mit der Verlängerung zunimmt (s. *May*, Lehrb. der Kontaktelektricität Antw. auf Frage 191 u. Erkl. 9b).

Erkl. 9b. Der Leitungswiderstand nimmt zu mit der Vergrösserung der Länge und nimmt ab mit der Vergrösserung des Querschnitts.

Daher muss man, um in dem verlängerten Draht die gleiche Stromstärke zu erhalten, den Querschnitt ändern. Da ferner der Leitungswiderstand sich um so mehr verringert, je grösser der Querschnitt wird, so muss man, damit in dem verlängerten Draht die Stromstärke die gleiche bleibt, den Querschnitt des Drahtes entsprechend vergrössern.

b). Ueber die Verstärkung der Induktionsströme durch Vermehrung der Windungen der Induktionsrolle.

Frage 20. Wie kann man sich die Verstärkung der Induktionsströme durch Vermehrung der Windungen der Induktionsrolle erklären?

Erkl. 10. Die Wahl der Dicke des Drahtes auf der Induktionsrolle hat jedoch eine Grenze. Zunächst ist es die Erwärmung des Drahtes durch die Induktionsströme, welche verbietet, dass man den Draht allzudünn wählt; dann aber werden sehr dünne Drähte nicht wohl Electricitätsmengen von grosser Spannung ohne Gefahr für die Isolation der einzelnen Windungen aufnehmen können.

Erkl. 11. Bei Induktorien sucht man durch den Strom der Hauptrolle in der Induktionsrolle einen Induktionsstrom von grosser Spannung zu erzeugen, nicht aber von grosser Stromstärke. (Siehe dieses Lehrb. Abschnitt: Ueber die Induktorien.)

Antwort. Vermehrt man die Windungen der Induktionsrolle bei gleichbleibendem Volumen der Rolle, so sind jetzt mehr Drahtelemente der Fern- oder „induzierenden" Wirkung der Hauptrolle ausgesetzt. Die Hauptrolle wirkt auf ein bestimmtes Volumen mit einer bestimmten induzierenden Kraft, und diese Kraft kommt um so mehr zur Geltung je grösser die Zahl der in diesem Volumen enthaltenen Elemente ist, welche durch die elektrische Fernwirkung beeinflusst werden können, d. h. die induzierende Wirkung ist um so grösser, je mehr Windungen auf ein bestimmtes Volumen kommen. Man wird daher auf der Induktionsrolle möglichst viele Windungen dünnen Drahtes aufwickeln um eine möglichst grosse Ausnutzung der induzierenden Kraft der Hauptrolle zu ermöglichen (s. Erkl. 10). Dadurch wird allerdings der Widerstand der Induktionsrolle bedeutend erhöht und der Induktionsstrom keine grosse Stromstärke haben, dagegen erhöht sich die elektromotorische Kraft und die Spannung des Induktionsstroms (s. Erkl. 11).

c). Ueber die Verstärkung der Induktionsströme durch Einschieben von weichem Eisen in die Höhlung der Hauptrolle.

Frage 21. Wie hat man die Verstärkung der in der Induktionsrolle erregten Induktionsströme durch Einschiebung von weichem Eisen in die Höhlung der Hauptrolle erklärt?

Antwort. Befindet sich in der Höhlung der Hauptrolle weiches Eisen (s. Erkl. 12), so wird dasselbe durch die Einwirkung der stromdurchflossenen Hauptrolle magnetisch (siehe *May* u. *Krebs*, Lehrb. des Elektromagnetismus Teil I Antw. auf Frage 41). Beim Oeffnen des Stroms in der Hauptrolle wird dagegen das Eisen wieder unmagnetisch. Das Verschwinden des Magnetismus wirkt aber in gleicher Weise wie das Verschwinden des primären Stroms induzierend auf die Induktionsrolle ein; der verschwindende Magnetismus erregt in der Induktionsrolle einen Strom, welcher dem durch den verschwindenden Strom der Hauptrolle in der Induktionsrolle induzierten Strom gleichgerichtet ist. Die induzierende Wirkung des verschwindenden Magnetismus und die des verschwindenden Stroms der Hauptrolle summieren sich und daraus erklärt sich die Verstärkung des in der Induktionsrolle erregten Induktionsstroms. Dasselbe gilt, wenn der Strom in der Hauptrolle wieder geschlossen wird; auch dann summieren sich wieder die induzierenden Wirkungen des entstehenden Stroms und des entstehenden Magnetismus; der Induktionsstrom wird auch in diesem Falle verstärkt, nur durchfliesst er jetzt die Induktionsrolle im entgegengesetzten Sinne wie im ersten Falle (siehe Antw. auf Frage 12). Analog verhält es sich, wenn man die stromdurchflossene Hauptrolle, in welcher sich weiches Eisen befindet, der Induktionsrolle nähert oder entfernt. Sowohl beim Nähern als auch beim Entfernen summieren sich die induzierenden Wirkungen des genäherten bezüglich entfernten Magnets und stromdurchflossenen Leiters. Die Induktionsströme werden verstärkt.

Erkl. 12. Man wählt w e i c h e s Eisen, weil dasselbe die Eigenschaft hat durch einen stromdurchflossenen Leiter magnetisiert beim Verschwinden des Stroms sofort seinen Magnetismus zu verlieren und beim Entstehen desselben sofort wieder magnetisch zu werden (siehe *May* und *Krebs*, Lehrb. des Elektromagnetismus Antw. auf Frage 46).

Frage 22. Inwiefern macht es einen Unterschied, ob man einen massiven Stab weichen Eisens oder ein Bündel weicher Eisendrähte in die Höhlung der Hauptrolle einschiebt?

Antwort. Legt man einmal einen massiven Stab weichen Eisens und dann ein Bündel weicher Eisendrähte in die Höhlung der Hauptrolle und verbindet die Enden der Induktionsrolle mit einem Multiplikator, so wird die Multiplikatornadel etwa bei Stromöffnung im ersten Falle stärker abgelenkt, als wenn sich ein Bündel weicher Eisendrähte in der Hauptrolle befindet. Folgende von *J. Müller* angegebene Versuchsreihe zeigt den Zusammenhang ausserordentlich gut. Die Zahlen geben die durch den Induktionsstrom bewirkten Ablenkungen der Multiplikatornadel an.

Hauptrolle ohne Einschiebung	. .	6,5⁰
„	mit einem Bündel dünner Eisendrähte	45⁰
„	mit einem Bündel dicker Eisendrähte	48⁰
„	mit einem massiven Eisenstab	63⁰

Erkl. 13. Die Wirkungen der Induktionsströme auf das Nervensystem nennt man physiologische. Werden in der Induktionsrolle Ströme erregt und nimmt man die beiden Enden der Induktionsrolle in die beiden Hände, so verspürt man mehr oder minder heftige Erschütterungen. (Ausführliches findet man in diesem Lehrb. im Abschnitt: „Ueber die physiologischen Wirkungen der Induktionsströme".)

Bei den galvanometrischen Wirkungen der Induktionsströme zeigt es sich also, dass ein massiver S t a b weichen Eisens einem Drahtbündel vorzuziehen ist. Dagegen ist es gerade umgekehrt bei den physiologischen Wirkungen der Induktionsströme (s. Erkl. 13). Die Verstärkung der Induktionsströme in physiologischer Hinsicht ist stärker, wenn man ein B ü n d e l weichen Eisendrahts, weniger stark, wenn man einen massiven S t a b weichen Eisens in die Hauptrolle bringt.

---

3). Ueber die Selbstinduktion in linearen Leitern.

Frage 23. Was v e r s t e h t man unter der S e l b s t i n d u k t i o n in l i n e a r e n L e i t e r n?

Erkl. 14. Die S e l b s t i n d u k t i o n in linearen Leitern wurde zuerst von *Masson* und *Jenkins* (1834) beobachtet und von *Faraday* (1835) näher untersucht und erklärt.

Antwort. Ebenso wie in einem benachbarten Leiter, erregt ein stromdurchflossener Leiter beim Oeffnen und Schliessen des Stroms in seinem e i g e n e n Stromkreis einen Induktionsstrom von m o m e n t a n e r Dauer. Es rührt dies daher, weil die einzelnen Elemente des Stromkreises im M o m e n t des Oeffnens oder Schliessens ungleichmässig vom Strome durchflossen sind und daher induzierend auf einander einwirken. Diese Art der Induktion nennt man S e l b s t - i n d u k t i o n (s. Erkl. 14).

Frage 24. Wie n e n n t man die Induktionsströme, welche durch S e l b s t i n d u k t i o n e n t s t e h e n?

Erkl. 15. Extracurrent ist die Benennung, welche *Faraday* diesen Strömen gab (current vom engl. = Strom).

Antwort. Die S t r ö m e, welche durch Oeffnen und Schliessen des Stroms eines stromdurchflossenen Leiters in diesem Leiter entstehen, nennt man:

Extraströme, Nebenströme oder Extracurrents (s. Erkl. 15).

Frage 25. Welche Richtung haben die Extraströme mit Bezug auf die Richtung des Hauptstroms?

Antwort. Der im Moment des Schliessens des Hauptstroms erregte Extrastrom ist dem Hauptstrom entgegengesetzt gerichtet; er wird also den Hauptstrom momentan schwächen, so dass er nicht sofort mit voller Stärke den Leiter durchfliessen wird. Da jedoch der Extrastrom wie alle Induktionsströme nur von momentaner Dauer ist, so wird nach dem Verschwinden des Extrastroms der Hauptstrom seine volle Stärke erreichen. Der im Moment des Oeffnens des Hauptstroms erregte Extrastrom ist dem Hauptstrom gleichgerichtet; er addiert sich daher zu dem Hauptstrom und vermehrt dessen Intensität im Moment des Oeffnens.

Frage 26. Wie kann man die beim Oeffnen und Schliessen des Hauptstroms erregten Extraströme verstärken?

Antwort. Um starke Extraströme zu erregen, ist es zunächst notwendig dem linearen Leiter die Form einer Drahtrolle zu geben. Man kann dann die in der Drahtrolle erregten Extraströme einesteils dadurch verstärken, dass man die Windungen der Drahtrolle vermehrt, anderteils ganz beträchtlich dadurch, dass man in die Drahtspirale einen Kern weichen Eisens einschiebt. Es entsteht und verschwindet in dem Eisenkern gleichzeitig mit dem Entstehen und Verschwinden des Hauptstroms der temporäre (s. Erkl. 16) Magnetismus, wodurch in der Drahtrolle Induktionswirkungen in gleichem Sinne wie durch die Stromschliessungen und Unterbrechungen hervorgerufen werden.

Erkl. 16. Ist ein Stück weichen Eisens von einer stromdurchflossenen Spirale umgeben, so wird das Eisen magnetisch. Der Magnetismus verschwindet jedoch, sobald der Strom der Spirale unterbrochen wird. Daher der Name temporärer (vorübergehender) Magnetismus (siehe *May* und *Krebs*, Lehrb. des Elektromagnetismus Antw. auf Frage 44).

a). Ueber den Oeffnungsextrastrom.

Frage 27. Wie kann man den beim Oeffnen des Stroms eines stromdurchflossenen Leiters in diesem Leiter auftretenden Extrastrom experimentell nachweisen?

Antwort. 1). Man verbindet den Pol Z, siehe Fig. 7, eines galvanischen Elements R durch einen kurzen Draht mit einem Quecksilbernäpfchen Q, in welches der mit dem Pol K verbundene Draht taucht. In dem Moment, wo man einen Leitungsdraht aus Q heraushebt, wo also

Der **ausführliche Prospekt** und das **ausführliche Inhaltsverzeichnis** der „vollständig gelösten Aufgabensammlung von Dr. Ad. Kleyer" kann von jeder Buchhandlung, sowie von der Verlagshandlung **gratis und portofrei** bezogen werden.

Bemerkt sei hier nur:

1). Jedes Heft ist aufgeschnitten und gut brochiert, um den sofortigen und dauern den Gebrauch zu gestatten.

2). Jedes Kapitel enthält sein besonderes Titelblatt, Inhaltsverzeichnis, Berichtigungen und Erklärungen am Schlusse desselben.

3). Auf jedes einzelne Kapitel kann abonniert werden.

4). Monatlich erscheinen 3—4 Hefte zu dem Abonnementspreise von 25 Pfg. pro Heft.

5). Die Reihenfolge der Hefte im nachstehenden, kurz angedeuteten Inhaltsverzeichnis ist, wie aus dem Prospekt ersichtlich, ohne jede Bedeutung für die Interessenten.

6). Das Werk enthält Alles, was sich überhaupt auf mathematische Wissenschaften bezieht, alle Lehrsätze, Formeln und Regeln etc. mit Beweisen, alle praktischen Aufgaben in vollständig gelöster Form mit Anhängen ungelöster analoger Aufgaben und vielen vortrefflichen Figuren.

7). Das Werk ist ein praktisches Lehrbuch für Schüler aller Schulen, das beste Handbuch für Lehrer und Examinatoren, das vorzüglichste Lehrbuch zum Selbststudium, das vortrefflichste Nachschlagebuch für Fachleute· und Techniker jeder Art.

8). Alle Buchhandlungen nehmen Bestellungen entgegen.

☞ Das vollständige

Inhaltsverzeichnis
der bis jetzt erschienenen Hefte

kann durch jede Buchhandlung bezogen werden.

Halbjährlich erscheinen Nachträge über die inzwischen neu erschienenen Hefte.

Druck von Carl Hammer in Stuttgart.

514. Heft

Preis des Heftes **25 Pf.**

Die Induktionselektricitä

Forts. v. Heft 513. — Seite 17—32

Mit 11 Figuren.

Vollständig gelöste

Aufgaben-Sammlung

— nebst Anhängen ungelöster Aufgaben, für den Schul- & Selbstunterricht —

mit

Angabe und Entwicklung der benutzten Sätze, Formeln, Regeln, in Fragen und Antworten

erläutert durch

viele Holzschnitte & lithograph. Tafeln,

aus allen Zweigen

der Rechenkunst, der niederen (Algebra, Planimetrie, Stereometrie, ebenen u. sphärischen Trigonometrie, synthetischen Geometrie etc.) u. höheren Mathematik (höhere Analysis, Differential- u. Integral-Rechnung, analytische Geometrie der Ebene u. des Raumes etc.); — aus allen Zweigen der Physik, Mechanik, Graphostatik, Chemie, Geodäsie, Nautik, mathemat. Geographie, Astronomie; des Maschinen-, Strassen-, Eisenbahn-, Wasser-, Brücken- u. Hochbau's; der Konstruktionslehren als: darstell. Geometrie, Polar- u. Parallel-Perspektive, Schattenkonstruktionen etc. etc.

für

Schüler, Studierende, Kandidaten, Lehrer, Techniker jeder Art, Militärs etc.

zum einzig richtigen und erfolgreichen

Studium, zur Forthülfe bei Schularbeiten und zur rationellen Verwertung der exakten Wissenschaften,

herausgegeben von

Dr. Adolph Kleyer,

Mathematiker, vereideter königl. preuss. Feldmesser, vereideter grossh. hessischer Geometer I. Klasse

·in Frankfurt a. M.

unter Mitwirkung der bewährtesten Kräfte.

Die Induktionselektricität.

Nach System Kleyer bearbeitet von **Adolf Krebs** in Darmstadt.

Fortsetzung v. Heft 513. — Seite 17—32. Mit 11 Figuren.

Inhalt:

Schliessungsextrastrom. — Gesetze der Extraströme. — Einteilung der Induktion in linearen Leitern. — Galvanische Induktion. — Galvanische Induktionsapparate. — Die Induktorien. — Die Hauptrolle. — Der Eisenkern der Hauptrolle. — Die Induktionsrolle. — Die Stromunterbrechungsvorrichtungen.

Stuttgart 1889.

Verlag von Julius Maier.

Das vollständige Inhaltsverzeichnis der bis jetzt erschienenen Hefte kann durch jede Buchhandlung bezogen werden.

PROSPEKT.

Dieses Werk, welchem kein ähnliches zur Seite steht, erscheint monatlich in 3—4 Heften zu dem billigen Preise von 25 ₰ pro Heft und bringt eine Sammlung der wichtigsten und praktischsten Aufgaben aus dem Gesamtgebiete der Mathematik, Physik, Mechanik, math. Geographie, Astronomie, des Maschinen-, Strassen-, Eisenbahn-, Brücken- und Hochbaues, des konstruktiven Zeichnens etc. etc. und zwar in vollständig gelöster Form, mit vielen Figuren, Erklärungen nebst Angabe und Entwickelung der benutzten Sätze, Formeln, Regeln in Fragen mit Antworten etc., so dass die Lösung jedermann verständlich sein kann, bezw. wird, wenn eine grössere Anzahl der Hefte erschienen ist, da dieselben sich in ihrer Gesamtheit ergänzen und alsdann auch alle Teile der reinen und angewandten Mathematik — nach besonderen selbständigen Kapiteln angeordnet — vorliegen.

Fast jedem Hefte ist ein Anhang von ungelösten Aufgaben beigegeben, welche der eigenen Lösung (in analoger Form wie die bezüglichen gelösten Aufgaben) des Studierenden überlassen bleiben, und zugleich von den Herren Lehrern für den Schulunterricht benutzt werden können. Die Lösungen hierzu werden später in besonderen Heften für die Hand des Lehrers erscheinen. Am Schlusse eines jeden Kapitels gelanger: Titelblatt, Inhaltsverzeichnis, Berichtigungen und erläuternde Erklärungen über das betreffende Kapitel zur Ausgabe.

Das Werk behandelt zunächst den Hauptbestandteil des mathematisch-naturwissenschaftlichen Unterrichtsplanes folgender Schulen: Realschulen I. und II. Ordn., gleichberechtigten höheren Bürgerschulen, Privatschulen, Gymnasien, Realgymnasien, Progymnasien, Schullehrer-Seminaren, Polytechniken, Techniken, Baugewerkschulen, Gewerbeschulen, Handelsschulen, techn. Vorbereitungsschulen aller Arten, gewerbliche Fortbildungsschulen, Akademien, Universitäten, Land- und Forstwissenschaftsschulen, Militärschulen, Vorbereitungs-Anstalten aller Arten als z. B. für das Einjährig-Freiwillige- und Offiziers-Examen etc.

Die Schüler, Studierenden und Kandidaten der mathematischen, technischen und naturwissenschaftlichen Fächer werden durch diese, Schritt für Schritt gelöste, Aufgabensammlung immerwährend an ihre in der Schule erworbenen oder nur gehörten Theorien etc. erinnert und wird ihnen hiermit der Weg zum unfehlbaren Auffinden der Lösungen derjenigen Aufgaben gezeigt, welche sie bei ihren Prüfungen zu lösen haben, zugleich aber auch die überaus grosse Fruchtbarkeit der mathematischen Wissenschaften vorgeführt.

Dem Lehrer soll mit dieser Aufgabensammlung eine kräftige Stütze für den Schul-Unterricht geboten werden, indem zur Erlernung des praktischen Teils der mathematischen Disciplinen — zum Auflösen von Aufgaben — in den meisten Schulen oft keine Zeit erübrigt werden kann, hiermit aber dem Schüler bei seinen häuslichen Arbeiten eine vollständige Anleitung in die Hände gegeben wird, entsprechende Aufgaben zu lösen, die gehabten Regeln, Formeln, Sätze etc. anzuwenden und praktisch zu verwerten. Lust, Liebe und Verständnis für den Schulunterricht wird dadurch erhalten und belebt werden.

Den Ingenieuren, Architekten, Technikern und Fachgenossen aller Art, Militärs etc. etc. soll diese Sammlung zur Auffrischung der erworbenen und vielleicht vergessenen mathematischen Kenntnisse dienen und zugleich durch ihre praktischen in allen Berufszweigen vorkommenden Anwendungen einem toten Kapital lebendige Kraft verleihen und somit den Antrieb zu weiteren praktischen Verwertungen und weiteren Forschungen geben.

Alle Buchhandlungen nehmen Bestellungen entgegen. Wichtige und praktische Aufgaben werden mit Dank von der Redaktion entgegengenommen und mit Angabe der Namen verbreitet. — Wünsche, Fragen etc., welche die Redaktion betreffen, nimmt der Verfasser, Dr. Kleyer, Frankfurt a. M., Fischerfeldstrasse 16, entgegen, und wird deren Erledigung thunlichst berücksichtigt.

Stuttgart. **Die Verlagshandlung.**

Figur 7.

Figur 8.

Figur 9.

Erkl. 17. Die Handhaben dienen dazu, den menschlichen Körper mit einem Stromkreis in leitende Verbindung zu bringen.

der Strom geöffnet wird, zeigt sich an der Oeffnungsstelle ein schwacher Funken.

Bringt man in die Schliessungsrolle jedoch noch eine Drahtrolle mit vielen Windungen, siehe Fig. 8, so zeigt sich beim Oeffnen des Hauptstroms durch Herausheben eines Leitungsdrahts aus dem Quecksilbernapf Q ein lebhafter Funken. Dieser lebhafte Funke kann aber nur durch den entstandenen verstärkten Extrastrom hervorgerufen sein, da doch der Hauptstrom, durch das Einführen der Drahtrolle bedeutend geschwächt, überhaupt keinen Funken hervorbringen könnte. Der Oeffnungsfunke wird noch bedeutend verstärkt, wenn man einen Stab weichen Eisens in die Drahtrolle schiebt.

2). Legt man an die in dem Quecksilbernapf Q befindlichen Enden der Leitung zwei metallische Handhaben (s. Erkl. 17 und Fig. 9) an und fasst man dieselben mit befeuchteten Händen an, so entsteht beim Oeffnen des Stroms an dem Quecksilbernapf kein Funke, dagegen verspürt man im Körper einen elektrischen Schlag; jedoch nur wenn eine Drahtrolle eingeschaltet ist. Führt man in die Rolle einen Eisenkern ein, so wird der Schlag heftiger. Der Oeffnungsextrastrom äussert sich nicht durch einen Funken, sondern er fliesst durch den menschlichen Körper und ruft ein Zucken hervor.

Frage 28. Wie kann man den in voriger Antw. unter 2). beschriebenen Versuch noch anders anordnen?

Erkl. 18. Führt man keine Drahtrolle in den Schliessungskreis ein, so ist der Oeffnungsextrastrom zu schwach, als dass er eine merkliche Erschütterung hervorbringen könnte.

Antwort. Zur Anstellung des in voriger Antw. unter 2). beschriebenen Versuchs braucht man nur die Enden der Handhaben mit den Polen einer Batterie zu verbinden, in den Schliessungskreis eine Drahtspirale einzuführen (s. Erkl. 18), die Handhaben mit befeuchteten Händen zu ergreifen und dieselben abwechselnd an und von einander zu bringen. Berühren die Handhaben einander, so ist der Stromkreis geschlossen; der Hauptstrom läuft von dem einen Pol der Säule durch die Drahtrolle nach der einen Handhabe, von dort durch die

Erkl. 19. Diese Erschütterungen wurden zuerst von *Jenkins* und *Masson* im Jahre 1834 unter Anwendung einer einen Eisenkern enthaltenden Drahtrolle beobachtet. Sie führten zur Entdeckung der Extraströme.

zweite Handhabe nach dem andern Pol der Säule. Entfernt man die Handhaben von einander, so ist der Strom geöffnet; es entsteht ein Oeffnungsextrastrom, welcher durch den Körper hindurch sich ausgleicht.

Beim Einlegen eines Eisenkerns in die Drahtrolle treten beim Oeffnen heftigere Erschütterungen auf (s. Erkl. 19).

Frage 29. Wie kann man die Oeffnungsextraströme in rascher Folge auf einen menschlichen Körper wirken lassen?

Antwort. Will man Erschütterungen in rascher Folge in einem Körper durch Oeffnungsextraströme erzeugen, so kann man sich des in Fig. 10 dargestellten Apparats bedienen. Derselbe besteht aus einem galvanischen Element k, einer Drahtrolle ss, einem gezahnten Rad u, an welchem eine Feder schleift und aus zwei Handhaben. Der Strom fliesst von dem einen Pol der Säule k durch die Drahtrolle ss, von da durch die Feder und das Rad u nach dem andern Pol der Säule k. Liegt die Feder an dem Zahnrad u an, so ist der Strom geschlossen. Dreht man jetzt das Rad u um seine Achse, so wird jedesmal, wenn die Feder von einem Zahn des Rades zu dem folgenden übergeht, der Strom einen Augenblick geöffnet sein. Im Moment des Oeffnens aber entsteht in dem Stromkreis der Oeffnungsextrastrom, welchen man durch Anfassen der beiden Handhaben mit angefeuchteten Händen verspürt: der Extrastrom fliesst durch den menschlichen Körper. Man erhält einen ziemlich heftigen, aber momentanen Schlag, so oft die Feder von einem Zahn zu dem folgenden schnellt. Durch schnelles Umdrehen kann man daher mittels dieses Apparats Oeffnungsextraströme in rascher Folge durch den menschlichen Körper entladen.

Steckt man in die Drahtrolle ss einen Eisenkern, so sind die Erschütterungen heftiger.

Figur 10.

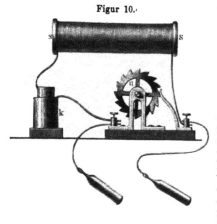

Frage 30. Welcher Apparat dient dazu Oeffnungsextraströme in rascher Folge selbstthätig zu erregen und wie ist derselbe eingerichtet?

Antwort. Um Oeffnungsextraströme in rascher Folge selbstthätig zu erregen, bedient man sich des sog.

Figur 11.

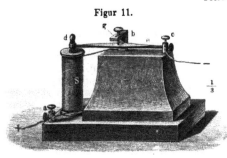

$\frac{1}{3}$

Erkl. 20. Die Feder e, welche das Oeffnen und Schliessen des Hauptstroms in rascher Folge bewirkt, ist eine spezielle Form des **Wagnerschen Hammers** (siehe Antw. auf Frage 54).

Erkl. 21. Bei den in Antw. auf Frage 29 u. 30 beschriebenen Apparaten beobachtet man nur die Wirkungen des **Oeffnungsextrastroms**, da sich der Schliessungsextrastrom erst nach dem Stromschluss im metallischen Stromkreise bildet und so den schlechtleitenden menschlichen Körper kaum durchfliessen wird.

Extrastrom-Apparats. Der Fig. 11 gemäss besteht derselbe aus einer Drahtrolle S, in deren Höhlung sich ein Bündel weicher Eisendrähte befindet. Diesen Eisendrähten gegenüber ist eine bei c befestigte Messingfeder e angebracht, welche bei d einen eisernen Knopf trägt, und auf welcher unterhalb b ein Platinplättchen aufgelötet ist. In der Ruhelage liegt die Feder an der Schraube bei b an, welche in eine Platinspitze endigt. Der Strom einer Säule wird in die Klemme a eingeleitet, durchfliesst die Spule S und geht von da über die Schraube bei b und die Feder e nach der Klemme c, welche mit dem andern Pol der Säule verbunden ist. Sobald ein Strom die Windungen S durchfliesst, wird der Eisenkern magnetisch, zieht den eisernen Knopf d an und löst dadurch die Stromverbindung zwischen der Schraube bei b und der Messingfeder e. Der Strom ist geöffnet. Sobald jedoch kein Strom mehr durch die Windungen S fliesst, verliert der Eisenkern seinen Magnetismus, die Feder e schnellt zurück und schliesst bei der Berührung mit der Schraube den Strom wieder. Dadurch wird aber der Eisenkern wieder magnetisch und dasselbe Spiel wiederholt sich. Die Feder e federt fortwährend hin und her (s. Erkl. 20), unterbricht und schliesst also fortwährend den Hauptstrom und die dabei selbstthätig erregten Oeffnungsextraströme kann man nachweisen, wenn man in a und b Handhaben anbringt und dieselben mit feuchten Händen anfasst. Man verspürt dann die durch die Oeffnungsextraströme hervorgerufenen Erschütterungen (s. Erkl. 21).

Frage 31. Wie kann man den Oeffnungsextrastrom mittels eines Galvanometers nachweisen?

Antwort. Um mittels eines Galvanometers den Oeffnungsextrastrom nachzuweisen, bedienen wir uns der in Fig. 12 gekennzeichneten Anordnung. Es bedeute B ein galvanisches Element, G ein Galvanometer, S eine Drahtrolle und Q ein Quecksilbernäpfchen. In der in

Figur 12.

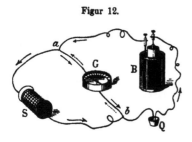

Fig. 12 abgebildeten Drahtverbindung fliesst der Strom teilweise von B über a nach S und von S über b durch das Quecksilbernäpfchen Q nach B zurück; ein anderer Teil des Stroms fliesst von a durch das Galvanometer nach b und bewirkt eine Ablenkung der Galvanometernadel nach einer bestimmten Richtung hin. Man bringt jetzt die Galvanometernadel in ihre Ruhelage zurück und zwingt sie in derselben zu verharren, indem man auf jener Seite, nach welcher die Nadel ausschlagen will, einen Stift steckt. Oeffnet man jetzt den Batteriestrom dadurch, dass man ein Drahtende aus dem Quecksilbernäpfchen herausnimmt, so wird in S ein Oeffnungsextrastrom erregt, welcher die Rolle S in gleicher Richtung wie der Hauptstrom durchfliesst und die Galvanometernadel in entgegengesetzter Richtung ablenkt, wie es der Hauptstrom gethan hatte, da der Extrastrom aus der Rolle S über b in Richtung der punktierten Pfeile durch G nach a und zu der Rolle S zurückläuft (s. Erkl. 22).

Erkl. 22. Dass die Galvanometernadel trotzdem, dass der Oeffnungsextrastrom dem Hauptstrom gleichgerichtet ist, nach der entgegengesetzten Seite abgelenkt wird, ist leicht erklärlich; der Strom kommt jetzt von der linken Seite (aus der Drahtrolle S) in das Galvanometer, während der Hauptstrom (aus der Batterie) von der rechten Seite kam.

Frage 32. Wie kann man mittels der Wärme- und Lichtwirkungen den Oeffnungsextrastrom nachweisen?

Antwort. Bringt man in Fig. 12 an Stelle des Galvanometers G einen ganz dünnen Platindraht und wählt man die übrigen Drahtverbindungen ziemlich dick, so dass der grösste Teil des Hauptstroms durch die Rolle S und nur ein ganz geringer Teil desselben von a nach b läuft, so erglüht der Platindraht nicht so lange der Hauptstrom geschlossen bleibt. Sobald aber der Hauptstrom geöffnet wird, tritt ein momentanes Erglühen des Platindrahts ein, zum Beweis, dass in der Rolle ein Strom, der Oeffnungsextrastrom, entstanden sein muss.

Um den Hauptstrom bequem öffnen und schliessen zu können, schaltet man zweckmässig einen Kommutator ein (s. Erkl. 23).

Erkl. 23. Unter einem Kommutator oder Stromwender versteht man einen Apparat mittels dessen die Richtung des Stroms in einem Teil des Stromkreises rasch und beliebig oft umgekehrt und geöffnet oder geschlossen werden kann. Eine gebräuchliche Form eines Kommutators zeigt Fig. 13 (siehe *May*, Lehrb. der Kontaktelektricität Antw. auf Frage 145 u. 147).

Um diesen Versuch gut zeigen zu können, genügt es, eine Drahtrolle von etwa 180 mm Länge, 20 mm inneren Durchmesser und von etwa 500 Windungen 2 mm dicken Kupferdrahts anzuwenden und mit 4 Bunsenschen Elementen

Erkl. 24. Ein Bunsensches Element besteht aus Zink und Kohle, welche durch eine Thonzelle getrennt sind. Das Zink steht in verdünnter Schwefelsäure, die Kohle in Salpetersäure.

(s. Erkl. 24) zu verbinden. Durch Einführen
von Eisendrähten in die Drahtrolle werden diese
thermischen Wirkungen erhöht.

Figur 13.

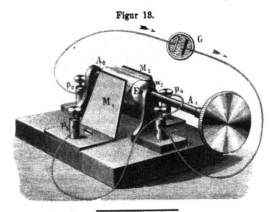

Frage 33. Wie kann man mittels
chemischer Wirkungen den Oeffnungsextrastrom nachweisen?

Antwort. Schaltet man statt des
Galvanometers G Fig. 12 einen Apparat
ein, bestehend aus einer Glasplatte, auf
welcher sich ein mit Jodkaliumkleister
getränktes Papier befindet, und legt man
die Enden der Nebenschliessung zwischen
a und b mit Platinspitzen versehen in
einiger Entfernung von einander auf dieses Papier, so scheidet sich beim Oeffnen des Hauptstroms an dem einen
Ende Jod ab, was man aus der bläulichen Färbung des Jodkaliumkleisters
an diesem Ende ersieht. Es ist jedoch
zu beachten, dass man in die Nebenschliessung einen grossen Widerstand
einschalten muss, damit nicht bei Stromschluss der Hauptstrom durch die Nebenschliessung fliesst und seinerseits bereits
eine Zersetzung des Jodkaliumkleisters
bewirkt. Es kann dann die Zersetzung
beim Oeffnen des Hauptstroms nur
durch den Oeffnungsextrastrom erfolgt sein.

b). Ueber den Schliessungsextrastrom.

Frage 34. Wie kann man den
Schliessungsextrastrom experimentell nachweisen?

Antwort. Den beim Schliessen des
Hauptstroms in einem Stromkreis ent-

stehenden **Extrastrom** kann man am
einfachsten mittels der in Fig. 12 abgebildeten Anordnung nachweisen. Man
schliesst zunächst den Hauptstrom und
wartet bis die Galvanometernadel einen
**konstanten, nicht allzu grossen Aus-
schlag** zeigt·(s. Erkl. 25) und steckt an
die eine Seite der Nadel einen Stift, so
dass sie bei Stromöffnung nicht in ihre
Ruhelage zurückkehren kann, sondern

Erkl. 25. Es ist zweckmässig die durch den
Hauptstrom verursachte Ablenkung nicht allzu
gross zu wählen. Die Grösse dieser Ablenkung
lässt sich leicht durch Einschalten von Widerständen in den Hauptstromkreis beliebig regu-
lieren.

in der abgelenkten Lage verharrt. Sodann wird der Hauptstrom geöffnet.
Schliesst man jetzt aber den Hauptstrom
wieder, so schlägt die Galvanometernadel
momentan noch **stärker** nach jener
Richtung hin aus, nach welcher sie durch
den Batteriestrom abgelenkt wurde.
Dieser verstärkte Ausschlag zeigt
einen hinzukommenden Strom an, welcher
von der Rolle S über a durch das Galvanometer G fliesst, also **einen Extrastrom, welcher dem Hauptstrom entgegengesetzt gerichtet ist,** aber
dadurch, dass er das Galvanometer in
derselben Richtung (von a nach b) wie
der Hauptstrom durchfliesst, einen verstärkten Ausschlag der Nadel bedingt.
Durch Einlegen eines Eisenkerns in
die Rolle S wird die Wirkung bedeutend
verstärkt.

c). Ueber die Gesetze der Extraströme.

Frage 35. Welche Gesetze wurden
für die Extraströme gefunden?

Erkl. 26. Beim Durchleiten eines Stroms
durch einen Eisendraht wird derselbe in transversaler Richtung magnetisch. Es induziert
aber dieser Magnetismus bei seinem Entstehen
(durch den Stromschluss) in seinen einzelnen
Elementen einen Extrastrom, welcher dem
Schliessungsextrastrom gleichgerichtet ist, ihn
also verstärkt; dasselbe gilt beim Oeffnen des
Stroms; es wird beim Oeffnen der Oeffnungsextrastrom verstärkt.

Antwort. Folgende Gesetze gelten
für die Extraströme:
1). Die **elektromotorische Kraft
der Extraströme ist im allgemeinen unabhängig von
dem Stoff der Drähte,** in denen
sie erzeugt werden. Nur wenn
die Drähte aus **Eisen** bestehen,
treten infolge der Magnetisierung
der Eisendrähte wesentliche Verstärkungen der Extraströme ein
(s. Erkl. 26).
2). Die **elektromotorische Kraft
der Extraströme ist bei geradlinigen Drähten,** namentlich, wenn der Schliessungskreis aus **zwei parallelen,**

Erkl. 27. Besteht der Schliessungskreis aus zwei parallelen Drähten, so verläuft der Strom in dem einen Draht in entgegengesetzter Richtung wie in dem andern Draht. Wird beim Oeffnen oder Schliessen in dem einen Draht ein Extrastrom erregt, so wird in dem andern Draht der entgegengesetzt gleiche Extrastrom erregt und die Wirkungen der beiden Extraströme heben einander auf. Nimmt man ferner einen Draht, biegt ihn zu zwei gleich langen, neben einander verlaufenden Drähten und wickelt ihn auf eine Rolle, so bemerkt man in dieser sog. bifilar gewickelten Rolle keine Extraströme, da sich dieselben aufheben. Eine bifilare Wickelung wird hauptsächlich bei Widerstandsrollen verwandt.

☞ Erkl. 28. Dieses Gesetz wurde zuerst von *Edlund* (Pogg. Ann. Bd. 77) nachgewiesen.

gleich langen Drähten besteht, kaum merklich (siehe Erkl. 27); dagegen, wenn der Schliessungskreis spiralenförmig verläuft (also eine Drahtrolle enthält) beträchtlich und kann durch Einlegen eines Kerns weichen Eisens noch bedeutend verstärkt werden.

3). Die elektromotorische Kraft der Extraströme in einer Drahtrolle ist proportional der Windungszahl, jedoch nahezu unabhängig von der Weite dieser Windungen.

4). Die elektromotorische Kraft der Extraströme ist der Stromstärke des Hauptstroms proportional.

5). Bei gleichbleibender Stärke des Hauptstroms ist die elektromotorische Kraft des Oeffnungsextrastroms gleich der des Schliessungsextrastroms (s. Erkl. 28).

---

4). Einteilung der Induktion in linearen Leitern.

Frage 36. Wie teilt man die Induktion in linearen Leitern ein?

Erkl. 29. Man bezeichnet die eine Art der Induktion „Volta-Induktion", weil *Volta* zuerst die sog. „fliessende Elektricität", wie sie in dem stromdurchflossenen Leiter enthalten ist, richtig erkannt hat. (Näheres siehe *May*, Lehrb. der Kontaktelektricität Antw. auf Frage 5 u. folg.)

Erkl. 30. Wird ein Induktionsstrom durch Oeffnen und Schliessen eines Stroms in einem in der Nähe befindlichen Leiter erzeugt, so spricht man von galvanischer Induktion; wird dagegen der Induktionsstrom durch Bewegen eines in der Nähe befindlichen stromdurchflossenen Leiters erzeugt, so spricht man von dynamischer Induktion. Diese Unterscheidung rührt von *Faraday* her.

Antwort. Mit Rücksicht darauf, ob in einem linearen Leiter 1). durch Oeffnen und Schliessen eines in einem nahegelegenen andern Leiter fliessenden Stroms, oder 2). durch Bewegen eines stromdurchflossenen Leiters, oder 3). durch Bewegen eines Magnets ein Induktionsstrom erregt wird, teilt man die Induktion in linearen Leitern ein in:

a). Volta-Induktion (s. Erkl. 29), und zwar:
   1). galvanische Induktion,
   2). dynamische Induktion (s. Erkl. 30),

b). Magneto-Induktion.

Da man ferner statt eines Magnets auch einen Elektromagnet nehmen kann, so ergibt sich als dritte Hauptart der Induktion

c). die elektromagnetische Induktion.

C. Ueber die galvanische Induktion.

Frage 37. Was versteht man unter galvanischer Induktion?

Antwort. Wird in einem linearen Leiter ein Induktionsstrom durch Oeffnen und Schliessen des Stromes in einem in der Nähe befindlichen Leiter erregt, so nennt man diese Art der Induktion galvanische Induktion.

D. Ueber die galvanischen Induktionsapparate.

Frage 38. Was versteht man unter galvanischen Induktionsapparaten?

Antwort. Galvanische Induktionsapparate sind solche, durch welche Induktionsströme in rascher Folge in einer Induktionsrolle erzeugt werden können, dadurch dass der Strom der Hauptrolle in rascher Folge selbstthätig unterbrochen und geschlossen wird.

Frage 39. Welchen Zweck haben die galvanischen Induktionsapparate?

Antwort. Die galvanischen Induktionsapparate haben den Zweck, entweder Ströme von niedriger Spannung und grösserer Stromstärke in Ströme von grösserer Spannung und niederer Stromstärke zu verwandeln, oder umgekehrt Ströme von grosser Spannung und geringer Stromstärke in solche von geringerer Spannung und grösserer Stromstärke zu verwandeln.

Frage 40. Wie nennt man die galvanischen Induktionsapparate, welche Ströme von geringer Spannung und grösserer Stromstärke in solche von grosser Spannung und geringer Stromstärke zu verwandeln?

Antwort. Diese Apparate nennt man Induktorien.

Frage 41. Welche Benennung haben die Induktionsapparate, welche Ströme von grosser Spannung und geringer Stromstärke in solche von kleinerer Spannung und grösserer Stromstärke verwandeln?

Antwort. Diese Apparate nennt man Transformatoren oder Umsetzungsapparate.

1). Ueber die Induktorien im allgemeinen.

Frage 42. Welchen Z w e c k haben die Induktorien?

Erkl. 31. Die meisten galvanischen Elemente haben eine Spannung, welche unter 2 Volt liegt und eine Stromstärke von 4, 5, 6 und mehr Ampère. Die Induktionsströme der Induktorien haben dagegen eine Stromstärke, welche nur ein Bruchteil von 1 Ampère ist, aber eine elektromotorische Kraft von vielen Volt.

Erkl. 31 a. Die Stromstärke und die elektromotorische Kraft eines stromdurchflossenen Leiters stehen in dem durch das Ohmsche Gesetz (siehe *May*, Lehrb. d. Kontaktelektricität) festgesetzten Zusammenhang. Es ist nämlich:

$$\text{Stromstärke} = \frac{\text{elektromotorische Kraft}}{\text{Widerstand}}$$

des Stromkreises.

V e r r i n g e r t man bei sonst gleichen Verhältnissen den Widerstand, so wächst die Stromstärke; v e r m e h r t man jedoch den Widerstand, so nimmt sie ab. Das Umgekehrte gilt für die elektromotorische Kraft; sie wächst bei sonst gleichen Verhältnissen mit dem Widerstand, daher:

Elektromotorische Kraft = Stromstärke $\times$ Widerstand.

Hierdurch ist auch ersichtlich warum man zur Verstärkung der Induktionsströme möglichst viele Windungen dünnen Drahtes auf die Induktionsrolle wickelt, da dann der Widerstand der Induktionsrolle und damit auch die elektromotorische Kraft der Induktionsströme beträchtlich erhöht werden kann (siehe auch Antw. auf Frage 20).

Antwort. Die Induktorien haben den Z w e c k, den Strom der Hauptrolle, welcher von einem oder mehreren galvanischen Elementen geliefert wird und eine grössere Stromstärke bei geringer Spannung (elektromotorischer Kraft) hat (s. Erkl. 31), in einen Strom (den Induktionsstrom der Induktionsrolle) zu verwandeln, welcher eine g e r i n g e Stromstärke, aber eine grössere Spannung hat (s. Erkl. 31a).

Frage 43. Aus welchen H a u p t teilen bestehen im allgemeinen die In duktorien?

Antwort. Die Induktorien bestehen im wesentlichen aus:

1). Der Hauptrolle,
2). dem Eisenkern der Hauptrolle,
3). der Induktionsrolle,
4). der Stromunterbrechungsvorrichtung.

Bei grösseren Induktorien ist meist noch

5). ein Kondensator

angebracht.

---

a). Ueber die Hauptrolle.

Frage 44. Welche Eigenschaften muss die Hauptrolle bei Induktorien haben?

Antwort. Die stromdurchflossene Hauptrolle ist es, welche die induzierende Wirkung ausübt. Diese Wirkung hängt einesteils ab von der Anzahl der Draht-

windungen der Rolle, andernteils von der durch diese Windungen fliessenden Stromstärke; sie ist proportional dem Produkt beider (s. Erkl. 32).

Erkl. 32. Die induzierende Wirkung einer stromdurchflossenen Drahtrolle ist eine Art der elektromagnetischen Fernwirkung. Für letztere gilt aber allgemein, dass sie proportional sei dem Produkt aus der Anzahl der Drahtwindungen und der durch diese fliessenden Stromstärke (siehe *May & Krebs*, Lehrb. d. Elektromagnetismus Antw. auf Frage 77 und 134).

Bei gleich bleibender Stromquelle könnte man durch Vermehrung der Anzahl der Windungen die induzierende Wirkung der Hauptrolle vergrössern. Nun ist aber einesteils der Raum gegeben, welchen die Windungen höchstenfalls einnehmen können, denn die Hauptrolle soll in die Höhlung der Induktionsrolle hineinpassen; andernteils ist eine Vermehrung der Windungen durch die Wahl dünneren Drahtes nicht zweckdienlich, da die Stromstärke der Stromquelle infolge des erhöhten Widerstands der Rolle ganz beträchtlich geschwächt würde. Die Hauptrolle muss daher mit einer nicht allzugrossen Anzahl nicht zu dünner Drahtwindungen umgeben sein. In der Praxis wählt man den Querschnitt des Drahtes etwa 1 bis 2 mm dick.

b). Ueber den Eisenkern der Hauptrolle.

Frage 45. Zu welchem Zwecke wird ein Eisenkern in die Höhlung der Hauptrolle eingeführt?

Antwort. Der Eisenkern in der Hauptrolle dient zur Verstärkung der induzierenden Wirkung der Hauptrolle (siehe Antw. auf Frage 21 u. 22).

Frage 46. In welcher Form wird das Eisen bei Induktorien verwandt?

Antwort. Man wählt als Eisenkern der Hauptrolle am besten ein Bündel Eisendrähte.

Frage 47. Welche Eigenschaften müssen diese Eisendrähte des Eisendrahtbündels haben?

Erkl. 33. Beide Erfordernisse erreicht man am einfachsten, wenn man den Eisendraht gut ausglüht; dadurch wird er einerseits weicher, anderseits erhält er an der Oberfläche durch die beim Glühen sich bildende Oxydschicht eine genügend schlecht leitende Hülle. Eine Isolation kann auch noch dadurch erreicht werden, dass man den Eisendraht lackiert.

Antwort. Die Eisendrähte des Eisendrahtbündels müssen aus weichem Eisen bestehen und von einander durch eine isolierende Schicht getrennt sein (s. Erkl. 33), damit der temporäre Magnetismus schneller entsteht und vergeht.

c). Ueber die Induktionsrolle.

Frage 48. Welche Eigenschaften muss der Draht der Induktionsrolle haben, damit der Zweck der Induktorien, hochgespannte Induktionsströme zu liefern, erreicht werde?

Erkl. 34. Die Spannungsdifferenz zweier Punkte eines Leiters, welcher Elektricität enthält, ist um so grösser, je weiter diese beiden Punkte von einander entfernt sind; denn liegen beide Punkte sehr nahe an einander, so wird sich die Spannung leicht bis zu einem gewissen Grade ausgleichen können. Es ist daher leicht einzusehen, dass die Enden eines Drahtes die grösste Spannungsdifferenz haben müssen. (Ueber Spannung und Spannungsdifferenz siehe *May*, Lehrb. d. Kontaktelektricität Antw. auf Frage 15 und 16.)

Antwort. In Antw. auf Frage 20 haben wir gesehen, dass eine hohe Spannung der in der Induktionsrolle erregten Induktionsströme dadurch erreicht wird, dass man eine grosse Anzahl dünner Windungen anwendet. Da ferner hochgespannte Ströme, deren Spannung ja in jeder Windung verschieden ist, sich auszugleichen suchen und zwar an den Stellen am meisten, wo die Spannungsdifferenz am grössten ist, also namentlich an den beiden Enden (s. Erkl. 34), so müssen die einzelnen Windungen sehr gut von einander isoliert werden, und namentlich die Enden der Induktionsspirale so weit wie möglich von einander getrennt sein, damit nicht ein Ausgleich der Spannung durch Ueberspringen von Funken herbeigeführt werde.

Die Induktionsrolle muss daher von einem Drahte umwickelt sein, welcher sehr lang, dünn und äusserst gut isoliert ist.

Frage 49. Auf welche Weise hat man versucht, ein Ueberspringen von Funken zwischen den einzelnen Windungen der Induktionsrolle zu verhindern?

Erkl. 35. Diese Methode der Wicklung wurde zuerst von *Ritchie* 1857 angegeben.

Antwort. Wickelt man die ganze Induktionsrolle in einzelnen Drahtlagen, welche die ganze Länge der Rolle einnehmen, so besitzen je zwei übereinander liegende Lagen sehr verschiedene Spannungen. Diese Spannungsdifferenzen können so beträchtlich sein, dass eine Isolation der Drähte mittels Seidenbespinnung und Guttapercha von Funken durchbrochen werden kann. Man ordnet daher die Wicklung öfter derart an, dass man den Draht an einer Stelle bis zur völligen Dicke der Rolle, dann erst an der benachbarten Stelle auf gleiche Weise aufwindet und zwischen die einzelnen Stellen je einen Ring aus dünnem vulkanischem Kautschuk kittet (s. Erkl. 35). Es liegen in diesem Fall nur Drähte übereinander, die eine geringe Spannungsdifferenz haben, also ein Ueberspringen von Funken kaum befürchten lassen. Diese Art der Bewicklung ist jedoch nicht leicht auszuführen. Man teilt daher meist die In-

duktionsrollen in eine Anzahl von Drahtrollen mit einer ungeraden Anzahl von
Drahtlagen, so dass der Anfang und
das Ende je einer einzelnen Rolle an
entgegengesetzten Seiten derselben lie-

Erkl. 36. Es ist sehr wesentlich, dass der
Anfang und das Ende der einzelnen Rollen an
entgegengesetzten Seiten liegen, da dieselben
die grösste Spannungsdifferenz haben, also bei
genügender Nähe ein Ueberspringen von Funken sehr leicht zulassen.

gen (s. Erkl. 36) und verbindet das Ende
der ersten Rolle mit dem Anfang der
zweiten u. s. f. Die einzelnen Rollen
sind durch Glas- oder Kautschukringe
von einander isoliert.

Um ferner die einzelnen Drahtwindungen gut zu isolieren, wickelt man
einen circa $^1/_4$ Millimeter dicken, mit
Seide übersponnenen Kupferdraht auf
einen Glascylinder mit Glas- oder Gutta-
perchafassungen und tränkt die Umspin-
nung nach Aufwinden je einer Drahtlage mit langsam trocknendem Schellackfirnis, mit geschmolzenem Wall-
rat oder Paraffin oder einem Gemisch
von Wachs und Oel.

Erkl. 37. Die flüssigen Isolatoren sind zwar
mit Erfolg praktisch angewandt worden, jedoch
ist die Anwendung von Flüssigkeiten, namentlich da sie sich teils bei Zutritt der Luft verändern, teils den Leitungsdraht chemisch zersetzen, nicht immer anzuraten.

Zwischen je zwei Drahtlagen wird
ausserdem häufig noch eine dünne Gut-
taperchaplatte oder Wachspapier
gelegt.

Nach *Poggendorff's* Vorschlag ist es
am besten, die einzelnen Windungen mit
einem flüssigen Isolator, etwa Terpen-
tinöl, zu tränken, damit, wenn auch einmal an irgend einer Stelle ein Funke
überspringen sollte, sich die Durch-
brechungsstelle doch sogleich wieder
ausfüllen könnte (siehe Erkl. 37).

· d). Ueber die Stromunterbrechungsvorrichtungen.

Frage 50. Wie kann man bei der
galvanischen Induktion Induktionsströme in rascher Folge erregen?

Antwort. Bei der galvanischen Induktion werden die Induktionsströme
durch Oeffnen und Schliessen des Hauptstroms erregt. Man kann daher Induktionsströme in rascher Folge
erzielen, wenn man den Hauptstrom in
rascher Folge öffnet und schliesst.

Frage 51. Welcher Art sind die
durch Oeffnen und Schliessen des
Hauptstroms in der Induktionsrolle erregten Induktionsströme?

Antwort. In Antwort auf Frage 12
haben wir gesehen, dass der beim Schliessen des Hauptstroms erregte Induktionsstrom dem beim Oeffnen erregten ent-

Erkl. 38. Man nennt Ströme, welche fortwährend ihre Richtung ändern, „Wechselströme".

gegengesetzt ist. Die durch Oeffnen und Schliessen des Hauptstroms in rascher Folge in der Induktionsrolle erregten Induktionsströme sind daher Wechselströme (siehe Erkl. 38).

Frage 52. Welche Apparate dienen dazu, um den Strom eines stromdurchflossenen Leiters in rascher Folge zu öffnen und zu schliessen?

Antwort. Die Apparate, die es ermöglichen, den Strom eines stromdurchflossenen Leiters in rascher Folge zu öffnen und zu schliessen, sind:
1). das Neefsche Blitzrad,
2). der Wagnersche Hammer,
3). der Foucaultsche Unterbrecher.

Frage 53. Welches ist die Einrichtung des Neefschen Blitzrads?

Antwort. Das Neefsche Blitzrad. s. Fig. 14, besteht aus folgenden wesentlichen Teilen:
1). einem gezahnten Metallrad R,
2). aus einer Feder D, welche an diesem Metallrad schleift.

Mittels der Kurbel K kann das Metallrad umgedreht werden. Verbindet man nun den einen Pol einer Säule mit der Klemmschraube p_2, welche mit dem Metallrad in leitender Verbindung steht, den andern Pol der Säule mit der Feder D, so geht, wenn die Feder an dem Metallrad anliegt, der Strom von dem einen Pol der Säule durch die Klemmschraube p_2 nach dem Metallrad und von da aus durch die Feder D und die Klemmschraube p_1 nach dem andern Pol der Säule, der Strom ist also geschlossen. Dreht man das Rad etwas um und lag die Feder D auf einem Zahn, so wird die Feder in die zwischen dem ersten und dem folgenden Zahn befindliche Lücke kommen, also keine leitende Verbindung mehr mit dem Metallrad haben, der Strom also geöffnet sein. Diese Stromöffnung dauert jedoch nur einen Moment; denn vermittels ihrer Elasticität schlägt die Feder sofort auf den folgenden Zahn, es ist dann eine leitende Verbindung zwischen der Feder und dem Metallrad wieder hergestellt, der Strom ist geschlossen. Wird das Metallrad

Figur 14.

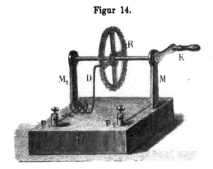

mittelst der Kurbel K umgedreht, so
tritt, wenn die Feder einen Zahn berührt, Stromschluss, und wenn die
Feder von einem Zahn auf den folgenden übergeht, eine Stromöffnung ein.
Bei rascher Umdrehung des Metallrads
ist also eine rasche Folge von Stromöffnung und Stromschluss zu erreichen.

Eine andere Konstruktion des Neefschen Blitzrads zeigt Fig. 15. An Stelle
eines gezahnten Metallrads ist ein
ungezahntes Metallrad genommen und
in den Umfang des Rads sind in kurzen
Zwischenräumen kleine Elfenbeinplätt-
chen eingelegt. Eine Feder schleift an
dem Umfang des Rads. Verbindet man
einen Pol einer galvanischen Säule mit
der Klemme a, welche in leitender Verbindung mit dem Metallrad steht, und
den andern Pol mit der Klemme b,
welche sich an der Feder befindet, so
tritt, wenn die Feder ein Elfenbeinplätt-
chen berührt, Stromöffnung ein, da
Elfenbein ein nicht leitender Körper ist;
berührt jedoch die Feder die zwischen
je zwei aufeinander folgenden Elfenbein-
blättchen befindliche Fläche des Metallrads, so tritt Stromschluss ein. Durch
rasches Umdrehen des Rads kann man auch
hier eine rasche Folge von Stromöffnung
und Stromschluss erhalten (s. Erkl. 39).

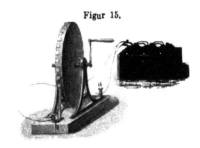

Figur 15.

Erkl. 39. *Neef* war weiland Arzt zu Frankfurt am Main.

Frage 54. Welche Einrichtung besitzt der Wagnersche Hammer?

Antwort. Der Wagnersche Hammer (s. Erkl. 40) besteht, siehe Fig. 16.
aus einem Elektromagnet A, dem ein Anker B gegenübersteht, welcher auf einer
Messingfeder CC befestigt ist; an dieser
ist eine zweite Feder G angebracht, welche
der Platinspitze der Schraube F gegenüber ein Platinblättchen trägt. Geht

Erkl. 40. Der **Wagnersche Hammer** wurde
von *J. P. Wagner*, weiland Arzt zu Frankfurt
am Main, im Jahre 1839 hergestellt und beschrieben (Pogg. Ann. Bd. 46).

kein Strom durch den Elektromagnet,
so berührt die Platinspitze das Platinblättchen auf der Feder G. Das eine
Ende der Elektromagnetwindungen ist
mit der Klemmschraube a, das andere
mit der Klemmschraube b verbunden.
Verbindet man nun den einen Pol eines
galvanischen Elements R mit dem Säulchen H, den andern mit der Klemmschraube a, so geht der Strom von H

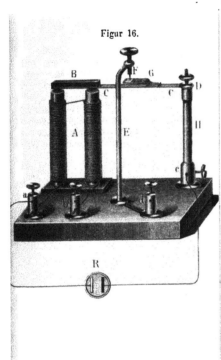

Figur 16.

nach der Feder G und von da aus durch
die Spitze F, durch das Säulchen E,
die Klemmschrauben d und b, welche
man durch einen Draht verbindet, und
durch die Windungen des Elektromagnets A nach der Klemmschraube a,
von wo aus er nach dem andern Pol
des Elements zurückkehrt.

Sobald jedoch ein Strom die Drahtwindungen des Elektromagnets um-
fliesst, werden die Eisenkerne desselben
magnetisch; infolgedessen wird der Anker angezogen, sowie die Federn CC
und G herabgezogen. Dadurch entfernt
sich aber die Feder G von der Spitze F
und der Strom wird an dieser Stelle
unterbrochen. Sowie jedoch der Strom
geöffnet ist, also auch kein Strom
mehr durch die Elektromagnetwindungen
geht, wird der Elektromagnet unmagnetisch; der Anker bewegt sich infolge der
Einwirkung der Feder CC wieder nach
oben, die Feder G berührt wieder die
Spitze F. Sobald aber G und F wieder
in Berührung miteinander stehen, ist
der Strom wieder geschlossen, der
Elektromagnet wird wieder magnetisch
und der Anker B, sowie die Federn CC
und G herabgezogen; dadurch aber tritt
Stromöffnung ein; dies bewirkt von
neuem Stromschluss u. s. w.

Wie man sieht, ist der Wagnersche
Hammer ein selbstthätiger Strom-
öffner und -Unterbrecher.

Die Messingfeder verhindert die di-
rekte Berührung des eisernen Ankers B
und der Eisenkerne des Elektromagnets;
andernfalls würde der Anker an dem
Eisenkern auch nach der Stromunterbrechung haften bleiben, da der Magnetismus in demselben nicht so plötzlich
verschwindet. Durch die zweite Feder G
wird ein rascheres Unterbrechen des
Stroms möglich, indem die Feder G
noch kurze Zeit mit der Spitze in Berührung bleibt, wenn auch schon der
Anker angefangen hat, sich herunterzu-
bewegen und bereits wieder mit ihr in Berührung tritt, wenn der Anker noch weiter
nach oben gehen will (s. Erkl. 41 u. 42).

Frage 55. Welches ist die Einrichtung des Foucaultschen Unterbrechers?

Antwort. Nach Fig. 16 ist die Einrichtung des Foucaultschen Unterbrechers (siehe Erkl. 43) folgende:

Dem Elektromagnet DD steht ein
Anker a gegenüber, welcher das eine
Ende des Hebels aBA bildet. Dieser
Hebel ist mit einer vertikalen elastischen
Kupferstange Cc in fester Verbindung,
welche am oberen Ende ein verschiebbares
Gewicht besitzt, und am unteren Ende c
in eine gezahnte Stange ausläuft. In den

Figur 17.

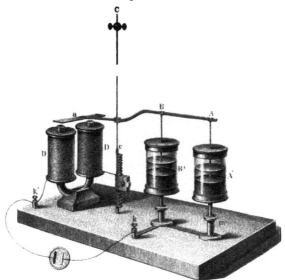

Punkten A und B des Hebels sind zwei
nach unten gerichtete Metalldrähte angebracht, welche in die Gefässe A^1 und
B^1 tauchen. Diese Gefässe enthalten
bis zu einer gewissen Höhe Quecksilber
und über demselben eine Schicht Alkohol (s. Erkl. 44). Wird die elastische
Stange Cc angestossen, so pendelt sie
hin und her und zwar je nach Stellung
des Gewichts G schneller oder langsamer, dabei nähert sich der Anker ss
dem Elektromagnet DD und entfernt
sich wieder; gleichzeitig heben und sen-

Der **ausführliche Prospekt** und das **ausführliche Inhaltsverzeichnis** der „vollständig gelösten Aufgabensammlung von Dr. Ad. Kleyer" kann von jeder Buchhandlung, sowie von der Verlagshandlung **gratis und portofrei** bezogen werden.

Bemerkt sei hier nur:

1). Jedes Heft ist aufgeschnitten und gut brochiert, um den sofortigen und dauern den Gebrauch zu gestatten.

2). Jedes Kapitel enthält sein besonderes Titelblatt, Inhaltsverzeichnis, Berichtigungen und Erklärungen am Schlusse desselben.

3). Auf jedes einzelne Kapitel kann abonniert werden.

4). Monatlich erscheinen 3—4 Hefte zu dem Abonnementspreise von 25 Pfg. pro Heft.

5). Die Reihenfolge der Hefte im nachstehenden, kurz angedeuteten Inhaltsverzeichnis ist, wie aus dem Prospekt ersichtlich, ohne jede Bedeutung für die Interessenten.

6). Das Werk enthält Alles, was sich überhaupt auf mathematische Wissenschaften bezieht, alle Lehrsätze, Formeln und Regeln etc. mit Beweisen, alle praktischen Aufgaben in vollständig gelöster Form mit Anhängen ungelöster analoger Aufgaben und vielen vortrefflichen Figuren.

7). Das Werk ist ein praktisches Lehrbuch für Schüler aller Schulen, das beste Handbuch für Lehrer und Examinatoren, das vorzüglichste Lehrbuch zum Selbststudium, das vortrefflichste Nachschlagebuch für Fachleute und Techniker jeder Art.

8). Alle Buchhandlungen nehmen Bestellungen entgegen.

Das **vollständige**

Inhaltsverzeichnis
der bis jetzt erschienenen Hefte

k nn durch jede Buchhandlung bezogen werden.

Halbjährlich erscheinen Nachträge über die inzwischen neu erschienenen Hefte.

Druck von Carl Hammer in Stuttgart.

523. Heft.

Preis
des Heftes
25 Pf.

Die Induktionselektricität.
Forts. v. Heft 514. — Seite 33—48.
Mit 12 Figuren.

Vollständig gelöste

Aufgaben - Sammlung

— nebst Anhängen ungelöster Aufgaben, für den Schul- & Selbstunterricht —

mit

Angabe und Entwicklung der benutzten Sätze, Formeln, Regeln, in Fragen und Antworten

erläutert durch

viele Holzschnitte & lithograph. Tafeln,

aus allen Zweigen

der **Rechenkunst**, der niederen (Algebra, Planimetrie, Stereometrie, ebenen u. sphärischen Trigonometrie, synthetischen Geometrie etc.) u. höheren **Mathematik** (höhere Analysis, Differential- u. Integral-Rechnung, analytische Geometrie der Ebene u. des Raumes etc.); — aus allen Zweigen der **Physik**, **Mechanik**, **Graphostatik**, **Chemie**, **Geodäsie**, **Nautik**, mathemat. **Geographie**, **Astronomie**; des **Maschinen-**, **Strassen-**, **Eisenbahn-**, **Wasser-**, **Brücken-** u. **Hochbau's**; der **Konstruktionslehren** als: darstell. Geometrie, **Polar-** u. **Parallel-Perspektive**, Schattenkonstruktionen etc. etc.

für

Schüler, Studierende, Kandidaten, Lehrer, Techniker jeder Art, Militärs etc.

zum einzig richtigen und erfolgreichen

Studium, zur **Forthülfe** bei Schularbeiten und zur **rationellen Verwertung** der exakten Wissenschaften,

herausgegeben von

Dr. Adolph Kleyer,

Mathematiker, vereideter königl. preuss. Feldmesser, vereideter grossh. hessischer Geometer I. Klasse

in Frankfurt a. M.

unter Mitwirkung der bewährtesten Kräfte.

Die Induktionselektricität.

Nach System Kleyer bearbeitet von **Adolf Krebs** in Darmstadt.

Fortsetzung v. Heft 514. — Seite 33—48. Mit 12 Figuren.

Inhalt:

Stuttgart 1889.

Verlag von Julius Maier.

PROSPEKT.

Dieses Werk, welchem kein ähnliches zur Seite steht, erscheint monatlich in 3—4 Heften zu dem billigen Preise von 25 ₰ pro Heft und bringt eine Sammlung der wichtigsten und praktischsten Aufgaben aus dem Gesamtgebiete der Mathematik, Physik, Mechanik, math. Geographie, Astronomie, des Maschinen-, Strassen-, Eisenbahn-, Brücken- und Hochbaues, des konstruktiven Zeichnens etc. etc. und zwar in vollständig gelöster Form, mit vielen Figuren, Erklärungen nebst Angabe und Entwickelung der benutzten Sätze, Formeln, Regeln in Fragen mit Antworten etc., so dass die Lösung jedermann verständlich sein kann, bezw. wird, wenn eine grössere Anzahl der Hefte erschienen ist, da dieselben sich in ihrer Gesamtheit ergänzen und alsdann auch alle Teile der reinen und angewandten Mathematik — nach besonderen selbständigen Kapiteln angeordnet — vorliegen.

Fast jedem Hefte ist ein Anhang von ungelösten Aufgaben beigegeben, welche der eigenen Lösung (in analoger Form wie die bezüglichen gelösten Aufgaben) des Studierenden überlassen bleiben, und zugleich von den Herren Lehrern für den Schulunterricht benutzt werden können. Die Lösungen hierzu werden später in besonderen Heften für die Hand des Lehrers erscheinen. Am Schlusse eines jeden Kapitels gelangen: Titelblatt, Inhaltsverzeichnis, Berichtigungen und erläuternde Erklärungen über das betreffende Kapitel zur Ausgabe.

Das Werk behandelt zunächst den Hauptbestandteil des mathematisch-naturwissenschaftlichen Unterrichtsplanes folgender Schulen: Realschulen I. und II. Ordn., gleichberechtigten höheren Bürgerschulen, Privatschulen, Gymnasien, Realgymnasien, Progymnasien, Schullehrer-Seminaren, Polytechniken, Techniken, Baugewerkschulen, Gewerbeschulen, Handelsschulen, techn. Vorbereitungsschulen aller Arten, gewerbliche Fortbildungsschulen, Akademien, Universitäten, Land- und Forstwissenschaftsschulen, Militärschulen, Vorbereitungs-Anstalten aller Arten als z. B. für das Einjährig-Freiwillige- und Offiziers-Examen etc.

Die Schüler, Studierenden und Kandidaten der mathematischen, technischen und naturwissenschaftlichen Fächer werden durch diese, Schritt für Schritt gelösten, Aufgabensammlung immerwährend an ihre in der Schule erworbenen oder nur gehörten Theorien etc. erinnert und wird ihnen hiermit der Weg zum unfehlbaren Auffinden der Lösungen derjenigen Aufgaben gezeigt, welche sie bei ihren Prüfungen zu lösen haben, zugleich aber auch die überaus grosse Fruchtbarkeit der mathematischen Wissenschaften vorgeführt.

Dem Lehrer soll mit dieser Aufgabensammlung eine kräftige Stütze für den Schul-Unterricht geboten werden, indem zur Erlernung des praktischen Teils der mathematischen Disciplinen — zum Auflösen von Aufgaben — in den meisten Schulen oft keine Zeit erübrigt werden kann, hiermit aber dem Schüler bei den häuslichen Arbeiten eine vollständige Anleitung in die Hände gegeben wird, entsprechende Aufgaben zu lösen, die gehabten Regeln, Formeln, Sätze etc. anzuwenden und praktisch zu verwerten. Lust, Liebe und Verständnis für den Schulunterricht wird dadurch erhalten und belebt werden.

Den Ingenieuren, Architekten, Technikern und Fachgenossen aller Art, Militärs etc. etc. soll diese Sammlung zur Auffrischung der erworbenen und vielleicht vergessenen mathematischen Kenntnisse dienen und zugleich durch ihre praktischen in allen Berufszweigen vorkommenden Anwendungen einem toten Kapital lebendige Kraft verleihen und somit den Antrieb zu weiteren praktischen Verwertungen und weiteren Forschungen geben.

Alle Buchhandlungen nehmen Bestellungen entgegen. Wichtige und praktische Aufgaben werden mit Dank von der Redaktion entgegengenommen und mit Angabe der Namen verbreitet. — Wünsche, Fragen etc., welche die Redaktion betreffen, nimmt der Verfasser, Dr. Kleyer, Frankfurt a. M., Fischerfeldstrasse 16, entgegen, und wird deren Erledigung thunlichst berücksichtigt.

Stuttgart.   **Die Verlagshandlung.**

Erkl. 44. Man giesst Alkohol auf das Quecksilber, damit die Oeffnungs- und Schliessungsfunken, welche sich beim Ein- und Austreten der Metalldrähte in A und B in und aus dem Quecksilber bilden, möglichst gering werden. Es ist nämlich Alkohol ein viel schlechter leitendes Medium als die Luft, es wird daher der Strom fast sofort mit dem Austreten der Drähte aus dem Quecksilber geöffnet und mit dem Eintreten in dasselbe geschlossen, ohne dass, wie bei der Luft, noch nach dem Austreten und vor dem Eintreten der Drähte zwischen dem Quecksilber und den Drähten bei geringer Entfernung eine leitende Verbindung durch die Luft bestände, wodurch das Auftreten von Oeffnungs- und Schliessungsfunken ermöglicht wird.

Erkl. 45. Aehnliche Unterbrecher mit ein em und mit vier solcher Quecksilbergefässe sind von *Ruhmkorff* und *Stöhrer* bezw. *Villari* hergestellt worden.

ken sich die in A und B befindlichen Metalldrähte, deren Länge so bemessen ist, dass ihre Enden bei ihrer höchsten Erhebung aus dem Quecksilber der Gefässe A^1 und B^1 herausragen.

Verbindet man die Klemmschrauben k^1 und k mit den Polen einer galvanischen Säule, so läuft der Strom etwa von k^1 um den Elektromagnet DD, von da aus nach der Stange Cc und über den Hebel $a\,BA$ durch die Metalldrähte in A und B nach dem Quecksilber in A^1 und B^1, im Falle die Drähte in das Quecksilber eintauchen. Von da aus endlich läuft der Strom durch den metallischen Boden der Gefässe nach der Klemme k und von dort nach dem Element zurück. Der Strom ist also geschlossen. Dadurch aber wird der Eisenkern des Elektromagnet sDD magnetisch und zieht den Anker a nach unten; infolgedessen heben sich die in A und B befindlichen Metalldrähte aus dem Quecksilber heraus, der Strom wird unterbrochen und der Eisenkern des Elektromagnets wieder unmagnetisch. Unter Einwirkung der elastischen Stange Cc geht der Anker, da die Anziehung aufgehört hat, nach oben, die Metalldrähte in A und B nach unten und tauchen schliesslich wieder in das Quecksilber der Gefässe ein. Dadurch aber wird wieder der Strom geschlossen und der Anker a nach unten, die Metalldrähte in A und B nach oben gezogen, bis sie wieder aus dem Quecksilber heraustreten und den Strom öffnen u. s. f. Durch Verschiebung des Gewichts G kann die Aufeinanderfolge von Stromöffnung und Stromschluss beschleunigt und verzögert werden.

Der Foucaultsche Interruptor schliesst und öffnet vermöge seiner Einrichtung den durch ihn geleiteten Strom selbstthätig (siehe Erkl. 45).

---

e). Ueber den Kondensator.

Frage 56. In welcher Weise findet der Kondensator Anwendung bei Induktorien?

Antwort. Der Kondensator dient dazu, um die beim Oeffnen des Hauptstroms an der Unterbrechungsstelle be-

findlichen **Elektricitätsmengen** des
Oeffnungsextrastroms **aufzunehmen**
und den Oeffnungsfunken an der Unterbrechungsstelle zu vermindern. Dadurch

Erkl. 46. Es war *Fizeau*, welcher zuerst
(im Jahre 1853) den Kondensator bei Induktoren anwandte.

ist es möglich, den Hauptstrom fast momentan zu unterbrechen; denn der beim
Oeffnungsfunken auftretende Lichtbogen,
welcher eine leitende Verbindung zwischen den Unterbrechungsstellen für eine
kurze Zeit zu bilden vermag, wird bei
Anwendung eines Kondensators nicht zu
stande kommen (siehe Erkl. 46).

Frage 57. In welcher **Form** wird
der **Kondensator** bei Induktorien **verwendet**?

Figur 18.

Antwort. Der **Kondensator** bei Induktorien hat die **Form** einer **Franklin-
schen Tafel** (s. Erkl. 47). Er besteht
meist aus zwei Stanniolblättern, welche
durch eine dünne Glimmerplatte oder
durch ein Stück Wachspapier von einander isoliert sind. *Ruhmkorff* schichtet
20 bis 30 Stanniolblätter von etwa 20
Centimeter Breite und 30 bis 40 Centimeter Länge übereinander, trennt die
einzelnen Blätter durch etwas grössere
Blätter von Wachspapier und bringt
die Blätter 1, 3, 5 u. s. f. und die Blätter 2, 4, 6 u. s. f. in leitende Verbindung. Dadurch sind zwei grosse, durch
Wachspapier isolierte Metalloberflächen
hergestellt, welche eine ziemlich **grosse**
Elektricitätsmenge aufnehmen können (siehe Erkl. 48).

Erkl. 47. Eine **Franklinsche Tafel** besteht aus einer **Glasplatte**, welche auf beiden
Seiten mit **Stanniol** belegt ist, so zwar, dass
auf beiden Seiten der Scheibe ein Rand ringsum
von 4 bis 8 Centimeter frei bleibt. Dieser Rand
ist zur besseren Isolation der beiden Stanniol-
flächen mit Schellackfirnis überzogen. Fig. 18
zeigt eine Franklinsche Tafel.

Erkl. 48. Ueber die **Verbindung** des Kondensators mit der Hauptrolle der Induktorien
und dessen **Wirkungsweise** siehe Antw. auf
Frage 60.

2). Ueber die hauptsächlichsten Induktorien.

Frage 58. Welches sind die hauptsächlichsten Induktorien?

Antwort. Unter den Induktorien sind hauptsächlich folgende zu nennen:
1). Die Funkeninduktoren von *Ruhmkorff* und von *Stöhrer*,
2). der Schlittenapparat von *du Bois-Reymond*,
3). der Schlittenapparat nach *Lewandowski*.

a). Der Funkeninduktor von Ruhmkorff.

Frage 59. Worin besteht die Einrichtung des Funkeninduktors von *Ruhmkorff?*

Antwort. Nach Fig. 19 ist der Ruhmkorffsche Funkeninduktor (siehe Erkl. 49) folgendermassen eingerichtet: Zwei mit gut isoliertem Kupferdraht umwickelte Glas- oder Kautschukspulen sind ineinander gesteckt. Die äussere Spule ist die Induktionsrolle, die innere die Hauptrolle; in der letzteren befindet sich ein Bündel weicher Eisendrähte. Die Enden der Induktionsrolle münden bei F und G, die der Hauptrolle bei A und B. Verbindet man die Pole einer galvanischen Batterie mit C und D, welche mit A und B in leitender Verbindung stehen, und schaltet man in die Leitung einen Wagnerschen Hammer oder einen Foucaultschen Unterbrecher (siehe Antw. auf Frage 54 und 55), so fliesst durch die Hauptrolle ein Strom, welcher in rascher Folge geschlossen und geöffnet wird. Dadurch werden in der Induktionsrolle Ströme erregt, welche von den Klemmen F und G nach den Metallfassungen der Glassäulen H und I weiter geleitet werden. Mit H und I werden dann diejenigen Vorrichtungen verbunden, durch welche man die Induktionsströme senden will. In unserer Figur stehen sie mit einem sog. Funkenzieher LL in Verbindung. Derselbe besteht aus zwei verschiebbaren, wagrechten Metallsäulchen, welche je in eine Platinspitze auslaufen (siehe Erkl. 50). Zwischen diesen beiden Platinspitzen springen die Induktionsströme als Funken über, solange die Entfernung nicht allzu gross ist.

Erkl. 49. *Ruhmkorff*, ein deutscher Mechaniker in Paris, war der erste, welcher mit seinen Apparaten Funken erzielte.

Erkl. 50. Man wählt Platinspitzen, weil dieses Metall von den überspringenden Funken am wenigsten beschädigt wird.

Erkl. 51. Die Funken, welche ein grösserer Induktor liefert, besitzen oft eine bedeutende Sprungweite. In der Polytechnic Institution zu London befindet sich ein Induktor, bei welchem die Funken 29 Zoll weit überspringen. Die Länge der Induktionsrolle beträgt 9 Fuss 10 Zoll.

(englisch) bei einem Durchmesser von 2 Fuss. Auf diese Rolle sind 150 englische Meilen Kupferdraht von 0,15 Zoll Querschnitt aufgewickelt.

Bei kleineren Ruhmkorff'schen Induktoren besitzt die Induktionsrolle eine Länge von 35 cm, bei den grösseren eine Länge von 65. cm. Die Induktionsrolle ist bei kleineren Apparaten mit 33 000 Meter Kupferdraht von $^1/_3$ Milli-

Figur 19.

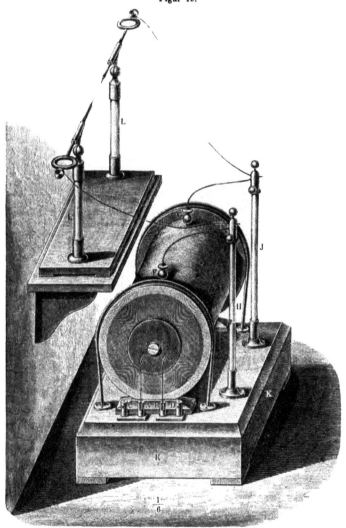

$\frac{1}{6}$

meter Durchmesser, bei den grösseren mit nahezu 100 000 Meter Kupferdraht von ⅕ Millimeter Durchmesser bewickelt (siehe Erkl. 51). Ausserdem besitzen die grösseren Induktoren noch einen Kondensator (siehe folg. Antw.).

Frage 60. Worin besteht die Wirkungsweise des Kondensators bei den Induktoren und wie ist derselbe mit den Induktoren verbunden?

Antwort. Der Kondensator dient dazu, um den beim Oeffnen des Hauptstroms auftretenden Oeffnungsextrastrom aufzunehmen (s. Antw. auf Frage 56).

Fig. 20 zeigt die schematische Verbindung des Induktors mit dem Kondensator C. B ist die Induktionsrolle, A die Hauptrolle, DD der Eisenkern und R die Stromquelle. Die Unterbrechung ist nach Art des Wagnerschen Hammers eingerichtet, jedoch ist als Elektromagnet das Eisendrahtbündel D der Hauptrolle benützt (siehe Erkl. 52). Es geht nämlich der Hauptstrom von R aus über a nach b und durch die Windungen der Hauptrolle A nach R zurück. Dadurch wird der Eisenkern der Hauptrolle magnetisch und zieht den Anker E, welcher an einer in b befestigten Feder sitzt, an und es entsteht bei a eine Stromöffnung; jetzt verliert jedoch der Eisenkern seinen Magnetismus, die Feder schnellt zurück, berührt wieder a und der Strom ist geschlossen u. s. f.

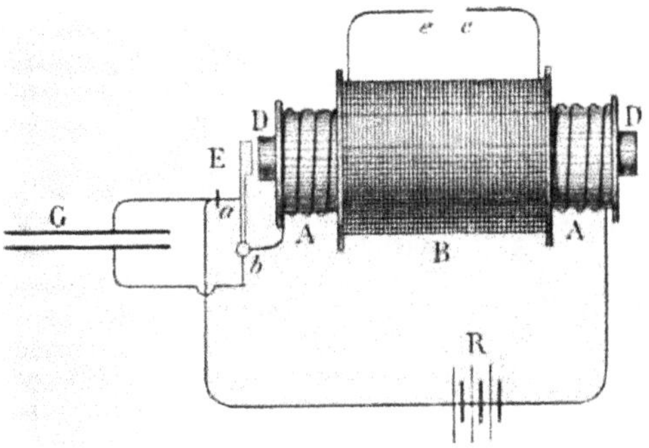

Im Moment der Stromöffnung tritt in der Hauptrolle A der Oeffnungsextrastrom auf, welcher an der Oeffnungsstelle a einen starken Funken erzeugt. Verbindet man jedoch den Punkt b mit der einen, den Punkt a mit der andern Belegung des Kondensators C, so nehmen die Kondensatorplatten, wenn sie entsprechend gross sind, die beim Oeffnen des Hauptstroms bei a sich anhäufenden Elektricitätsmengen ganz oder teilweise auf und der Oeffnungsfunke bei a wird sich gar nicht oder nur als kleines Fünkchen zeigen.

Figur 20.

Erkl. 52. Diese Art der Stromunterbrechung wurde zuerst von *Ruhmkorff* angewandt.

Erkl. 53. Nach Antw. auf Frage 25 ist der Oeffnungsextrastrom dem Hauptstrom gleichgerichtet.

Erkl. 54. Die Dimensionen des Kondensators wählt man am besten so, dass der Schliessungs- und Oeffnungsfunke ungefähr von gleicher Stärke sind.

Wird der Stromkreis bei a wieder geschlossen, so entladet sich der Kondensator durch die Hauptrolle in derselben Richtung wie der Hauptstrom (siehe Erkl. 53) und verstärkt denselben. Man bemerkt dasselbe an dem beim Schliessen bei a auftretenden Schliessungsfunken, welcher ohne Anwendung eines Kondensators nicht auftreten würde (siehe Erkl. 54).

Frage 61. Welche Stromunterbrechungsvorrichtungen sind bei den Ruhmkorff'schen Induktoren in Gebrauch?

Antwort. Bei den grösseren Induktoren ist meist ein Wagner'scher Hammer oder ein Foucault'scher Unterbrecher in den Stromkreis eingeschaltet. Bei kleineren Induktoren ist entweder die in Antw. auf vorige Frage beschriebene Unterbrechungsvorrichtung in Gebrauch, oder eine ähnliche, wie sie in Fig. 21 dargestellt ist. M ist das aus der Hauptrolle herausragende Ende des Eisendrahtbündels. Unterhalb desselben befindet sich der an dem Hebel KD befestigte Anker D. Ist die Hauptrolle stromlos, so liegt der Anker D mit dem Platinplatte J auf der Platinplatte B auf, welche auf einer Feder AB befestigt ist. Diese Feder kann durch die Schraube C gehoben oder gesenkt werden.

Figur 21.

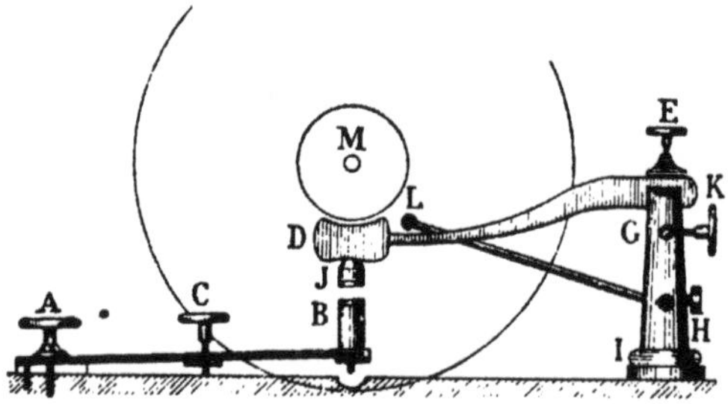

Erkl. 55. Es liegt nämlich der Anker D vor Stromschluss auf B auf und es kann der Strom dann von B nach J gehen.

Erkl. 56. Man verbindet E mit G durch einen Draht, weil die metallische Berührung des Hebels DK mit dem Ständer I nicht allzugross ist. Man verwendet ausserdem Silberdraht, da Silber ein ausgezeichneter Leiter ist und man denselben daher ziemlich dünn wählen kann. Dies ist aber notwendig, damit die Bewegung des Hebels nicht zu sehr beeinträchtigt wird.

Verbindet man A mit dem einen Pol und das eine Ende der Hauptrolle mit dem anderen Pol einer Säule, ferner das andere Ende L der Hauptrolle mit H, so läuft der Strom von A durch B nach J (siehe Erkl. 55) und E und von da aus durch einen Silberdraht nach K (siehe Erkl. 56), H, L, und durch die Hauptrolle nach der Säule zurück. Der Strom ist geschlossen. Dadurch aber wird der Anker D von dem jetzt magnetisierten Eisenkern M angezogen und öffnet dadurch den Strom bei B. Infolgedessen verliert M seinen Magnetismus, der Anker D sinkt wieder und schliesst durch die Berührung mit B den Strom u. s. f.

b). Der Funkeninduktor von Stöhrer.

Frage 62. Worin besteht die Einrichtung des Funkeninduktors von *Stöhrer?*

Antwort. Gemäss Fig. 22 besteht der Stöhrersche Funkeninduktor aus zwei lotrecht gerichteten Drahtspulen A und B. A ist die Hauptrolle, B die Induktionsrolle. Die letztere ist aus 3 einzelnen Drahtspulen, welche jede mit der folgenden in Verbindung stehen, zusammengesetzt. Diese Art der Einrichtung der Induktionsrolle ist wegen der besseren Isolation der einzelnen

Figur 22.

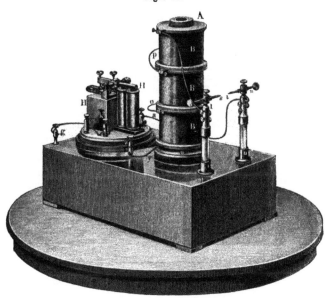

Erkl. 57. Da der Eisenkern des Hammerelektromagnets H immer etwas Magnetismus (sog. remanenten Magnetismus) besitzt, auch wenn kein Strom die Elektromagnetwindungen durchfliesst, so bringt man meist auf den Eisenkernen Messingstiftchen an, damit der Anker des Elektromagnets die Eisenkerne nicht direkt berührt wenn er herabgezogen wird, so dass er auch nach Stromöffnung nicht haften bleiben kann.

Windungen gewählt und namentlich für Induktoren, welche sehr hochgespannte Ströme liefern, sehr vorteilhaft (siehe Antw. auf Frage 49). In der Hauptrolle A steckt ein Bündel weicher Eisendrähte. Die Stromunterbrechung geschieht mittels des eigenartig konstruierten Wagnerschen Hammers H (s. Erkl. 57). In die Klemmen bei a und g wird der Hauptstrom eingeleitet. Hierdurch entstehen in der Induktionsrolle B Ströme,

Figur 23.

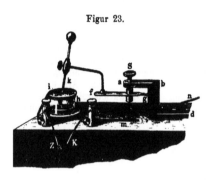

Erkl. 58. Nach den Gesetzen des Magnetismus wird ein Stück unmagnetisches Eisen, welches mit einem Magnet in Berührung gebracht wird, magnetisch. Es ist daher leicht einzusehen, weshalb das Eisenstück *abcd* magnetisch wird, und wieder unmagnetisch, wenn das Drahtbündel seinen Magnetismus wieder verliert.

Erkl. 59. Ueber dem Quecksilber des Gefässes *h* befindet sich meist zur schnelleren Unterbrechung etwas Alkohol (siehe Erkl. 44).

welche bei *s* und *t* des Funkenziehers als Funken überspringen. Der Holzkasten, worauf der Apparat aufgestellt ist, enthält den **Kondensator.**

Bei neueren Apparaten bringt *Stöhrer* einen **Quecksilber-Unterbrecher,** s. Fig. 23, zur Anwendung. Derselbe ist nach Art des Foucaultschen Unterbrechers verfertigt; jedoch besitzt er nur ein **einziges** Quecksilbergefäss und ausserdem wird der Eisenkern der Hauptrolle zur Stromunterbrechung benutzt. Zu dem Zwecke erstreckt sich der wagrechte Arm *cd* des Eisenstücks *abcd* bis unter die auf der Fortsetzung von *cd* lotrecht stehende Hauptrolle. Das Eisendrahtbündel steht mit dem Eisenstück *abcd* in Verbindung, welches mit jenem zugleich magnetisch und unmagnetisch wird (siehe Erkl. 58). Der eisernen Schraube *S* gegenüber befindet sich auf der Feder *fg* ein eiserner Anker *T*. Bei Stromöffnung ist *T* von *S* entfernt und der mit der Feder *gf* verbundene Stift *k* taucht in das Quecksilbergefäss *h*. Verbindet man die Enden *Z* und *K* mit den Polen eines galvanischen Elements, so läuft der Strom durch *i*, *k*, *f*, *g*, *c*, *n* und durch die Windungen der Hauptrolle nach *r* zurück. Dadurch wird der Eisenkern der Hauptrolle und mit diesem das Eisenstück *abcd* und die Schraube *S* magnetisch. Der Anker *T* wird angezogen, woraufhin sich der Stift *k* aus dem Quecksilber hebt und den Strom öffnet u. s. f. (siehe Erkl. 59).

---

c). Der Schlittenapparat von Du Bois-Reymond.

Frage 63. Worin besteht die Einrichtung und Wirkungsweise des Du Bois-Reymondschen Schlittenapparats?

Antwort. Nach Fig. 24 besteht der Du Bois-Reymondsche Schlittenapparat im wesentlichen aus zwei mit isoliertem Draht umwundenen Holzspulen *J* und *R* und einem Wagnerschen Hammer. Die Spule *R* ist die Hauptrolle, d. h. diejenige, in welche ein galvanischer Strom eingeleitet wird; die Spule *J* ist die Induktionsrolle, in welcher die Induktionsströme erregt werden sollen. Zur Verstärkung der Induktionsströme liegt in

Erkl. 60. Der Du Bois-Reymondsche Schlittenapparat wird hauptsächlich zu physiologischen Zwecken gebraucht. Für diese Zwecke ist es aber von Vorteil, nicht einen massiven Eisenkern, sondern ein Bündel weicher Eisendrähte in die Hauptrolle zu stecken. (Vergl. dieses Lehrb. Abschnitt: Die physiologischen Wirkungen der Induktionsströme.)

der Höhlung der Spule R ein Stab weichen Eisens oder besser ein Bündel weichen Eisendrahts (s. Erkl. 60). Die Induktionsrolle J ist auf einer Holzführung S, einem sogenannten Schlitten, befestigt und kann auf demselben verschoben werden, so dass sie ihre Lage gegen die Hauptrolle R verändern kann. Das eine Ende der Hauptrolle R ist mit der Klemmschraube k, das andere mit der Klemmschraube l verbunden, während die Enden der Induktionsrolle J an den Klemmschrauben a und b befestigt sind.

Verbindet man die Klemmschrauben p und n mit den Polen einer galvanischen Säule L, so läuft etwa der Strom

Figur 24.

von L aus nach p, von da aus durch m, f, t nach der Klemmschraube k, dann durch die Windungen der Hauptrolle R nach der Klemmschraube l, dann durch die Windungen des Elektromagnets E nach der Klemme n und von da aus nach der galvanischen Säule L zurück; der Strom ist also geschlossen. Sobald jedoch ein Strom durch die Windungen des Elektromagnets E läuft, zieht er den Anker h an, der Punkt f der Feder entfernt sich von der Spitze t der Schraube s und der Strom ist unterbrochen; dadurch aber verliert der Eisenkern des Elektromagnets seinen Magnetismus, der Anker h schnellt infolge der

Erkl. 61. Dieser in nebenstehender Antwort beschriebene Induktionsapparat rührt von *Du Bois-Reymond*, zur Zeit Professor der Physiologie an der Universität zu Berlin, her und wird hauptsächlich zu medizinischen Zwecken verwendet.

Erkl. 62. Die Veränderung der Stärke der Induktionsströme des Schlittenapparats kann nicht nur durch Verschiebung der Rolle J, sondern auch durch Verschiebung des Eisenkerns der Rolle R bewirkt werden. Steckt man den Eisenkern ganz in die Rolle R hinein, so ist die induzierende Wirkung der Hauptrolle am grössten, zieht man denselben mehr und mehr heraus, so nimmt die induzierende Wirkung mehr und mehr ab. Bei den meisten derartigen Schlittenapparaten kann der Eisenkern in der Hauptrolle verschoben werden.

Federkraft wieder in die Höhe, die Feder berührt wieder im Punkte f die Spitze t und der Strom ist wieder geschlossen. Es wechselt also Oeffnen und Schliessen des Stroms in R in rascher Folge. Bei einem jedesmaligen Oeffnen oder Schliessen aber entsteht in der Induktionsrolle J ein Induktionsstrom.

Die spezielle Einrichtung des Schlittenapparats von *Du Bois-Reymond* besteht noch darin, dass die Induktionsrolle J mittels des Schlitten S hin und her bewegt werden kann. Durch diese Einrichtung kann die Stärke der Induktionsströme in J in ziemlichen Grenzen verändert werden. Ist nämlich die Induktionsrolle J ganz über die Hauptrolle R geschoben, so ist die Stärke der in J erregten Induktionsströme am grössten, zieht man dagegen die Rolle J allmählich von der Hauptrolle R weg, so nimmt die Stärke immer mehr ab, da die induzierende Wirkung des Stroms in R mit der Entfernung abnimmt (siehe Erkl. 61 und 62).

Frage 64. Welche Mängel besitzt der Du Bois-Reymondsche Schlittenapparat?

Erkl. 63. Der Du Bois-Reymondsche Schlittenapparat dient ausschliesslich zu physiologisch-medizinischen Zwecken (siehe dieses Lehrb. Abschnitt: „Die physiologischen Wirkungen der Induktionsströme"); für diesen Fall ist es aber sehr wünschenswert gleichstarke Oeffnungs- und Schliessungsextraströme zu erhalten.

Antwort. Der Hauptmangel des Du Bois-Reymondschen Schlittenapparats besteht in der ungleichen Stärke des Schliessungs- und Oeffnungsinduktionsstroms, was durch das Auftreten des Extrastroms in der Hauptrolle bedingt wird. Der Schliessungsextrastrom gleicht sich durch die Windungen der Hauptrolle aus, ausserdem ist er dem Hauptstrom entgegengesetzt gerichtet; es wird also der Hauptstrom geschwächt und dadurch natürlich der Schliessungsinduktionsstrom auch.

Der Oeffnungsextrastrom verläuft nicht durch die Windungen der Hauptrolle, sondern erscheint als Funke an der Unterbrechungsstelle. Er schwächt also weder den Haupt- noch den Induktionsstrom (siehe Erkl. 63).

Frage 65. Wie hat man es versucht, Oeffnungs- und Schliessungsinduktionsströme von gleicher Stärke zu erzielen?

Antwort. *v. Helmholtz* hat zur Erzielung gleich starker Oeffnungs- und Schliessungsinduktionsströme folgende in Fig. 25 schematisch dargestellte Vorrichtung angegeben.

Die ausgezogenen Strombahnen bezeichnen den Stromlauf im ursprünglichen Du Bois-Reymondschen Schlittenapparat (siehe Erkl. 64). Der Strom des Elements *K* geht von *q* in den Ständer *B* des Wagnerschen Hammers und durch diesen in die Feder *o o* desselben, dann über *p* nach der Kontaktschraube *Q*, ferner über *n, l*, die Windungen des Elektromagnets *M* nach *m* und *g* und endlich durch die Windungen der Hauptrolle *I* über *h, k, i* und *e* nach dem

Figur 25.

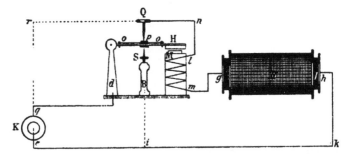

Element *K* zurück. Die Helmholtzsche Vorrichtung besteht in der Anbringung des Ständers *B*, dessen Kontaktspitze mittels der Schraube *S* so gestellt werden kann, dass der Wagnersche Hammer *o o* beim Herabgehen mit einem an seiner Unterseite befindlichen Platinplättchen den Ständer *B* metallisch berührt. Ausserdem ist noch von der Schraube *Q* über *r* und *q* eine Nebenschliessung zum Element *K* vorgesehen, während der Ständer *B* mit der Rückleitung (*h, k, i, e*) des Hauptstroms von der Hauptrolle zum Element bei *i* leitend verbunden ist. Hier kommen jetzt, sobald das Element *E* in Thätigkeit gesetzt ist, drei Stellungen des Wagnerschen Hammers in Betracht, nämlich:

a). wenn dieser die Schraube Q berührt,

b). wenn er sich in der Schwebe zwischen Q und S befindet,

c). wenn er die Schraube S berührt.

Frage 66. Welche Verhältnisse
treten auf, wenn der Wagnersche Hammer
die Schraube Q berührt?

Antwort. Berührt der Hammer die
Schraube Q, so ist der Hauptstrom geschlossen und es entwickelt sich der
Schliessungsextrastrom, welcher, in der
Hauptrolle dem Hauptstrome entgegengesetzt verlaufend, auf den Schliessungsinduktionsstrom der Induktionsrolle
schwächend und verzögernd einwirkt
(siehe Antw. auf Frage 25).

Frage 67. Was geschieht, wenn
der Wagnersche Hammer sich zwischen
den Schrauben Q und S befindet?

Antwort. Im Momente der Bewegung
des Hammers von Q nach S wird zwar
der Hauptstrom bei Q unterbrochen, jedoch geht jetzt der Stromlauf des Ele-
ments K von q über r, Q, n, l, m, g, h,
k, i und kehrt bei e wieder zum Ele-
ment K zurück; es findet somit durch
Aufhebung der Berührung bei Q und
durch das Herabgehen des Hammers
keine Stromunterbrechung des Hauptstroms statt.

Frage 68. Welche Verhältnisse treten auf, wenn der Hammer die Schraube
S berührt?

Erkl. 65. Kann der Strom einer Stromquelle
zwei Wege fliessen, so fliesst durch den Weg
mit dem kleinsten Widerstand die grösste
Elektricitätsmenge.

Erkl. 66. Berührt der Hammer die Schraube
S, so ist nach Nebenstehendem der Hauptstrom
in der Hauptrolle sozusagen geöffnet; es entsteht der Oeffnungsextrastrom. Dieser kann
sich jedoch bei dieser Anordnung durch die
Windungen der Hauptrolle ausgleichen; er
schwächt daher den in der Induktionsrolle
entstandenen Oeffnungsinduktionsstrom.

Antwort. Berührt der Hammer die
Schraube S, so sind dem Strome des
Elements zwei Wege geöffnet, nämlich
ein kurzer von q durch den Ständer d
über o, S, den Ständer B, i und e zum
Element K zurück, und ein längerer
über q, r, Q, n, l, m, g, h, k, i und e.
Der Leitungswiderstand des ersten (kur-
zen) Wegs ist gegen den Widerstand des
zweiten Wegs (infolge der eingeschalteten
Windungen des Elektromagnets M und der
Hauptrolle I) verschwindend klein. Es
wird daher nach den Gesetzen der Strom-
verzweigung (s. Erkl. 65) nur ein ganz geringer Teil des Stroms den zweiten Weg
durchfliessen und der weitaus grösste Teil
den ersten Weg nehmen (s. Erkl. 66).

Frage 69. In welcher Weise wirkt ein mit der von *v. Helmholtz* angegebenen Vorrichtung versehener Schlittenapparat?

Erkl. 67. Diese Abänderung des Wagnerschen Hammers gab *v. Helmholtz* im Jahre 1859 an. (Vergl. *E. du Bois-Reymond*, Monatsberichte der Berl. Akademie, 26. Juni 1862.)

Figur 26.

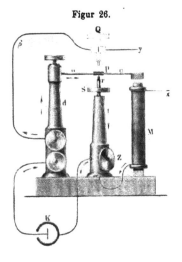

Antwort. Durch die von *v. Helmholtz* angegebene Vorrichtung wird der durch die Hauptrolle *I* fliessende Hauptstrom nicht unterbrochen (wie bei dem eigentl. Du Bois-Reymondschen Apparat), sondern nur geschwächt (siehe Antw. auf vorige Fragen). Es wirkt bei den verschiedenen Stellungen des Hammers nur die Zu- und Abnahme des die Hauptrolle durchfliessenden Stroms.

Während ferner bei dem Du Bois-Reymondschen Apparat sich nur der Schliessungsextrastrom durch die Windungen der Hauptrolle ausglich, hingegen der Oeffnungsextrastrom nicht (siehe Antw. auf Frage 64) und demzufolge auch nur der Schliessungsinduktionsstrom geschwächt wurde, findet, wie aus der Fig. 25 erhellt, nunmehr auch der Oeffnungsextrastrom von *h* über *k i e* durch das Element, ferner über *q, r, Q, n, l, m* und *g* durch die Windungen der Hauptrolle seinen Weg und wirkt demzufolge auch auf den Oeffnungsinduktionsstrom der Induktionsrolle schwächend und verzögernd ein. Dadurch aber, dass sowohl der Schliessungs- wie der Oeffnungsextrastrom durch die Hauptrolle fliesst, werden die Oeffnungs- und Schliessungsinduktionsströme einander einigermassen gleich; dafür sind aber nunmehr beide Ströme schwächer als früher.

Einen mit dieser *v. Helmholtz*schen Vorrichtung versehenen Wagnerschen Hammer zeigt Fig. 26 (siehe Erkl. 67).

Frage 70. Wie kann man am einfachsten gleichstarke Induktionsströme mittels eines Schlittenapparats erzielen?

Antwort. Man erhält mittels eines Schlittenapparats gleichstarke Induktionsströme, wenn man entweder nur die Oeffnungs- oder nur die Schliessungsinduktionsströme benutzt.

Frage 71. Welcher Apparat liefert selbstthätig nur Oeffnungs- oder nur Schliessungsinduktionsströme?

Antwort. Am einfachsten kann man mittels des Schlittenapparats von *Lewandowski* Oeffnungs- oder Schliessungsinduktionsströme erhalten.

d). Der Schlittenapparat nach Lewandowski.

Frage 72. Welche Einrichtung hat man getroffen, um nur Oeffnungs-induktionsströme zu erhalten?

Antwort. Fig. 27 zeigt eine schematische Einrichtung, um nur Oeffnungsinduktionsströme zu erhalten. M ist der Elektromagnet des Wagnerschen Hammers, uv die Feder desselben, H sein Anker und A der Ständer für seine Axe, C die Kontaktschraube, I die Haupt-, II die Induktionsrolle, P und P_1 die Enden der letzteren und E das galvanische Element. Der Hauptstrom geht von e über l, m, A, f, C, n, g, h, r, t und d nach dem Element E zurück. Dies ist das Schema des Du Bois-Reymondschen Apparats, und die Ströme, welche wir an P und P_1 erhalten würden, wären Wech-

Figur 27.

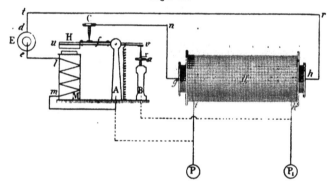

selströme (siehe Antw. auf Frage 63). Um jedoch nur Oeffnungsinduktionsströme zu erhalten, haben wir die Schliessungsinduktionsströme zu unterdrücken. Dies geschieht dadurch, dass wir unter das freie Ende v der Feder uv einen Ständer b mit einer verstellbaren Platinspitze a anbringen, die Unterseite der Feder uv bei v mit einem Platinplättchen versehen, den Ständer B mit dem einen Drahtende k der Induktionsrolle und den Ständer A mit dem andern Ende i in leitende Verbindung bringen; die Platinspitze bei a wird so weit in die Höhe geschraubt, dass sie das Platinplättchen bei v berührt, wenn die Feder uv sich

Erkl. 68. Diese Art der Einrichtung eines Schlittenapparats rührt von R.-A. Dr. *Rudolf Lewandowski*, k. k. Professor zu Wien, her (Wiener medizinische Presse Nr. 9 u. ff. 1888).

in ihrer Ruhelage (d. h. in Berührung mit der Schraube C) befindet. Ist dies geschehen, so fliessen zwischen den Polklemmen P und P_t nur mehr Oeffnungsinduktionsströme, während die Schliessungsinduktionsströme sich von P über A, v, a, B und k durch die Windungen der Induktionsrolle abgleichen (siehe Erkl. 68).

Frage 73. Welche Einrichtung hat man getroffen, um nur Schliessungsinduktionsströme zu erhalten?

Antwort. Man erhält nur Schliessungsinduktionsströme, wenn man (s. Fig. 28) folgende Verbindungen herstellt. Die Polklemme P der Induktionsrolle wird mit dem Ständer A und der Anfang i der Induktionswindungen mit dem Ständer B verbunden, während das Ende k der Induktionswindungen direkt nach der Polklemme P_t führt. Alle anderen Verhältnisse sind denen in voriger Antwort

Figur 28.

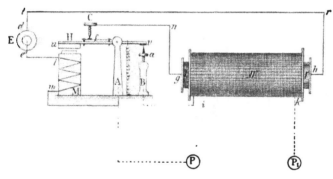

Erkl. 69. Zwischen die beiden Klemmen P und P_t werden die Apparate eingeschaltet, durch welche man den Induktionsstrom schicken will; wir haben uns daher P und P_t mit einander leitend verbunden zu denken.

beschriebenen gleich. Der Schliessungsinduktionsstrom ergiesst sich bei dieser Schaltung von i über B, a, v, A, P durch den Schliessungsbogen (zwischen P und P_t) (siehe Erkl. 69) und kehrt über k zur Induktionsrolle zurück; wird jedoch der Anker H von dem Hammerelektromagnet M angezogen und hierdurch der Hauptstrom des Elements E bei C unterbrochen, so findet mit der Lösung des Kontakts zwischen f und C zugleich auch die Unterbrechung zwischen *v* und *a*, somit die Unterbrechung des Schliessungskreises *i*, *B*, *a*, *v*, *A*, *P*, *P*ₜ der Induktionsrolle statt; es kann daher der Oeffnungsinduktionsstrom durch diesen Schliessungskreis nicht fliessen.

Durch diese in Fig. 28 schematisch dargestellte Vorrichtung sind wir daher im stande, nur Schliessungsinduktionsströme zu erzielen.

Frage 74. Wie kann man auf möglichst einfache Weise ohne Lösung von Drahtverbindungen und ohne Umschaltungen jederzeit nach Belieben Oeffnungsinduktionsströme, Schliessungsinduktionsströme, Wechselströme und Extraströme (der Hauptrolle) aus den beiden Klemmen *P* und *P*ₜ fortleiten?

Antwort. Um dies zu können, hat man nur nötig, mit der in den schematischen Figuren 27 und 28 skizzierten Einrichtung einen Stöpselklemmen-Umschalter (siehe Erkl. 70), bestehend aus 7 Metallklötzchen (1, 2, 3, 4, 5, 6 und 7) und 2 Metallstöpseln, zu vereinigen, siehe Fig. 29.

Die Verbindung dieses Stöpselklemmenumschalters mit den einzelnen Teilen des

Figur 29.

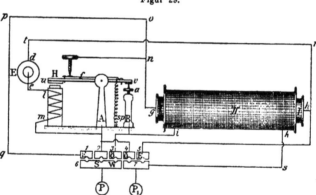

Erkl. 70. Ein Stöpselklemmenumschalter besteht darin, dass verschiedene Stromkreise in beliebiger Weise durch einfaches Einstecken eines Stöpsels zwischen 2 Metallklötzchen, in welche zwei Stromkreise münden, in leitende Verbindung mit einander gebracht werden können.

Erkl. 71. Die kleinen Biegungen einzelner Drähte sollen anzeigen, dass diese Drähte mit den unter ihnen verlaufenden keine Berührung haben.

Schlittenapparats ist durch die ausgezogenen Linien ersichtlich gemacht (siehe Erkl. 71).

Es steht das Metallklötzchen 1 über *q*, *p*, *o*, *n* und *g* mit dem einen Ende der Hauptrolle *I* und das Klötzchen 5 über *s* und *h* mit dem anderen Ende derselben in Verbindung; von dem Ständer *A* führt eine Drahtleitung einerseits zu dem Metallklötzchen 2, anderseits zu

Der ausführliche **Prospekt** und das **ausführliche In-**
haltsverzeichnis der „vollständig gelösten Aufgabensammlung
von **Dr. Ad. Kleyer**" kann von jeder Buchhandlung, sowie von
der Verlagshandlung **gratis und portofrei** bezogen werden.

Bemerkt sei hier nur:

1). Jedes Heft ist aufgeschnitten und gut brochiert, um den **sofortigen und dauern**
den Gebrauch zu gestatten.

2). Jedes Kapitel enthält sein besonderes Titelblatt, Inhaltsverzeichnis, Berichtigungen
und Erklärungen am Schlusse desselben.

3). Auf jedes einzelne Kapitel kann abonniert werden.

4). Monatlich erscheinen 3—4 Hefte zu dem **Abonnementspreise** von 25 Pfg. pro Heft.

5). Die **Reihenfolge** der Hefte im nachstehenden, kurz angedeuteten Inhaltsverzeichnis ist, **wie aus dem Prospekt ersichtlich, ohne jede Bedeutung** für
die Interessenten.

6). Das Werk enthält **Alles**, was sich überhaupt auf mathematische Wissenschaften
bezieht, alle Lehrsätze, Formeln und Regeln etc. mit Beweisen, alle praktischen
Aufgaben in vollständig gelöster Form mit Anhängen ungelöster analoger Aufgaben und vielen vortrefflichen Figuren.

7). Das Werk ist ein **praktisches Lehrbuch für Schüler aller Schulen, das**
beste Handbuch für Lehrer und Examinatoren, das **vorsüglichste Lehrbuch**
zum Selbststudium, das vortrefflichste Nachschlagebuch für Fachleute und
Techniker jeder Art.

8). Alle Buchhandlungen nehmen Bestellungen entgegen.

 Das vollständige

Inhaltsverzeichnis
der bis jetzt erschienenen Hefte

kann durch jede Buchhandlung bezogen werden.

Halbjährlich erscheinen Nachträge über die inzwischen neu erschienenen Hefte.

Druck von Carl Hammer in Stuttgart.

524. Heft.

Preis
des Heftes
25 Pf.

Die Induktionselektricität.

Forts. v. Heft 523. — Seite 49—64.

Mit 16 Figuren.

Vollständig gelöste

Aufgaben-Sammlung

— nebst Anhängen ungelöster Aufgaben, für den Schul- & Selbstunterricht —

mit

Angabe und Entwicklung der benutzten Sätze, Formeln, Regeln, in Fragen und Antworten

erläutert durch

viele Holzschnitte & lithograph. Tafeln,

aus allen Zweigen

der Rechenkunst, der niederen (Algebra, Planimetrie, Stereometrie, ebenen u. sphärischen Trigonometrie, synthetischen Geometrie etc.) u. höheren Mathematik (höhere Analysis, Differential- u. Integral-Rechnung, analytische Geometrie der Ebene u. des Raumes etc.); — aus allen Zweigen der Physik, Mechanik, Graphostatik, Chemie, Geodäsie, Nautik, mathemat. Geographie, Astronomie; des Maschinen-, Strassen-, Eisenbahn-, Wasser-, Brücken- u. Hochban's; der Konstruktionslehren als: darstell. Geometrie, Polar- u. Parallel-Perspektive, Schattenkonstruktionen etc. etc.

für

Schüler, Studierende, Kandidaten, Lehrer, Techniker jeder Art, Militärs etc.

zum einzig richtigen und erfolgreichen

Studium, zur Forthülfe bei Schularbeiten und zur rationellen Verwertung der exakten Wissenschaften,

herausgegeben von

Dr. Adolph Kleyer,

Mathematiker, vereideter königl. preuss. Feldmesser, vereideter grossh. hessischer Geometer I. Klasse

in Frankfurt a. M.

unter Mitwirkung der bewährtesten Kräfte.

Die Induktionselektricität.

Nach System Kleyer bearbeitet von **Adolf Krebs** in Darmstadt.

Fortsetzung v. Heft 523. — Seite 49—64. Mit 16 Figuren.

Inhalt:

Die Transformatoren im allgemeinen. — Die Wirkungen der Induktionsströme. — Die Lichtwirkungen in freier Luft. — Die Lichtwirkungen in verdünnten Gasen. — Die Wärmewirkungen. — Die physiologischen Wirkungen.

Stuttgart 1889.

Verlag von Julius Maier.

PROSPEKT.

Dieses Werk, welchem kein ähnliches zur Seite steht, erscheint monatlich in 3—4 Heften zu dem billigen Preise von 25 ₰ pro Heft und bringt eine Sammlung der wichtigsten und praktischsten Aufgaben aus dem Gesamtgebiete der Mathematik, Physik, Mechanik, math. Geographie, Astronomie, des Maschinen-, Strassen-, Eisenbahn-, Brücken- und Hochbaues, des konstruktiven Zeichnens etc. etc. und zwar in vollständig gelöster Form, mit vielen Figuren, Erklärungen nebst Angabe und Entwickelung der benutzten Sätze, Formeln, Regeln in Fragen mit Antworten etc., so dass die Lösung jedermann verständlich sein kann, bezw. wird, wenn eine grössere Anzahl der Hefte erschienen ist, da dieselben sich in ihrer Gesamtheit ergänzen und alsdann auch alle Teile der reinen und angewandten Mathematik — nach besonderen selbständigen Kapiteln angeordnet — vorliegen.

Fast jedem Hefte ist ein Anhang von ungelösten Aufgaben beigegeben, welche der eigenen Lösung (in analoger Form wie die bezüglichen gelösten Aufgaben) des Studierenden überlassen bleiben, und zugleich von den Herren Lehrern für den Schulunterricht benutzt werden können. Die Lösungen hierzu werden später in besonderen Heften für die Hand des Lehrers erscheinen. Am Schlusse eines jeden Kapitels gelangen: Titelblatt, Inhaltsverzeichnis, Berichtigungen und erläuternde Erklärungen über das betreffende Kapitel zur Ausgabe.

Das Werk behandelt zunächst den Hauptbestandteil des mathematisch-naturwissenschaftlichen Unterrichtsplanes folgender Schulen: Realschulen I. und II. Ordn., gleichberechtigten höheren Bürgerschulen, Privatschulen, Gymnasien, Realgymnasien, Progymnasien, Schullehrer-Seminaren, Polytechniken, Techniken, Baugewerkschulen, Gewerbeschulen, Handelsschulen, techn. Vorbereitungsschulen aller Arten, gewerbliche Fortbildungsschulen, Akademien, Universitäten, Land- und Forstwissenschaftsschulen, Militärschulen, Vorbereitungs-Anstalten aller Arten als z. B. für das Einjährig-Freiwillige- und Offiziers-Examen etc.

Die Schüler, Studierenden und Kandidaten der mathematischen, technischen und naturwissenschaftlichen Fächer werden durch diese, Schritt für Schritt gelöste, Aufgabensammlung immerwährend an ihre in der Schule erworbenen oder nur gehörten Theorien etc. erinnert und wird ihnen hiermit der Weg zum unfehlbaren Auffinden der Lösungen derjenigen Aufgaben gezeigt, welche sie bei ihren Prüfungen zu lösen haben, zugleich aber auch die überaus grosse Fruchtbarkeit der mathematischen Wissenschaften vorgeführt.

Dem Lehrer soll mit dieser Aufgabensammlung eine kräftige Stütze für den Schul-Unterricht geboten werden, indem zur Erlernung des praktischen Teils der mathematischen Disciplinen — zum Auflösen von Aufgaben — in den meisten Schulen oft keine Zeit erübrigt werden kann, hiermit aber dem Schüler bei seinen häuslichen Arbeiten eine vollständige Anleitung in die Hände gegeben wird, entsprechende Aufgaben zu lösen, die gehabten Regeln, Formeln, Sätze etc. anzuwenden und praktisch zu verwerten. Lust, Liebe und Verständnis für den Schulunterricht wird dadurch erhalten und belebt werden.

Den Ingenieuren, Architekten, Technikern und Fachgenossen aller Art, Militärs etc. etc. soll diese Sammlung zur Auffrischung der erworbenen und vielleicht vergessenen mathematischen Kenntnisse dienen und zugleich durch ihre praktischen in allen Berufszweigen vorkommenden Anwendungen einem toten Kapital lebendige Kraft verleihen und somit den Antrieb zu weiteren praktischen Verwertungen und weiteren Forschungen geben.

Alle Buchhandlungen nehmen Bestellungen entgegen. Wichtige und praktische Aufgaben werden mit Dank von der Redaktion entgegengenommen und mit Angabe der Namen verbreitet. — Wünsche, Fragen etc., welche die Redaktion betreffen, nimmt der Verfasser, Dr. Kleyer, Frankfurt a. M., Fischerfeldstrasse 16, entgegen, und wird deren Erledigung thunlichst berücksichtigt.

Stuttgart.   **Die Verlagshandlung.**

dem Klötzchen 4; der Ständer B ist einerseits mit dem Metallklötzchen 3, anderseits mit der einen Polklemme i der Induktionsrolle II leitend verbunden, während die andere Klemme k mit dem Metallklötzchen 7 in Verbindung gesetzt ist; schliesslich führt von dem Metallklötzchen 6 eine Verbindung zu der einen Polklemme P der Induktionsrolle, von dem Klötzchen 7 eine Verbindung nach der andern Polklemme P_t. Die zwischen den Metallklötzchen 1, 2, 3 und 6 einerseits und zwischen 4, 5 und 7 anderseits ersichtlich gemachten Löcher dienen dazu, die einzelnen Klötzchen durch Einstecken der Metallstöpsel miteinander leitend zu verbinden.

Frage 75. Zwischen welche Metallklötzchen muss man die beiden Metallstöpsel stecken, damit man mit der in Fig. 29 gekennzeichneten Vorrichtung nur Oeffnungsinduktionsströme an den Klemmen P und P_t erhält?

Antwort. Um nur Oeffnungsinduktionsströme an den Klemmen P und P_t zu erhalten, steckt man den einen Stöpsel zwischen W und Ö, siehe Fig. 29, so dass also zwischen den Metallklötzchen 3 und 6 einerseits und der Klemme P anderseits eine Verbindung hergestellt ist, ferner den andern Metallstöpsel in die andere Oeffnung Ö, so dass die Metallklötzchen 4 und 7 unter einander und auch mit der zweiten Klemme P_t verbunden sind. Der Oeffnungsinduktionsstrom kann dann beim Oeffnen des Hauptstroms (d. h. wenn die Schrauben C und a die Feder uv nicht mehr berühren) von den Polen P und P_t abgenommen werden, denn es steht das eine Ende i der Induktionsrolle mit 3, Ö, W, 6 und P in Verbindung, während das andre Ende k mit 7 und P_t verbunden ist. Ferner ist noch eine Nebenschliessung vorhanden; es ist nämlich i direkt mit dem Ständer B und k über 7 und 4 mit dem Ständer A verbunden. Beim Stromschluss des Elements E berührt die Feder uv die Schrauben C und a, wodurch der Bogen A, v, a, B metallisch geschlossen ist und die Schliessungsinduktionsströme sich durch i, B, a, v, A, 4, 7, k und die Windungen der Induktionsrolle ausgleichen und nicht an den Klemmen P und P_t abgenommen werden können (s. Erkl. 72).

Erkl. 72. Es ist sehr zu beachten, dass bei den Schliessungsinduktionsströmen eine leitende Verbindung zwischen den Teilen A, v, a, B besteht, während dieselbe bei den Oeffnungsinduktionsströmen unterbrochen ist, da nach Anziehen des Ankers H durch den Elektromagnet M die Schraube a die Feder uv nicht mehr berührt.

Erkl. 73. Die Buchstaben Ö Ö sind Abkürzungen für Oeffnungsinduktionsströme.

Durch das Einstecken der beiden
Metallstöpsel bei *Ö Ö* (siehe Erkl. 73)
werden an den Klemmen *P* und *P*ₜ
nur Oeffnungsinduktionsströme erhalten.

Frage 76. Zwischen welche Metallklötzchen muss man die beiden Metallstöpsel stecken, damit man mit der
in Fig. 29 gekennzeichneten Vorrichtung
nur Schliessungsinduktionsströme
an den Klemmen *P* und *P*ₜ erhält?

Antwort. Nimmt man (Fig. 29) die beiden
Metallstöpsel aus *Ö Ö* heraus und steckt
nur einen einzigen in die Oeffnung
bei *S*, so kreisen zwischen *P* und *P*ₜ
nur die Schliessungsinduktionsströme der Induktionsrolle. Es ist
in diesem Falle das eine Ende *i* der
Induktionsrolle mit *B*, *a*, *v*, *A*, 2, 6 und
P verbunden, während das andre Ende
k direkt nach 7 und *P*ₜ führt.

Es ist somit eine Verbindung wie in
Fig. 28 (siehe Antw. auf Frage 73) her-

Erkl. 73 a. Der Buchstabe *S* ist die Abkürzung für „Schliessungsinduktionsströme".

gestellt, in welcher *k* direkt mit *P*ₜ,
i direkt mit *B*, *A* und *P* verbunden erscheint. Dem bei Besprechung der Fig.
28 Erörterten zufolge kann zwischen *P*
und *P*ₜ nur dann ein Strom fliessen,
wenn zwischen *v* und *a* ein Kontakt besteht und dies findet nur bei Stromschluss statt, in welchem Augenblick
ja der Schliessungsinduktionsstrom entsteht (siehe Erkl. 73 a).

Frage 77. Auf welche Weise kann
man mittels der in Fig. 29 gekennzeichneten Vorrichtung an den Klemmen
P und *P*ₜ nur die Extraströme der
Hauptrolle erhalten?

Antwort. Bringt man die beiden
Stöpsel in die beiden Oeffnungen
E E, so dass also das Metallklötzchen 1
mit 6 und 5 mit 7 verbunden ist, so
fliessen zwischen *P* und *P*ₜ nur
Extraströme.

Das eine Ende *h* der Hauptrolle *I*
steht nämlich mit dem Metallklötzchen
5 in Verbindung und ist durch den
Metallstöpsel zwischen 5 und 7 mit der
einen Klemme *P*ₜ, das andre Ende *g*
über *n*, *o*, *p*, *q*, 1, 6 mit der Klemme
P verbunden. Beim Oeffnen des Hauptstroms entsteht in der Hauptrolle (nach
Antw. auf Frage 23 ff.) der Oeffnungsextrastrom, beim Schliessen der Schliessungsextrastrom. Von den Klemmen *P* und *P*ₜ
können jedoch nur die Oeffnungsextraströme abgenommen werden, da der

Erkl. 78 b. Die Buchstaben EE sind Abkürzungen für „Extraströme".

Schliessungsextrastrom von dem beim Schliessen in der Hauptrolle entgegengesetzt verlaufenden Hauptstrom vernichtet wird (siehe Erkl. 73 b).

Frage 78. Zwischen welche Metallklötzchen muss man die Metallstöpsel bringen, damit man bei der in Fig. 29 gekennzeichneten Vorrichtung Wechselströme (abwechselnd Schliessungs- und Oeffnungsinduktionsströme) erhält?

Antwort. Man steckt einen einzigen Metallstöpsel in die Oeffnung bei W (siehe Erkl. 73 c) ein, dann fliessen zwischen P und P_t Wechselströme. Es kommt dann nämlich das eine Ende k der Induktionsrolle über 7 mit P_t, das andre Ende i über 3 und 6 mit P in Verbindung. Die Induktionsrolle ist somit sowohl beim Oeffnen, wie auch beim Schliessen des Hauptstroms mit den Klemmen P und P_t in Verbindung, man kann daher abwechselnd den Oeffnungs- und Schliessungsinduktionsstrom von diesen Klemmen abnehmen.

Erkl. 73 c. W bedeutet „Wechselströme".

Frage 79. Wie lässt sich der in der schematischen Figur 29 skizzierte Schlittenapparat am einfachsten praktisch ausführen?

Antwort. Fig. 30 zeigt den Schlittenapparat nach *Lewandowsky* in seiner einfachsten Gestalt. Der technischen Ausführung desselben liegt zwar im wesentlichen dieselbe, jedoch etwas abgeänderte schematische Figur (Fig. 31) zu Grunde. Dieselbe unterscheidet sich von der schematischen Figur 29 dadurch, dass die zweite Kontaktschraube a, welche in Fig. 29 auf dem Ständer B die untere Seite der Feder uv bei v berührte, in Figur 31 an der oberen Seite der Feder uv angebracht ist. Im übrigen ist nichts geändert.

Die Wirkungsweise bei dieser Anordnung ist dieselbe wie bei der in Fig. 29 gekennzeichneten, denn auch in dem jetzigen Falle kommen die beiden Schrauben B und C gleichzeitig ausser Berührung mit der Feder uv, wenn dieselbe sich nach unten bewegt.

Figur 30.

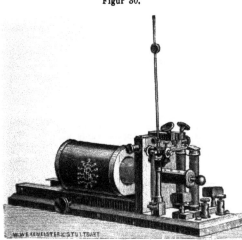

Erkl. 74. Um jedes beliebige Induktorium in möglichst einfacher Weise für gleich starke (gleichgerichtete) Induktionsströme abzuändern, ist es nur nötig, oberhalb des Wagnerschen Hammers (Fig. 31) eine isolierte Kontaktschraube *B* und an einer passenden Stelle eine neue (in Fig. 31 nicht gezeichnete) Klemme P_2 anzubringen. Verbindet man sodann z. B. P_1 mit P_2, P_2 mit *B* und *P* mit dem Ständer *A* des Wagnerschen Hammers, so fliessen zwischen *P* und P_1 nur Oeffnungsinduktionsströme. Unterbricht man die Verbindung zwischen P_1 und P_2, lässt aber die Leitung zwischen *P* und

Der in Fig. 30 abgebildete Apparat gibt nach Antw. auf die Fragen 75 ff.:

1). **Oeffnungsinduktionsströme,** wenn man die beiden Metallstöpsel in die beiden Oeffnungen *ÖÖ* steckt,

2). **Schliessungsinduktionsströme,** wenn man einen einzigen Metallstöpsel in die Oeffnung bei *S* steckt,

Figur 31.

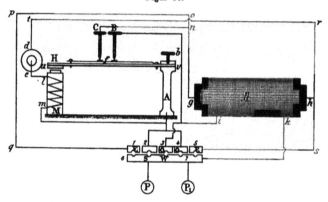

A bestehen, schaltet ferner den einen Leitungsdraht bei P_1 und den andern bei P_2 ein, so fliessen zwischen *P* und P_1 nur Schliessungsinduktionsströme. Lässt man die Leitung von P_1 und P_2 unterbrochen und verbindet die Poldrähte mit *P* und P_1, so erhält man Wechselströme.

3). **Oeffnungsextraströme,** wenn man die beiden Metallstöpsel in die Oeffnungen bei *EE* steckt,

4). **Wechselströme,** wenn man einen einzigen Metallstöpsel in die Oeffnung bei *W* steckt (siehe Erkl. 74).

Anmerkung. Der Schlittenapparat nach *Lewandowski* ist wegen seiner Befähigung nach Belieben viererlei Induktionsströme zu liefern, sozusagen ein Universal-Instrument. Die Einrichtung desselben datiert aus dem Jahre 1888. Der Apparat wurde nach *Lewandowskis* Angaben von *Reiniger, Gebbert & Schall* in Erlangen hergestellt. Weitere Vorzüge dieses Schlittenapparats siehe dieses Lehrb. Abschnitt: „Die physiologischen Wirkungen der Induktionsströme".

3). Ueber die Transformatoren im allgemeinen.

Anmerkung. Die Transformatoren haben rein praktisches Interesse und können daher in einem Lehrbuche der Induktion nur nach ihren allgemeinen Prinzipien, nicht aber in Bezug auf ihre verschiedenen Formen behandelt werden. Eine eingehende Beschreibung derselben wird in den Lehrbüchern der Elektrotechnik gegeben. (Siehe diese Encyklopädie Lehrb. der Elektrotechnik, Abschnitt: Die Transformatoren.)

Frage 80. Welchen Zweck haben die Transformatoren?

Erkl. 75. Transformator (vom lat. transformare = umformen, umsetzen) = Umsetzungsapparat.

Antwort. Die Transformatoren (siehe Erkl. 75) haben den Zweck, Ströme von grosser Spannung und geringer Stromstärke in Ströme von geringerer Spannung und grösserer Stromstärke zu verwandeln.

Frage 81. Aus welchen wesentlichen Teilen besteht ein Transformator?

Antwort. Ein Transformator besteht wie die Induktorien (siehe Antw. auf Frage 43) aus:
a). einer Hauptrolle,
b). einer Induktionsrolle,
c). einem Eisenkern.

Frage 82. Wie müssen die in Antw. auf vorige Frage genannten Teile eingerichtet sein, damit der in Antw. auf Frage 80 angegebene Zweck der Transformatoren erreicht werde?

Erkl. 76. Für die Transformatoren gilt also in Bezug auf die Haupt- und Induktionsrolle gerade das Umgekehrte wie bei den Induktorien. Es ist das auch von vornherein klar, denn wenn man durch Einleiten des Hauptstroms in die Hauptrolle eines Induktoriums aus Strömen von niedriger Spannung und grösserer Stromstärke in der Induktionsrolle Ströme von grösserer Spannung und geringerer Stromstärke erzielt, so muss beim Einleiten des Hauptstroms in die Induktionsrolle gerade das Umgekehrte stattfinden.

Antwort. Leiten wir in die Induktionsrolle eines Induktoriums den Strom eines galvanischen Elements, welcher durch eine Unterbrechungsvorrichtung (z. B. einen Wagnerschen Hammer) in rascher Folge geschlossen und geöffnet wird, so werden in der Hauptrolle Induktionsströme erregt, welche eine grössere Stromstärke aber eine geringere Spannung als der Strom des Elements haben.

Bei einem Transformator muss daher die Hauptrolle, in welche der Hauptstrom eingeleitet wird, eine grosse Anzahl dünner Windungen, die Induktionsrolle eine geringere Anzahl dicker Windungen haben (siehe Erkl. 76).

---

4). Ueber die Wirkungen der Induktionsströme.

Frage 83. Welche Wirkungen üben die Induktionsströme aus?

Erkl. 77. Ueber die Wirkungen elektrischer Ströme siehe *May*, Lehrb. d. Kontaktelektricität Antw. auf Frage 245.

Antwort. Die Induktionsströme besitzen alle diejenigen Wirkungen, welche ein elektrischer Strom zeigt, also:
a). Lichtwirkungen,
b). Wärmewirkungen,
c). physiologische Wirkungen,
d). dynamische Wirkungen,
e). magnetische Wirkungen,

f). induzierende Wirkungen,
g). chemische Wirkungen (siehe
Erkl. 77).

a). Die Lichtwirkungen der Induktionsströme.

Frage 84. Welches sind die hauptsächlichsten Lichtwirkungen der Induktionsströme?

Antwort. Von den Lichtwirkungen der Induktionsströme sind die wichtigsten:

α). Die Lichtwirkungen in freier Luft,

β). die Lichtwirkungen in verdünnter Luft oder verdünnten Gasen.

α). Die Lichtwirkungen der Induktionsströme in freier Luft.

Frage 85. Wie äussern sich die Lichtwirkungen der Induktionsströme?

Antwort. Die Lichtwirkungen der Induktionsströme äussern sich als einzelne Funken oder als Funken, welche mit einer Lichthülle umgeben sind.

Frage 86. Wie kann man die Funkenbildung der Induktionsströme experimentell zeigen?

Antwort. Die Funkenbildung ist am deutlichsten bei den Funkeninduktoren (siehe Antw. auf Frage 59 ff.) zu beobachten. Mittels grösserer Apparate dieser Art kann man Funken von bedeutender Länge erzielen.

Frage 87. Welche Gestalt hat der Funke der Induktionsströme?

Antwort. Der Funke der Induktionsströme hat dieselbe Gestalt wie derjenige einer Elektrisiermaschine (siehe Erkl. 78). Beobachtet man die Funken im dunkeln Zimmer, so zeigen dieselben etwa die in Fig. 32 gezeichnete Gestalt. Der Funke zeigt mannigfache Verästelungen.

Figur 32.

Erkl. 78. Ueber Elektrisiermaschinen siehe *Kleyer*, Lehrb. der Reibungselektricität Antw. auf Frage 101 u. ff.

Frage 88. Welche Farbe zeigt der Induktionsfunke?

Antwort. Die Farbe der Induktionsfunken richtet sich nach dem Metall, zwischen welchem die Funken überspringen. Sie können einen bläulichen oder einen rötlichen Schein haben.

Frage 89. Inwiefern wirken die Metalle, zwischen welchen der Funke überspringt, auf dessen Farbe ein?

Antwort. Beim Ueberspringen von Funken werden kleine Teilchen der Metalle mitgerissen. Dieselben befinden sich in glühendem, meist gasförmigem Zustand. Je nach dem Metall aber ist die Farbe dieser glühenden gasförmigen Teilchen eine andere; es wird hierdurch die Farbe des Funkens naturgemäss beeinflusst.

Frage 90. Wie ist das Spektrum des Induktionsfunkens beschaffen und auf welche Farbe des Funkens lässt dasselbe schliessen?

Antwort. Um zunächst das Spektrum (siehe Erkl. 79) zu erhalten, bedienen wir uns der in Fig. 33 gezeichneten Vorrichtung. M ist ein Gestell, auf welchem ein geteilter wagrechter Kreis K angebracht ist. Mit letzterem ist das Fernrohr F verbunden. In der Mitte des Kreises befindet sich auf einem Tischchen ein Glasprisma P. Dasselbe kann beliebig gedreht werden. S ist eine Röhre, welche an ihrem rechten Ende einen feinen Spalt hat, um das Licht des Induktionsfunkens, welcher zwischen a und b überspringt, durchzulassen. Die Klemmen g und f werden mit den Enden der Induktionsrolle des Funkeninduktors verbunden. Blickt man durch das Fernrohr, so sieht man das durch das Prisma in seine Einzelfarben zerlegte Licht, das sog. Spektrum des Induktionsfunkens. Dasselbe zeigt ein gleiches Spektrum wie das weisse Licht, sofern man von den Einflüssen absieht, welche das Metall bewirkt, zwischen welchen der Funke überspringt.

Figur 33.

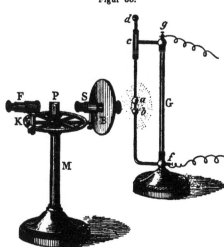

Erkl. 79. Lässt man Sonnenstrahlen im dunkeln Zimmer auf ein Prisma fallen und fängt man die durch dasselbe gegangenen Strahlen auf einer Pappscheibe auf, so sieht man die Farben des Regenbogens: Rot, Orange, Gelb,

Grün, Blau, Violett. Diesen Farbenstreifen
nennt man Spektrum und die einzelnen Farben
Spektralfarben. Das weisse Licht der Sonne
besteht aus den im Spektrum auftretenden einzelnen Farben. Zeigt umgekehrt das Spektrum
ein dem Sonnenspektrum gleichartiges Farben-
bild, so kann man daraus schliessen, dass das
ursprüngliche Licht weiss ist. (Näheres hierüber
siehe diese Encyklopädie Lehrb. der Optik, Abschnitt: Farbenzerstreuung des Lichts.)

Frage 91. Welche Erscheinung
tritt auf, wenn man die Induktionsfunken
nur auf kleine Strecken überspringen
lässt?

Antwort. Bringt man die beiden
Spitzen eines Funkenziehers (siehe Antw.
auf Frage 59) sehr nahe aneinander, so
bemerkt man im dunklen Zimmer ausser
der durch die überspringenden Funken
bald heller bald dunkler scheinenden
Lichtstrecke noch eine Lichthülle von
unveränderter Helligkeit. Diese
Lichthülle erscheint am positiven Pole
rötlich und gegen den negativen Pol
hin blau. Das rote Licht ist von dem
blauen durch einen dunklen Raum
getrennt. Eine andere Bezeichnung für
diese Lichthülle ist „Aureole" (siehe
Erkl. 79a).

Erkl. 79a. Aureole kommt vom lat. aureolus
= goldschimmernd.

Frage 92. In welcher Form erscheint
die Lichthülle?

Antwort. Diese Lichthülle hat die
Gestalt eines Bogens, welcher von den
zwischen den Spitzen überspringenden
Funken begrenzt wird, also etwa die
Form eines Halbmonds (siehe Fig. 34
und Erkl. 80).

Figur 34.

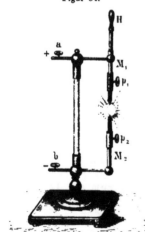

Erkl. 80. Dieser Lichtbogen wird auch der
Davysche oder Voltasche Lichtbogen genannt.

Frage 93. Wie bildet sich der Lichtbogen?

Antwort. Springen Funken zwischen zwei Spitzen über, so reissen dieselben kleine glühende Teilchen mit sich. Diese glühenden Teilchen sind es, aus welchen sich der Lichtbogen bildet. Diese einzelnen glühenden und zugleich elektrischen Teilchen unterliegen aber der Kraft des überall wirkenden Erdmagnetismus. Derselbe zwingt die einzelnen Teilchen in einer dem magnetischen Meridian parallelen Ebene zu verlaufen; ausserdem sucht er dieselben in Richtung des magnetischen Meridians wegzuführen. Die in der Mitte zwischen den beiden Spitzen befindlichen Teilchen werden am meisten, die an den Spitzen befindlichen am wenigsten abgelenkt. Es bildet sich also ein Licht-Bogen (siehe Erkl. 81).

Erkl. 81. Der Lichtbogen verhält sich genau wie ein stromdurchflossener Leiter. Er wird z. B. abgelenkt durch einen Magnet. Näheres über das magnetische Verhalten des Lichtbogens siehe *May* und *Krebs*, Lehrb. d. Elektromagnetismus Antw. auf Frage 33 u. ff.

Frage 94. Was lässt sich über die Grösse des Lichtbogens sagen?

Antwort. Nach Antwort auf vorige Frage besteht der Lichtbogen aus mitgerissenen glühenden Teilchen der Elektroden. Der Lichtbogen wird daher um so grösser sein, je leichter die Elektroden verdampfen oder Teilchen loslösen lassen. Bei Metallen ist der Lichtbogen geringer, bei Kohlen-Elektroden am stärksten.

Frage 95. Wie kann man am besten experimentell nachweisen, dass in der That einzelne Teilchen der Elektroden zu einander übergehen?

Antwort. Um dies nachzuweisen benutzt man am besten Kohlenelektroden

Figur 35.

+   **—**

Erkl. 82. Die aus Induktorien erhaltenen Ströme sind etwas schwach, um den Vorgang sehr genau zeigen zu können. Am geeignetsten sind die Ströme, welche die Induktionsmaschinen (siehe dies. Lehrb. Abschnitt: Induktionsmaschinen) liefern.

Erkl. 83. Die an den Kohlenspitzen warzenförmigen Erhöhungen sind Beimengungen der Kohle, welche bei der herrschenden Hitze flüssig geworden sind und später verdampfen. Dieselben sind in steter Bewegung.

und beobachtet dieselben entweder direkt durch ein dunkles Glas, da das Licht so glänzend ist, dass es das Auge blendet,

Figur 36.

oder man leitet das Licht durch eine
Linse auf eine Wand. Die Kohlenelektroden erscheinen etwa in den in Fig. 35
und 36 abgebildeten Formen und man
sieht ganz deutlich kleine Teilchen sich
loslösen, verdampfen und übergehen (siehe Erkl. 82 und 83).

β). Die Lichtwirkungen der Induktionsströme in verdünnter Luft und verdünnten Gasen.

Frage 96. Welche Erscheinungen
treten auf, wenn man die Induktionsfunken durch luftverdünnte Räume
schlagen lässt?

Antwort. Lässt man Induktionsfunken durch luftverdünnte Räume
schlagen, so wird mit zunehmender Verdünnung die Lichthülle des Funkens
grösser und grösser. Hat endlich die
Verdünnung der Luft einen hohen
Grad erreicht, so hört der eigentliche
Funke ganz auf und es zeigt sich nur
noch die Lichthülle (siehe Erkl. 84).

Erkl. 84. Die Erscheinungen, welche der
Induktionsstrom beim Durchgang durch luftverdünnte Räume darbietet, sind die pracht-
vollsten der Physik.

Frage 97. In welcher Form werden
die zu Lichtwirkungen gebräuchlichen
luftverdünnten Räume verwandt?

Antwort. Um in luftverdünnten
Räumen die Lichtwirkungen der Induktionsfunken gut beobachten zu können,
bedient man sich verschiedenartig ge-
formter Glasröhren (siehe Erkl. 85),
aus welchen die Luft herausgepumpt ist.
An zwei Stellen sind in die Wandungen
dieser Röhren Platindrähte eingeschmolzen, welche mit den Polen der Induktionsrolle verbunden werden. Fig. 37
zeigt eine solche Röhre.

Erkl. 85. Die luftverdünnten Glasröhren
wurden zuerst von *Gassiot* dargestellt, dann
aber von *Geissler* in Bonn in grosser Zahl und
grosser Formenauswahl verfertigt. Sie werden
Geisslersche Röhren genannt.

Um ferner die Lichtwirkungen bei ver-

schiedenen Graden der Luftverdünnung
beobachten zu können verwendet man das
sog. elektrische Ei (Fig. 38) oder die
elektrische Röhre (Fig. 39). Erstere
besteht aus einem eiförmigen Glasgefäss A,
an welchem oben und unten Messingfassungen luftdicht angekittet sind. Die
untere Messingfassung enthält einen
Hahn a, die Messingkugel b und ein

Figur 38.

Figur 37.

Figur 39.

inneres Schraubengewinde. Mittels dieses
Gewindes kann der Apparat auf eine
Luftpumpe aufgeschraubt und die Luft
in A verdünnt werden. Die beiden Pole
der Induktionsrolle werden mit b und c
leitend verbunden.

Die elektrische Röhre ist genau so
eingerichtet wie das elektrische Ei, nur
ist statt des eiförmigen Gefässes A eine
Glasröhre gewählt.

Frage 98. Welche Gestalt und Farbe zeigt die Lichthülle in äusserst luftverdünnten Räumen?

Antwort. Der Induktionsstrom erscheint am negativen Pol im luftverdünnten Raum als ein bläuliches Licht, welches fein geschichtet diesen Pol bis zu einer gewissen Entfernung hin umgibt (siehe die Fig. 40a, b, c). Der positive Pol strahlt ein Licht aus, welches fast bis zum negativen Pole reicht. Dieser Lichtstrom besteht aus abwechselnd hellen und dunkeln Schichten, welche

Figur 40a.   Figur 40b.   Figur 40c.

Erkl. 86. *Plücker* zählte in einer mit Wasserstoff gefüllten Röhre von etwa 2 mm Weite und 400 mm Länge gegen 400 lichte, abwechselnd mit dunkeln Stellen. Dieselben reichten bis nahe an den negativen Pol, waren jedoch von diesem durch einen dunkeln Raum getrennt.

senkrecht zur Verbindungslinie beider Pole verlaufen. In der Nähe des positiven Pols erscheinen diese Schichten stark, in weiterer Entfernung schwächer, gegen den negativen Pol gekrümmt. Diese Lichtschichten kommen deutlicher in verdünnten Gasen (Wasserstoff, Holzgeist, Alkohol etc.) zum Vorschein als in verdünnter Luft (siehe Erkl. 86).

Die Farbe des positiven Lichts ist je nach dem Gase verschieden.

Frage 99. Wie nennt man das am positiven und das am negativen Pole erscheinende Licht in einer Geisslerschen Röhre?

Antwort. Nach *Wüllner* wird die Lichterscheinung am negativen Pol „Glimmlicht", diejenige des positiven Pols „Büschellicht" genannt.

Frage 100. Wovon hängt die Anzahl der im Büschellicht auftretenden Schichten ab?

Erkl. 87. Näheres siehe *Wüllner*, Pogg. Annalen Jubelband.

Antwort. *Wüllner* hat gezeigt, dass die Anzahl dieser Schichten wesentlich von dem Druck des in den Geisslerschen Röhren eingeschlossenen Gases abhänge und zwar derart, dass bei einem Gasdruck von weniger als 1 mm Quecksilber, die Anzahl der Schichten am grössten ist und mit wachsendem Druck abnimmt. Bis zu einem Druck von 4 mm etwa bleibt die Lichterscheinung im wesentlichen ungeändert. Bei einem Drucke von 20 mm dagegen ist die Erscheinung ganz unregelmässig geworden, die Entladung erfolgt fast ausschliesslich über die Wände der Glasröhre (siehe Erkl. 87).

Frage 101. Wie verhalten sich der Schliessungs- und der Oeffnungsinduktionsstrom bezüglich ihrer Lichtwirkungen?

Erkl. 88. *Wüllner* zeigte, dass in einer 20 mm breiten, 100 mm langen mit Luft gefüllten Röhre bis zu einem Druck von 50 mm Quecksilber beide Inductionsströme übergehen; bei Sauerstoff bis etwa 40 mm, bei Wasserstoff bis etwa 80 mm Quecksilberdruck. Bis zu welchen Drucken beide Inductionsströme übergehen, hängt im wesentlichen auch noch von den Dimensionen der Röhren ab. *Wüllner*, Pogg. Annalen Bd. CXLVII.

Antwort. Wir hatten gesehen (Antw. auf Frage 25), dass der Schliessungsinduktionsstrom, dadurch, dass der Schliessungsextrastrom der Hauptrolle dem Hauptstrom entgegenwirkt und deshalb denselben erst nach einer gewissen Zeit zu seiner vollen Stärke gelangen lässt, längere Zeit zum Entstehen braucht als der Oeffnungsinduktionsstrom. Beide setzen zwar allerdings eine gleich grosse Elektricitätsmenge in der Induktionsrolle in Bewegung, jedoch der Oeffnungsinduktionsstrom in einer kürzeren Zeit. Es ist daher die Spannung des letzteren grösser als die des Schliessungsinduktionsstroms. Es wird daher der Oeffnungsinduktionsstrom noch auf Entfernungen als Funke überspringen, auf welche es der Schliessungsinduktionsstrom nicht mehr im stande ist. Daher kommt es, dass bei weiten Entfernungen die Funken immer nur nach einer Richtung, nämlich nach der Richtung des Oeffnungsinduktionsstroms, überspringen. In verdünnten Gasen springen bis zu einer gewissen Verdünnung beide Induktionsströme über (siehe Erkl. 88), bei grösserer Verdünnung jedoch nur noch der Oeffnungsinduktionsstrom.

Frage 102. Wie hat man den Versuch anzuordnen, dass in Geisslerschen Röhren beide Induktionsströme übergehen und welche Lichterscheinung tritt auf?

Erkl. 89. Eine Leydener Flasche besteht aus einer cylindrischen Glasflasche, welche am Boden und bis auf einige Centimeter am oberen Rande sowohl aussen als innen mit Stanniol

Antwort. Schaltet man in den Kreis des Induktionsstroms eine Leydner Flasche (siehe Erkl. 89) in der in Fig. 41 angedeuteten Weise, so dass also die eine Belegung der Flasche mit dem einen, die andre Belegung mit dem zweiten Pol der Induktionsrolle verbunden ist, so durchfliessen die Röhre abwechselnd der Oeffnungs- und der Schliessungsinduktionsstrom und zwar in entgegengesetzter

Figur 41.

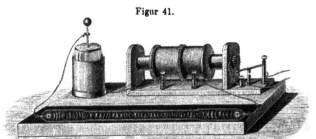

belegt ist. Der nicht belegte Teil der Flasche ist mit (schlechtleitendem) Schellackfirnis überzogen. In den weiten Hals der Flasche ist ein gefirnister Holzdeckel eingepasst, durch welchen ein Messingstab gesteckt ist, welcher mit der inneren Belegung in leitender Verbindung steht (siehe *Kleyers* Lehrb. der Reibungselektricität Antw. auf Frage 140).

Richtung. Der Oeffnungsinduktionsstrom ladet dann die Flasche und wenn der Schliessungsinduktionsstrom sich bildet, durchsetzen dieser und der Entladungsstrom der Flasche die Röhre zusammen.

Es zeigt sich dann an beiden Polen der Röhre das negative blaue Glimmlicht und zwischen den Polen treten eine Anzahl Lichtschichten auf, welche entweder gar nicht, oder nach beiden Seiten gekrümmt sind (siehe Fig. 41).

Frage 103. Welche Einwirkungen zeigt ein Magnet auf die Lichterscheinung in den Geisslerschen Röhren?

Antwort. Legt man eine Geisslersche Röhre, durch welche nur Oeffnungs-

Figur 42.

induktionsströme gehen und welche etwa die in Fig. 42 gekennzeichnete Lichterscheinung darbietet mit ihrem engen Teil auf die Pole NS eines Elektromagnets, so erhalten wir die in Fig. 43 dargestellte Lichterscheinung. Die Schichten gehen in einen doppelt gekrümmten Lichtstreifen über. Der Lichtstreif

Figur 43.

ist, wenn der Induktionsstrom in der Richtung von N nach S geht, ist über dem Nordpol nach hinten, über dem Südpol nach vorn abgelenkt.

Bringt man den negativen Pol über den Elektromagnet NS, so erscheint das negative Glimmlicht (siehe Fig. 44) als eine gekrümmte Fläche, welche die Gestalt einer magnetischen Kurve zeigt. Das negative Glimmlicht ordnet sich unter Einwirkung des Elektromagnets, wie Eisenfeillicht (siehe *May* und *Krebs*, Lehrb. d. Elektromagnetismus Antw. auf Frage 185 ff.) an; die einzelnen leuchtenden Teilchen des negativen Lichts zeigen also ein magnetisches Verhalten.

Das positive Schichtenlicht dagegen zeigt durch seine Ablenkung das Verhalten eines elektrischen Stroms.

Figur 44.

Figur 45.

Erkl. 90. Die Einwirkung von Magneten auf das Licht in Geisslerschen Röhren hat zuerst *Plücker* untersucht. *Plücker*, Pogg. Annalen Bd. CXIII.

Geht der Schliessungs- u n d Oeffnungsinduktionsstrom durch die Geisslersche Röhre (siehe Antw. auf vorige Frage), so werden die einzelnen Schichten in zwei Lichtstreifen zerlegt, von denen jeder einzelne Streifen Fig. 43 entspricht, die aber entgegengesetzt abgelenkt sind, da zwei entgegengesetzte Ströme in ihnen fliessen (siehe Fig. 45 u. Erkl. 90).

Frage 104. Welche Gesetzmässigkeit findet bei den Lichtwirkungen
der Induktionsströme statt?

Antwort. Die Lichtwirkungen der
Induktionsströme sind um so stärker, je schneller die Ströme verlaufen. Sie sind daher stärker bei Oeff-
nungs- als bei Schliessungs-Induktions-
strömen.

b). Ueber die Wärmewirkungen der Induktionsströme.

Frage 105. Wie kann man die
Wärmewirkungen der Induktionsströme
experimentell nachweisen?

Antwort. Verbindet man die Enden
der Induktionsrolle durch einen Platindraht, so wird derselbe, wenn er hin-
reichend dünn ist, warm, glühend und
verbrennt sogar unter günstigen Umständen. Nimmt man einen Eisendraht,
so erfolgt das Verbrennen leichter.
Verbinden wir mit den Enden der Induktionsrolle zwei Kohlenstifte, so
bildet sich (siehe Antw. auf Frage 93 ff.)
zwischen denselben ein Lichtbogen, während die Spitzen selbst weissglühend
werden.

Frage 106. Welche Gesetze gelten
über die Wärmewirkungen der Induktionsströme?

Erkl. 91. Die Begründung dieser Gesetze
findet man im mathematischen Teil dieses Lehrbuchs.

Antwort. Für die Wärmewirkungen der Induktionsströme gelten folgende
Gesetze:
1). Die in gleichen Zeiten von
verschiedenen Induktions-
strömen entwickelten Wärme-
mengen verhalten sich wie die
Quadrate der Stromstärken
jener Ströme.
2). Die entwickelten Wärmemen-
gen sind um so grösser, je
schneller die Induktions-
ströme verlaufen (siehe Erkl. 91).

c). Ueber die physiologischen Wirkungen der Induktionsströme.

Frage 107. Was versteht man unter
den physiologischen Wirkungen der
Induktionsströme?

Antwort. Die physiologischen
Wirkungen der Induktionsströme sind
die Wirkungen dieser Ströme auf den
tierischen und menschlichen Orga-
nismus.

Preisgekrönt in Frankfurt a. M. 1881.

Der ausführliche Prospekt und das ausführliche Inhaltsverzeichnis der „vollständig gelösten Aufgabensammlung von Dr. Ad. Kleyer" kann von jeder Buchhandlung, sowie von der Verlagshandlung gratis und portofrei bezogen werden.

Bemerkt sei hier nur:

1). Jedes Heft ist aufgeschnitten und gut brochiert, um den sofortigen und dauern den Gebrauch zu gestatten.

2). Jedes Kapitel enthält sein besonderes Titelblatt, Inhaltsverzeichnis, Berichtigungen und Erklärungen am Schlusse desselben.

3). Auf jedes einzelne Kapitel kann abonniert werden.

4). Monatlich erscheinen 3—4 Hefte zu dem Abonnementspreise von 25 Pfg. pro Heft.

5). Die Reihenfolge der Hefte im nachstehenden, kurz angedeuteten Inhaltsverzeichnis ist, wie aus dem Prospekt ersichtlich, ohne jede Bedeutung für die Interessenten.

6). Das Werk enthält Alles, was sich überhaupt auf mathematische Wissenschaften bezieht, alle Lehrsätze, Formeln und Regeln etc. mit Beweisen, alle praktischen Aufgaben in vollständig gelöster Form mit Anhängen ungelöster analoger Aufgaben und vielen vortrefflichen Figuren.

7). Das Werk ist ein praktisches Lehrbuch für Schüler aller Schulen, das beste Handbuch für Lehrer und Examinatoren, das vorzüglichste Lehrbuch zum Selbststudium, das vortrefflichste Nachschlagebuch für Fachleute und Techniker jeder Art.

8). Alle Buchhandlungen nehmen Bestellungen entgegen.

☛ Das vollständige

Inhaltsverzeichnis
der bis jetzt erschienenen Hefte

kann durch jede Buchhandlung bezogen werden.

Halbjährlich erscheinen Nachträge über die inzwischen neu erschienenen Hefte.

Druck von Carl Hammer in Stuttgart.

525. Heft.

Preis
des Heftes
25 Pf.

Die Induktionselektricität.
Forts. v. Heft 524. — Seite 65—80.
Mit 8 Figuren.

Vollständig gelöste
Aufgaben-Sammlung

— nebst Anhängen ungelöster Aufgaben, für den Schul- & Selbstunterricht —

mit

Angabe und Entwicklung der benutzten Sätze, Formeln, Regeln, in Fragen und Antworten
erläutert durch

viele Holzschnitte & lithograph. Tafeln,
aus allen Zweigen

der Rechenkunst, der niederen (Algebra, Planimetrie, Stereometrie, ebenen u. sphärischen
Trigonometrie, synthetischen Geometrie etc.) u. höheren **Mathematik** (höhere Analysis,
Differential- u. Integral-Rechnung, analytische Geometrie der Ebene u. des Raumes etc.); —
aus allen Zweigen der **Physik**, **Mechanik**, **Graphostatik**, **Chemie**, **Geodäsie**, **Nautik**,
mathemat. **Geographie**, **Astronomie**; des **Maschinen-**, **Strassen-**, **Eisenbahn-**, **Wasser-**;
Brücken- u. **Hochbau's**; der **Konstruktionslehren** als: darstell. **Geometrie**, **Polar-** u.
Parallel-Perspektive, **Schattenkonstruktionen** etc. etc.

für

Schüler, Studierende, Kandidaten, Lehrer, Techniker jeder Art, Militärs etc.
zum einzig richtigen und erfolgreichen
Studium, zur **Forthülfe** bei Schularbeiten und zur **rationellen Verwertung**
der exakten Wissenschaften,

herausgegeben von

Dr. Adolph Kleyer,
Mathematiker, vereideter königl. preuss. Feldmesser, vereideter grossh. hessischer Geometer I. Klasse

in Frankfurt a. M.
unter Mitwirkung der bewährtesten Kräfte.

Die Induktionselektricität.

Nach **System Kleyer** bearbeitet von **Adolf Krebs** in Darmstadt.

Fortsetzung v. Heft 524. — Seite 65—80. Mit 8 Figuren.

Inhalt:

Die chemischen Wirkungen der Induktionsströme. — Die induzierenden Wirkungen (Induktionsströme höherer
Ordnung). — Der zeitliche Verlauf der Induktionsströme. — Gesetze der in Induktorien erregten Induktionsströme. — Messung der Stromstärke derselben. — Die dynamische Induktion. — Die Magneto-Induktion.

Stuttgart 1889.

Verlag von Julius Maier.

☛ Das vollständige Inhaltsverzeichnis der bis jetzt erschienenen Hefte kann
durch jede Buchhandlung bezogen werden.

PROSPEKT.

Dieses Werk, welchem kein ähnliches zur Seite steht, erscheint monatlich in 3—4 Heften zu dem billigen Preise von 25 ₰ pro Heft und bringt eine Sammlung der wichtigsten und praktischsten Aufgaben aus dem Gesamtgebiete der Mathematik, Physik, Mechanik, math. Geographie, Astronomie, des Maschinen-, Strassen-, Eisenbahn-, Brücken- und Hochbaues, des konstruktiven Zeichnens etc. etc. und zwar in vollständig gelöster Form, mit vielen Figuren, Erklärungen nebst Angabe und Entwickelung der benutzten Sätze, Formeln, Regeln in Fragen mit Antworten etc., so dass die Lösung jedermann verständlich sein kann, bezw. wird, wenn eine grössere Anzahl der Hefte erschienen ist, da dieselben sich in ihrer Gesamtheit ergänzen und alsdann auch alle Teile der reinen und angewandten Mathematik — nach besonderen selbständigen Kapiteln angeordnet — vorliegen.

Fast jedem Hefte ist ein Anhang von ungelösten Aufgaben beigegeben, welche der eigenen Lösung (in analoger Form wie die bezüglichen gelösten Aufgaben) des Studierenden überlassen bleiben, und zugleich von den Herren Lehrern für den Schulunterricht benutzt werden können. Die Lösungen hierzu werden später in besonderen Heften für die Hand des Lehrers erscheinen. Am Schlusse eines jeden Kapitels gelangen: Titelblatt, Inhaltsverzeichnis, Berichtigungen und erläuternde Erklärungen über das betreffende Kapitel zur Ausgabe.

Das Werk behandelt zunächst den Hauptbestandteil des mathematisch-naturwissenschaftlichen Unterrichtsplanes folgender Schulen: Realschulen I. und II. Ordn., gleichberechtigten höheren Bürgerschulen, Privatschulen, Gymnasien, Realgymnasien, Progymnasien, Schullehrer-Seminaren, Polytechniken, Techniken, Baugewerkschulen, Gewerbeschulen, Handelsschulen, techn. Vorbereitungsschulen aller Arten, gewerbliche Fortbildungsschulen, Akademien, Universitäten, Land- und Forstwissenschaftsschulen, Militärschulen, Vorbereitungs-Anstalten aller Arten als z. B. für das Einjährig-Freiwillige- und Offiziers-Examen etc.

Die Schüler, Studierenden und Kandidaten der mathematischen, technischen und naturwissenschaftlichen Fächer werden durch diese, Schritt für Schritt gelöste, Aufgabensammlung immerwährend an ihre in der Schule erworbenen oder nur gehörten Theorien etc. erinnert und wird ihnen hiermit der Weg zum unfehlbaren Auffinden der Lösungen derjenigen Aufgaben gezeigt, welche sie bei ihren Prüfungen zu lösen haben, zugleich aber auch die überaus grosse Fruchtbarkeit der mathematischen Wissenschaften vorgeführt.

Dem Lehrer soll mit dieser Aufgabensammlung eine kräftige Stütze für den Schul-Unterricht geboten werden, indem zur Erlernung des praktischen Teils der mathematischen Disciplinen — zum Auflösen von Aufgaben — in den meisten Schulen oft keine Zeit erübrigt werden kann, hiermit aber dem Schüler bei seinen häuslichen Arbeiten eine vollständige Anleitung in die Hände gegeben wird, entsprechende Aufgaben zu lösen, die gehabten Regeln, Formeln, Sätze etc. anzuwenden und praktisch zu verwerten. Lust, Liebe und Verständnis für den Schulunterricht wird dadurch erhalten und belebt werden.

Den Ingenieuren, Architekten, Technikern und Fachgenossen aller Art, Militärs etc. etc. soll diese Sammlung zur Auffrischung der erworbenen und vielleicht vergessenen mathematischen Kenntnisse dienen und zugleich durch praktischen in allen Berufszweigen vorkommenden Anwendungen einem toten Kapital lebendige Kraft verleihen und somit den Antrieb zu weiteren praktischen Verwertungen und weiteren Forschungen geben.

Alle Buchhandlungen nehmen Bestellungen entgegen. Wichtige und praktische Aufgaben werden mit Dank von der Redaktion entgegengenommen und mit Angabe der Namen verbreitet. — Wünsche, Fragen etc., welche die Redaktion betreffen, nimmt der Verfasser, Dr. Kleyer, Frankfurt a. M., Fischerfeldstrasse 16, entgegen, und wird deren Erledigung thunlichst berücksichtigt.

Stuttgart.   **Die Verlagshandlung.**

Frage 108. Wie äussern sich die physiologischen Wirkungen?

Antwort. Die physiologischen Wirkungen der Induktionsströme äussern sich durch Zuckungen.

Frage 109. Wozu werden die physiologischen Wirkungen der Induktionsströme benutzt?

Antwort. Die physiologischen Wirkungen werden zu Heilzwecken benutzt.

Frage 110. Welche Apparate dienen dazu, um die physiologischen Wirkungen zu zeigen?

Antwort. Die vorwiegend für physiologische Wirkungen hergestellten Induktionsapparate sind der Schlittenapparat von *Du Bois-Reymond* (s. Antw. auf Frage 63) und derjenige von *Lewandowski* (siehe Antw. auf Frage 79). Die Klemmen der Induktionsrolle werden mit passend gewählten Elektroden an diejenigen Stellen gebracht, zwischen welchen die Induktionsströme durch den Körper gehen sollen.

Frage 111. Welche Eigenschaften sollen die Induktionsströme für physiologische Zwecke haben und wie werden diese erreicht?

Antwort. Für physiologische Zwecke ist es von grosser Wichtigkeit gleichstarke Induktionsströme zu erhalten. Dies wird annähernd erreicht durch die von *v. Helmholtz* an dem Du Bois-Reymondschen Apparat angebrachte Vorrichtung (siehe Antw. auf Frage 69) oder dadurch, dass man bloss Oeffnungs- oder bloss Schliessungsinduktionsströme durch den Körper schickt. Am einfachsten geschieht dies mittels des Apparats von *Lewandowski* (siehe Antw. auf Frage 79).

Frage 112. Wie kann man die Stärke der physiologischen Wirkungen nach Belieben verändern?

Antwort. Zur Veränderung der Stärke der physiologischen Wirkungen sind bei dem Schlittenapparat von *Du Bois-Reymond* und bei dem von *Lewandowski* die Induktionsrollen auf dem sog. Schlitten verschiebbar; ausserdem kann das Eisendrahtbündel der Hauptrolle mehr oder weniger in dieselbe hereingesteckt und dadurch die Stärke der physiologischen Wirkungen mehr oder weniger vergrössert werden.

Frage 113. Welche Gesetzmässigkeit findet bezüglich der physiologischen Wirkungen der Induktionsströme statt?

Erkl. 92. Ein konstanter Strom übt merkliche physiologische Wirkungen nur dann aus, wenn er sehr stark ist. Dagegen sind die durch einen schwachen Strom erregten Induktionsströme im stande beträchtliche physiologische Wirkungen zu bekunden. Es rührt dies daher, dass unser Nervensystem sehr für die Veränderung seines elektrischen Zustands empfindlich ist. Je stärker diese Veränderung ist, um so stärker die Empfindung, je schneller daher ein Induktionsstrom verläuft, um so bedeutender seine physiologische Wirkung.

Antwort. Die physiologischen Wirkungen der Induktionsströme sind um so stärker, je kürzer die Dauer derselben ist. Bei Wechselströmen ist also die Wirkung des Oeffnungsinduktionsstroms grösser als die des Schliessungsinduktionsstroms, da ersterer schneller verläuft (siehe Erkl. 92).

d). Ueber die magnetischen und elektromagnetischen Wirkungen der Induktionsströme.

Frage 114. Wie kann man die magnetischen Eigenschaften der Induktionsströme nachweisen?

Erkl. 93. Die Nadel wird, wenn der Oeffnungsinduktionsstrom die Spirale durchfliesst, in dem entgegengesetzten Sinne magnetisch, wie wenn der Schliessungsinduktionsstrom durch dieselbe fliesst, da beide Ströme einander entgegengesetzt sind. Es wird also die magnetisierende Wirkung des einen Stroms durch diejenige des andern Stroms wieder aufgehoben und die Nadel bleibt einigermassen unmagnetisch.

Antwort. In Antwort auf Frage 4 haben wir gesehen, wie man eine Stahlnadel magnetisieren kann. Bringt man eine Stahlnadel in eine Glasröhre und windet man die verbundenen Enden der Induktionsrolle spiralenförmig um diese Röhre, so wird die Nadel bald in dem einen, bald in dem andern Sinne magnetisch (siehe Erkl. 93). Wir werden also kaum eine magnetische Wirkung wahrnehmen können. Um solche Wirkungen nachweisen zu können muss man entweder bloss Oeffnungs- oder bloss Schliessungsinduktionsströme durch die Spirale senden.

Frage 115. Welche Apparate dienen dazu, um entweder nur Oeffnungs- oder nur Schliessungsinduktionsströme zu erregen?

Antwort. Die Apparate, welche zu diesem Zwecke hergestellt sind, nennt man Disjunktoren. Dieselben werden an Stelle des Wagnerschen Hammers in den Hauptstromkreis eingeführt.

Frage 116. Welche Einrichtung besitzt ein Disjunktor?

Erkl. 94. Der Disjunktor an dem Schlittenapparat ist ein selbstthätiger, während der Dovesche Disjunktor dies nicht ist. Es ist daher am zweckmässigsten den Apparat von *Lewandowski* für gleichgerichtete Ströme zu verwenden.

Antwort. Fig. 46 zeigt einen Doveschen Disjunktor (siehe Erkl. 94). Derselbe besteht aus zwei Metallscheiben *s* und *s'*, welche um dieselbe metallische Axe *x y*, die aber in der Mitte durch Elfenbein unterbrochen ist, sitzen. Beide Scheiben sind auf ihrer Mantelfläche in gleichen Zwischenräumen mit Elfenbein-

Erkl. 94 a. Bei der in Fig. 46 gezeichneten Stellung der beiden Scheiben *s* und *s'* erhalten wir nur Schliessungsinduktionsströme; denn kommen die Federn *b c* in Berührung mit einem Metallstück *a*, wird also der Hauptstrom geschlossen, so berühren *o* und *e* gerade ein isolierendes Stück, der beim Stromschluss induzierte Strom läuft also von der Klemme *a* etwa nach *o*, durch den äusseren Stromkreis nach *e* und zurück nach der Klemme *b*. Berühren jedoch *o* und *e* ein Metallstück *b* (bei Stromöffnung), so gleicht sich der Oeffnungsinduktionsstrom durch dieses Metallstück aus und tritt nicht in den zwischen *o* und *e* befindlichen äusseren Stromkreis.

platten *a, a, a* ... und *b, b, b* ... belegt. An jeder Scheibe schleifen zwei Federn, welche mit den Klemmen *o, c* und *d, e* verbunden sind. Dieser Apparat wird an Stelle des Wagnerschen Hammers oder eines anderen Stromunterbrechers in den Hauptstromkreis eingeschaltet. Der eine Pol des galvanischen Elements *R* ist mit *o*, der andre mit der Hauptrolle *B* des Induktionsapparats und von da aus mit *c* verbunden.

Die eine Scheibe *s'* ist auf der Axe verstellbar; wird sie so gestellt, dass die Federn *o* und *e* noch auf den metallischen Abteilungen von *s'* schleifen,

Figur 46.

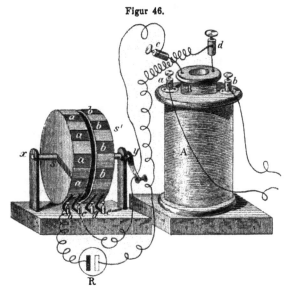

während *d* und *e* schon auf die nichtleitenden Abteilungen von *s* übergegangen sind, so geben die Induktionsrollen nur Oeffnungsströme, falls man die Enden der Induktionsrolle nach *o* und *e* und erst von da aus weiter leitet (siehe Erkl. 94 a). Umgekehrt erhält man nur Schliessungsströme, wenn man die Scheibe *s'* so stellt, dass die Federn *o* und *c* später als *d* und *e* auf die leitenden Abteilungen übertreten, wenn man an der Kurbel des Disjunktors dreht.

Eine andre Form des Disjunktors besitzt der Apparat von *Lewandowski* (siehe Antw. auf Frage 79 und Erkl. 94).

Frage 117. Wie kann man mittels der Induktionsströme elektromagnetische Wirkungen erzielen?

Antwort. Leitet man Schliessungs- oder Oeffnungsinduktionsströme, mit einem Wort gleichgerichtete Induktionsströme, durch die Drahtwindungen eines Galvanometers, so wird die **Magnetnadel abgelenkt.** Am besten verwendet man zu diesem Versuche den Schlittenapparat von *Lewandowski.* Aus der Grösse der Ablenkung kann man auf die der Stromstärke der Induktionsströme schliessen.

Frage 118. Welche Erscheinungen treten auf, wenn man Wechselströme durch die Drahtwindungen eines Galvanometers schickt?

Antwort. Leitet man Wechselströme durch die Drahtwindungen eines Galvanometers, so erhält die Galvanometernadel Ablenkungsimpulse bald in der einen, bald in der entgegengesetzten Richtung. Verlaufen die Induktionsströme sehr schnell, so befindet sich die Galvanometernadel noch in der Ruhelage, wenn schon der zweite Impuls nach der entgegengesetzten Seite erfolgt. Die Nadel bleibt bei schnell verlaufenden Induktionsströmen in ihrer Ruhelage und zittert höchstens ein wenig. Verlaufen dagegen die Induktionsströme weniger schnell, so ist die Nadel bereits durch den ersten Impuls abgelenkt, wenn der zweite Impuls sie trifft. Dieser zweite Impuls treibt die Nadel nach der entgegengesetzten Seite und so schlägt die Nadel abwechselnd nach der einen und nach der andern Seite hin aus. Die Nadel wird abgelenkt, wenn die Hauptrolle einen massiven Eisenkern enthält, dagegen bleibt sie in Ruhe, wenn sie kein Eisen oder nur ein Bündel dünner Eisendrähte enthält (siehe Erkl. 95).

Erkl. 95. Enthält die Hauptrolle einen massiven Eisenkern, so verlaufen die Induktionsströme langsamer, da in einem massiven Eisenkern der Magnetismus längere Zeit zum Entstehen und Vergehen braucht als in einem Bündel dünner Eisendrähte.

Frage 119. Welches Gesetz gilt für die magnetisierenden Wirkungen der Induktionsströme?

Antwort. Die Lehren des Elektromagnetismus zeigen (siehe *May* und *Krebs,* Lehrb. des Elektromagnetismus

Erkl. 96. Unter Stromstärke oder Intensität eines Stromes versteht man allgemein diejenige Elektricitätsmenge, welche in der Zeiteinheit durch den Querschnitt eines Leiters fliesst (siehe *May* und *Krebs*, Lehrb. des Elektromagnetismus Antw. auf Frage 191). Fliesst also eine gewisse Elektricitätsmenge in kürzerer Zeit durch den Querschnitt eines Leiters, so ist die Stromstärke grösser.

Antw. auf Frage 75 und 135), dass die magnetisierenden Wirkungen eines Stroms um so stärker sind, je grösser die Stromstärke desselben ist. Die Stromstärke eines Induktionsstroms ist aber um so grösser, je schneller der Induktionsstrom verläuft (siehe Erkl. 96); es wird daher auch unter sonst gleichen Umständen die magnetisierende Kraft der Induktionsströme um so grösser sein, je schneller sie verlaufen.

Frage 120. Welche Gesetzmässigkeit gilt für die galvanometrischen (elektromagnetischen) Wirkungen der Induktionsströme?

Erkl. 97. Die elektromagnetischen (galvanometrischen) Wirkungen der Induktionsströme verhalten sich gerade umgekehrt wie die physiologischen Wirkungen. Je langsamer der Induktionsstrom verläuft, um so grösser die galvanometrischen, um so kleiner die physiologischen Wirkungen und umgekehrt; je schneller derselbe verläuft, um so kleiner die galvanometrischen, um so grösser die physiologischen Wirkungen.

Antwort. Für die galvanometrischen (elektromagnetischen) Wirkungen der Induktionsströme gilt der Satz, dass dieselben um so stärker sind, je grösser die Dauer der Induktionsströme ist (siehe Erkl. 97).

e). Ueber die elektro-dynamischen Wirkungen der Induktionsströme.

Frage 121. Wie lassen sich die elektrodynamischen Wirkungen der Induktionsströme experimentell nachweisen?

Erkl. 98. Unter elektrodynamischen Wirkungen versteht man die Wirkungen, welche stromdurchflossene Leiter auf einander ausüben (siehe *May*, Lehrb. der Elektrodynamik Antw. auf Frage 1 ff.).

Antwort. Die elektrodynamischen (siehe Erkl. 98) Wirkungen der Induktionsströme erkennt man am einfachsten mittels eines Elektrodynamometers.

Frage 122. Worin besteht im allgemeinen die Einrichtung eines Elektrodynamometers?

Antwort. Die Elektrodynamometer haben meist eine feste Rolle, in deren Hohlraum sich eine bewegliche Rolle drehen kann. In beide Rollen werden entweder zwei verschiedene Ströme, oder ein und derselbe Strom eingeleitet. Durch die Wechselwirkung dieser stromdurchflossenen Rollen auf einander, dreht sich im allgemeinen die bewegliche Rolle.

Frage 123. Welche Elektrodynamometer wendet man am besten für Induktionsströme aus Induktorien an?

Erkl. 99. Andere Elektrodynamometer findet man in *Mays* Lehrbuch der Elektrodynamik Antw. auf Frage 63 ff.

Antwort. Für Induktionsströme aus Induktorien wendet man meist das Elektrodynamometer von *F. Kohlrausch*, oder dasjenige von *O. Fröhlich* an (siehe Erkl. 99).

Frage 124. Worin besteht die Einrichtung des Elektrodynamometers von *Kohlrausch*?

Antwort. Fig. 47 und 48 zeigt das Elektrodynamometer von *F. Kohlrausch*. Dasselbe besteht aus einer festen Rolle *B*, welche aus zwei Teilen zusammengesetzt ist und auf einem Dreifuss mit Stellschrauben ruht. Innerhalb der Rolle *B* befindet sich die bewegliche Rolle (dieselbe ist in Fig. 47 nicht zu sehen). Gemäss Fig. 48 besteht dieselbe aus einem leichten, mit Draht bewickelten Elfenbeinrähmchen *A*, dessen

Figur 47.

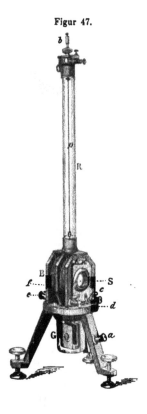

Figur 48.

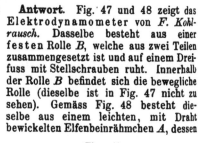

vorderer Bügel einen kleinen Spiegel *S* und dessen hinterer Bügel ein kleines Gegengewicht trägt (siehe Erkl. 100). Die Drahtrolle *A* wird an einem Platindraht *p*, welcher von der dickwandigen Glasröhre *R* getragen wird, aufgehängt; ausserdem ist mittels eines Drahtes *d* an der Rolle *A* ein platiniertes Blech *P* (siehe Erkl. 101) angehängt. Letzteres taucht in das Glasgefäss *G*, welches mit 15 prozentiger Schwefelsäure gefüllt ist.

Erkl. 100. Das Gegengewicht dient dazu, um das Gewicht des Spiegels S aufzuheben und so der beweglichen Rolle A eine vertikale Lage zu ermöglichen.

Erkl. 101. Das platinierte Blech P dient als Dämpfer für die Bewegung der Rolle A. Es ist platiniert, damit die Schwefelsäure das Metall nicht zersetzt.

Erkl. 102. Die Schwefelsäure in dem Gefäss G dient einesteils dazu, um die Bewegung der Rolle A zu dämpfen, andernteils dazu, um eine leitende Verbindung zwischen P und Q herzustellen.

In dem Gefäss G befindet sich ausserdem noch ein U-förmig gebogenes Platinblech Q, welches durch einen Draht mit der Klemme a verbunden ist. Das eine Drahtende der beweglichen Rolle steht mittels des Metalldrahts p mit der Klemme b, das andre mittels des Platinblechs P, der Schwefelsäure des Gefässes G und des U-förmigen Platinblechs Q mit der Klemme a in Verbindung. Die Drahtenden des vorderen Teils der festen Rolle B sind an die Klemmen c, d, diejenigen des hinteren Teils an die Klemmen e, f (in Figur nicht sichtbar) angeschlossen. Je nach dem Zwecke werden die beiden Spulen der Rolle B parallel oder hintereinander geschaltet. Der feste Rahmen ist oben und unten in der Mitte durchbohrt, um die Stifte der beweglichen Rolle durchzulassen.

Frage 125. Wie kann man mit Hilfe des Dynamometers von *Kohlrausch* die elektrodynamischen Wirkungen der Induktionsströme nachweisen?

Antwort. Wir schalten zunächst die beiden Spulen der festen Rolle B hintereinander, so dass wir sozusagen nur eine Spule haben und stellen dieselbe parallel dem magnetischen Meridian; dann bringen wir durch Torsion des Aufhängedrahts p die bewegliche Rolle A in eine zu B senkrechte Lage, so dass wir die in Fig. 49 schematisch gezeichnete Lage der beiden Rollen haben. Die Drahtenden der festen Rolle B seien m und n, die der beweglichen a und b. Leiten wir dann durch die beiden Rollen B und A die Induktionsströme der Induktionsrolle S, so sehen wir, dass die bewegliche Rolle des Elektrodynamometers abgelenkt wird.

Fig. 49 gibt die schematische Anordnung des Versuchs. Es bedeutet R ein galvanisches Element, dessen Strom bei f unterbrochen und wieder geschlossen wird und dadurch in S Induktionsströme (Wechselströme) erzeugt. Diese fliessen von der Klemme s nach n und durch die Windungen der festen Rolle B nach m, von da nach b, durch Windungen der beweglichen Rolle A nach a und von da nach der Klemme r

Figur 49.

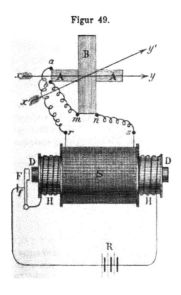

zurück. Die Rolle *A* wird abgelenkt
und ihre Axe *X Y* nimmt jetzt etwa die
Richtung *X' Y'* ein. Hiermit sind also
die elektrodynamischen Wirkungen der Induktionsströme nachgewiesen.

Frage 126. Worin besteht die wesentliche Einrichtung des Elektrodynamometers von *Fröhlich?*

Figur 50.

Erkl. 103. Durch die in das Wasser tauchenden Flügel wird die Dämpfung bewirkt, indem durch den Widerstand im Wasser die
Schwingungen der Rolle bald aufhören.

Frage 127. Wie kann man mittels
des Elektrodynamometers von *Fröhlich* elektrodynamische Wirkungen
der Induktionsströme nachweisen?

Antwort. Das Wesentliche der
Einrichtung des Elektrodynamometers von *Fröhlich* besteht in der
Form der Rollen. Die bewegliche Rolle *A*
hat mit ihrer Drahtbewickelung (siehe
Fig. 50) die Form einer Kugel.
Der Aufhängedraht derselben befindet sich ebenso wie bei dem Elektrodynamometer von *Kohlrausch* (siehe
Antw. auf Frage 124) in einem vertikalen Cylinder (in Figur nicht vollständig gezeichnet). Derselbe besteht aus Platin und hat einen Durchmesser von nur 0,04 Millimeter und
steht mit dem einen Drahtende der
beweglichen Rolle *A* in Verbindung.
Das andere Drahtende ist mit einer
0,04 Millimeter dicken Platinspirale
verbunden. Diese Spirale trägt unten
zwei Flügel, welche in einem mit
Wasser gefüllten Hohlraum tauchen
(siehe Erkl. 103).
Das Instrument besitzt zwei feste
Rollen, deren Hohlraum ebenfalls
kugelförmig ist. Die eine dieser
Rollen kann abgenommen werden.
Dieselbe ist in Fig. 50 nicht gezeichnet.
Die bewegliche Rolle und der an
ihr befestigte Spiegel ist nach allen
Seiten drehbar, ein Vorteil gegen-
über dem Elektrodynamometer von
Kohlrausch.

Antwort. Der Nachweis von
elektrodynamischen Wirkungen der
Induktionsströme geschieht in derselben
Weise, wie mittels des Elektrodynamo-

meters von *Kohlrausch*; man schaltet nur an die Stelle des Elektrodynamometers von *Kohlrausch* dasjenige von *Fröhlich* ein (siehe Antw. auf Frage 125).

Frage 128. Welche Haupteigenschaft besitzen die Elektrodynamometer?

Antwort. Werden die feste und die bewegliche Rolle der Dynamometer hintereinander geschaltet (wie in der Anordnung in Antw. auf Frage 125), so übt die Richtung der Ströme, welche die Rollen durchfliessen, keinen Einfluss aus auf die Richtung der Ablenkung der beweglichen Rolle; denn bei Stromwechsel wird in beiden Rollen zugleich die Stromrichtung in die entgegengesetzte verwandelt. Diese Eigenschaft ist sehr wichtig für die Induktionsströme, welche ja fortwährend ihre Richtung wechseln (siehe Erkl. 104).

Erkl. 104. Infolge dieser Eigenschaft dienen auch die Elektrodynamometer zur Messung der Stromstärke der Induktionsströme. (Näheres siehe dieses Lehrb. Abschnitt: Ueber die Messung der Stromstärke der Induktionsströme.)

f). Ueber die chemischen Wirkungen der Induktionsströme.

Frage 129. Wie kann man mittels der Induktionsströme chemische Wirkungen hervorbringen?

Antwort. In Antw. auf Frage 5 haben wir gesehen, wie man Jodkaliumkleister mittels eines Induktionsstroms zersetzen kann. Um jedoch bedeutendere chemische Wirkungen nachzuweisen, ist notwendig und bei Flüssigkeiten unumgänglich, nur Induktionsströme von derselben Richtung, also entweder nur Oeffnungs- oder nur Schliessungsinduktionsströme zu verwenden (siehe Erkl. 105). Wir können dann mittels solcher gleichgerichteter Induktionsströme alle chemischen Zersetzungen, welche man mittels galvanischer Ströme (siehe *May*, Lehrb. der Kontaktelektricität Antw. auf Frage 271 ff.) erreichen kann, hervorbringen. Um gleichgerichtete Induktionsströme zu erhalten, wendet man entweder Disjunktoren an (siehe Antw. auf Frage 116), oder weit besser den Schlittenapparat von *Lewandowski* (siehe Antw. auf Frage 79 und Erkl. 106).

Erkl. 105. Leitet man durch Flüssigkeiten Induktionsströme von ungleicher Richtung, so werden dieselben bald in dem einen, bald in dem entgegengesetzten Sinne zersetzt. Die beiden Bestandteile der Zersetzung treten also an beiden Elektroden auf, verbinden sich daher sofort wieder mit einander, so dass keine sichtbare Zersetzung stattfindet.

Erkl. 106. Wir denken uns in folgendem die gleichgerichteten Induktionsströme mittels des äusserst praktischen Apparats von *Lewandowski* erregt.

Frage 130. Welche Wirkungen üben die gleichgerichteten Induktionsströme auf das Wasser aus?

Antwort. Verbindet man die Enden der Induktionsrolle des Lewandowskischen

Erkl. 107. Man wählt Platinbleche, weil Platin weder von Sauerstoff noch von Wasserstoff angegriffen wird, ausserdem Bleche, um eine grössere Berührungsfläche zwischen den Elektroden und dem Wasser herzustellen.

Erkl. 108. Eine kurze Darstellung einzelner chemischer Substanzen und ihre Zersetzungsprodukte findet man in *Mays* Lehrb. der Kontaktelektricität Antw. auf Frage 271.

Schlittenapparats mit zwei Platinblechen (siehe Erkl. 107), welche in ein Gefäss mit Wasser tauchen und erregt gleichgerichtete Induktionsströme, so steigen an beiden Blechen Gasblasen und zwar bestehen dieselben am positiven Pol aus Sauerstoff, am negativen Pol aus Wasserstoff (siehe Erkl. 108).

Frage 131. In welchem Verhältnis zersetzt sich das Wasser in Wasserstoff und Sauerstoff, und mittels welcher Apparate kann man dies experimentell nachweisen?

Figur 51.

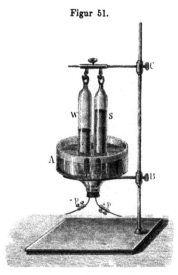

Antwort. Das Wasser zersetzt sich in seine Bestandteile Wasserstoff und Sauerstoff und zwar wird in derselben Zeit doppelt so viel Wasserstoff als Sauerstoff erzeugt.

Dies weist man mittels der sogen. Wasserzersetzungsapparate nach. Fig. 51 zeigt einen solchen. Ein oben offenes, unten mit einem Hals versehenes Glasgefäss *A* ruht auf dem Arm *B* eines Gestells. In dem Hals befindet sich ein Kork, durch welchen zwei von einander isolierte Drähte gehen, welche in zwei Platinbleche enden. Ueber diesen Blechen befinden sich zwei umgestülpte, mit Wasser gefüllte Glasröhren *W* und *S*. Verbindet man die Klemmen $+p$ und $-p$, so steigen in *W* Wasserstoff-, in *S* Sauerstoffblasen auf (falls die Induktionsströme gleichgerichtet sind). Das Wasser in den beiden Röhren wird verdrängt durch die aufsteigenden Gasblasen und man bemerkt, dass in dem einen Glasrohr doppelt so viel Gas ist als in dem andern (siehe Erkl. 109).

Erkl. 109. Andere Wasserzersetzungsapparate siehe *May*, Lehrb. der Kontaktelektricität Antw. auf Frage 278.

Frage 132. Besteht ein Unterschied zwischen der chemischen Wirkung der Oeffnungs- und der Schliessungsinduktionsströme?

Erkl. 110. Man zeigt dies, indem man einmal mittels der Oeffnungs- und dann mittels der Schliessungsinduktionsströme eines Lewandowskischen Apparats eine gleiche Zeit hindurch Wasser in einem Wasserzersetzungsapparat zer-

Antwort. Sowohl die Oeffnungs- als die Schliessungsinduktionsströme eines und desselben Induktoriums liefern in gleichen Zeiten gleiche Mengen Wasserstoff und Sauerstoff (s. Erkl. 110). Der Oeffnungs- und der Schliessungsinduktionsstrom üben daher gleich grosse chemische Wirkungen aus.

setzt; die Mengen des entwickelten Wasserstoffs und Sauerstoffs sind in beiden Fällen gleich.

Anmerkung. Andere chemische Zersetzungen mittels gleichgerichteter Induktionsströme hier anzuführen ist überflüssig. Mittels gleichgerichteter Induktionsströme kann man alle Zersetzungen erreichen, wie sie mittels galvanischer Ströme hervorgebracht werden. Näheres darüber siehe *May*, Lehrb. der Kontaktelektricität Seite 168—203.

g). Ueber die induzierenden Wirkungen der Induktionsströme.

(Induktionsströme höherer Ordnung.)

Frage 133. Auf welche Weise kann man die induzierenden Wirkungen der Induktionsströme nachweisen?

Antwort. Leitet man die in einem Induktionsapparat erzeugten Induktionsströme durch die Windungen einer Drahtrolle, welche in die Höhlung einer zweiten Drahtrolle gesteckt ist und verbindet man die Drahtenden dieser zweiten Rolle mit einem Elektrodynamometer (siehe Antw. auf Frage 122 ff), so wird die bewegliche Rolle desselben abgelenkt. Es beweist dies, dass durch Induktionsströme wiederum Induktionsströme erregt werden können.

Frage 134. Welche Bezeichnung führen die durch Induktionsströme erregten Induktionsströme?

Antwort. Diese Induktionsströme nennt man Induktionsströme zweiter bezw. dritter, allgemein höherer Ordnung (siehe Erkl. 111).

Erkl. 111. Durch die Induktionsströme zweiter Ordnung kann man auf ähnliche Weise wiederum Induktionsströme erregen, also Induktionsströme dritter Ordnung. Man nennt diese Induktionsströme allgemein Induktionsströme höherer Ordnung.

Frage 135. Welche Richtung haben die Induktionsströme zweiter Ordnung?

Antwort. Die Induktionsströme zweiter Ordnung sind denen erster Ordnung entgegengesetzt gerichtet.

E. Ueber den zeitlichen Verlauf der Induktionsströme.

Frage 136. Wovon hängt der zeitliche Verlauf der in Induktorien erregten Induktionsströme im wesentlichen ab?

Antwort. Der zeitliche Verlauf der Induktionsströme hängt im wesentlichen ab von der Art der Unterbrechung des Hauptstroms, und von der Form des Eisenkerns der Hauptrolle.

Frage 137. Inwiefern hängt der zeitliche Verlauf der Induktjonsströme von der Art der Unterbrechung des Hauptstroms ab?

Antwort. Je plötzlicher der Hauptstrom eines Induktoriums unterbrochen wird, um so schneller verlaufen die Induktionsströme.

Frage 138. Auf welche Weise erreicht man eine äusserst plötzliche Unterbrechung des Hauptstroms?

Antwort. Eine äusserst plötzliche Unterbrechung des Hauptstroms wird erreicht, wenn man den Oeffnungsfunken des Oeffnungsextrastroms, welcher im stande ist eine leitende Verbindung an der Unterbrechungsstelle noch länger zu bewirken, abschwächt.

Frage 139. Auf welche Weise wird der Oeffnungsfunke abgeschwächt?

Erkl. 112. Verbindet man die beiden Punkte, zwischen welchen die Unterbrechung stattfindet mit einem Kondensator, so nimmt derselbe die infolge des Oeffnungsextrastroms an der Unterbrechungsstelle sich anhäufende Elektricitätsmenge je nach seiner Grösse ganz oder teilweise auf und es verschwindet dann der Oeffnungsfunke ganz oder teilweise.

Antwort. Der Oeffnungsfunke wird geschwächt, wenn man entweder die Unterbrechung in einem schlecht leitenden Medium vor sich gehen lässt, wie z. B. in Alkohol, wie beim Foucaultschen Unterbrecher (siehe Antw. auf Frage 55), oder wenn man die beiden Punkte der Unterbrechung mit einem Kondensator verbindet (siehe Antw. auf Frage 60 und Erkl. 112).

Frage 140. Was lässt sich über den zeitlichen Verlauf des Oeffnungs- und des Schliessungsinduktionsstroms sagen?

Antwort. Der Oeffnungsinduktionsstrom verläuft schneller als der Schliessungsinduktionsstrom, da der Hauptstrom infolge des ihm entgegenwirkenden Schliessungsextrastroms erst nach einer gewissen Zeit seine volle Stärke erlangt und daher eine längere Zeit braucht, um in der Induktionsrolle eine gewisse Elektricitätsmenge in Bewegung zu setzen.

Frage 141. Inwiefern wirkt die Form des in der Hauptrolle befindlichen Eisenkerns auf den zeitlichen Verlauf der Induktionsströme ein?

Antwort. Durch vielfache Experimente ist festgestellt worden, dass ein massiver Eisenkern oder gar ein Stahlstab den zeitlichen Verlauf der Induktionsströme verzögert, während ein Bündel weicher Eisendrähte kaum einen verzögernden Einfluss ausübt. Dies kommt daher, dass der temporär erregte Magnetismus in einem Eisendrahtbündel bei Stromschluss plötzlich entsteht und bei Stromöffnung plötzlich verschwindet, während bei einem Eisen- oder gar Stahlstab das Entstehen und Vergehen des Magnetismus eine gewisse Zeit braucht.

Frage 142. Was hat man mit Rücksicht auf den zeitlichen Verlauf der Induktionsströme bei den Wirkungen derselben zu beachten?

Erkl. 113. Ueber die verschiedenen hier angeführten Wirkungen der Induktionsströme siehe Abschnitt D).: „Ueber die Wirkungen der Induktionsströme".

Antwort. Die Licht-, Wärme-, physiologischen und dynamischen Wirkungen der Induktionsströme sind um so grösser, je schneller die Induktionsströme verlaufen; die galvanometrischen (elektromagnetischen) und die chemischen Wirkungen dagegen um so grösser, je langsamer dieselben verlaufen. Mit Rücksicht auf die Wirkungen der ersten Art ist daher zu beachten, dass man möglichst plötzlich den Hauptstrom unterbricht und in die Höhlung der Hauptrolle ein Eisendrahtbündel legt, während man bei den Wirkungen der zweiten Art den Hauptstrom langsamer unterbricht und in die Höhlung der Hauptrolle einen massiven Eisenkern legt (siehe Erkl. 113).

F. Ueber die Gesetze der in Induktorien erregten Induktionsströme.

Frage 143. Welche Gesetze gelten für die in Induktorien erregten Induktionsströme?

Erkl. 114. Unter der elektromotorischen Kraft der Induktionsströme versteht man die in der Zeiteinheit in der Länge des Induktionsdrahts in Bewegung gesetzte Elektricitätsmenge.

Erkl. 115. Beim Durchleiten eines Stroms durch einen Eisendraht wird derselbe in transversaler Richtung magnetisch. Es induziert aber dieser Magnetismus bei seinem Entstehen (durch den Stromschluss) in seinen einzelnen Elementen einen Extrastrom, welcher dem Schliessungsinduktionsstrom gleichgerichtet ist, ihn also verstärkt; dasselbe gilt beim Oeffnen des Stroms; es wird beim Oeffnen der Oeffnungsinduktionsstrom verstärkt.

Antwort. Für die in Induktorien erregten Induktionsströme gelten folgende Gesetze:

a). Die elektromotorische Kraft (siehe Erkl. 114) der Induktionsströme ist:

1). unabhängig von dem Stoff der Drähte, in welchen sie erzeugt werden. Nur wenn die Drähte aus Eisen bestehen, treten infolge der Magnetisierung der Eisendrähte wesentliche Verstärkungen ein (siehe Erkl. 115);

2). einigermassen unabhängig von der Weite der Drahtwindungen der Induktionsrolle,

3). im allgemeinen unabhängig von der Dicke der Drähte,

4). proportional der Stromstärke des Hauptstroms,

5). proportional dem Produkt aus
der Windungszahl der Haupt-
und der Induktionsrolle,

6). proportional dem Quadrate
des Leitungswiderstandes der
Induktionsrolle,

7). umgekehrt proportional der
Zeitdauer der Induktions-
ströme (siehe Erkl. 116).

Erkl. 116. Ueber die theoretische Ableitung
dieser Gesetze siehe den mathematischen Teil
dieses Lehrb., Abschnitt „die Gesetze der Induktionsströme".

G. Ueber die Messung der Stromstärke der in Induktorien erregten Induktionsströme.

Frage 144. Mittels welcher Apparate kann man die Stromstärke oder
Intensität der Induktionsströme messen?

Erkl. 117. Gleichgerichtete, galvanometrisch
messbare Induktionsströme erzielt man am einfachsten mittels des Lewandowskischen Schlittenapparats (s. Antw. auf Frage 79).

Antwort. Die Stromstärke der Induktionsströme kann man entweder mittels des Elektrodynamometers oder
mittels eines Galvanometers messen,
jedoch müssen bei der Messung mittels
eines Galvanometers die Induktionsströme erst gleichgerichtet werden
(siehe Erkl. 117), während man bei
Elektrodynamometern auch Wechselströme messen kann (siehe Antw. auf
Fragen 125 u. 128).

Frage 145. Inwiefern gibt ein Elektrodynamometer oder ein Galvanometer ein Mass für die Stromstärke
der Induktionsströme?

Erkl. 118. Ueber die Beziehungen zwischen
der Grösse der Ablenkung und der Grösse der
Stromstärke siehe den mathematischen Teil
dieses Lehrbuchs.

Antwort. Die Grösse der Ablenkung der beweglichen Rolle eines Elektrodynamometers oder der Magnetnadel eines
Galvanometers (bei gleichgerichteten Strömen) gibt ein Mass für die Stromstärke (siehe Erkl. 118).

Frage 146. Welche Grösse der
Stromstärke gibt das Elektrodynamometer bei Wechselströmen durch die
Grösse der Ablenkung seiner beweglichen Rolle?

Antwort. Die von Induktorien gelieferten Wechselströme sind von ungleicher Stromstärke; der Oeffnungsinduktionsstrom besitzt eine grössere
Stromstärke als der Schliessungsinduktionsstrom. Durchfliessen daher Wechselströme ein Elektrodynamometer, so gibt
die Grösse der Ablenkung der beweglichen Rolle die Grösse der mittleren Stromstärke zwischen Oeffnungs-
und Schliessungsinduktionsströmen.

Frage 147. Auf welche Weise erhält man die wahre Grösse der Stromstärke der Induktionsströme?

Antwort. Werden die Induktionsströme gleichgerichtet, so dass man entweder nur Oeffnungs- oder nur Schliessungsinduktionsströme erhält, so gibt die Grösse der Ablenkung der beweglichen Rolle des Elektrodynamometers oder einfacher noch die Grösse der Ablenkung der Magnetnadel eines Galvanometers die wahre Stromstärke der Induktionsströme.

Anmerkung. Die Messung der in Induktorien erregten Induktionsströme ist namentlich sehr wichtig in physiologischer Hinsicht, da die Nerven für die geringsten Aenderungen der Intensität der Induktionsströme sehr empfindlich sind, und zwar so empfindlich, dass sie sogar den Stromstärkeunterschied zwischen Oeffnungs- und Schliessungsinduktionsströmen deutlich verspüren. Es ist daher auch das Bestreben der Mediziner gewesen, nur Ströme von gleicher Intensität (also gleichgerichtete Ströme) zu verwenden. Dann aber ist es auch für den Arzt sehr wesentlich, über die Stromstärke der Induktionsströme auf eine einfache Art unterrichtet zu sein. Dies ist bei gleichgerichteten Induktionsströmen sehr einfach, indem der Ausschlag der Nadel eines gewöhnlichen Galvanometers Aufschluss über die Grösse der Stromstärke gibt. Mit Rücksicht darauf ist der Schlittenapparat nach *Lewandowski* für physiologische Zwecke sehr geeignet; er liefert gleichgerichtete, galvanometrisch messbare Induktionsströme.

H. Ueber die dynamische Induktion in linearen Leitern.

Frage 148. Auf welche Weise kann man durch Bewegung einer stromdurchflossenen Drahtrolle in einer andern Drahtspule Induktionsströme in rascher Folge erregen?

Antwort. In Antw. auf Frage 3 haben wir gesehen, dass man in einer Drahtrolle Induktionsströme erregen kann, wenn man ihr eine stromdurchflossene Drahtrolle nähert oder von ihr entfernt. Man kann daher in einer Drahtrolle Induktionsströme in rascher Folge dadurch erregen, dass man derselben in rascher Folge eine stromdurchflossene Drahtrolle nähert und wieder von ihr entfernt; also allgemein dadurch, dass man die relative Lage beider Rollen in rascher Folge ändert.

Frage 149. Welche Vorrichtung hat man getroffen, um die relative Lage zwischen einem Leiter und einem stromdurchflossenen Leiter in rascher Folge zu verändern?

Antwort. Um die relative Lage zwischen zwei Körpern zu verändern, muss man den einen oder den andern, oder alle beide bewegen. Diese Bewegung muss ferner, um Induktionsströme in rascher Folge zu erregen, so beschaffen sein, dass sich die Körper in rascher Folge nähern und entfernen. Das einfachste mechanische Mittel, um das

Figur 52.

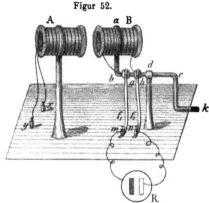

Nähern und Entfernen z. B. des strom-durchflossenen Leiters nach einem Leiter hin oder von ihm weg zu ermöglichen, ist folgendes:

Man befestigt z. B. die strom-durchflossene Spule B (siehe Fig. 52) an einer Stange ab, welche mit der Axe bcd fest verbunden ist. Mittels der Kurbel K kann man die Rolle B in schnelle Umdrehungen versetzen, wodurch sich B der festen Rolle A bald nähert, bald von ihr entfernt. Die Enden der Drahtrolle B stehen mit den Metallringen g und h in leitender Verbindung, jedoch sind g und h von einander isoliert. An g und h schleifen zwei Metallfedern f_1 und f_2, wodurch die Leitung zwischen der Stromquelle R und den Enden der Rolle B hergestellt ist. In der Rolle A werden beim Bewegen der Rolle B Induktionsströme (Wechselströme, siehe Erkl. 119) erzeugt, welche an den Klemmen x und y abgenommen werden können.

Erkl. 119. Die Rolle B nähert sich bald der Rolle A, bald entfernt sie sich von ihr; es werden aber beim Nähern Ströme in der Rolle A erregt, welche denen beim Entfernen erregten entgegengesetzt sind (siehe Antw. auf Frage 12). Es entstehen somit in A Wechselströme.

Anmerkung. Die auf diese Weise erregten Induktionsströme sind sehr schwach; es wird diese Art der Erregung daher sehr selten angewendet. Anders dagegen, wenn man statt der stromdurchflossenen Drahtrolle B einen Magnet verwendet (siehe folg. Abschnitt).

I. Ueber die Magneto-Induktion in linearen Leitern.

Frage 150. Auf welche Weise kann man mittels Magneten in linearen Leitern Induktionsströme in rascher Folge erregen?

Antwort. Man kann mittels Magneten in linearen Leitern Induktionsströme in rascher Folge dadurch erregen, dass man die relative Lage zwischen dem Magneten und dem linearen Leiter (Drahtrolle) stetig ändert.

Frage 151. Welche Apparate sind hergestellt worden, um durch stetige Veränderung der relativen Lage zwischen Magneten und Drahtrollen Induktionsströme in rascher Folge zu erregen?

Antwort. Die Apparate, welche dazu dienen, sind die sog. magnet-elektrischen Maschinen.

Der **ausführliche Prospekt** und das **ausführliche Inhaltsverzeichnis** der „vollständig gelösten Aufgabensammlung
von Dr. Ad. Kleyer" kann von jeder Buchhandlung, sowie von
der Verlagshandlung **gratis und portofrei** bezogen werden.

Bemerkt sei hier nur:

1). Jedes Heft ist aufgeschnitten und gut brochiert, um den sofortigen und dauern
den Gebrauch zu gestatten.

2). Jedes Kapitel enthält sein besonderes Titelblatt, Inhaltsverzeichnis, Berichtigungen
und Erklärungen am Schlusse desselben.

3). Auf jedes einzelne Kapitel kann abonniert werden.

4). Monatlich erscheinen 3—4 Hefte zu dem **Abonnementspreise** von 25 Pfg. pro Heft.

5). Die **Reihenfolge** der Hefte im nachstehenden, kurz angedeuteten Inhaltsverzeichnis ist, wie aus dem Prospekt ersichtlich, **ohne jede Bedeutung für**
die Interessenten.

6). Das Werk enthält **Alles**, was sich überhaupt auf mathematische Wissenschaften
bezieht, alle Lehrsätze, Formeln und Regeln etc. mit Beweisen, alle praktischen
Aufgaben in vollständig gelöster Form mit Anhängen ungelöster analoger Aufgaben und vielen vortrefflichen Figuren.

7). Das Werk ist ein **praktisches Lehrbuch für Schüler aller Schulen, das
beste Handbuch** für Lehrer und Examinatoren, das **vorzüglichste Lehrbuch
zum Selbststudium, das vortrefflichste Nachschlagebuch** für Fachleute und
Techniker jeder Art.

8). Alle Buchhandlungen nehmen Bestellungen entgegen.

Das vollständige

Inhaltsverzeichnis
der bis jetzt erschienenen Hefte

kann durch jede Buchhandlung bezogen werden.

Halbjährlich erscheinen Nachträge über die inzwischen neu erschienenen Hefte.

Druck von Carl Hammer in Stuttgart.

V. 22. 30 9

534. Heft.

Preis
des Heftes
25 Pf.

Die Induktionselektricität.

Forts. v. Heft 525. — Seite 81—96.

Mit 14 Figuren.

Vollständig gelöste

Aufgaben-Sammlung

— nebst Anhängen ungelöster Aufgaben, für den Schul- & Selbstunterricht —

mit

Angabe und Entwicklung der benutzten Sätze, Formeln, Regeln in Fragen und Antworten

erläutert durch

viele Holzschnitte & lithograph. Tafeln,

aus allen Zweigen

der Rechenkunst, der niederen (Algebra, Planimetrie, Stereometrie, ebenen u. sphärischen Trigonometrie, synthetischen Geometrie etc.) u. höheren Mathematik (höhere Analysis, Differential- u. Integral-Rechnung, analytische Geometrie der Ebene u. des Raumes etc.); — aus allen Zweigen der Physik, Mechanik, Graphostatik, Chemie, Geodäsie, Nautik, mathemat. Geographie, Astronomie; des Maschinen-, Strafsen-, Eisenbahn-, Wasser-, Brücken- u. Hochbau's; der Konstruktionslehren als: darstell. Geometrie, Polar- u. Parallel-Perspective, Schattenkonstruktionen etc. etc.

für

Schüler, Studierende, Kandidaten, Lehrer, Techniker jeder Art, Militärs etc.

zum einzig richtigen und erfolgreichen

Studium, zur Forthülfe bei Schularbeiten und zur rationellen Verwertung der exakten Wissenschaften,

herausgegeben von

Dr. Adolph Kleyer,

Mathematiker, vereideter königl. preuss. Feldmesser, vereideter grossh. hessischer Geometer I. Klasse

in Frankfurt a. M.

unter Mitwirkung der bewährtesten Kräfte.

Die Induktionselektricität.

Nach System Kleyer bearbeitet von **Adolf Krebs** in Darmstadt.

Fortsetzung v. Heft 525. — Seite 81—96. Mit 14 Figuren.

Inhalt:

Die magnetelektrischen Maschinen von *Gauss* und *Weber*, *Pixii*, *Stöhrer*, *Alliance*, *Siemens*, *Pacinotti-Gramme*.

Stuttgart 1889.

Verlag von Julius Maier.

☞ Das vollständige Inhaltsverzeichnis der bis jetzt erschienenen Hefte kann durch jede Buchhandlung bezogen werden.

PROSPEKT.

Dieses Werk, welchem kein Ähnliches zur Seite steht, erscheint monatlich in 3—4 Heften zu dem billigen Preise von 25 ₰ pro Heft und bringt eine Sammlung der wichtigsten und praktischsten Aufgaben aus dem Gesamtgebiete der Mathematik, Physik, Mechanik, math. Geographie, Astronomie, des Maschinen-, Strassen-, Eisenbahn-, Brücken- und Hochbaues, des konstruktiven Zeichnens etc. etc. und zwar in vollständig gelöster Form, mit vielen Figuren, Erklärungen nebst Angabe und Entwickelung der benutzten Sätze, Formeln, Regeln in Fragen mit Antworten etc., so dass die Lösung jedermann verständlich sein kann, bezw. wird, wenn eine grössere Anzahl der Hefte erschienen ist, da dieselben sich in ihrer Gesamtheit ergänzen und alsdann auch alle Teile der reinen und angewandten Mathematik — nach besonderen selbständigen Kapiteln angeordnet — vorliegen.

Fast jedem Hefte ist ein Anhang von ungelösten Aufgaben beigegeben, welche der eigenen Lösung (in analoger Form, wie die bezüglichen gelösten Aufgaben) des Studierenden überlassen bleiben, und zugleich von den Herren Lehrern für den Schulunterricht benutzt werden können. — Die Lösungen hierzu werden später in besonderen Heften für die Hand des Lehrers erscheinen. Am Schlusse eines jeden Kapitels gelangen: Titelblatt, Inhaltsverzeichnis, Berichtigungen und erläuternde Erklärungen über das betreffende Kapitel zur Ausgabe

Das Werk behandelt zunächst den Hauptbestandteil des mathematisch-naturwissenschaftlichen Unterrichtsplanes folgender Schulen: Realschulen I. und II. Ord., gleich berechtigten höheren Bürgerschulen, Privatschulen, Gymnasien, Realgymnasien, Progymnasien, Schullehrer-Seminaren, Polytechniken, Techniken, Baugewerkschulen, Gewerbeschulen, Handelsschulen, techn. Vorbereitungsschulen aller Arten, gewerbliche Fortbildungsschulen, Akademien, Universitäten, Land- und Forstwissenschaftsschulen, Militärschulen, Vorbereitungs-Anstalten aller Arten als z. B. für das Einjährig-Freiwillige- und Offiziers-Examen, etc.

Die Schüler, Studierenden und Kandidaten der mathematischen, technischen und naturwissenschaftlichen Fächer, werden durch diese, Schritt für Schritt gelöste, Aufgabensammlung immerwährend an ihre in der Schule erworbenen oder nur gehörten Theorien etc. erinnert und wird ihnen hiermit der Weg zum unfehlbaren Auffinden der Lösungen derjenigen Aufgaben gezeigt, welche sie bei ihren Prüfungen zu lösen haben, zugleich aber auch die überaus grosse Fruchtbarkeit der mathematischen Wissenschaften vorgeführt.

Dem Lehrer soll mit dieser Aufgabensammlung eine kräftige Stütze für den Schulunterricht geboten werden, indem zur Erlernung des praktischen Teiles der mathematischen Disziplinen — zum Auflösen von Aufgaben — in den meisten Schulen oft keine Zeit erübrigt werden kann, hiermit aber dem Schüler bei seinen häuslichen Arbeiten eine vollständige Anleitung in die Hände gegeben wird, entsprechende Aufgaben zu lösen, die gehabten Regeln, Formeln, Sätze etc. anzuwenden und praktisch zu verwerten. Lust, Liebe und Verständnis für den Schul-Unterricht wird dadurch erhalten und belebt werden.

Den Ingenieuren, Architekten, Technikern und Fachgenossen aller Art, Militärs etc. etc. soll diese Sammlung zur Auffrischung der erworbenen und vielleicht vergessenen mathematischen Kenntnisse dienen und zugleich durch ihre praktischen in allen Berufszweigen vorkommenden Anwendungen einem toten Kapitale lebendige Kraft verleihen und somit den Antrieb zu weiteren praktischen Verwertungen und weiteren Forschungen geben.

Alle Buchhandlungen nehmen Bestellungen entgegen. Wichtige und praktische Aufgaben werden mit Dank von der Redaktion entgegengenommen und mit Angabe der Namen verbreitet. — Wünsche, Fragen etc., welche die Redaktion betreffen, nimmt der Verfasser, Dr. Kleyer, Frankfurt a. M. Fischerfeldstrasse 16, entgegen und wird deren Erledigung thunlichst berücksichtigt.

Stuttgart.   Die Verlagshandlung.

Frage 152. Welches sind die wesentlichsten magnetelektrischen Maschinen in technischer und historischer Reihenfolge?

Erkl. 120. Die Zahl der verschiedenen magnetelektrischen Maschinen ist sehr gross; es
kann daher hier nur auf diejenigen Maschinen
Rücksicht genommen werden, welche für die
historische Entwicklung der Konstruktion dieser Maschinen wirklich bahnbrechend gewesen
sind, zumal die magnetelektrischen Maschinen
teilweise für die Technik nur noch ein histori-
sches Interesse haben. Sie bilden den Uebergang zu den jetzt in der Technik verwendeten
elektromagnetischen Maschinen, den Dynamomaschinen (siehe den folg. Abschnitt).

Antwort. Die wichtigsten magnetelektrischen Maschinen sind in
technischer und historischer Reihenfolge:
1). Die Maschine von *Gauss* u. *Weber*,
2). die Maschine von *Pixii*,
3). die Maschine von *Stöhrer*,
4). die Lichtmaschine der Gesellschaft Alliance,
5). die Maschine von *Siemens*,
6). die Maschine von *Pacinotti-Gramme*
(siehe Erkl. 120),
7). die Maschine von *v. Hefner-Alteneck*.

---

a). Die magnetelektrische Maschine von Gauss und Weber.

Frage 153. Worin besteht die Einrichtung der magnetelektrischen Maschinen von *Gauss* und *Weber*?

Erkl. 121. Diese Maschine zeigt die einfachste Form einer magnetelektrischen Maschine (*Gauss & Weber* 1888 u. 1846).

Figur 53.

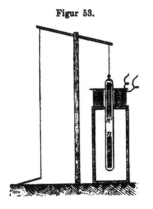

Antwort. Fig. 53 zeigt die Einrichtung, durch welche *Gauss* u. *Weber*
magnetelektrische Ströme erregten.

Die Einrichtung besteht aus zwei cylindrischen Magnetstäben *n s* und *n' s'*
von 30 cm Länge und 15 mm Dicke.
Dieselben sind in einem Abstand von
15 cm in entgegengesetzter Lage in einer
Holzröhre befestigt. Diese Röhre wird
in einem Holzkasten mittels eines Hebel-
apparats mit Trittvorrichtung gehoben
und gesenkt. Auf dem Holzkasten befinden sich zwei Drahtrollen. Wird
mittels des Tritts die Holzröhre gehoben
und gesenkt, so entstehen in den Rollen
Induktionsströme, welche beim Heben
in der einen, beim Senken der Holzröhre in der entgegengesetzten Richtung
verlaufen, also Wechselströme (siehe
Erkl. 121).

---

b). Die magnetelektrische Maschine von Pixii.

Frage 154. Welche Einrichtung besitzt die magnetelektrische Maschine von *Pixii?*

Figur 54.

Erkl. 122. Die Lehren der Elektrodynamik zeigen, dass eine stromdurchflossene Spirale ganz dieselben Wirkungen ausübt wie ein Magnetstab. Der Südpol befindet sich an dem Ende der Spirale (Rolle), an welchem der Strom, wenn man dieses Ende ansieht, im Sinne des Zeigers einer Uhr fliesst (siehe *May*, Lehrb. der Elektrodynamik Antw. auf Frage 56).

Antwort. Gemäss Fig. 54 besteht die magnetelektrische Maschine von *Pixii* aus einem Hufeisenmagnet, welcher sich vor zwei vertikalen Drahtspulen um eine vertikale Axe (mittels Kurbel und Rad) drehen lässt.

Steht z. B. der Nordpol des Hufeisenmagnets der einen Rolle gegenüber und bewegt sich derselbe von ihr weg, so wird in den Windungen der Rolle ein Strom erregt, welcher gemäss dem Lenzschen Gesetz (siehe Antw. auf Frage 14) derart verläuft, dass die Fernwirkung dieser jetzt stromdurchflossenen Spule die Bewegung des Nordpols zu hemmen sucht. Der Strom muss also die Windungen in einem Sinne durchfliessen, dass an dem dem Nordpol zugewandten Ende der Rolle ein Südpol entsteht, dass also die Ströme, wenn man dieses Ende der Rolle ansieht, in Richtung des Zeigers einer Uhr verlaufen (s. Erkl. 122). Der Nordpol entfernt sich immer mehr, währenddem sich jetzt der Südpol dieser Rolle nähert. Dieser Pol induziert aber in der Rolle Ströme, welche in der Rolle so verlaufen, dass die Fernwirkung der stromdurchflossenen Rolle die Bewegung des Südpols zu hemmen sucht, also Ströme derart, dass an dem dem Südpol zugekehrten Ende der Rolle ein Südpol entsteht. Der sich entfernende Nordpol und der sich nähernde Südpol erregen also in der Rolle Ströme gleicher Richtung. In dem Moment aber, wo sich der Südpol der Rolle gegenüber befindet und sich von ihr entfernt, während sich also gleichzeitig der Nordpol nähert, werden in der Rolle Ströme entgegengesetzter Richtung erregt; Ströme also, welche in einer Richtung verlaufen, dass sie die Entfernung des Südpols und die Näherung des Nordpols zu hemmen suchen; kurzum Ströme, welche an dem dem Magnet zugekehrten Ende der Rolle einen Nordpol erregen. Die Ströme fliessen jetzt, wenn man dieses Ende ansieht, in einer Richtung entgegengesetzt jener eines Uhrzeigers. Die induzierten Ströme der Rolle wechseln also ihre Richtung, so oft ein Magnetpol ihr gegenüber steht, also nach jeder halben Umdrehung.

Haben wir nun zwei Rollen, deren Drähte mit einander verbunden sind, jedoch so, dass das eine dem Magneten zugewandte Ende der ersten Rolle im Sinne des Zeigers einer Uhr mit Draht bewickelt erscheint, während das entsprechende Ende der zweiten Rolle im entgegengesetzten Sinne gewickelt ist (siehe Erkl. 123), so treten bei der Bewegung des Magnets vor den beiden Rollen folgende Erscheinungen auf:

Bewegt sich der Nordpol von der ersten Rolle weg, so nähert er sich zugleich der zweiten Rolle. In der ersten Rolle fliesst der Strom in Richtung des Zeigers einer Uhr, in der zweiten in entgegengesetzter Richtung. Nun ist aber die zweite Rolle entgegengesetzt gewickelt wie die erste: es fliesst daher in den Windungen beider Rollen der durch den Nordpol erregte Strom gleichgerichtet; es summieren sich daher die Induktionsströme beider Rollen. Sowie sich aber der Nordpol von der ersten Rolle entfernt und sich der zweiten Rolle nähert, entfernt sich der Südpol von der zweiten und nähert sich der ersten Rolle. Es fliesst daher in der zweiten Rolle der Strom im entgegengesetzten Sinne, in der ersten im gleichen Sinne des Zeigers einer Uhr. Der Südpol und der Nordpol induzieren daher in den beiden Rollen Ströme gleicher Richtung. Dies findet solange statt, bis der Südpol der ersten und der Nordpol der zweiten Rolle gegenüber steht. Sobald beide sich weiter bewegen, kehrt sich die Richtung der in den beiden Rollen erregten Induktionsströme um; also nach jeder halben Umdrehung. Von den beiden Drahtenden kann man die Induktionsströme (Wechselströme) abnehmen (siehe Erkl. 124).

Erkl. 123. Ueber die verschiedenen Arten der Wickelung von Rollen siehe *May & Krebs*, Lehrb. des Elektromagnetismus Antwort auf Frage 52 ff.

Erkl. 124. Die Maschine von *Pixii* stammt aus dem Jahre 1832. Aehnliche Maschinen konstruierten *Ritchie* (1833), *Saxton*, *Clarke* (1836) u. A.

Frage 155. Auf welche Weise kann man die aus der magnetelektrischen Maschine von *Pixii* erhaltenen Wechsel-induktionsströme gleichrichten?

Antwort. Um die Wechselströme gleichzurichten werden dieselben mittels der Schleiffedern *c* und *d* an einen

Stromwender geleitet, welcher sich auf der Drehungsachse des Magnets NS befindet (siehe vorige Figur) und sich mit demselben dreht. Dieser Stromwender (siehe Erkl. 125) besteht (Fig. 55) aus einem Holzcylinder, auf dessen Mantelfläche sich zwei zackige, von einander gut isolierte (durch die dicke Linie angedeutet!) Metallbleche F und G befinden. Auf der mittleren Mantelfläche schleifen zwei Metallfedern c und d, welche mit den Drahtenden a und b der beiden Rollen verbunden sind. Fliesst ein Strom durch die Drahtrollen, so wird derselbe von b über d nach dem Metallbeleg G, und von a über c nach dem Metallbeleg F geführt und kann mittels der Schleiffedern g und f weiter-

Erkl. 125. Ueber die Stromwender oder Kommutatoren siehe *May*, Lehrb. d. Kontaktelektricität Antw. auf Frage 145 u. 147 oder auch dieses Lehrb. Erkl. 23 u. Fig. 13.

Figur 55.

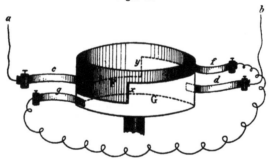

geleitet werden. Dreht sich nun der Cylinder um seine vertikale Achse, so wird schliesslich die Feder d auf F und die Feder c auf G schleifen, während die Federn f und g immer auf denselben Metallbelegen bleiben. War die Stromesrichtung im ersten Fall von a nach b, so fliesst der Strom von f nach g; sowie aber d das Metallblech F und $c\,G$ berührt, fliesst der Strom von g nach f, also in entgegengesetzter Richtung. Nun wechseln aber die in den beiden Rollen erregten induzierten Ströme jedesmal dann ihre Richtung, sobald die Magnetpole N und S sich gerade den beiden Rollen gegenüber befinden. Stellt man daher den Cylinder so, dass die Trennungslinien x und y gerade in der Rich-

Erkl. 126. Die Einrichtung und Wirkungsweise des Stromwenders bei magnetelektrischen Maschinen ist bis ins Einzelne erklärt, da alle folgenden Maschinen einen ähnlich eingerichteten Stromwender besitzen und es zu weit führen würde, wollte man jedesmal wieder ganz genau auf die Wirkungsweise desselben eingehen.

tung der Verbindungslinie beider Pole liegen, so treten im Moment des Strom-wechsels in den Rollen die Metallfedern *c* und *d* auf das andere Metallbeleg über, so dass auf das eine Metallbeleg immer der positive, auf das andere der nega-tive Strom geleitet wird. Die Federn *g* und *f*, welche immer auf demselben Metallbeleg verharren, werden daher immer von Strömen gleicher Richtung durchflossen (siehe Erkl. 126).

c). Ueber die magnetelektrische Maschine von Stöhrer.

Frage 156. Worin besteht die Ein-richtung der magnetelektrischen Maschine von *Stöhrer?*

Antwort. Die Maschine von *Stöhrer* (siehe Fig. 56) zeigt einerseits einen wesentlichen Fortschritt vor derjenigen von *Pixii*, dass drei Hufeisenmagnete

Figur 56.

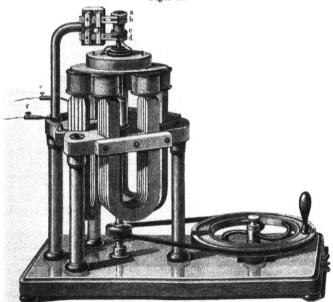

Erkl. 127. Unter Blätter- oder Lamellen-magneten versteht man Magnete, welche aus einzelnen magnetischen „Blättern" oder „La-mellen" zusammengesetzt sind. Durch eine

verwendet sind, welchen sechs Rollen gegenüber stehen, anderseits darin, dass statt massiver Magnete sog. Blätter-magnete verwendet sind (siehe Erkl. 127).

derartige Anordnung erhält man weit kräftigere Magnete. Es rührt dies daher, dass man ein massives Stück Eisen bei weitem weniger stark magnetisch machen kann, als einzelne dünne Blätter. (Näheres siehe *Kleyer*, Lehrb. des Magnetismus, Abschnitt: „Ueber die magnetischen Magazine" Seite 49 ff.)

Die sechs Drahtrollen sind mit einander so verbunden, dass sie abwechselnd im Sinne des Zeigers einer Uhr und im entgegengesetzten Sinne gewickelt erscheinen. Es ist dies deswegen, wie wir schon bei der Maschine von *Pixii* gesehen, der Fall, damit die in den einzelnen Rollen erregten Induktionsströme immer in gleichem Sinne die Windungen durchlaufen. Bei der Maschine von *Stöhrer* bewegen sich die Rollen über den Magnetpolen.

Jedesmal, wenn die einzelnen Rollen den Magnetpolen gegenüber stehen, tritt ein Stromwechsel ein, also sechsmal bei einer einzigen Umdrehung. Die Enden der sechs Spulen sind mit den Klemmschrauben *e* und *f* verbunden. Von diesen können die in den Spulen erregten Induktionsströme (Wechselströme) abgenommen werden.

Frage 157. Auf welche Weise kann man die von der magnetelektrischen Maschine von *Stöhrer* erhaltenen Induktionsströme gleichrichten?

Figur 57.

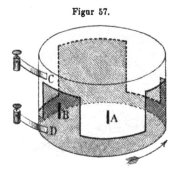

Antwort. Das Gleichrichten der Induktionsströme der magnetelektrischen Maschine von *Stöhrer* geschieht am einfachsten mittels des in Fig. 57 gezeichneten Kommutators. Derselbe besteht aus einem Holzcylinder, welcher mit 2 Metallblechen belegt ist. Dieselben sind von einander isoliert, was die auf dem Cylinder befindliche dick ausgezogene Linie andeuten soll. Die von dieser Linie gebildeten 6 Zacken (abwechselnd schattiert und unschattiert) sind je 60' breit. Schleift eine Feder in der Mitte des Cylindermantels auf den Metallbelegen, so tritt sie bei der Drehung des Cylinders nach je 60° von einer Belegung auf die andere.

Nach Antw. auf vorige Frage wechseln die in den Spulen des Stöhrerschen Apparats erregten Induktionsströme nach je 60° ihre Richtung und zwar im Moment, wo die Rollen den Magnetpolen gegenüber stehen. Verbindet man die Drahtenden der Rollen mit zwei Schleifbürsten *A* und *B* (in Figur nur durch Striche angedeutet), welche auf dem Cylinder schleifen und ist der letztere auf der Drehungsachse der Spulen befestigt, so

Erkl. 128. Ich bemerke, dass in einzelnen Lehrbüchern der Kommutator falsch gezeichnet ist, so dass dadurch eine Gleichrichtung der Induktionsströme undenkbar ist.

Erkl. 129. In Fig. 55 hat der Kommutator, welcher oben au der Drehungsachse angebracht ist, eine etwas andere Form. Im Prinzip stimmen jedoch beide überein.

gehen A und B, wenn sie um 60° auseinander stehen und ausserdem sich auf der Isolationslinie befinden, im Moment wo die Spulen den Magnetpolen gegenüber stehen, bei jedem Stromwechsel in den Spulen von dem einen Beleg nach dem andern. Auf den einen Beleg kommt daher immer nur negative, auf den anderen nur positive Elektricität. Lässt man daher die Bürste C fortwährend auf der einen, die Bürste D auf der anderen Belegung schleifen, so können von C und D gleichgerichtete Induktionsströme abgenommeu werden (siehe Erkl. 128 und 129).

d). Die magnetelektrische Maschine der Gesellschaft „Alliance".

Frage 158. Worin besteht die Einrichtung der magnetelektrischen Maschine der Gesellschaft Alliance?

Antwort. Eine weitere Vermehrung der Drahtrollen und der Magnete zeichnet die Alliance-Maschine aus. In

Figur 58.

Fig. 58 sind 24 Hufeisen-Blättermagnete mit 48 Polen derart angeordnet, dass je 16 Magnetpole in einer Ebene liegen. Diesen 16 Magnetpolen steht eine um eine horizontale Achse drehbare Scheibe gegenüber, auf welcher den Magnetpolen gegenüber 16 Drahtrollen befestigt sind. In Fig. 58 haben wir drei solcher Scheiben mit je 16 Drahtrollen, im ganzen also 48 Drahtrollen. Die Drähte derselben sind alle unter einander verbunden und das eine Ende des Gesamtdrahts steht mit einem Metallring, das andre Ende mit einem zweiten Metallring auf der Drehungsachse in Verbindung. Auf diesen beiden Metallringen schleifen zwei Metallbürsten, um die in den Rollen erregten Induktionsströme abzunehmen. Die einzelnen Drahtrollen sind derart mit einander verbunden und derart gewickelt, dass sich die induzierten Ströme der einzelnen Rollen summieren.

Wird die horizontale Achse umgedreht, so bewegen sich die Drahtrollen vor den Magnetpolen. So oft eine Rolle vor einem Magnetpol vorbeigeht, wechselt die Richtung der in ihr erregten Induktionsströme; also in Fig. 58 bei einer einzigen Umdrehung 16mal. Da alle Rollen so angeordnet sind, dass alle Rollen gleichzeitig an den Magnetpolen vorbei gehen, so treten in allen Rollen die Stromwechsel gleichzeitig ein.

Die Alliance-Maschinen machen 400 Umdrehungen in der Minute; es treten daher in einer Sekunde beiläufig 100 Stromwechsel ein (siehe Erkl. 130 u. 131).

Erkl. 130. Die Alliance-Maschinen besitzen meist 4 bis 6 Scheiben mit je 16 Drahtrollen, im ganzen also 64 bis 96 Rollen und demgemäss 32 bis 48 Magnete. Ein einzelner dieser Magnete besitzt ein Gewicht von ungefähr 20 kg.

Erkl. 131. Die Alliance-Maschinen wurden früher sehr viel zur elektrischen Beleuchtung verwendet. Auch heute noch sind einige Leuchttürme mit dieser Maschine ausgerüstet.

Frage 159. Welcher Art sind die Ströme, welche die magnetelektrische Maschine der Gesellschaft „Alliance" liefert?

Antwort. Die Ströme der Alliance-Maschine sind Wechselströme (siehe Erkl. 132).

Erkl. 132. Man könnte allerdings mittels eines Stromwenders diese Ströme gleichrichten; für den Zweck jedoch, für welchen diese Maschinen hergestellt wurden (Beleuchtung), könnten auch Wechselströme Verwendung finden.

e). Die magnetelektrische Maschine von Siemens.

Frage 160. Wodurch unterscheidet sich die magnetelektrische Maschine von *Siemens* wesentlich von den bis jetzt beschriebenen?

Antwort. Die magnetelektrische Maschine von *Siemens* unterscheidet sich von den bisher betrachteten Maschinen dadurch, dass der Anker, d. i. der Teil der Maschine, in welchem Induktionsströme erregt werden, also die Drahtrollen, eine besondere Form hat.

Frage 161. Worin besteht die Einrichtung des Ankers der Siemensschen magnetelektrischen Maschine?

Antwort. Ein Stück weiches Eisen, dessen Querschnitt die Gestalt eines doppelten T hat (siehe Fig. 59) und dessen Ansicht Fig. 60 zeigt, ist seiner

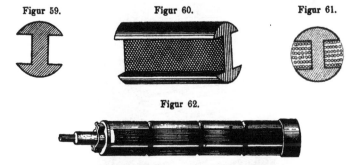

Figur 59.   Figur 60.   Figur 61.

Figur 62.

Erkl. 133. Die Drahtwindungen wurden auf Eisen gewickelt, da der im Eisen entstehende und verschwindende Magnetismus die Induktionsströme verstärkt. Bei den bisher betrachteten magnetelektrischen Maschinen kann ebenfalls durch Einführen von Eisenkernen in die Drahtrollen die elektromotorische Kraft vergrössert werden.

Länge nach derart mit Draht bewickelt, dass die Drahtwindungen das Eisenstück zu einem Cylinder ergänzen. Fig. 61 zeigt den Querschnitt, Fig. 62 den vollständigen Anker (siehe Erkl. 133).

Frage 162. Wie ist die magnetelektrische Maschine von *Siemens* eingerichtet?

Erkl. 134. Der Anker der magnetelektrischen Maschine ist bekannt unter dem Namen Doppel-T-Anker.

Antwort. Der in Antw. auf vorige Frage beschriebene Anker wird zwischen die Pole einer Reihe von Hufeisenmagneten gebracht (siehe Fig. 63), welche so übereinander gelegt sind, dass auf der einen Seite des Ankers lauter Südpole, auf der andern lauter Nordpole liegen. Um ferner den Anker den Magnetpolen möglichst nahe zu bringen, sind die Polenden ausgeschnitten, wie es Fig. 64 im Durchschnitt zeigt.

Erkl. 135. Die nebenstehende Maschine wurde im Jahre 1857 von *Siemens* und *Halske* in Pogg. Annalen (Bd. 101) beschrieben. Dieselbe wird heutzutage noch zum Betreiben der Signalwerke der Eisenbahnen angewandt. In den Signalhäuschen, welche oben halbkugelförmige Glocken tragen, befindet sich ein solcher Apparat. Durch Drehung der Kurbel entstehen Ströme, welche durch Drähte nach entfernten, ebensolchen Häuschen fliessen und dort das Läutewerk in Bewegung setzen.

Mittels der Kurbel *H* und einer Reihe von Uebersetzungsrädern wird der Anker in sehr schnelle Umdrehung versetzt. Bei jeder Umdrehung wechseln die Induktionsströme z w e i m a l ihre Richtung (jedesmal wenn die Drahtwicklung an den Polen des Hufeisenmagnets vorbeigeht), ausserdem wechselt der Eisenkern des Ankers zweimal seinen von dem Huf-

Figur 63.

Figur 64.

eisenmagneten erregten Magnetismus und zwar gleichzeitig mit dem Stromwechsel der Induktionsströme. Die Induktionsströme werden erregt durch den Magnetismus des Hufeisenmagnets und verstärkt durch den Magnetismus des Eisenkerns (siehe Erkl. 134 u. 135).

Frage 163. Auf welche Weise kann man die mittels der magnetelektrischen Maschine von *Siemens* erregten Induktionsströme gleichrichten?

Figur 65.

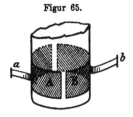

Antwort. Die Induktionsströme der Siemensschen magnetelektrischen Maschine wechseln bei einer einzigen Umdrehung ihre Richtung zweimal. Bringt man daher auf die Achse zwei gleichgrosse von einander isolierte Metallflächen A und B (siehe Fig. 65) an, auf welchen 2 Metallfedern a und b in einer Entfernung von 180° von einander schleifen, so können die Induktionsströme gleichgerichtet werden, wenn man die beiden Trennungslinien der Metallflächen derart auf der Achse anbringt, dass die Metallfedern von einer Fläche zur andern übergehen im Moment, wo die Drahtwindungen vor den Polen der Hufeisenmagnete vorüber gehen.

f). Die magnetelektrische Maschine von Pacinotti-Gramme.

Frage 164. Worin besteht die wesentliche Verbesserung der magnetelektrischen Maschinen durch *Pacinotti* und *Gramme?*

Erkl. 136. Die Ringform des Ankers wurde zuerst im Jahre 1863 von *Pacinotti* angewandt, jedoch nicht technisch verwertet. Der erste, welcher die erste technisch brauchbare Maschine herstellte, war *Gramme.*

Erkl. 137. Bei jedem Stromwechsel muss im Moment des Wechsels die Drahtrolle stromlos sein. Die Rolle ist also bald stromlos, bald stromdurchflossen, es treten somit je nach der Umdrehungsgeschwindigkeit und je nach der Zahl der Drahtrollen eine grössere oder geringere Anzahl Stromstösse ein, welche man bei sehr häufigem Stromwechsel weniger, bei weniger häufigem stärker bemerkt.

Antwort. Bei den Maschinen von *Pixii* wurden nur zwei Rollen vor einem Magneten bewegt; *Stöhrer* vermehrte die Anzahl der Rollen und der Magnetpole auf sechs, die Gesellschaft „Alliance" nahm 64 und mehr Drahtrollen. Diese stetige Vermehrung der Rollen brachte *Pacinotti* (siehe Erkl. 136) auf den Gedanken, einen mit Draht bewickelten Ring vor den Magnetpolen zu bewegen, so dass fortwährend Drahtwindungen an den Polen vorübergehen. Dadurch werden nicht, wie bei allen früheren Maschinen mehr oder minder rasch aufeinander folgende Stromstösse (siehe Erkl. 137) erhalten, sondern man erhält einen fortlaufenden, kontinuierlichen Strom.

Frage 165. Wie verlaufen die Induktionsströme in den einzelnen Drahtwindungen des Pacinottischen Rings?

Antwort. Zum leichteren Verständnis des Verlaufs der in den Windungen des Pacinottischen Rings erregten Induktionsströme bedienen wir uns der Fig. 66. In derselben bedeuten R_1, R_2, R_3, R_4 Drahtspulen, welche über den eisernen Ring HH geschoben werden können, ferner N und S den Nord- bezw. Südpol eines Magnets.

Erkl. 138. Nähert man einen Magneten einem Stück Eisen, so wird dasselbe magnetisch und zwar zeigt die dem Nordpol gegenüber befindliche Stelle des Eisenstücks einen Südpol, die dem Südpol gegenüber befindliche Stelle einen Nordpol. Näheres siehe *Kleyer*, Lehrb. d. Magnetismus Antw. auf Frage 40.

Der Nordpol N erregt in dem ihm gegenüber befindlichen Teile des eisernen Rings, also bei b, einen Südpol, der Südpol S bei a einen Nordpol (siehe Erkl. 138). Dies sind im wesentlichen die Wirkungen der beiden Magnetpole N und S; die Erregung von Induktionsströmen in den Drahtrollen erfolgt hauptsächlich durch die Einwirkung der beiden Magnetpole a und b.

Figur 66.

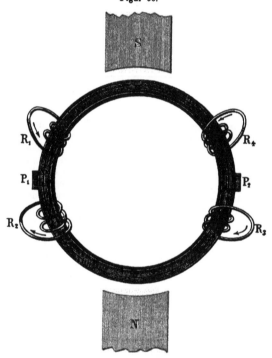

Wir denken uns den eisernen Ring HH feststehend und bewegen die Rolle R_1 von dem Nordpol a weg. Dadurch werden in R_1 Ströme erregt, welche nach dem Lenzschen Gesetz (siehe Antw. auf Frage 14) die Bewegung der Rolle von a weg zu hemmen suchen. Eine Hemmung der Bewegung kann aber in diesem Falle nur eintreten, wenn der

Erkl. 139. Die Lehren der Elektrodynamik zeigen, dass eine stromdurchflossene Spirale ganz dieselben Wirkungen ausübt wie ein Magnetstab. Der Südpol befindet sich an dem Ende der Spirale (Rolle), an welchem der Strom, wenn man dieses Ende ansieht, im Sinne des Zeigers einer Uhr fliesst (siehe *May*, Lehrb. der Elektrodynamik Antw. auf Frage 56).

Erkl. 140. Die induzierende Wirkung des Südpols b äussert sich in der Weise, dass sie den vom Nordpol a induzierten Strom schwächt.

Strom in R_1 von a aus gesehen, wie der Zeiger einer Uhr verläuft; denn dann hat die dem Nordpol a am nächsten liegende Fläche von R_1 die elektrodynamische Wirkung eines Südpols (siehe Erkl. 139); der Nordpol a und der Südpol in R_1 ziehen daher einander an und suchen infolgedessen die Bewegung der Rolle R_1 von a weg zu hemmen. Der Strom in R_1 verläuft also in Richtung des eingezeichneten Pfeils. Während sich jedoch die Rolle R_1 von dem Nordpol a entfernt, nähert sie sich gleichzeitig dem Südpol b. Der Südpol b würde also in der Rolle R_1 einen Strom erregen, welcher so verläuft, dass die dem Pole b zunächst gelegene Fläche von R_1 die elektrodynamische Wirkung eines Südpols zeigt, damit dem Lenzschen Gesetz gemäss eine Hemmung der Bewegung gegen den Südpol b erfolgt. Der Strom müsste also in R_1 infolge der Einwirkung des Südpols b in entgegengesetzter Richtung des eingezeichneten Pfeils, mithin in entgegengesetzter Richtung verlaufen wie der durch den Nordpol a erregte Strom. Da sich jedoch die Rolle R_1 näher an a befindet als an b, so wird die induzierende Wirkung des Nordpols a überwiegen, der Strom in R_1 doch in Richtung des eingezeichneten Pfeils verlaufen (s. Erkl. 140). Rückt jetzt die Rolle bei ihrer Bewegung an die Stelle P_1, welche gleichweit von den beiden Polen a und b entfernt ist, so heben die vom Nordpol a und vom Südpol b in R_1 erregten entgegengesetzten Ströme einander auf. An der Stelle P_2 ist die Rolle stromlos.

Bewegt sich die Rolle weiter, so dass sie etwa die Lage R_2 einnimmt, so überwiegt die induzierende Wirkung des Südpols b, da jetzt R_2 näher an b als an a liegt. Der Strom fliesst also jetzt in der Rolle R_2 in entgegengesetzter Richtung wie in R_1, mithin in Richtung des eingezeichneten Pfeils.

Kommt die Rolle bei ihrer Bewegung an dem Südpol b vorbei, so sollte man meinen, dass sich die Richtung der in der Rolle erregten Ströme umkehre, da sich vorher die Rolle dem Pole b nähert, bei Vorübergang aber von ihm entfernt. Dem ist jedoch nicht so. Die Richtung der Ströme bleibt dieselbe, da nach Vorübergang die dem Pole b zugekehrte Fläche der Rolle die andere Fläche der Rolle ist. War vor Vorübergang die dem Pole b zugekehrte Fläche der Rolle ein Südpol, die andere Fläche demgemäss Nordpol, so muss allerdings nach Vorübergang der Rolle vor dem Südpol b die dem Pol zugekehrte Fläche einen Nordpol zeigen. Diese Fläche hatte aber bereits vorher die elektrodynamische Wirkung eines Nordpols; es wird somit bei Vorübergang der Rolle an dem Pol b an der Richtung der Induktionsströme nichts geändert. In R_3 und R_4 fliessen die Ströme in gleicher Richtung (siehe Erkl. 141).

Erkl. 141. Es ist sehr wesentlich zu beachten, welche Fläche der Rolle jeweilig einem Pole des Ringes zugekehrt ist, um genau zu verstehen, in welcher Richtung die Induktionsströme die Rolle durchfliessen.

Je mehr sich die Rolle R_2 von dem Südpol b entfernt, um so mehr nähert sie sich dem Nordpol a. Der Nordpol a sucht aber in der Rolle Induktionsströme von entgegengesetzter Richtung zu induzieren wie der Südpol b; es wird daher in der Lage P_t die Rolle stromlos sein, da P_t gleichweit von a und b entfernt ist. In der Lage R_t überwiegt die induzierende Wirkung des Nordpols a; der Strom in R_t hat also die entgegengesetzte Richtung wie in R_2.

Erkl. 142. Die Richtung der Induktionsströme bei Vorübergang der Rolle vor dem Pole a wird ebensowenig geändert wie bei dem Vorübergang der Rolle vor dem Pole b.

Bewegt sich R_t über den Pol a hinaus, so wird an der Richtung der in der Rolle induzierten Ströme nichts geändert, da bei Vorübergang die dem Pole a zugekehrte Fläche der Rolle jetzt die andere ist, welche schon vor Vorübergang einen Südpol zeigte (siehe Erkl. 142); an der Stromrichtung wird demgemäss nichts geändert bis die Rolle sich wieder an der Stelle P_2 befindet. Wir gelangen daher zu dem Resultat:

Zwischen $P_t\, a\, P_2$ verlaufen die Ströme in der einen, zwischen $P_t\, b\, P_2$ in der entgegengesetzten Richtung.

Der Pacinottische Ring ist aber nicht von einer einzigen Rolle, sondern rundum mit Drahtwindungen umgeben (siehe Fig. 67). Die in den einzelnen Drahtwindungen erregten Induktionsströme verlaufen also auf der oberen Hälfte des Ringes in der einen (durch die Pfeile

Erkl. 143. Bei den meisten Maschinen dieser Konstruktion bewegt sich jedoch der eiserne Ring HH (Fig. 65) samt den Drahtwindungen vor den Polen NS. Dies hat zur Folge, dass sich die magnetischen Pole a und b des Ringes immer an anderen Stellen befinden, so dass sich der Magnetismus des Ringes fortwährend ändert. Steht ein bestimmter Teil des Ringes eben dem Pole N oder S gegenüber, so ist er am stärksten magnetisch und zwar am Pole N entgegengesetzt wie am Pole S, befindet er sich angedeuteten) Richtung, in der unteren Hälfte desselben in e n t g e g e n g e s e t z t e r Richtung. Bei P_1 und P_2 ä n d e r n die Ströme ihre Richtung. Bei P_1 fliessen also etwa die Ströme der beiden Hälften von einander weg, bei P_2 gegen einander hin. Verbindet man P_2 mit P_1 durch einen Draht L, so fliessen die in den Windungen erregten Induktionsströme von

Figur 67.

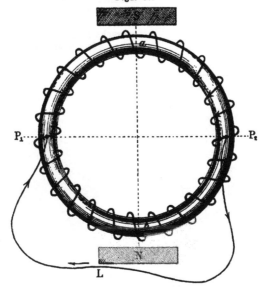

jedoch an den Stellen P_1 bezw. P_2, so besitzt er gar keinen Magnetismus. Durch die fortwährende Aenderung des magnetischen Zustands der einzelnen Teile des Ringes werden in den auf ihn gewickelten Drahtwindungen Ströme induziert, welche genau so verlaufen wie wenn der Ring stille stände und sich nur die einzelnen Drahtrollen auf ihm bewegten.

Ebenso wie die einzelnen Rollen bei ihrer Bewegung auf dem feststehenden magnetischen Ring über Eisenteile geben, deren Magnetismus fortwährend ein anderer ist, so befinden sich auch, wenn sich der Eisenring mit den Rollen dreht, die unter den einzelnen Windungen liegenden Eisenteile in fortwährendem Wechsel in Bezug auf ihren Magnetismus.

Erkl. 144. Die Richtung der in den Windungen fliessenden Induktionsströme sind in der Figur durch die Pfeile an den einzelnen Drahtwindungen deutlich gekennzeichnet.

P_2 nach P_1. Da sich jedoch die Drahtwindungen und meist auch der Ring (siehe Erkl. 143) bewegen, so lässt sich die Stromabnahme von den Punkten P_1 und P_2 auf diese schematisch gekennzeichnete Weise nicht praktisch ausführen (siehe Antw. auf folgende Frage und Erkl. 144).

Frage 166. Welches ist die Einrichtung des Pacinotti-Grammeschen Ringes in seiner praktischen Ausführung?

Antwort. Fig. 68 zeigt den Pacinotti-Grammeschen Ring in seiner praktischen Ausführung.

Derselbe besteht hier aus 16 einzelnen um einen Ring gewundenen Spiralen. Der Anfang und das Ende einer jeden Spirale sind mit einem auf der Achse X des Ringes befindlichen Stromsammler („Kollektor") verbunden. Dieser Stromsammler besteht aus 16 von einander isolierten Metallstücken, welche im Kreise herum auf der Achse X des Ringes angebracht sind (siehe Erkl. 145). Auf je einem Metallstück ist das Ende der

Erkl. 145. Fig. 69 zeigt eine Ansicht dieses Kollektors, des Ringes und der Bürsten BB.

Figur 68.

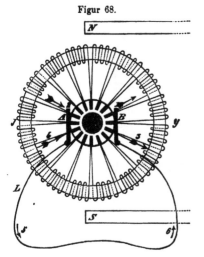

Figur 69.

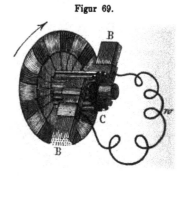

Erkl. 146. Man verwendet statt Schleiffedern häufig auch Schleifbürsten, welche aus einzelnen Kupferdrähten zusammengesetzt sind.

Erkl. 147. Die Bürsten berühren den Stromsammler derart, dass sie, wenn das eine Metallstück desselben gerade an den Bürsten vorbeigeht, bereits das folgende berühren, so dass fortwährend Strom durch die Bürsten fliesst, auch wenn dieselben gerade eine isolierende Schicht zwischen zwei Metallstücken berühren.

einen und der Anfang der folgenden Spirale verschraubt, so dass alle Windungen durch den Stromsammler miteinander in leitender Verbindung stehen.

Bringt man zwei Schleiffedern oder Schleifbürsten (siehe Erkl. 146) A und B an die Stellen J und Y, welche den Punkten P_1 und P_2 in voriger Figur entsprechen, so kann man, wenn sich der Ring samt dem Stromsammler bewegt, während die Bürsten an ihrer Stelle bleiben, die durch die Magnetpole N und S in den Windungen erregten Induktionsströme abnehmen (s. Erkl. 147).

Der ausführliche Prospekt und das ausführliche Inhalts-
verzeichnis der „vollständig gelösten Aufgabensammlung von
Dr. Ad. Kleyer" kann von jeder Buchhandlung, sowie von der
Verlagshandlung **gratis und portofrei** bezogen werden.

Bemerkt sei hier nur:

1). Jedes Heft ist aufgeschnitten und gut brochiert um den **sofortigen** und **dauern-**
den Gebrauch zu gestatten.

2). Jedes Kapitel enthält sein besonderes Titelblatt, Inhaltsverzeichnis, Berichtigungen
und Erklärungen am Schlusse desselben.

3). Auf jedes einzelne Kapitel kann abonniert werden.

4). Monatlich erscheinen 3—4 Hefte zu dem Abonnementspreise von 25 Pfg. pro Heft

5). Die **Reihenfolge** der Hefte im nachstehenden, kurz angedeuteten Inhaltsverzeichnis ist, **wie aus dem Prospekt ersichtlich, ohne jede Bedeutung**
für die Interessenten.

6). Das Werk enthält **Alles,** was sich überhaupt auf mathematische Wissenschaften
bezieht, alle Lehrsätze, Formeln und Regeln etc. mit Beweisen, alle praktischen
Aufgaben in vollständig gelöster Form mit Anhängen ungelöster analoger Aufgaben und vielen vortrefflichen Figuren.

7). Das Werk ist ein **praktisches Lehrbuch für Schüler aller Schulen, das**
beste Handbuch für Lehrer und Examinatoren, **das vorzüglichste Lehrbuch**
zum Selbststudium, das vortrefflichste Nachschlagebuch für Fachleute und
Techniker jeder Art.

8). Alle Buchhandlungen nehmen Bestellungen entgegen.

Das vollständige

Inhaltsverzeichnis
der bis jetzt erschienenen Hefte
kann durch jede Buchhandlung bezogen werden.

Halbjährlich erscheinen Nachträge über die inzwischen neu erschienenen Hefte.

Druck von Carl Hammer in Stuttgart.

535. Heft.

Preis des Heftes 25 Pf.

Die Induktionselektricität.
Forts. v. Heft 534. — Seite 97—112.
Mit 15 Figuren

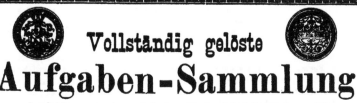

Vollständig gelöste
Aufgaben-Sammlung

— nebst Anhängen ungelöster Aufgaben, für den Schul- & Selbstunterricht —

mit

Angabe und Entwicklung der benutzten Sätze, Formeln, Regeln in Fragen und Antworten

erläutert durch

viele Holzschnitte & lithograph. Tafeln,

aus allen Zweigen

der Rechenkunst, der niederen (Algebra, Planimetrie, Stereometrie, ebenen u. sphärischen Trigonometrie, synthetischen Geometrie etc.) u. höheren Mathematik (höhere Analysis, Differential- u. Integral-Rechnung, analytische Geometrie der Ebene u. des Raumes etc.); — aus allen Zweigen der Physik, Mechanik, Graphostatik, Chemie, Geodäsie, Nautik, mathemat. Geographie, Astronomie; des Maschinen-, Strafsen-, Eisenbahn-, Wasser-, Brücken° u. Hochbau's; der Konstruktionslehren als: darstell. Geometrie, Polar- u. Parallel-Perspective, Schattenkonstruktionen etc. etc.

für

Schüler, Studierende, Kandidaten, Lehrer, Techniker jeder Art, Militärs etc.

zum einzig richtigen und erfolgreichen

Studium, zur Forthülfe bei Schularbeiten und zur rationellen Verwertung der exakten Wissenschaften,

herausgegeben von

Dr. Adolph Kleyer,

Mathematiker, vereideter königl. preuss. Feldmesser, vereideter grossh. hessischer Geometer I. Klasse

in Frankfurt a. M.

unter Mitwirkung der bewährtesten Kräfte.

Die Induktionselektricität.

Nach System Kleyer bearbeitet von **Adolf Krebs** in Darmstadt.

Fortsetzung v. Heft 534. — Seite 97—112. Mit 15 Figuren.

Inhalt:

Die magnetelektrische Maschine von *v. Hefner-Altenerk.* — Die elektromagnetelektrische Induktion. — Gesetze der Magneto- und Elektromagneto-Induktion. — Erregung von Induktionsströmen durch den Erdmagnetismus. — Erregung von Induktionsströmen durch Reibungselektricität (Nebenströme).

Stuttgart 1889.

Verlag von Julius Maier.

☞ Das vollständige Inhaltsverzeichnis der bis jetzt erschienenen Hefte kann durch jede Buchhandlung bezogen werden.

PROSPEKT.

Dieses Werk, welchem kein Ähnliches zur Seite steht, erscheint monatlich in 3—4 Heften zu dem billigen Preise von 25 ₰ pro Heft und bringt eine Sammlung der wichtigsten und praktischsten Aufgaben aus dem Gesamtgebiete der Mathematik, Physik, Mechanik, math. Geographie, Astronomie, des Maschinen-, Strassen-, Eisenbahn-, Brücken- und Hochbaues, des konstruktiven Zeichnens etc. etc. und zwar in vollständig gelöster Form, mit vielen Figuren, Erklärungen nebst Angabe und Entwickelung der benutzten Sätze, Formeln, Regeln in Fragen mit Antworten etc., so dass die Lösung jedermann verständlich sein kann, bezw. wird, wenn eine grössere Anzahl der Hefte erschienen ist, da dieselben sich in ihrer Gesamtheit ergänzen und alsdann auch alle Teile der reinen und angewandten Mathematik — nach besonderen selbständigen Kapiteln angeordnet — vorliegen.

Fast jedem Hefte ist ein Anhang von ungelösten Aufgaben beigegeben, welche der eigenen Lösung (in analoger Form, wie die bezüglichen gelösten Aufgaben) des Studierenden überlassen bleiben, und zugleich von den Herren Lehrern für den Schulunterricht benutzt werden können. — Die Lösungen hierzu werden später in besonderen Heften für die Hand des Lehrers erscheinen. Am Schlusse eines jeden Kapitels gelangen: Titelblatt, Inhaltsverzeichnis, Berichtigungen und erläuternde Erklärungen über das betreffende Kapitel zur Ausgabe

Das Werk behandelt zunächst den Hauptbestandteil des mathematisch-naturwissenschaftlichen Unterrichtsplanes folgender Schulen: Realschulen I. und II. Ord., gleich berechtigten höheren Bürgerschulen, Privatschulen, Gymnasien, Realgymnasien, Progymnasien, Schullehrer-Seminaren, Polytechniken, Techniken, Baugewerkschulen, Gewerbeschulen, Handelsschulen, techn. Vorbereitungsschulen aller Arten, gewerbliche Fortbildungsschulen, Akademien, Universitäten, Land- und Forstwissenschaftsschulen, Militärschulen, Vorbereitungs-Anstalten aller Arten als z. B. für das Einjährig-Freiwillige- und Offiziers-Examen, etc.

Die Schüler, Studierenden und Kandidaten der mathematischen, technischen und naturwissenschaftlichen Fächer, werden durch diese, Schritt für Schritt gelöste, Aufgabensammlung immerwährend an ihre in der Schule erworbenen oder nur gehörten Theorien etc. erinnert und wird ihnen hiermit der Weg zum unfehlbaren Auffinden der Lösungen derjenigen Aufgaben gezeigt, welche sie bei ihren Prüfungen zu lösen haben, zugleich aber auch die überaus grosse Fruchtbarkeit der mathematischen Wissenschaften vorgeführt.

Dem Lehrer soll mit dieser Aufgabensammlung eine kräftige Stütze für den Schulunterricht geboten werden, indem zur Erlernung des praktischen Teiles der mathematischen Disziplinen — zum Auflösen von Aufgaben — in den meisten Schulen oft keine Zeit er übrigt werden kann, hiermit aber dem Schüler bei seinen häuslichen Arbeiten eine vollständige Anleitung in die Hände gegeben wird, entsprechende Aufgaben zu lösen, die gehabten Regeln, Formeln, Sätze etc. anzuwenden und praktisch zu verwerten. Lust, Liebe und Verständnis für den Schul-Unterricht wird dadurch erhalten und belebt werden.

Den Ingenieuren, Architekten, Technikern und Fachgenossen aller Art, Militärs etc. etc. soll diese Sammlung zur Auffrischung der erworbenen und vielleicht vergessenen mathematischen Kenntnisse dienen und zugleich durch ihre praktischen in allen Berufszweigen vorkommenden Anwendungen einem toten Kapitale lebendige Kraft verleihen und somit den Antrieb zu weiteren praktischen Verwertungen und weiteren Forschungen geben.

Alle Buchhandlungen nehmen Bestellungen entgegen. Wichtige und praktische Aufgaben werden mit Dank von der Redaktion entgegengenommen und mit Angabe der Namen verbreitet. — Wünsche, Fragen etc., welche die Redaktion betreffen, nimmt der Verfasser, Dr. Kleyer, Frankfurt a. M. Fischerfeldstrasse 16, entgegen und wird deren Erledigung thunlichst berücksichtigt.

Stuttgart.   Die Verlagshandlung.

Frage 167. Welches ist die Einrichtung der Pacinotti-Grammeschen Maschine?

Figur 70.

Antwort. Fig. 70 zeigt die Form einer magnetelektrischen Ringmaschine wie sie von *Gramme* hergestellt wurde. Der Magnet, dessen Pole dem Ring an zwei diametral entgegengesetzten Stellen möglichst angenähert sind, ist meist (wie in Figur) aus sehr vielen dünnen Lamellen zusammengesetzt — Blättermagnet von *Jamin* (s. Erkl. 145). Noch bemerken wir, dass die einzelnen um den Ring gewickelten Drahtbündel der Deutlichkeit halber abwechselnd dunkel und hell gezeichnet sind. Am Stromsammler schleifen die Bürsten, von welchen der in dem Ring bei der Drehung desselben entstehende Strom abgenommen werden kann. Um den Ring in schnelle Umdrehungen zu versetzen ist eine Uebersetzung mittels Zahnrads und Triebs angebracht.

Der Ring, auf welchen die Drahtbündel gewickelt sind, besteht aus weichem Eisen (meist aus weichen, geglühten Eisendrähten, s. Antw. auf Frage 46 ff.). Den Magnetpolen gegenüber entstehen in dem eisernen Ring zwei entgegengesetzte Magnetpole, welche bei der Drehung des Rings zwar an immer anderen Teilen desselben auftreten, doch aber stets an derselben Stelle (gegenüber den Magnetpolen) bleiben. Der durch die Pole des Magnets *M* in dem eisernen Ring erregte Magnetismus wirkt induzierend auf die einzelnen Drahtwindungen ein (siehe Antw. auf Frage 165).

Erkl. 148. Der Umstand, dass bei massiven Eisenstücken der Magnetismus nicht sehr beträchtlich ist, da der beim Streichen eines Eisenstücks influenzierte Magnetismus nicht tief in das Innere des Eisens eindringt (siehe *Kleyer*, Lehrb. des Magnetismus Antw. auf Frage 75), brachte *Jamin* darauf ganz dünne Eisen- bezw. Stahlbleche zu magnetisieren und diese einzelnen Lamellen mit den entsprechenden Polen auf einander zu legen. Dass dann dieser sog. Blättermagnet stärker magnetisch ist als ein massiver Stahlmagnet von derselben Grösse und Gestalt, ist ohne weiteres verständlich.

Frage 168. Welcher Art sind die mittels der Grammeschen Ringmaschine erregten Induktionsströme?

Antwort. Die mittels der Grammeschen Ringmaschine erregten Induktionsströme sind gleichgerichtete Ströme. Sie haben nicht erst einen Stromwender nötig, wie die bis jetzt betrachteten magnetelektrischen Maschinen. Man nennt diese Art der Maschinen daher auch Gleichstrommaschinen.

g). Die magnetelektrische Maschine von v. Hefner-Alteneck.

Frage 169. Worin besteht die wesentliche Eigentümlichkeit der magnetelektrischen Maschine von *v. Hefner-Alteneck?*

Antwort. Die eigentümliche Form des Ankers, in welchem Induktionsströme erregt werden ist es, welche die elektromagnetische Maschine von *v. Hefner-Alteneck* auszeichnet.

Frage 170. Worin besteht die Einrichtung des Ankers der magnetelektrischen Maschine von *v. Hefner-Alteneck?*

Antwort. Der Anker der v. Hefner-Alteneckschen magnetelektrischen Maschine hat statt eines Ringes, wie die Grammesche Maschine, einen Hohlcylinder aus Eisen, welcher von einer Trommel aus dünnem Messing- oder Neusilberblech umgeben ist. Auf letztere ist der Draht in einer Anzahl Strängen aufgewickelt, welche längs der Seitenkanten verlaufen. Jeder Strang beginnt an einem Metallstück (P_1) des Stromsammlers, welcher genau so konstruiert ist wie jener der Grammeschen Maschine, läuft an der vorderen Stirnfläche der

Figur 71.

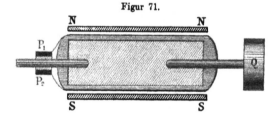

Trommel herauf (siehe Fig. 71), geht längs einer Seitenkante der Trommel, biegt sich dann an der hinteren Stirnfläche, sich um die Drehungsachse krümmend, herab, geht längs der Seitenkante, welche der obengenannten gerade gegenüber liegt, wieder nach der vorderen Stirnfläche und endigt an einem Metallstück (P_2) des Stromsammlers. Jeder Strang ist also ein Drahtviereck. Eine Anzahl solcher Drahtvierecke sind auf der Trommel angebracht und diese wird zwischen zwei Magnetpolen NN und SS mittels des Triebrads Q gedreht.

Frage 171. Wie verlaufen die Induktionsströme in einem solchen Drahtviereck, welches sich zwischen den Magnetpolen bewegt?

Figur 72.

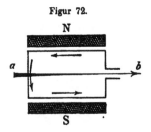

Erkl. 149. Die Richtung des in einem Drahte induzierten Stroms ist bereits bei der Beschreibung des Grammeschen Rings auf Grund des Lenzschen Gesetzes ausführlich erörtert (siehe Antw. auf Frage 165).

Antwort. Fig. 72 stelle ein Drahtviereck dar, welches sich um die Achse ab vor den Magnetpolen N und S bewegen kann. Bewegt sich etwa das Drahtviereck derart, dass der obere Teil nach vorn, der untere nach hinten geht, so entsteht in der dem Nordpol zugekehrten Seite des Drahtvierecks ein Strom, welcher, vom Nordpol aus betrachtet, in Richtung des Zeigers einer Uhr, also in Richtung des Pfeils verläuft. In der dem Südpol zugekehrten Seite dagegen wird ein Strom erregt, welcher, vom Südpol aus gesehen, in entgegengesetzter Richtung verläuft wie der Zeiger einer Uhr. Es laufen daher zwar die Ströme in den Längsseiten eines Drahtvierecks in entgegengesetzter Richtung, bilden jedoch zusammen einen Strom, wie die eingezeichneten Pfeile erkennen lassen (siehe Erkl. 149).

Frage 172. Auf welche Weise sind die einzelnen Drahtvierecke mit einander verbunden?

Erkl. 150. Die Anzahl der Drahtvierecke ist natürlich bei einer wirklichen v. Hefner-Alteneckschen Trommel grösser.

Antwort. Die Verbindung der einzelnen Drahtvierecke der v. Hefner-Alteneckschen Trommel unter einander ist ganz genau dieselbe wie die Verbindung der einzelnen Drahtrollen des Pacinotti-Grammeschen Rings. Ebenso wie bei dem Grammeschen Ring der Anfang einer Rolle mit dem einen, das Ende mit dem folgenden Metallstück des Stromsammlers in Verbindung steht, ferner das Ende je einer Rolle und der Anfang der folgenden Rolle mit demselben Metallstück des Stromsammlers verschraubt ist, so ist auch der Anfang eines Drahtvierecks der Trommel mit dem einen, das Ende mit dem folgenden Metallstück des Stromsammlers verbunden, und ferner gehen das Ende des einen und der Anfang des folgenden Drahtvierecks zu demselben Metallstück des Stromsammlers. Fig. 73 zeigt die schematische Einrichtung einer Trommel mit 8 Drahtvierecken (siehe Erkl. 150). Die 8 Klötze a, b, c, d, e, f, g, h bedeuten die 8 Metallstücke des Stromsammlers, ferner die Linien:

Erkl. 151. Nach Fig. 73 könnte scheinen, dass die Verbindung der einzelnen Drahtvierecke durch die einzelnen Metallstücke des Stromsammlers ganz unsymmetrisch sein müsste. Konstruiert man jedoch die Trommel derart, wie in Fig. 74, welche die Stirnfläche der Trommel zeigt, so gelangt man zu einer vollkommen symmetrischen Verbindung. In Fig. 74 bedeuten 1 und 1', 2 und 2', 3 und 3' u. s. f. den Anfang und das Ende je eines Drahtvierecks, ferner a, b, c, d, e, f, g, h die einzelnen Metallstücke

α). a, 1, I,   I',   1, b
β). b, 2, II,   II',   2', c
γ). c, 3, III,   III',   3', d
δ). d, 4, IV,   IV',   4', e
ε). e, 5, V,   V',   5', f
ζ). f, 6, VI,   VI',   6', g
κ). g, 7, VII,   VII',   7, h
λ). h, 8, VIII, VIII', 8', a

die 8 Drahtvierecke der Reihenfolge nach.

Figur 73.

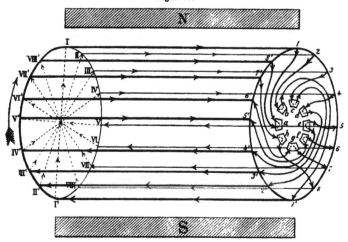

Figur 74.

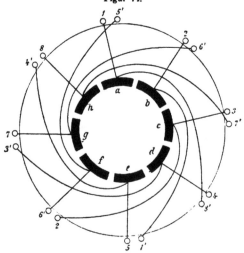

des Stromsammlers. Die einzelnen Verbindungen sind genau dieselben wie in Fig. 78. Nun können wir die Verbindungen der Fig. 74 auch so erhalten, wenn wir die Verbindungen der Fig. 75 wählen. Dass diese Verbindungen vollkommen symmetrisch sind, tritt in Fig. 75 deutlich hervor. Dieselben stimmen aber auch mit jenen der Fig. 78 überein; denn es ist 1 mit a und 8', 1' mit b und 2, 2' mit c und 3, 3' mit d und 4, 4' mit e und 5, 5' mit f und 6, 6' mit g und 7, 7' mit h und 8, 8' mit a und 1 in Verbindung.

Der Anfang und das Ende eines jeden dieser Drahtvierecke liegen auf je zwei benachbarten Metallstücken; so der Anfang des Drahtvierecks α). auf a, das Ende desselben auf b; der Anfang von β). auf b, das Ende auf c u. s. f. (siehe Erkl. 151).

Ferner bemerkt man, dass das Ende eines Drahtvierecks und der Anfang des nächstfolgenden mit demselben Metall-

Figur 75.

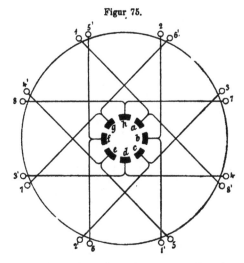

Erkl. 152. Die v. Hefner-Altenecksche Trommel ist häufig vollkommen falsch gezeichnet; ausserdem wird darauf hingewiesen, dass sie sich ganz wesentlich von dem Pacinotti-Grammeschen Ring unterscheide. Dass dies nicht der Fall ist, erhellt aus Nebenstehendem sofort. An die Stelle der Drahtrollen des Pacinotti-Grammeschen Rings sind bei der Trommel die Drahtvierecke getreten, die Verbindungen aber entsprechen ganz genau denen des Rings. Welcher Vorteil darin liegt, an Stelle der Drahtrollen Drahtvierecke zu nehmen, zeigt Antw. auf Frage 176.

stück des Stromsammlers in Verbindung stehen, so dass alle Drahtvierecke miteinander der Reihenfolge nach verbunden sind. So steht:

α). mit β). durch b   ε). mit ζ). durch f
β). „ γ). „ c   ζ). „ κ). „ g
γ). „ δ). „ d   κ). „ λ). „ h
δ). „ ε). „ e   λ). „ α). „ a

in Verbindung (siehe Erkl. 152).

Frage 173. Wie verlaufen die von dem Magneten NS (Fig. 73) in der v. Hefner-Alteneckschen Trommel erregten Induktionsströme?

Antwort. Die in den Drähten der v. Hefner-Alteneckschen Trommel erregten Induktionsströme verlaufen im wesentlichen genau so wie die in dem Pacinotti-Grammeschen Ring. Auf der oberen Hälfte der Trommel verlaufen die

Erkl. 153. Dass dies der Fall ist, kann man mittels des Lenzschen Gesetzes sofort nachweisen; es ergibt sich dies aber auch sofort aus der Gleichartigkeit der Konstruktion der Trommel und des Rings.

Ströme sämtlich in der einen, auf der unteren Hälfte sämtlich in der entgegengesetzten Richtung (siehe Erkl. 153).

Frage 174. Auf welche Weise werden die· in der Trommel erregten Induktionsströme abgenommen?

Antwort. Die Stromabnahme bei der v. Hefner-Alteneckschen Trommel geschieht ganz ebenso wie bei dem Pacinotti-Grammeschen Ring an den beiden Metallstücken, an welchen durch die beiden mit ihnen verbundenen Drähte zwei Ströme zu- bezw. ab fliessen. In Fig. 73 sind es bei der gerade statthabenden Stellung der Trommel in Bezug auf die Magnetpole N und S die beiden Metallstücke a und e. Bei a fliessen bei dieser Stellung zwei Ströme zu, bei e zwei Ströme ab (siehe Erkl. 154). Verbindet man a und e durch einen Leitungsdraht, so fliesst der in der Trommel erregte Strom von a durch den Draht nach e. Dreht sich die Trommel in Richtung des Pfeils weiter, so sind es jetzt die beiden Metallstücke h und d, bei weiterer Drehung g und c u. s. f., an welchen zwei Ströme zu- oder abfliessen. Bringt man daher zwei feste Bürsten in Berührung mit dem Stromsammler, so dass sie bei der in Fig. 73 gekennzeichneten Stellung der Trommel gerade die Metallstücke a und e berühren, so kann man mittels dieser Bürsten die Induktionsströme der Trommel abnehmen (siehe Erkl. 155).

Erkl. 154. Bei dem in Fig. 73 durch die Pfeile angedeuteten Verlauf der Induktionsströme in den einzelnen Windungen der Trommel ist angenommen, dass die Trommel keinen Eisencylinder enthält. Die Pole N und S sind es dann, welche die Induktionsströme erregen. Im Falle die Trommel jedoch einen Eisencylinder enthält, ist die Richtung der Induktionsströme gerade die entgegengesetzte. Es sind nämlich dann nicht mehr die Pole N und S, welche dieselben erregen, sondern die von N und S in dem Eisencylinder erregten magnetischen Pole. Da nun aber in dem Eisencylinder dem Nordpole N gegenüber ein Südpol, dem Südpol S gegenüber ein Nordpol, also entgegengesetzte Pole entstehen, so muss auch die Richtung der durch diese Pole erregten Induktionsströme jener entgegengesetzt sein, welche die Pole N und S hervorbringen.

Erkl. 155. Dreht sich die Trommel weiter, so berühren die Bürsten die Metallstücke h und d, dann g und c u. s. f., sobald dieselben bei der Drehung die Lage der Metallstücke a und e erreichen. In dieser Lage aber fliessen immer an dem einen Metallstück zwei Ströme zu, von dem andern zwei Ströme ab.

Frage 175. Worin besteht die Einrichtung der v. Hefner-Alteneckschen magnetelektrischen Maschine?

Antwort. Die in Antw. auf vorige Frage beschriebene Trommel ist ihrer ganzen Länge nach (siehe Fig. 76) von zwei Reihen spitzwinkliger Stahlmagnete (nach oben und nach unten) umgeben, so dass je die gleichnamigen Pole einander gegenüber stehen, vorn etwa die Südpole und hinten die Nordpole. Die Polflächenpaare vorn und hinten sind durch cylindrische Eisenstücke verbunden, so dass man vorne einen sehr langen,

Erkl. 156. Es sind auch grössere Maschinen dieser Art gebaut worden, welche mittels Dampfmaschinen in Bewegung gesetzt werden.

starken Doppelsüdpol und hinten einen ebensolchen Doppelnordpol erhält. Mittels eines Zahnrads und Triebes wird die

Figur 76.

Erkl. 157. Der Trommelanker wurde im Jahre 1872 von *v. Hefner-Alteneck* zuerst hergestellt und bildet noch bei den heutigen Maschinen eine Grundform des Ankers.

Trommel in rasche Umdrehung versetzt und die Ströme an den Bürsten abgenommen (siehe Erkl. 156 u. 157).

Frage 176. Welche Vorteile besitzt die v. Hefner-Alteneckache Maschine vor der Pacinotti-Grammeschen?

Erkl. 158. Je näher die Drahtwindungen an einem Magnetpole vorbeigehen, desto stärkere Ströme werden in denselben induziert. Geht nun eine Rolle des Rings an einem Magnetpol vorbei, so wird in der Lage Draht auf dem äusseren Teile des Rings ein starker Strom erregt, während in der am inneren Teile desselben befindlichen Drahtlage wegen der grösseren Entfernung vom Magnetpol nur schwache Ströme erregt werden. Die inneren Drahtlagen sind daher der induzierenden Wirkung der Magnetpole nur wenig ausgesetzt und tragen daher zur Verstärkung der Ströme nicht nur nicht bei, sondern schwächen sie sogar, indem der Strom, sie durchfliessend, ihren Leitungswiderstand überwinden muss.

Erkl. 159. Die Erwärmung des Rings oder des Eisencylinders der Trommel hat noch einen anderen Grund. Der fortwährende Wechsel des Magnetismus bei der Bewegung ist im stande

Antwort. Die Vorteile der v. Hefner-Alteneckschen Maschine vor der Pacinotti-Grammeschen bestehen einesteils darin, dass wegen der grossen Länge der Magnetpole eine stärkere Einwirkung auf die Bewickelung stattfindet, und dass es andernteils keine Drahtstücke gibt, welche nur Widerstand darbieten ohne wesentlich erregt zu werden (s. Erkl 158), da die Trommel nur auf der Aussenfläche mit Draht belegt ist. Bei dem Pacinotti-Grammeschen Ring umkreisen die Induktionsströme den eisernen Ring und erwärmen ihn, da die Drähte selbst durch die Ströme erwärmt werden, bei der v. Hefner-Alteneckschen Trommel dagegen fliessen sie nur der Aussenfläche entlang, so dass keine grössere Erwärmung des Eisens eintreten kann (siehe Erkl. 159).

eine ganz beträchtliche Wärme in dem Eisen
zu erzeugen, so dass die Bewickelung des Ankers
und die Isolation der Drähte Gefahr läuft zerstört zu werden, wenn der Anker allzu schnell
umgedreht wird. Näheres über diese Erwärmung
s. dies. Lehrb. Abschnitt: Induktion in körperlichen Leitern.

K. Ueber die elektromagnetische Induktion.

Frage 177. Was versteht man unter
elektromagnetischer Induktion?

Antwort. Verwendet man an Stelle
von Magneten zur Induktion von Strömen in linearen Leitern Elektromagnete, so bezeichnet man diese Art der
Induktion die elektromagnetische
Induktion.

Frage 178. Welche Vorteile bietet
das Erregen von Induktionsströmen in
linearen Leitern mit Elektromagneten?

Erkl. 160. Dass der Eisenkern eines Elektromagnets sehr stark magnetisiert werden kann,
bei weitem stärker als man es bei einem Stück
Eisen durch Streichen mittels permanenter Magnete zuwege bringt, ist in den Lehren des
Magnetismus und Elektromagnetismus gezeigt
worden.

Antwort. Die permanenten Magnete
sind nur in geringem Grade magnetisch,
während Elektromagnete äusserst stark
magnetisiert werden können. Es hängt
aber die Stärke der erregten Induktionsströme wesentlich von der Stärke des
Magnetismus der Magnete ab. Daher
bietet die Anwendung von Elektromagneten den Vorteil, dass durch ihren
stärkeren Magnetismus stärkere
Induktionsströme erregt werden können
(siehe Erkl. 160).

Frage 179. Wie werden die Maschinen, in welchen Induktionsströme
mittels Elektromagneten erregt werden, eingeteilt?

Antwort. Mit Bezug darauf, ob die
Eisenkerne der Elektromagnete durch
eine besondere Stromquelle magnetisiert werden, oder durch die entstehenden Induktionsströme selbst, kann
man die elektromagnetelektrischen Maschinen einteilen in:

a). Elektromagnetelektrische Maschinen mit besonderer Stromquelle,

b). Elektromagnetelektrische Maschinen ohne besondere Stromquelle.

Letztere nennt man:

Dynamo-elektrische Maschinen
oder kurz Dynamomaschinen.

a). Elektromagnetelektrische Maschinen mit besonderer Stromquelle zur Erregung der Elektromagnete.

Frage 180. Auf welche Weise kann man eine elektromagnetelektrische Maschine herstellen?

Erkl. 161. Der Strom muss gleichgerichtet sein, damit die Pole des Elektromagnets immer in dem gleichen Sinne magnetisch bleiben.

Antwort. Setzen wir an Stelle der Magnete der magnetelektrischen Maschinen Elektromagnete, deren Eisenkerne durch eine besondere Stromquelle, etwa durch eine galvanische Batterie, oder durch die gleichgerichteten Ströme (siehe Erkl. 161) einer magnetelektrischen Maschine magnetisiert werden, so haben wir eine derartige Maschine.

Figur 77.

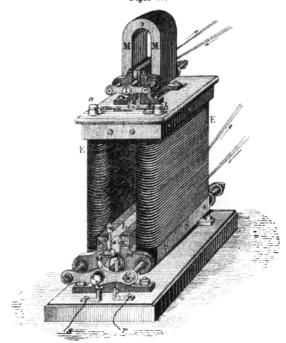

Fig. 77 zeigt eine solche Maschine wie sie von *Wilde* hergestellt wurde. Mittels einer Siemensschen magnetelektrischen Maschine mit Doppel-T-Anker (siehe Antw. auf Frage 162) werden Induktionsströme erzeugt, dieselben mittels eines Stromwenders gleichgerichtet und in die Windungen eines Elektromagnets *E* geleitet, zwischen dessen Polen *KK* ein Siemensscher Doppel-T-Anker rotieren kann. Es wer-

den in dem Anker infolge der grossen magnetischen Kraft des Elektromagnets sehr beträchtliche Ströme induziert, welche von den beiden
Bürsten, die am Stromwender schleifen, mittels
der Drähte r und s abgenommen werden können.
Beide Maschinen werden durch eine Dampfmaschine in Bewegung gesetzt.

Frage 181. Bei welcher Art von
Maschinen werden die Elektromagnete dieser Induktionsmaschinen durch
eine besondere Stromquelle erregt?

Antwort. Die Elektromagnete werden bei Wechselstrom-Maschinen
durch eine besondere Stromquelle erregt (siehe Erkl. 162).

Erkl. 162. Wechselstrommaschinen
sind alle solche, welche ohne Anwendung eines
Stromwenders Wechselströme liefern. Es
sind dies von den bis jetzt betrachteten Maschinen alle mit Ausnahme der Pacinotti-
Grammeschen und der v. Hefner-Alteneckschen Maschine, welche keines Stromwenders
bedürfen. Sie liefern sofort gleichgerichtete
Ströme, welche am Stromsammler (Kollektor)
abgenommen werden. Ich betone hier ausdrücklich den Unterschied zwischen Stromwender
(Kommutator) und Stromsammler (Kollektor),
welche sehr häufig nicht unterschieden werden.

Frage 182. Aus welchem Grunde
werden die Elektromagnete der
Wechselstrommaschinen von einer
besonderen Stromquelle erregt?

Antwort. Wollte man mittels der
Wechselströme die Elektromagnete
erregen, so würden die Eisenkerne bald
in dem einen, bald in dem andern
Sinne magnetisch. Es ist jedoch notwendig, dass die Eisenkerne in demselben Sinne magnetisch bleiben; man
muss daher die Elektromagnete durch
eine besondere Stromquelle, welche
gleichgerichtete Ströme liefert, erregen (siehe Erkl. 163).

Erkl. 163. Dass man ohne eine besondere
Stromquelle die Elektromagnete einer Induktionsmaschine erregen kann und zwar durch
die in der Maschine auftretenden Induktionsströme, nachdem letztere gleichgerichtet
sind, beruht auf dem Siemensschen sogen.
„dynamoelektrischen Prinzip" (s. folgenden Abschnitt), wonach der in jedem Eisen
befindliche Magnetismus, wenn auch ganz unerheblich, induzierend auf den Anker wirkt.
Diese Ströme erregen den Elektromagneten
stärker u. s. f.

b). Ueber die dynamo-elektrischen Maschinen.

Frage 183. Worauf beruht die Konstruktion der dynamo-elektrischen
Maschinen?

Antwort. Die Konstruktion der
dynamo-elektrischen Maschinen beruht
auf dem dynamo-elektrischen Prinzip von *Siemens*.

Das dynamo-elektrische Prinzip von Siemens.

Frage 184. Was besagt das dynamo-elektrische Prinzip von *Siemens?*

Erkl. 164. Jedes Eisenstück kann nur bis zu einem bestimmten Grade, welcher wesentlich von der Menge des Eisens abhängt, magnetisiert werden. Den höchsten Grad, bis zu welchem ein Stück Eisen magnetisiert werden kann, nennt man die magnetische Sättigung. (Näheres siehe *May* und *Krebs*, Lehrb. des Elektromagnetismus Antw. auf Frage 81 ff. u. 138).

Erkl. 165. Das dynamo-elektrische Prinzip wurde fast gleichzeitig von *Werner Siemens*, *Wheatstone* u. A. zur Anwendung gebracht. (*W. Siemens*, Monatsberichte d. Berliner Akademie, 17. Jan. 1867; *Wheatstone*, Proc. Royal Society, 14. Febr. 1867.)

Erkl. 166. *Siemens* nannte dieses Prinzip das dynamo-elektrische, weil mittels mechanischer Arbeit (griech. ἡ δύναμις), durch blosses mechanisches Umdrehen, direkt Elektricität erregt wird.

Antwort. Jedes Stück Eisen, sagt *Siemens*, besitzt einen, wenn auch äusserst geringen Grad von Magnetismus, schon infolge des Erdmagnetismus. Bewegt man daher eine Drahtrolle vor einem Elektromagnet, durch dessen Windungen noch kein Strom geht, so werden doch in der Drahtrolle durch Einwirkung des geringen magnetischen Zustands der Eisenkerne Induktionsströme erregt. Werden diese Ströme gleichgerichtet und in die Windungen des Elektromagnets eingeleitet, so verstärkt sich der Magnetismus des Eisens. Dieses stärker magnetische Eisen bewirkt seinerseits in der Rolle stärkere Induktionsströme, welche, die Elektromagnetwindungen durchfliessend, den Magnetismus der Eisenkerne erhöhen und dadurch selbst wieder an Stärke zunehmen. So verstärkt denn der erhöhte Magnetismus die Induktionsströme und diese ihrerseits den Magnetismus bis die Eisenkerne der Elektromagnete sich im Zustande der magnetischen Sättigung (siehe Erkl. 164) befinden, also nicht mehr stärker magnetisch werden können. Dann hat aber auch die Stärke der Induktionsströme ihren höchsten Punkt erreicht (siehe Erkl. 165).

Dies ist in kurzen Worten das für die Elektrotechnik so äusserst wichtige und grundlegende dynamo-elektrische Prinzip (siehe Erkl. 166).

Frage 185. Welches sind die wesentlichsten Grundformen der dynamo-elektrischen Maschinen?

Antwort. Man unterscheidet drei wesentliche Grundformen der dynamo-elektrischen Maschinen:
1). die Hauptstrommaschine,
2). die Nebenschlussmaschine,
3). die Maschine mit gemischter Wickelung (Compoundmaschine).

Frage 186. Worin besteht die Einrichtung einer Hauptstrommaschine?

Antwort. Fig. 78 gibt ein schematisches Bild einer Hauptstrommaschine. *M* stelle einen Elektromagnet vor und

Erkl. 167. Unter Anker verstehen wir den Teil einer elektrischen Induktionsmaschine, in welchem Induktionsströme erregt werden; also etwa einen Pacinotti-Grammeschen Ring, oder eine v. Hefner-Alteneckske Trommel.

Figur 78.

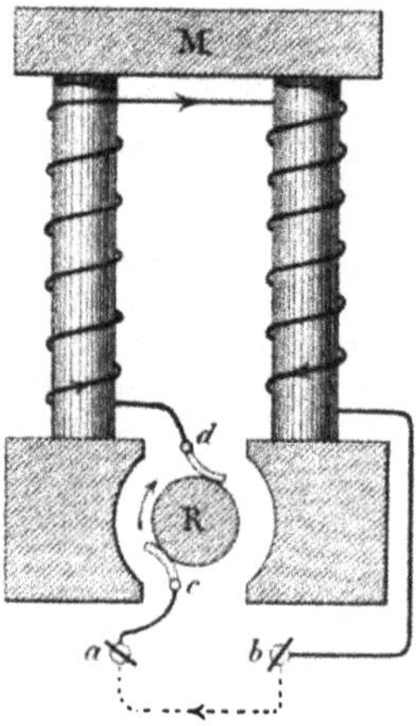

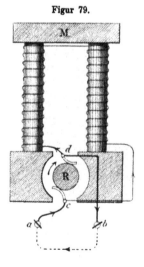

Frage 187. Was versteht man unter einer Nebenschlussmaschine?

Figur 79.

R einen mit Draht bewickelten Anker (siehe Erkl. 167), in welchem Induktionsströme erregt werden, c und d endlich seien die Bürsten, welche von dem Anker R gleichgerichtete Ströme abnehmen. Sind die Elektromagnetwindungen direkt mit den beiden Bürsten verbunden, so dass also der Strom etwa von c über a und b durch die Elektromagnetwindungen nach d fliesst, so dass also diese Windungen in den Hauptstromkreis a b eingeschaltet sind, so haben wir die Grundform einer sog. Hauptstrommaschine. Man nennt das Stück a b den äusseren Schliessungskreis. In denselben können die Apparate eingeschaltet werden, durch welche man Ströme leiten will (etwa elektrische Lampen). Die Elektromagnetwindungen sind also hinter den Hauptstromkreis eingeschaltet. Man sagt daher:

Eine Hauptstrommaschine ist eine solche dynamo-elektrische Maschine, bei welcher die Elektromagnetwindungen und der äussere Stromkreis hintereinander geschaltet sind.

Antwort. Fig. 79 gibt ein schematisches Bild einer Nebenschlussmaschine. M bezeichnet einen Elektromagnet und R einen mit Draht bewickelten Anker, von welchem mittels der Bürsten c und d die gleichgerichteten Induktionsströme abgenommen werden. In den Punkten c und d verzweigt sich die Strombahn. Die eine führt durch die Elektromagnetwindungen, die andere über a und b durch den äusseren Schliessungskreis, in welchen die Apparate eingeschaltet werden, durch welche die Ströme fliessen sollen. Die Elektromagnetwindungen liegen also nicht wie in Antw. auf vorige Frage im Hauptstromkreis, sondern in einer bei c und d abgezweigten Leitung dünnen Drahts mit vielen Windungen, in einem sog. Nebenschluss. Daher:

Eine Nebenschlussmaschine ist eine solche dynamo-elektrische Maschine, bei welcher die Elektro-

magnetwindungen im Nebenschluss
zum äusseren Stromkreis liegen.

Frage 188. Was versteht man unter einer Compound- oder gemischt gewickelten Maschine?

Erkl. 168. Hauptstrommaschinen wurden zuerst von *Ladd* im Jahre 1867 gebaut. Sie gelangten jedoch erst durch *Gramme* 1871 zu einer für praktische Zwecke hochwichtigen Bedeutung. Nebenschlussmaschinen wurden zuerst von Sir *William Siemens* im Jahre 1881 hergestellt, nachdem *Wheatstone* bereits im Jahre 1867 auf die Nebenschliessung hingewiesen hatte. Compoundmaschinen wurden von *Brush* zuerst hergestellt (1879), jedoch ist bis heute die Priorität der Erfindung der gemischten Wickelung noch strittig.

Figur 80.

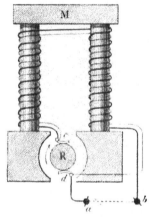

Antwort. Bei einer Compound- oder gemischt gewickelten Maschine (s. Fig. 80) sind einerseits die Elektromagnetwindungen und der äussere Schliessungskreis hintereinander geschaltet, anderseits ist von den Bürsten *c d* ab noch eine Nebenschliessung dünnen Drahtes abgezweigt, welche um den Eisenkern des Elektromagnets *M* führt. Daher:

Eine Compound- oder gemischt gewickelte Maschine ist eine solche dynamo-elektrische Maschine, bei welcher die Elektromagnetwindungen aus zwei Windungen bestehen, von welchen sich die dickere mit dem äusseren Stromkreis in Hintereinanderschaltung, die dünnere im Nebenschluss desselben befindet (siehe Erkl. 168).

Anmerkung. Es ist hier nicht der Ort die Vorteile der drei Grundformen der dynamo-elektrischen Maschinen zu geben. Dieselben werden im zweiten Teil dieses Lehrbuchs behandelt werden. Ausserdem wird man dort einzelne dynamo-elektrische Maschinen beschrieben finden.

L. Ueber die Gesetze der Magneto- und Elektromagneto-Induktion.

Frage 189. Welche Gesetze gelten für die Magneto-Induktion?

Antwort. Bewegen wir einen Magnet gegen eine mit Draht bewickelte Rolle, so gelten folgende Gesetze:
Die elektromotorische Kraft der Induktionsströme ist:

1). unabhängig von dem Stoff des
Drahts, mit welcher die Rolle
umwickelt ist (siehe Erkl. 169),
2). unabhängig von der Dicke
dieser Drähte,
3). unabhängig von der Windungs-
weite der Drahtwindungen,
4). proportional der Windungszahl der Rolle,
5). proportional dem magnetischen Moment des Magnets.

Erkl. 169. Die Unabhängigkeit von dem Stoff der Drähte gilt für alle, ausgenommen Eisendrähte, da das Eisen magnetische Eigenschaften zeigt (siehe Erkl. 26 und 115).

Für die magnet-elektrischen Maschinen
gelten ferner noch folgende Gesetze:

Die elektromotorische Kraft
der in magnet-elektrischen Maschinen erregten Induktionsströme
wächst mit der Umdrehungsgeschwindigkeit des Ankers,
jedoch bei grösserer Umdrehungsgeschwindigkeit langsamer als bei
kleinerer. Sie erreicht bei einer
bestimmten Geschwindigkeit ein
Maximum.

Erkl. 170. Die Gesetze der Magneto-Induktion wurden zuerst von *Lenz* und *W. Weber* aufgestellt und experimentell bewiesen.

Die elektromotorische Kraft
nimmt zu mit dem Widerstande
der Drahtwindungen des Ankers
(siehe Erkl. 170).

Frage 190. Welche Gesetze gelten
für die elektromagnetische Induktion?

Erkl. 171. Eine eingehendere Darlegung der Gesetze der elektromagnetischen Induktion wird im zweiten Teil dieses Lehrbuchs gegeben werden.

Antwort. Für die elektromagnetische
Induktion gelten dieselben Gesetze wie
für die Magneto-Induktion, wenn man
an Stelle des magnetischen Moments des
permanenten Magnets (siehe Antw. auf
vorige Frage unter 5) das temporäre
magnetische Moment des Elektromagnets
einführt (siehe Erkl. 171).

M. Ueber die Erregung von Induktionsströmen in linearen Leitern durch den Erdmagnetismus.

Frage 191. Auf welche Weise kann
man mittels der magnetischen Kraft
der Erde Induktionsströme in linearen Leitern erregen?

Erkl. 172. Ueber die magnetische Kraft der Erde vergl. *Kleyer*, Lehrb. des Magnetismus, Abschnitt V: „Ueber den Erdmagnetismus".

Antwort. Die Lehren des Magnetismus zeigen, dass die Erde als ein Magnet zu betrachten sei (siehe Erkl. 172).
Bewegen wir daher eine Drahtrolle in
der Nähe der Erde, so werden im allgemeinen (siehe Erkl. 173) infolge der

Erkl. 173. Es gibt bestimmte Lagen der Drahtrolle in Bezug auf die Erde, so dass keine Ströme erregt werden. Dies ist der Fall, wenn sich die Drahtrolle so zwischen den beiden Magnetpolen der Erde bewegt, dass die relative Lage nicht geändert wird. Wir werden im zweiten Teil dieses.Lehrbuchs näher darauf zurückkommen.

Wirkung des Erdmagnetismus in der Drahtrolle Induktionsströme erregt, ebenso wie solche entstehen, wenn wir eine Drahtrolle vor einem beliebigen Magnet bewegen.

Frage 192. Mittels welches Apparates lassen sich die induzierenden Wirkungen des Erdmagnetismus zeigen?

Antwort. Die induzierenden Wirkungen des Erdmagnetismus auf lineare Leiter kann man mittels des sog. Erdinduktionsapparats zeigen. Gemäss Fig. 81 besteht derselbe aus einem kreisförmigen Rahmen, welcher mit Draht bewickelt ist. Mittels einer Kurbel lässt sich derselbe um eine horizontale Achse drehen. Stellt man den Rahmen derart, dass seine Ebene senkrecht auf der Richtung der Inklinationsnadel (siehe Erkl. 174) steht und dreht man den-

Erkl. 174. Hängt man eine Magnetnadel in ihrem Schwerpunkt derart auf, dass sie nach allen Richtungen hin freibeweglich ist, so stellt sie sich mit ihrer Längsrichtung parallel dem magnetischen Meridian, während die Verbindungslinie der beiden Pole der Magnetnadel mit einer durch ihre horizontale Drehungsachse ab (siehe Fig. 82) gelegt gedachten Horizontal-

Figur 82.

Figur 81.

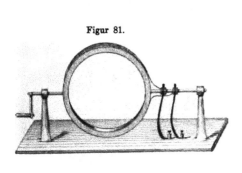

ebene einen bestimmten Winkel bildet. Dieser Winkel ist je nach dem Erdorte grösser oder kleiner; man nennt ihn den Inklinationswinkel und die Magnetnadel, welche sich um eine horizontale Achse drehen kann, eine Inklinationsnadel. (Näheres siehe *Kleyer*, Lehrb. des Magnetismus, Antw. auf Frage 86.) Die Neigung der Inklinationsnadel aber wird bedingt durch die grössere oder geringere Entfernung des Beobachtungsorts von den beiden magnetischen Polen der Erde. Liegt z. B. der Ort in der Mitte zwischen diesen Polen, so ist die Neigung Null.

selben rasch um 180°, so entstehen in den Windungen des Rahmens Induktionsströme, welche, wenn man die Enden dieser Windungen mit einem Multiplikator verbindet, einen Ausschlag der Multiplikatornadel bewirken. Dreht man den Rahmen rasch um weitere 180°, so zeigt die Multiplikatornadel wieder einen Ausschlag, diesmal jedoch nach der entgegengesetzten Seite. Mittels eines zweiteiligen Stromwenders, wie er in Antw. auf Frage 163 beschrieben ist,

Erkl. 175. Ueber die spezielle Lage des Rahmens in Bezug auf die Richtung der magnetischen Kraft der Erde, wie sie durch die Inklinationsnadel gekennzeichnet ist, wird im zweiten Teil dies. Lehrb. das Nähere mitgeteilt werden.

kann man die Ströme gleichrichten, so dass die Multiplikatornadel immer nur nach derselben Seite hin ausschlägt (siehe Erkl. 175).

X. Ueber die Erregung von Induktionsströmen in linearen Leitern durch Reibungselektricität.

(Nebenströme.)

Frage 193. Auf welche Weise kann man mittels Reibungselektricität in linearen Leitern Induktionsströme erregen?

Antwort. Die induzierende Wirkung der Reibungselektricität weist man am einfachsten mit dem folgenden Apparat nach. In ein dickes Holzbrett (siehe Fig. 83) ist eine spiralenförmige Rinne eingeschnitten, in welche ein Kupferdraht eingelegt ist. Der Anfang dieses Kupferdrahts ist mit der einen, das Ende mit der anderen Klemmschraube verbunden, ausserdem durch Pech die einzelnen Windungen isoliert und befestigt. Auf einem zweiten Holzbrett

Figur 83.

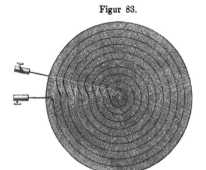

Figur 84.

ist in ganz gleicher Weise ein ebensolcher spiralenförmiger Kupferdraht eingelegt, jedoch so, dass, wenn man diese beiden Platten aufeinander legt, die Kupferspiralen parallel zu einander verlaufen. Werden diese beiden Holzplatten aufeinander gelegt und die beiden Kupferspiralen durch eine Glasscheibe von einander getrennt (siehe Fig. 84), und entladet man durch die eine Kupferspirale eine Leydner Flasche (siehe Erkl. 89), so sieht man zwischen den Enden der

Der ausführliche Prospekt und das ausführliche Inhalts-
verzeichnis der „vollständig gelösten Aufgabensammlung von
Dr. Ad. Kleyer" kann von jeder Buchhandlung, sowie von der
Verlagshandlung gratis und portofrei bezogen werden.

Bemerkt sei hier nur:

1). Jedes Heft ist aufgeschnitten und gut brochiert um den sofortigen und dauern-
den Gebrauch zu gestatten.

2). Jedes Kapitel enthält sein besonderes Titelblatt, Inhaltsverzeichnis, Berichtigungen
und Erklärungen am Schlusse desselben.

3). Auf jedes einzelne Kapitel kann abonniert werden.

4). Monatlich erscheinen 3—4 Hefte zu dem Abonnementspreise von 25 Pfg. pro Heft

5). Die Reihenfolge der Hefte im nachstehenden, kurz angedeuteten Inhaltsverzeichnis ist, wie aus dem Prospekt ersichtlich, ohne jede Bedeutung
für die Interessenten.

6). Das Werk enthält Alles, was sich überhaupt auf mathematische Wissenschaften
bezieht, alle Lehrsätze, Formeln und Regeln etc. mit Beweisen, alle praktischen
Aufgaben in vollständig gelöster Form mit Anhängen ungelöster analoger Aufgaben und vielen vortrefflichen Figuren.

7). Das Werk ist ein praktisches Lehrbuch für Schüler aller Schulen, das
beste Handbuch für Lehrer und Examinatoren, das vorzüglichste Lehrbuch
zum Selbststudium, das vortrefflichste Nachschlagebuch für Fachleute und
Techniker jeder Art.

8). Alle Buchhandlungen nehmen Bestellungen entgegen.

Das vollständige

Inhaltsverzeichnis
der bis jetzt erschienenen Hefte

kann durch jede Buchhandlung bezogen werden.

Halbjährlich erscheinen Nachträge über die inzwischen neu erschienenen Hefte.

Druck von Carl Hammer in Stuttgart.

V. 223

543. Heft.

Preis des Heftes **25 Pf.**

Die Induktionselektricität.
Forts. v. Heft 535. — Seite 113—128.
Mit 20 Figuren.

Vollständig gelöste
Aufgaben-Sammlung

— nebst Anhängen ungelöster Aufgaben, für den Schul- & Selbstunterricht —

mit

Angabe und Entwicklung der benutzten Sätze, Formeln, Regeln in Fragen und Antworten

erläutert durch

viele Holzschnitte & lithograph. Tafeln,

aus allen Zweigen

der Rechenkunst, der niederen (Algebra, Planimetrie, Stereometrie, ebenen u. sphärischen Trigonometrie, synthetischen Geometrie etc.) u. höheren Mathematik (höhere Analysis, Differential- u. Integral-Rechnung, analytische Geometrie der Ebene u. des Raumes etc.); — aus allen Zweigen der Physik, Mechanik, Graphostatik, Chemie, Geodäsie, Nautik, mathemat. Geographie, Astronomie; des Maschinen-, Straßen-, Eisenbahn-, Wasser-, Brücken- u. Hochbau's; der Konstruktionslehren als: darstell. Geometrie, Polar- u. Parallel-Perspective, Schattenkonstruktionen etc. etc.

für

Schüler, Studierende, Kandidaten, Lehrer, Techniker jeder Art, Militärs etc.

zum einzig richtigen und erfolgreichen

Studium, zur Forthülfe bei Schularbeiten und zur rationellen Verwertung der exakten Wissenschaften,

herausgegeben von

Dr. Adolph Kleyer,

Mathematiker, vereideter königl. preuss. Feldmesser, vereideter grossh. hessischer Geometer I. Klasse

in Frankfurt a. M.

unter Mitwirkung der bewährtesten Kräfte.

Die Induktionselektricität.

Nach System Kleyer bearbeitet von **Adolf Krebs** in Darmstadt.

Fortsetzung v. Heft 535. — Seite 113—128. Mit 20 Figuren.

Inhalt:

Induktion in körperlichen Leitern durch stromdurchflossene Leiter. — Durch Magnete. — Umkehrung von elektromagnetischen Rotationen. — Unipolare Induktion. — Rotationsmagnetismus. — Anwendung der in körperlichen Leitern erregten Induktionsströme (Dämpfung der Schwingungen einer Galvanometernadel). — Induktion in der Telephonie. — Bell'sches Telephon. — Mikrophon.

Stuttgart 1889.

Verlag von Julius Maier.

☞ Das vollständige Inhaltsverzeichnis der bis jetzt erschienenen Hefte kann durch jede Buchhandlung bezogen werden.

PROSPEKT.

Dieses Werk, welchem kein ähnliches zur Seite steht, erscheint monatlich in 3—4 Heften zu dem billigen Preise von 25 ₰ pro Heft und bringt eine Sammlung der wichtigsten und praktischsten Aufgaben aus dem Gesamtgebiete der Mathematik, Physik, Mechanik, math. Geographie, Astronomie, des Maschinen-, Strassen-, Eisenbahn-, Brücken- und Hochbaues, des konstruktiven Zeichnens etc. etc. und zwar in vollständig gelöster Form, mit vielen Figuren, Erklärungen nebst Angabe und Entwickelung der benutzten Sätze, Formeln, Regeln in Fragen mit Antworten etc., so dass die Lösung jedermann verständlich sein kann, bezw. wird, wenn eine grössere Anzahl der Hefte erschienen ist, da dieselben sich in ihrer Gesamtheit ergänzen und alsdann auch alle Teile der reinen und angewandten Mathematik — nach besonderen selbständigen Kapiteln angeordnet — vorliegen.

Fast jedem Hefte ist ein Anhang von ungelösten Aufgaben beigegeben, welche der eigenen Lösung (in analoger Form, wie die bezüglichen gelösten Aufgaben) des Studierenden überlassen bleiben, und zugleich von den Herren Lehrern für den Schulunterricht benutzt werden können. — Die Lösungen hierzu werden später in besonderen Heften für die Hand des Lehrers erscheinen. Am Schlusse eines jeden Kapitels gelangen: Titelblatt, Inhaltsverzeichnis, Berichtigungen und erläuternde Erklärungen über das betreffende Kapitel zur Ausgabe.

Das Werk behandelt zunächst den Hauptbestandteil des mathematisch-naturwissenschaftlichen Unterrichtsplanes folgender Schulen: Realschulen I. und II. Ord., gleichberechtigten höheren Bürgerschulen, Privatschulen, Gymnasien, Realgymnasien, Progymnasien, Schullehrer-Seminaren, Polytechniken, Techniken, Baugewerkschulen, Gewerbeschulen, Handelsschulen, techn. Vorbereitungsschulen aller Arten, gewerbliche Fortbildungsschulen, Akademien, Universitäten, Land- und Forstwissenschaftsschulen, Militärschulen, Vorbereitungs-Anstalten aller Arten als z. B. für das Einjährig-Freiwillige- und Offiziers-Examen, etc.

Die Schüler, Studierenden und Kandidaten der mathematischen, technischen und naturwissenschaftlichen Fächer, werden durch diese, Schritt für Schritt gelöste, Aufgabensammlung immerwährend an ihre in der Schule erworbenen oder nur gehörten Theorien etc. erinnert und wird ihnen hiermit der Weg zum unfehlbaren Auffinden der Lösungen derjenigen Aufgaben gezeigt, welche sie bei ihren Prüfungen zu lösen haben, zugleich aber auch die überaus grosse Fruchtbarkeit der mathematischen Wissenschaften vorgeführt.

Dem Lehrer soll mit dieser Aufgabensammlung eine kräftige Stütze für den Schulunterricht geboten werden, indem zur Erlernung des praktischen Teiles der mathematischen Disziplinen — zum Auflösen von Aufgaben — in den meisten Schulen oft keine Zeit erübrigt werden kann, hiermit aber dem Schüler bei seinen häuslichen Arbeiten eine vollständige Anleitung in die Hände gegeben wird, entsprechende Aufgaben zu lösen, die gehabten Regeln, Formeln, Sätze etc. anzuwenden und praktisch zu verwerten. Lust, Liebe und Verständnis für den Schul-Unterricht wird dadurch erhalten und belebt werden.

Den Ingenieuren, Architekten, Technikern und Fachgenossen aller Art, Militärs etc. etc. soll diese Sammlung zur Auffrischung der erworbenen und vielleicht vergessenen mathematischen Kenntnisse dienen und zugleich durch ihre praktischen in allen Berufszweigen vorkommenden Anwendungen einem toten Kapitale lebendige Kraft verleihen und somit den Antrieb zu weiteren praktischen Verwertungen und weiteren Forschungen geben.

Alle Buchhandlungen nehmen Bestellungen entgegen. Wichtige und praktische Aufgaben werden mit Dank von der Redaktion entgegengenommen und mit Angabe der Namen verbreitet. — Wünsche, Fragen etc., welche die Redaktion betreffen, nimmt der Verfasser, Dr. Kleyer, Frankfurt a. M. Fischerfeldstrasse 16, entgegen und wird deren Erledigung thunlichst berücksichtigt.

Stuttgart.   Die Verlagshandlung.

zweiten Spirale einen Funken überspringen, falls die Entfernung dieser Enden eine geringe Zahl von Millimetern beträgt.

Frage 194. Woher rührt der Funke, welcher bei der in voriger Antwort beschriebenen Anordnung erhalten wird?

Antwort. Wird eine Leydner Flasche entladen, so geht diese Entladung so plötzlich vor sich, dass das Beginnen und Aufhören derselben, also das Oeffnen und Schliessen, fast in demselben Augenblick erfolgt. In der zweiten Kupferspirale entstehen daher fast gleichzeitig der Schliessungs- und der Oeffnungsinduktionsstrom, und da beide von entgegengesetzter Richtung sind und gleich grosse Elektricitätsmengen führen, so müssten sie sich aufheben. Dies ist aber nicht ganz der Fall und zwar aus dem Grunde, weil der Oeffnungsinduktionsstrom schneller verläuft als der Schliessungsinduktionsstrom. Der erstere wird also bereits seine volle Stärke erreicht haben, ehe sie der letztere erreicht hat. Ein Teil des Oeffnungsinduktionsstroms wird also nicht aufgehoben und dieser ist es, welcher den Funken bildet (siehe Erkl. 176).

Erkl. 176. *Faraday* glaubte, dass man keine Induktionswirkungen mittels Reibungselektricität erreichen könne, da der Schliessungs- und Oeffnungsinduktionsstrom einander aufheben würden. *Marianini* wies jedoch im Jahre 1838 physiologische Wirkungen (siehe Antw. auf folgende Frage) nach und *Riess* 1851 die eben beschriebene Funkenbildung.

Frage 195. Woran kann man die induzierende Wirkung der Reibungselektricität noch anders erkennen?

Antwort. Befestigt man an den Enden der zweiten (oberen) Kupferspirale (siehe Fig. 85) zwei Handhaben, welche man

Figur 85.

Erkl. 177. Dieser schwache Schlag rührt ebenso wie die Funkenbildung (siehe Antw. auf vorige Frage) von dem Oeffnungsinduktionsstrom her.

mit befeuchteten Händen anfasst, so verspürt man bei Entladung einer Leydner Flasche durch die erste Kupferspirale einen schwachen Schlag (siehe Erkl. 177),

wodurch auch die physiologischen Wirkungen der so erhaltenen Induktionsströme nachgewiesen sind.

Einen anderen Apparat zum Nachweis
der physiologischen Wirkungen dieser
Induktionsströme zeigt Fig. 85. Derselbe
unterscheidet sich von dem in Fig. 84
dargestellten dadurch, dass die Kupferspiralen vertikal stehen. Durch Verschiebung der beiden Scheiben gegen
oder von einander kann man stärkere
oder schwächere Wirkungen erzielen.

Frage 196. Wie nennt man die durch
Reibungselektricität erregten Induktionsströme?

Antwort. Diese Ströme sind bekannt
unter dem Namen Nebenströme.

O. Induktion in körperlichen Leitern.

1). Erregung von Induktionsströmen in körperlichen Leitern durch die Einwirkung stromdurchflossener Leiter.

Frage 197. Auf welche Weise kann
man mittels stromdurchflossener
Leiter in körperlichen Leitern Induktionsströme erregen?

Antwort. Fig. 86 zeigt eine Vorrichtung, durch welche man mittels des
stromdurchflossenen Leiters AB in einem
Kupferstreifen, welcher den Rand einer
um eine vertikale Achse drehbaren Holzscheibe bildet, Induktionsströme erregen
kann.

Figur 86.

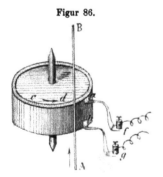

Figur 87.

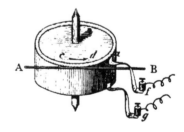

Wird die Holzscheibe und mit ihr also
der Kupferstreifen in rasche Umdrehung
versetzt (etwa in der Pfeilrichtung cd)
und wird der Leiter AB in der Richtung AB von einem Strome durchflossen.

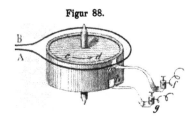

Figur 88.

so kann man von den beiden Schleifbürsten *a* und *b*, von welchen *a* am
oberen, *b* am unteren Rande schleift,
mittels der Klemmschrauben *f* und *g*
einen kontinuierlichen Strom abnehmen.
Das gleiche findet statt, wenn man
den stromdurchflossenen Leiter *A B* in
horizontaler Lage in der Höhe des oberen Randes des Kupferstreifens anbringt
(siehe Fig. 87), oder wenn man den
stromdurchflossenen Leiter *A B* kreisförmig um den oberen Rand des Kupferstreifens herumlegt (siehe Fig. 88) und
die Scheibe rotieren lässt.

Frage 198. In welcher Richtung
verlaufen die in dem kupfernen Streifen
erregten Induktionsströme?

Antwort. Schaltet man zwischen die
Klemmen *f* und *g* (siehe Fig. 86, 87, 88)
ein Galvanometer, so folgt aus der Richtung der Ablenkung der Galvanometernadel die Richtung des Verlaufs
der Induktionsströme. Es zeigt sich, dass

Erkl. 178. Legt man in den Fig. 87 und 88
den stromdurchflossenen Leiter *A B* anstatt in
gleiche Höhe mit dem oberen Rand in gleiche
Höhe mit dem unteren Rand, so ist bei sonst
gleichbleibenden Verhältnissen die Richtung
der erregten Induktionsströme die entgegengesetzte.

in dem in Fig. 86, 87 und 88 gekennzeichneten Fällen der erregte Strom von
der Schleiffeder *a* nach *b* fliesst, sofern
die Umdrehungsrichtung der Holzscheibe
und des Kupferstreifens in Richtung des
Pfeils *c d* erfolgt und der Strom den
Leiter in der Richtung *A B* durchfliesst.
Kehrt man die Umdrehungsrichtung
der Scheibe um, so verlaufen die erregten Induktionsströme in entgegengesetzter Richtung (siehe Erkl. 178).

Frage 199. Wie verlaufen die in
dem kupfernen Streifen erregten Induktionsströme, wenn sich der stromdurchflossene Leiter in horizontaler
Lage auf halber Höhe des Streifens
befindet?

Antwort. Fig. 89 stellt diesen Fall
dar. Verbindet man die Schleiffedern *g*
und *h* mit einem Galvanometer, so be-
kommt man keine Ablenkung der
Galvanometernadel. Bringt man jedoch
noch eine dritte Schleiffeder *f* derart
an, dass dieselbe den Kupferstreifen in
der Mitte berührt und leitet man *f* an
die eine, *g* und *h* zusammen an die
andere Klemme eines Galvanometers
(wie in Fig. 89), so wird die Nadel abgelenkt. Aus der Richtung der Ablenkung der Galvanometernadel folgt

Erkl. 179. Diese einfacheren Fälle der Induktion in körperlichen Leitern durch galvanische Ströme wurden zuerst von *Nobili* 1833 beobachtet.

Figur 89.

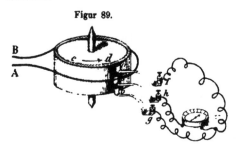

sofort die Richtung der in dem Kupferstreifen erregten Induktionsströme. Ist die Richtung des Stroms in AB von A nach B und die Umdrehungsrichtung des Kupferstreifens von c nach d, so folgt aus der Ablenkung der Galvanometernadel, dass die in dem Kupferstreifen erregten Ströme von beiden Rändern nach der Mitte verlaufen.

Allgemein gilt: Ist die Richtung des Stroms in dem Leiter AB und die Richtung der Umdrehung des Kupferstreifens gleich, so fliessen die Ströme von den Rändern des Kupferstreifens nach der Mitte, sind sie ungleich, so fliessen sie von der Mitte nach den Rändern (siehe Erkl. 179).

Frage 200. Welcher Art sind die mittels der in Fig. 86, 87, 88 und 89 dargestellten Vorrichtungen erregten Induktionsströme und was lässt sich über deren Stärke sagen?

Antwort. Die mittels der in Fig. 86, 87, 88 und 89 dargestellten Vorrichtungen erhaltenen Induktionsströme sind kontinuierliche Ströme. Ihre Stärke nimmt zu mit der Umdrehungsgeschwindigkeit des Kupferstreifens und mit der Stärke des Stroms des stromdurchflossenen Leiters AB.

2). Erregung von Induktionsströmen in körperlichen Leitern durch Einwirkung von Magneten.

Frage 201. In welche Abteilungen kann man die Erregung von Induktionsströmen in körperlichen Leitern durch Einwirkung von Magneten einteilen?

Antwort. Die Erregung von Induktionsströmen in körperlichen Leitern durch Magnete kann man einteilen in:

     a). Induktion in körperlichen Leitern durch Bewegen derselben vor Magneten,

     b). Induktion in körperlichen Leitern durch Umkehrung von elektromagnetischen Rotationen,

     c). Unipolare Induktion,

     d). Rotationsmagnetismus.

a). Induktion in körperlichen Leitern durch Bewegen derselben vor Magneten.

Frage 202. Mittels welches Apparats kann man durch Bewegen von körperlichen Leitern vor Magneten Induktionsströme erhalten?

Antwort. Fig. 90 zeigt einen solchen Apparat. Zwischen den Polen eines kräftigen Hufeisenmagnets, dessen Nordpol bei N ist, kann eine Kupferscheibe mittels einer Kurbel um eine horizontale Achse gedreht werden. An dem Rande der Scheibe schleift eine Metallfeder s, welche mit einer Klemmschraube in Verbindung steht, während eine zweite Klemmschraube auf der Achse befestigt ist, wodurch eine leitende Verbindung mit der Mitte der Scheibe und dieser Klemmschraube hergestellt ist.

Figur 90.

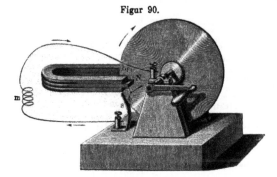

Erkl. 180. Drehen wir die Scheibe nach der entgegengesetzten Richtung, so verlaufen auch die Ströme naturgemäss nach der entgegengesetzten Richtung, also vom Rand der Scheibe nach der Mitte.

Verbindet man die beiden Klemmschrauben mit einem Multiplikator, welcher sich etwa bei m befinden soll, und dreht man die Kupferscheibe um, so zeigt die Multiplikatornadel einen Ausschlag zum Beweise dafür, dass in der Kupferscheibe Ströme erregt worden sind. Die Richtung der Ablenkung der Multiplikatornadel gibt die Richtung des Verlaufs der Induktionsströme in der Scheibe. Bei der in Fig. 90 gekennzeichneten Anordnung verlaufen die Ströme von der Achse nach dem Rande der Scheibe, wenn man die Scheibe in Richtung des Pfeils umdreht (siehe Erkl. 180).

Frage 203. Wie müssen ganz allgemein die in der Kupferscheibe erregten Induktionsströme verlaufen?

Antwort. Nach dem Lenzschen Gesetz (siehe Antw. auf Frage 14 ff.), welches für jede Art der Erregung von

Erkl. 181. Dies ist aber auch von vornherein klar; denn wenn überhaupt etwas entstehen soll, so muss es auf Kosten eines anderen entstehen. Aus nichts wird nichts nach
dem physikalischen Grundprinzip der Erhaltung
der Energie. Wenn also in der Scheibe Ströme
entstehen, und dies ist ja Thatsache, so muss
irgend eine andere Energie in Elektricität umgewandelt worden sein. Diese Energie ist die
bei der Bewegung der Scheibe aufgewendete
mechanische Arbeit, welche umgewandelt wird
(siehe Antw. auf folgende Frage).

Induktionsströmen giltig ist, müssen die
Induktionsströme in der Scheibe derart
verlaufen, dass sie kraft ihrer elektrodynamischen Wirkung die Bewegung
der Scheibe zu hemmen suchen (siehe
Erkl. 181).

Frage 204. Auf welche Weise kann
man nachweisen, dass die in der Kupferscheibe entstehenden Induktionsströme die Bewegung der Kupferscheibe hemmen?

Antwort. Dreht man die Kupferscheibe (siehe Fig. 90) mit der Hand
um, so verspürt man deutlich einen
ziemlichen Widerstand solange sich
die Scheibe zwischen den Magnetpolen
befindet. Nimmt man dagegen den Magnet fort, so verschwindet der Widerstand;
gleichzeitig bemerken wir, dass keine
Ströme mehr entstehen.

Erkl. 182. Sehr deutlich kann man diese
Hemmung noch folgendermassen erkennen. Eine
Kupferscheibe wird durch ein Uhrwerk in rasche
Umdrehungen versetzt. Der Rand der Scheibe
befinde sich zwischen den beiden Polen eines
Elektromagnets. Solange kein Strom durch die
Windungen desselben fliesst, bleibt die Umdrehungsgeschwindigkeit der Scheibe ungeändert. Sobald jedoch ein Strom dieselben durchfliesst, der Eisenkern des Elektromagnets magnetisch wird, wird die Bewegung plötzlich
und ganz beträchtlich gehemmt.

Sehr deutlich lässt sich die Hemmung
der Bewegung folgendermassen zeigen.
Eine Kupferscheibe wird durch ein Uhrwerk in Umdrehung versetzt. Man nähert
einen Hufeisenmagnet derart, dass der
Rand der Scheibe sich zwischen den
Polen des Magnets bewegt. Die Umdrehung der Scheibe hört dann entweder
völlig auf oder sie wird beträchtlich ver-
langsamt (siehe Erkl. 182 u. 183).

Erkl. 183. Weitere Beispiele der Bewegungs-
hemmung infolge der in körperlichen Leitern
erregten Induktionsströme findet man im II. Teil.
dieses Lehrbuchs.

Frage 205. Welche Wirkung üben
die die Bewegung hemmenden Induktionsströme auf den körperlichen
Leiter aus?

Antwort. Die in körperlichen Leitern
auftretenden Induktionsströme, welche
der Bewegung derselben entgegenwirken,
erwärmen die körperlichen Leiter.

Frage 206. Wie kann man die Erwärmung der körperlichen Leiter infolge der in ihnen erregten Induktionsströme experimentell nachweisen?

Antwort. 1). Versetzen wir eine
Kupferscheibe in der in Fig. 90 gekennzeichneten Anordnung zwischen den Polen
eines Magnets oder Elektromagnets in
sehr rasche Umdrehung, so wird die
Scheibe so erwärmt, dass man es mit
der Hand sofort fühlen kann. Wendet man
einen sehr starken Elektromagnet und eine
sehr grosse Umdrehungsgeschwindigkeit
an, so kann man eine ganz beträchtliche Er-
hitzung der Scheibe erreichen (s. Erkl.184).

Erkl. 184. Diese Erwärmung wurde zuerst von *Foucault* beobachtet. *Poggendorff* war
es jedoch, welcher die richtige Erklärung dieser
Erwärmung gab. Die häufig übliche Benennung
der Induktionsströme, welche diese Erwärmung
bewirken, als Foucaultsche Ströme dürfte
mit Rücksicht darauf nicht gerechtfertigt sein.

Erkl. 185. Verschiedene Metallgemische haben die Eigenschaft, dass sie früher schmelzen als jedes ihrer Bestandteile, so schmilzt:
Newtons Gemisch (3 Zinn, 2 Blei, 5 Wismut) bei 100° C.,
Roses Gemisch (3 Zinn, 8 Blei, 8 Wismut) bei 95° C.,
Woods Gemisch (2 Zinn, 4 Blei, 7 Wismut, 1 Kadmium) bei 70° C.

Figur 91.

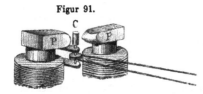

2). In andrer, äusserst schlagender Weise, hat *Tyndall* diese Erwärmung nachgewiesen. Zwischen den Polen PP (siehe Fig. 91) eines kräftigen Elektromagnets wird mittels einer (in Fig. 91 nicht gezeichneten) Schwungmaschine ein Cylinder C von dünnem Kupferblech in schnelle Umdrehung versetzt. In dem Cylinder befindet sich ein leicht schmelzbares Metallgemisch (siehe Erkl. 185). Infolge der bei der Drehung des Kupfercylinders in den Wandungen desselben erregten Induktionsströme wird eine derartige Erwärmung erzeugt, dass das Metall in dem Cylinder flüssig wird.

---

b). Induktion in körperlichen Leitern durch Umkehrung von elektromagnetischen Rotationen.

Frage 207. Auf welche Weise kann man in körperlichen Leitern durch Umkehrung von elektromagnetischen Rotationen Induktionsströme erregen?

Antwort. Fig. 92 zeigt einen Apparat zur Erregung von Induktionsströmen in körperlichen Leitern durch Umkehrung von elektromagnetischen Rotationen. Auf eine horizontale Metallachse ad ist ein Kupfercylinder c aufgelötet. In demselben ist ein horizontaler

Figur 92.

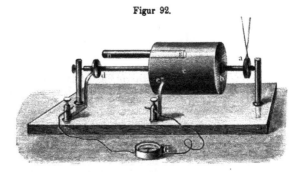

Magnet ns derart befestigt, dass er teilweise (etwa zur Hälfte) aus dem Kupfercylinder hervorsieht. Eine mit einer Klemmschraube verbundene Feder schleift auf dem Mantel des Kupfercylinders bei e, eine zweite auf einer Erhöhung der Achse bei d. Verbindet man die beiden Klemmschrauben mit einem Galvanometer G

und versetzt man mittels des Schnurlaufs bei *a* die Achse in schnelle Umdrehungen, so zeigt die Galvanometernadel einen Ausschlag, welcher beweist,
dass zwischen *d* und *e*, d. h. zwischen
der Achse und dem Cylindermantel, ein
Strom in einer bestimmten Richtung
verläuft. Die Richtung, in welcher der
Induktionsstrom verläuft ist aber jener
Richtung entgegengesetzt, in welcher
man zwischen *d* und *e* den Strom einer
galvanischen Säule durchschicken müsste,
damit sich der Cylinder infolge der Wechselwirkung zwischen dem Magnet *n s* und
dem jetzt stromdurchflossenen Cylinder
in der gleichen Richtung umdrehen soll.

Figur 93.

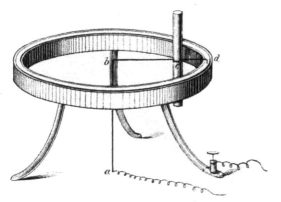

Der in Fig. 92 dargestellte Induktionsapparat ist die Umkehrung des in
Fig. 93 gekennzeichneten elektromagnetischen Rotationsapparats nur mit dem
Unterschied, dass statt eines körperlichen
Leiters (Kupfercylinder) ein linearer
Leiter (der Draht *a b c d*) verwendet ist.
Bewegen wir etwa den Arm *b c d* samt
dem Magnet in einer bestimmten Richtung und wird etwa dadurch in *a b* ein
Strom induziert, welcher in der Richtung
von *a* nach *b c d* u. s. w. fliesst, so müssen
wir durch *a b c d* einen Strom gerade in
der entgegengesetzten Richtung leiten,
damit sich der Magnet unter Einwirkung
des stromdurchflossenen Leiters *a b* in
derselben Richtung bewegt (s. Erkl. 185ᵃ).

Erkl. 185 a. Eine eingehendere Beschreibung dieses Apparats findet man in *May &
Krebs*, Lehrb. des Elektromagnetismus Antw.
auf Frage 151.

Auf dieselbe Weise kann man durch zweckmässige Umkehrung von elektromagnetischen Rotationsapparaten Induk-

Figur 94.

Erkl. 186. Der in Fig. 94 dargestellte Induktionsapparat besteht aus einer horizontalen Metallachse *x*, auf welcher 3 Metallscheiben *b*, *a*, *c* sitzen. An diesen 3 Scheiben schleifen die Federn *d*, *i*, *e*. Durch die mittlere, grössere Metallscheibe *a* sind zwei Magnete *n s*, *n s* horizontal durchgesteckt, so dass sich auf beiden Seiten gleichnamige Pole *n n* und *s s* befinden. Mittels des Schnurlaufs bei *k* wird die Achse *x* umgedreht. Verbindet man die Klemmen *f* und *h* oder *g* und *h* mit einem Multiplikator, so zeigt die Multiplikatornadel einen Ausschlag; dasselbe tritt ein, wenn man *f* und *g* mit der einen und *h* mit der anderen Klemme eines Multiplikators verbindet. Die Induktionsströme verlaufen also von der Achse *x* nach dem Rande der Scheibe *a*, oder in entgegengesetzter Richtung.

tionsapparate herstellen. So zeigt z. B. Fig. 94 die Umkehrung des Rotationsapparats Fig. 95 (siehe Erkl. 186 u. 187).

Figur 95.

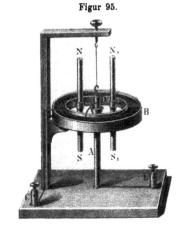

Erkl. 187. Ueber die elektromagnetischen Rotationsapparate siehe *May* und *Krebs*, Lehrb. des Elektromagnetismus Antw. auf Frage 22 ff.

Frage 208. Mittels welches Apparats kann man die Erregung von Induktionsströmen in körperlichen Leitern durch Umkehrung von elektromagnetischen Rotationen sofort zeigen?

Antwort. Mittels des Barlowschen Rades (siehe *May* und *Krebs*, Lehrb. d. Elektromagnetismus Antw. auf Frage 24) lässt sich die Erregung von Induktionsströmen in körperlichen Leitern sofort zeigen. Nach Fig. 96 besteht dasselbe aus einem sternförmigen Kupferrade, welches sich um eine horizontale Achse drehen kann. Diese Achse befindet sich in solcher Höhe, dass die beiden untersten

Figur 96.

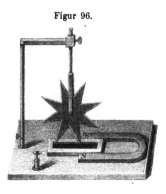

Zacken des Rades in eine mit Quecksilber gefüllte Rinne tauchen, welche
zwischen den beiden Polen N und S
eines Hufeisenmagnets angebracht ist.
Verbindet man das Metallstativ und das
Quecksilber mit den Polen einer galvanischen Säule, so wird das Rad nach einer
bestimmten Richtung in Umdrehungen
versetzt. Dreht man aber jetzt das Rad
(etwa mittels einer Kurbel) nach der
entgegengesetzten Seite um und verbindet man das Quecksilber und das
Stativ mit einem Multiplikator, so zeigt
derselbe einen Strom an, welcher dem
Strom der Säule, welcher die entgegengesetzte Umdrehung hervorgerufen hätte,
gleichgerichtet ist.

c). Ueber die unipolare Induktion.

Frage 209. Was versteht man
unter unipolarer Induktion?

Erkl. 188. Unipolare = einpolige Induktion.

Antwort. Unter unipolarer (siehe
Erkl. 188) Induktion versteht man die
Induktion infolge der Umdrehung eines
Magnets um seine eigene Achse.

Frage 210. Wie kann man die Erregung von Induktionsströmen infolge der unipolaren Induktion experimentell nachweisen?

Figur 97.

Antwort. Fig. 97 zeigt einen solchen
Apparat. Zwischen zwei Eisenstücken
a und b ist ein cylindrischer Stabmagnet mm um eine horizontale Achse
drehbar. Das eine Ende des Magnets
trägt ein Zahnrad, welches in eine Anzahl andere greift, wodurch der Magnet in schnelle Umdrehung versetzt
werden kann. Auf der Mitte des Magnets ist eine Kupferscheibe s befestigt, deren Rand in das Quecksilber eines Gefässes taucht. Dreht
man den Magnet mm schnell um
und verbindet man das Quecksilbergefäss einerseits und das Eisenstück a oder b, oder a und b anderseits mit einem Multiplikator, so
erhalten wir einen Ausschlag der
Multiplikatornadel, welcher anzeigt,
dass zwischen der Achse des Magnets mm und dem Rande der
Kupferscheibe s Induktionsströme in

der einen oder in der entgegengesetzten Richtung verlaufen (siehe Erkl. 189 u. 190).

Figur 98.

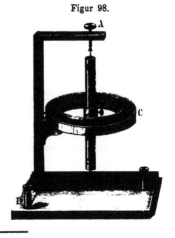

Erkl. 189. Die unipolare Induktion wuide zuerst von *Faraday* entdeckt. Sie ist eine Umkehrung der elektromagnetischen Rotation eines Magnets um sich selbst, wie sie Fig. 98 darstellt. (Näheres siehe *May* und *Krebs*, Lehrb. des Elektromagnetismus Antw. auf Frage 31.)

Erkl. 190. Der in Fig. 97 gekennzeichnete Apparat für unipolare Induktion rührt von *W. Weber* her.

---

d). Ueber den Rotationsmagnetismus.

Frage 211. Was versteht man unter Rotationsmagnetismus?

Antwort. Bewegt sich ein körperlicher Leiter vor den Polen eines Magnets, so werden nach den Entwicklungen der vorstehenden Abschnitte in denselben Induktionsströme erregt. Diese Induktionsströme wirken ihrerseits gemäss den Gesetzen des Elektromagnetismus auf den Magnet zurück und erteilen ihm, falls er beweglich ist, eine Bewegung. Die Bewegungserscheinungen des Magnets infolge der elektromagnetischen Rückwirkung der in den körperlichen Leitern durch den Magnet erregten Induktionsströme fasst man unter dem Namen Rotationsmagnetismus zusammen (siehe Erkl. 191).

Erkl. 191. *Arago* hat diese Erscheinungen zuerst beobachtet. Der Name Rotationsmagnetismus rührt davon her, dass *Arago* ein magnetisches Verhalten der sich bewegenden körperlichen Leiter annahm. Später sah *Arago* selbst seinen Irrtum ein, jedoch wurde der Name beibehalten. *Faraday* untersuchte sodann die Erscheinungen näher und wurde dadurch zur Entdeckung der Induktion geführt.

Frage 212. Auf welche Weise kann man die elektromagnetische Rückwirkung der in einem körperlichen Leiter erregten Induktionsströme auf den erregenden Magnet experimentell nachweisen?

Antwort. In Fig. 99 ist ein solcher Apparat abgebildet, welcher gestattet die elektromagnetische Rückwirkung der Induktionsströme auf einen Magnet zu zeigen.

Auf einer Glasscheibe *a* ist auf eine Spitze eine Magnetnadel *n s* aufgesetzt.

Die Glasscheibe ruht auf 3 Füssen.
Unterhalb der Glasscheibe ist eine Metall-
(etwa Kupfer-)Scheibe angebracht, welche
mittels einer Schwungmaschine in rasche
Umdrehungen versetzt wird. Bei dieser
Bewegung der Scheibe werden in ihr
infolge der Einwirkung der Magnetnadel
Induktionsströme erregt. Diese aber

Figur 99.

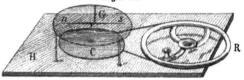

wirken ihrerseits auf die Magnetnadel
zurück, was man daran erkennt, dass
die Nadel in Richtung der rotierenden
Kupferscheibe abgelenkt wird. Bei genügend grosser Umdrehungsgeschwindigkeit kann man erreichen, dass die Magnetnadel ebenfalls in demselben Sinne rotiert.

3). Anwendung der in körperlichen Leitern erregten Induktionsströme.

(Dämpfung der Schwingungen in einer Galvanometernadel.)

Frage 213. Wozu werden die in
körperlichen Leitern erregten Induktionsströme hauptsächlich benutzt?

Antwort. Praktische Anwendung fin-
den die in körperlichen Leitern erregten
Induktionsströme hauptsächlich bei der
Dämpfung der Schwingungen einer
Galvanometernadel.

Frage 214. Auf welche Weise
kann man mittels eines körperlichen
Leiters eine Dämpfung der Schwingungen der Magnetnadel eines Galvanometers
erreichen?

Figur 100.

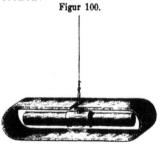

Antwort. Umgibt man einen Magnet
mit einem körperlichen Leiter, etwa in
Form der Fig. 100, so werden, wenn
der Magnet hin und her schwingt, in dem
Leiter Induktionsströme erregt, welche
hemmend auf die Bewegung wirken.
Lässt man daher den Magnet einmal
frei und dann umgeben von einem körperlichen Leiter schwingen, so wird der
Magnet im letzteren Falle viel schneller
zur Ruhe kommen. Auf Grund dieser
Eigenschaft sind die Magnetnadeln vieler

˙Erkl. 192. Die Dämpfung ist meist so stark, dass die Nadel nur eine geringe Zahl von Schwingungen macht.

Galvanometer mit Metall- (meist Kupfer-) Gehäusen umgeben (siehe Erkl. 192).

P. Ueber die Anwendung der Induktion in der Telephonie.

a). Ueber die Telephonie im allgemeinen.

Frage 215. Was versteht man unter Telephonie?

Antwort. Unter Telephonie (siehe Erkl. 193) versteht man die Ueber-tragung von Schallwellen (siehe Erkl. 194) auf grosse Entfernungen mittels elektrischer Ströme.

Erkl. 193. Telephonie (aus den griechi-schen Wörtern τέλος = bis zum Ende, fern und ἡ φωνή = Stimme, Klang, Sprache) heisst Fernsprechwesen.

Erkl. 194. Alles was auf unseren Gehörsinn einwirkt nennt man Schall; derselbe wird hervorgebracht durch die Schwingungen elasti-scher Körper (Saiten, Luft etc.), welche sich in sog. Wellen fortpflanzen — Schallwellen.

Frage 216. Wie nennt man die Apparate, um Schallwellen auf grosse Entfernungen hin mittels Elek-tricität fortzupflanzen?

Antwort. Die Apparate, um Schall-wellen auf elektrischem Wege weithin fortzupflanzen, nennt man Telephone; sie bestehen aus zwei hauptsächlichen Bestandteilen:
dem Geber und
dem Empfänger.

Frage 217. Was versteht man in dem Fernsprechwesen unter Geber?

Antwort. Der Apparat einer Fern-sprechstelle, in welchen hineingespro-chen wird, nennt man Geber.

Frage 218. Was versteht man im Fernsprechwesen unter Empfänger?

Antwort. Der Apparat einer Fern-sprechstelle, welchen man an das Ohr hält, um die an einer entfernten Stelle gesprochenen Worte zu hören (zu em-pfangen) nennt man den Empfänger.

b). Ueber das Bellsche Telephon.

Anmerkung. Es ist hier nicht der Ort eine weitläufige Beschreibung der verschiedenen Telephone und ihrer Wirkungsweise zu geben, dasselbe wird man vielmehr in *Kleyers* Lehrbuch der Telephonie finden. In einem Lehrbuch der Induktion haben wir das Telephon nur in Bezug auf die Bedeutung der Induktion für die Telephonie zu behandeln.

Frage 219. Welche Einrichtung besitzt der Geber des Bell-Telephons?

Antwort. Gemäss Fig. 101 besteht der ursprüngliche Geber des Bell-Tele-

Erkl. 195. Das Bell-Telephon ist das erste, welches sich in der Praxis bewährt hat. *Bell* überreichte eine Beschreibung seines Telephons am 20. Jan. 1876 und die offizielle Anmeldung am 14. Febr. 1876 dem amerikanischen Patentamte.

Figur 101.

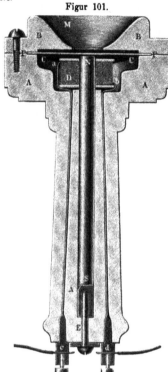

Erkl. 196. Nähert man einem Magnet ein Stück Eisen, so verstärkt sich dessen Magnetismus, entfernt man es von ihm, so wird er geschwächt. Dies kann man mittels des in Fig. 102 dargestellten Apparats sehr einfach zeigen. An einem Gestell ist ein Magnet NS befestigt. Dem Pole S (oder N) steht in geringer Entfernung ein Eisenstück A gegenüber, welches an einem Hebel befestigt ist. Man verschiebt das Gegengewicht so, dass die Anziehung des Ankers A von seiten des Magnets eben das Gleichgewicht gehalten wird. Nähert man jetzt dem Pol N ein Stück Eisen, oder bringt es gar in Berührung mit dem Pole, so bewegt sich der Anker A nach S hin zum Beweise, dass der Magnetismus am Pole S stärker geworden ist. (Dieser Apparat rührt von *G. Krebs* her.)

phons (siehe Erkl. 195) aus einem Mundstück (Schalltrichter) M, einer Eisenplatte PP, welcher ein Stabmagnet NS und eine Drahtrolle D gegenüber steht, welche den Pol N umgibt und deren Enden a und b mit den beiden Klemmen c und d verbunden sind. Der ganze Apparat ist in ein Holzgehäuse eingeschlossen.

Spricht man in den Schalltrichter M, so beginnt die Platte PP zu schwingen. Dadurch aber nähert und entfernt sich die Platte PP von dem Magnetpol N und der Magnetismus des Magnets NS wird abwechselnd verstärkt oder geschwächt (siehe Erkl. 196). Die Aenderungen der Stärke des Magnetismus rufen aber in der Drahtrolle D Induktionsströme hervor. Leitet man diese mittels der Klemmen c und d an ein ebensolches Instrument, so bewirken die Ströme beim Durchfliessen der zweiten Drahtrolle Aenderungen in der Stärke des anderen Magnets, wodurch die demselben gegenüberstehende Eisenplatte in Schwingungen versetzt wird (denn sie wird bald mehr bald weniger angezogen). Es ist leicht einzusehen, dass die zweite Metallplatte genau ebenso schwingen muss wie die erste. Es muss also die zweite Platte durch ihre Schwingungen genau dieselben Laute hören lassen, wie diejenigen waren, welche die erste Platte in Schwingungen versetzten.

Figur 102.

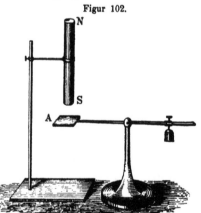

Frage 220. Welche Einrichtung besitzt der Empfänger des Bell-Telephons?

Antwort. Nach Antw. auf vorige Frage ist die Einrichtung des Empfängers des Bell-Telephons dieselbe wie die des ursprünglichen Gebers.

Frage 221. Welches ist die Verbindung zweier Fernsprechstellen mit Bell-Telephonen?

Antwort. Fig. 103 gibt eine schematische Darstellung der Verbindung zweier Fernsprechstellen. e ist die Eisenplatte des Gebers, e_i die des Empfängers, NS der eine, $N_i S_i$ der zweite Magnet, b die eine, b_i die zweite Induktionsrolle. Die Enden der

Erkl. 197. Um nicht zwei Leitungen von einem Telephon nach dem andern legen zu müssen, was bei grossen Entfernungen sehr kostspielig wäre, legt man ein Ende des einen und das entsprechende Ende des andern Tele-

Figur 103.

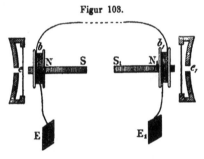

phons mittels metallischer Platten (E) [siehe Erkl. 198] in die Erde, da man die Erde auch als einigermassen elektrischen und leitenden Körper ansehen darf.

Erkl. 198. Man benutzt Platten, um eine grössere Berührungsfläche mit der Erde zu erreichen.

ersten Rolle stehen mit den Enden der zweiten Rolle in leitender Verbindung und zwar so, dass zwei Enden durch einen Draht, die beiden andern Enden durch die Erde (siehe Erkl. 197) verbunden sind. Spricht man gegen die Platte e, so hört man die Worte bei e_i.

Frage 222. Welche Missstände zeigte die in voriger Antwort beschriebene Telephonverbindung?

Antwort. Die in voriger Antwort beschriebene Telephonverbindung zeigte den Missstand, dass man nur auf geringe Entfernungen hin Laute übertragen konnte.

Frage 223. Wie wurde dieser Missstand beseitigt?

Antwort. Um diesen Missstand zu beseitigen, wurde in den Leitungskreis eine galvanische Batterie eingeschaltet, so dass durch die Verstärkung oder Schwächung des Batteriestroms infolge

Erkl. 199. Mikrophon (vom griech. μικρός = klein und φονή = der Klang) bedeutet einen Apparat, welcher gestattet auch ganz schwache Laute hörbar zu machen.

der in der Drahtrolle erregten Induktionsströme die zweite Platte in stärkere Schwingungen versetzt werden konnte. Allein auch dadurch konnten keine befriedigenden Ergebnisse erzielt werden, da der Batteriestrom selbst bei langen Leitungen infolge des Widerstands ganz erheblich geschwächt wird.

In hohem Masse wurde der Missstand dadurch gehoben, dass man in dem G e b e r sehr starke Induktionsströme erregte, welche im stande waren auf weite Entfernungen hin noch die Metallplatte eines Telephons in lebhafte Schwingungen zu versetzen. Der Geber musste, um sehr starke Induktionsströme zu erregen, ganz umgeändert werden. Derartige Apparate nennt man M i k r o p h o n e (siehe Erkl. 199).

Ueber das Mikrophon.

Frage 224. Auf welchen G r u n d prinzipien beruht das Mikrophon?

Antwort. Das Mikrophon beruht darauf, dass die Stromstärke wechselt, wenn in der Leitung ein sich verändernder Kontakt enthalten ist (s. Erkl. 200).

Erkl. 200. Dies kann man mittels des in Fig. 104 dargestellten Apparats sofort zeigen. In einem Glascylinder mit metallischem Boden befindet sich Kohlenpulver. Auf demselben liegt eine Metallplatte, welche mittels einer Schraube auf das Kohlenpulver gepresst werden kann. Die eine Klemme des Apparats steht mit dem Metallboden, die andere durch die Schraube mit der Metallplatte in Verbindung. Schliesst man die beiden Klemmen an ein galvanisches Element an und schaltet man in den Stromkreis ein Galvanometer, so zeigt dasselbe einen um so grösseren Ausschlag, je stärker das Kohlenpulver zusammengepresst wird, weil dabei der Leitungswiderstand sich verringert. (Dieser Apparat rührt von G. Krebs her.)

Figur 104.

Frage 225. Wie stellt man auf die einfachste Weise ein Mikrophon her?

Antwort. Man fügt einen beiderseits zugespitzten Kohlenstab A (siehe Fig. 105) in die kreisförmigen Vertiefungen zweier Kohlenblöcke C und C' ein.

Der **ausführliche Prospekt** und das **ausführliche Inhalts-verzeichnis** der „vollständig gelösten Aufgabensammlung von Dr. Ad. Kleyer" kann von jeder Buchhandlung, sowie von der Verlagshandlung **gratis und portofrei** bezogen werden.

Bemerkt sei hier nur:

1). Jedes Heft ist aufgeschnitten und gut brochiert um den **sofortigen und dauernden** Gebrauch zu gestatten.

2). Jedes Kapitel enthält sein besonderes Titelblatt, Inhaltsverzeichnis, Berichtigungen und Erklärungen am Schlusse desselben.

3). Auf jedes einzelne Kapitel kann abonniert werden.

4). Monatlich erscheinen 3—4 Hefte zu dem **Abonnementspreise** von 25 Pfg. pro Heft

5). Die **Reihenfolge** der Hefte im nachstehenden, kurz angedeuteten Inhaltsverzeichnis ist, wie aus dem Prospekt ersichtlich, **ohne jede Bedeutung** für die Interessenten.

6). Das Werk enthält **Alles**, was sich überhaupt auf mathematische Wissenschaften bezieht, alle Lehrsätze, Formeln und Regeln etc. mit Beweisen, alle praktischen Aufgaben in vollständig gelöster Form mit Anhängen ungelöster analoger Aufgaben und vielen vortrefflichen Figuren.

7). Das Werk ist ein **praktisches Lehrbuch für Schüler aller Schulen**, das **beste Handbuch** für Lehrer und Examinatoren, das **vorzüglichste Lehrbuch zum Selbststudium**, das **vortrefflichste Nachschlagebuch** für Fachleute und Techniker jeder Art.

8). Alle Buchhandlungen nehmen Bestellungen entgegen.

Das vollständige

Inhaltsverzeichnis
der bis jetzt erschienenen Hefte

kann durch jede Buchhandlung bezogen werden.

Halbjährlich erscheinen Nachträge über die inzwischen neu erschienenen Hefte.

Druck von Carl Hammer in Stuttgart.

544. Heft.

Preis
des Heftes
25 Pf.

Die Induktionselektricität.
Forts. v. Heft 543. — Seite 129—144.
Mit 4 Figuren.

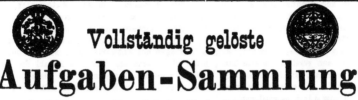

Vollständig gelöste
Aufgaben-Sammlung
— nebst Anhängen ungelöster Aufgaben, für den Schul- & Selbstunterricht —

mit

Angabe und Entwicklung der benutzten Sätze, Formeln, Regeln in Fragen und Antworten

erläutert durch

viele Holzschnitte & lithograph. Tafeln,

aus allen Zweigen

der Rechenkunst, der niederen (Algebra, Planimetrie, Stereometrie, ebenen u. sphärischen Trigonometrie, synthetischen Geometrie etc.) u. höheren Mathematik (höhere Analysis, Differential- u. Integral-Rechnung, analytische Geometrie der Ebene u. des Raumes etc.); — aus allen Zweigen der Physik, Mechanik, Graphostatik, Chemie, Geodäsie, Nautik, mathemat. Geographie, Astronomie; des Maschinen-, Straßen-, Eisenbahn-, Wasser-, Brücken- u. Hochbau's; der Konstruktionslehren als: darstell. Geometrie, Polar- u. Parallel-Perspective, Schattenkonstruktionen etc. etc.

für

Schüler, Studierende, Kandidaten, Lehrer, Techniker jeder Art, Militärs etc.

zum einzig richtigen und erfolgreichen

Studium, zur Forthülfe bei Schularbeiten und zur rationellen Verwertung der exakten Wissenschaften,

herausgegeben von

Dr. Adolph Kleyer,

Mathematiker, vereideter königl. preuss. Feldmesser, vereideter grossh. hessischer Geometer I. Klasse

in Frankfurt a. M.

unter Mitwirkung der bewährtesten Kräfte.

Die Induktionselektricität.

Nach System Kleyer bearbeitet von **Adolf Krebs** in Darmstadt.

Fortsetzung v. Heft 543. — Seite 129—144. Mit 4 Figuren.

Inhalt:

Stuttgart 1889.
Verlag von Julius Maier.

PROSPEKT.

Dieses Werk, welchem kein Ähnliches zur Seite steht, erscheint monatlich in 3—4 Heften zu dem billigen Preise von 25 ₰ pro Heft und bringt eine Sammlung der wichtigsten und praktischsten Aufgaben aus dem Gesamtgebiete der Mathematik, Physik, Mechanik, math. Geographie, Astronomie, des Maschinen-, Strassen-, Eisenbahn-, Brücken- und Hochbaues, des konstruktiven Zeichnens etc. etc. und zwar in vollständig gelöster Form, mit vielen Figuren, Erklärungen nebst Angabe und Entwickelung der benutzten Sätze, Formeln, Regeln in Fragen mit Antworten etc., so dass die Lösung jedermann verständlich sein kann, bezw. wird, wenn eine grössere Anzahl der Hefte erschienen ist, da dieselben sich in ihrer Gesamtheit ergänzen und alsdann auch alle Teile der reinen und angewandten Mathematik — nach besonderen selbständigen Kapiteln angeordnet — vorliegen.

Fast jedem Hefte ist ein Anhang von ungelösten Aufgaben beigegeben, welche der eigenen Lösung (in analoger Form, wie die bezüglichen gelösten Aufgaben) des Studierenden überlassen bleiben und zugleich von den Herren Lehrern für den Schulunterricht benutzt werden können. — Die Lösungen hierzu werden später in besonderen Heften für die Hand des Lehrers erscheinen. Am Schlusse eines jeden Kapitels gelangen: Titelblatt, Inhaltsverzeichnis, Berichtigungen und erläuternde Erklärungen über das betreffende Kapitel zur Ausgabe.

Das Werk behandelt zunächst den Hauptbestandteil des mathematisch-naturwissenschaftlichen Unterrichtsplanes folgender Schulen: Realschulen I. und II. Ord., gleichberechtigten höheren Bürgerschulen, Privatschulen, Gymnasien, Realgymnasien, Progymnasien, Schullehrer - Seminaren, Polytechniken, Techniken, Baugewerkschulen, Gewerbeschulen, Handelsschulen, techn. Vorbereitungsschulen aller Arten, gewerbliche Fortbildungsschulen, Akademien, Universitäten, Land- und Forstwissenschaftsschulen, Militärschulen, Vorbereitungs-Anstalten aller Arten als z. B. für das Einjährig-Freiwillige- und Offiziers-Examen, etc.

Die Schüler, Studierenden und Kandidaten der mathematischen, technischen und naturwissenschaftlichen Fächer, werden durch diese, Schritt für Schritt gelöste, Aufgabensammlung immerwährend an ihre in der Schule erworbenen oder nur gehörten Theorien etc. erinnert und wird ihnen hiermit der Weg zum unfehlbaren Auffinden der Lösungen derjenigen Aufgaben gezeigt, welche sie bei ihren Prüfungen zu lösen haben, zugleich aber auch die überaus grosse Fruchtbarkeit der mathematischen Wissenschaften vorgeführt.

Dem Lehrer soll mit dieser Aufgabensammlung eine kräftige Stütze für den Schulunterricht geboten werden, indem zur Erlernung des praktischen Teiles der mathematischen Disziplinen — zum Auflösen von Aufgaben — in den meisten Schulen oft keine Zeit erübrigt werden kann, hiermit aber dem Schüler bei seinen häuslichen Arbeiten eine vollständige Anleitung in die Hände gegeben wird, entsprechende Aufgaben zu lösen, die gehabten Regeln, Formeln, Sätze etc. anzuwenden und praktisch zu verwerten. Lust, Liebe und Verständnis für den Schul-Unterricht wird dadurch erhalten und belebt werden.

Den Ingenieuren, Architekten, Technikern und Fachgenossen aller Art, Militärs etc. etc. soll diese Sammlung zur Auffrischung der erworbenen und vielleicht vergessenen mathematischen Kenntnisse dienen und zugleich durch ihre praktischen in allen Berufszweigen vorkommenden Anwendungen einem toten Kapitale lebendige Kraft verleihen und somit den Antrieb zu weiteren praktischen Verwertungen und weiteren Forschungen geben.

Alle Buchhandlungen nehmen Bestellungen entgegen. Wichtige und praktische Aufgaben werden mit Dank von der Redaktion entgegengenommen und mit Angabe der Namen verbreitet. — Wünsche, Fragen etc., welche die Redaktion betreffen, nimmt der Verfasser, Dr. Kleyer, Frankfurt a. M. Fischerfeldstrasse 16, entgegen und wird deren Erledigung thunlichst berücksichtigt.

Stuttgart.   Die Verlagshandlung.

Erkl. 201. Mit der Länge der Leitungen wächst auch die Grösse des Widerstands. Bei grossen Entfernungen wird also der Batteriestrom sehr geschwächt und die auftretenden Schwankungen werden noch erheblicher.

Die letzteren sind auf einem Resonanzkasten B befestigt, welcher an einem horizontalen Brette D angebracht ist. Verbindet man C und C_i mit den Polen einer Säule, in deren Stromkreis ein Galvanometer G eingeschaltet ist und spricht man gegen den Resonanzkasten B, so kommen mit den Schwingungen desselben auch die beiden Kohlenblöcke C und C_i in zitternde Bewegung, dadurch wird die Berührung von CC_i mit dem Kohlenstab A fortwährend geändert und infolgedessen ändert der Strom, welcher den Stromkreis durchfliesst, fortwährend seine Stärke, was man an dem Ausschlag der Galvanometernadel sieht. Schaltet man in den Stromkreis ein Bellsches Telephon, so wird durch die Stromschwankungen die Eisenplatte desselben in Schwingungen versetzt, welche die gegen den Resonanzkasten gesprochenen Laute deutlich hören lassen.

Obwohl jedoch die Stromschwankungen bei Anwendung eines Mikrophons weitaus beträchtlicher sind als bei einem Telephon, so ermöglicht doch die Anwendung desselben immerhin noch nicht auf sehr grosse Entfernungen hin Laute zu übertragen (siehe Erkl. 201).

Figur 105.

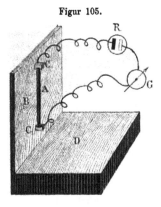

Frage 226. Wie hat man es versucht unter Anwendung eines Mikrophons Laute auf bedeutende Strecken zu übertragen?

Antwort. Um dies zu bewirken, hat man folgende in Fig. 106 gekennzeichnete Einrichtung getroffen. Der

Figur 106.

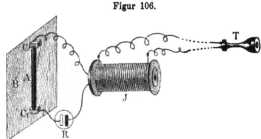

Kohlenblock C ist mit dem einen Pol einer Säule, C_i mit dem einen Ende der Hauptrolle eines Induktionsapparats J und das andre Ende der Rolle mit dem

PROSPEKT.

Dieses Werk, welchem kein ähnliches zur Seite steht, erscheint monatlich in 3—4 Heften zu dem billigen Preise von 25 ₰ pro Heft und bringt eine Sammlung der wichtigsten und praktischsten Aufgaben aus dem Gesamtgebiete der Mathematik, Physik, Mechanik, math. Geographie, Astronomie, des Maschinen-, Strassen-, Eisenbahn-, Brücken- und Hochbaues, des konstruktiven Zeichnens etc. etc. und zwar in vollständig gelöster Form, mit vielen Figuren, Erklärungen nebst Angabe und Entwickelung der benutzten Sätze, Formeln, Regeln in Fragen mit Antworten etc., so dass die II jedermann verständlich sein kann, bezw. wird, wenn eine grössere Anzahl der II schienen ist, da dieselben sich in ihrer Gesamtheit ergänzen und alsdann a Teile der reinen und angewandten Mathematik — nach besonderen selbständi. teln angeordnet — vorliegen.

Fast jedem Hefte ist ein Anhang von ungelösten Aufgaben beigegeben, eigenen Lösung (in analoger Form, wie die bezüglichen gelösten Aufgaben) des überlassen bleiben, und zugleich das zum Herren Lehrern für den Schulunter werden können. — Die Lösungen hierzu werden später in besonderen Heften für Lehrers erscheinen. Am Schlusse eines jeden Kapitels gelangen: Titelblatt, I nis, Berichtigungen und erläuternde Erklärungen über das betreffende K

Das Werk behandelt zunächst den Hauptbestandteil des mathe schaftlichen Unterrichtsplanes folgender Schulen: Realschulen I. und berechtigten höheren Bürgerschulen, Privatschulen, Gymnasien, R gymnasien, Schullehrer-Seminaren, Polytechniken, Techniken, Gewerbeschulen, Handelsschulen, techn. Vorbereitungsschulen aller Fortbildungsschulen, Akademieen, Universitäten, Land- und Forst. Militärschulen, Vorbereitungs-Anstalten aller Arten als z. B. f willige- und Offiziers-Examen, etc.

Die Schüler, Studierenden und Kandidaten der mathemati naturwissenschaftlichen Fächer, werden durch diese, Schritt für S. sammlung immerwährend an ihre in der Schule erworbenen oder n erinnert und wird ihnen hiermit der Weg zum unfehlbaren jenigen Aufgaben gezeigt, welche sie bei ihren Prüfungen z die überaus grosse Fruchtbarkeit der mathematischen Wiss

Dem Lehrer soll mit dieser Aufgabensammlung unterricht geboten werden, indem zur Erlernung des p Disziplinen — zum Auflösen von Aufgaben — in übrigt werden kann, hiermit aber dem Schüler ständige Anleitung in die Hände gegeben wird, habten Regeln, Formeln, Sätze etc. anzuwend und Verständnis für den Schul-Unterricht wi

Den Ingenieuren, Architekten, Tec! etc. etc. soll diese Sammlung zur Auffri mathematischen Kenntnisse dienen und zweigen vorkommenden Anwendungen somit den Antrieb zu weiteren praktisch

Alle Buchhandlungen nehmen I gaben werden mit Dank von der Red verbreitet. — Wünsche, Fragen et Dr. Kleyer, Frankfurt a. M. F thunlichst berücksichtigt.

Stuttgart.

Teil.)

zweiten Pol der Säule verbunden. Es läuft also der Strom von R nach C_1 durch A, C und die Windungen der Hauptrolle nach R zurück. Treten Schwankungen im Stromkreis auf, so erregen diese in der mit vielen Windungen dünnen Drahts bewickelten Induktionsrolle Ströme von weit höherer Spannung als die ursprünglichen, und diese sind im stande, auch noch auf grosse Entfernungen (siehe Erkl. 202) hin die Eisenplatte des Telephons T in kräftige Schwingungen zu versetzen. Dass den Stromschwankungen im Hauptstromkreis vollkommen ähnliche Schwankungen im Stromkreis der Induktionsrolle entsprechen und dass somit die Schwingungen des Resonanzkastens und die der Eisenplatte des Telephons übereinstimmen, ist leicht einzusehen.

Erkl. 202. In folgendem sind einige der bedeutendsten Entfernungen aufgezählt, zwischen welchen eine telephonische Verbindung besteht:

Brüssel-Antwerpen	44	Kilometer
Antwerpen-Gent	80	„
Paris-Brüssel	320	„
New-York-Fostoria	1175	„

Anmerkung. Den ersten Apparat, um gesprochene oder gesungene Laute auf elektrischem Wege zu übertragen, hat *Philipp Reis*, geb. 7. Jan. 1834, gest. 14. Jan. 1874, hergestellt. Der Geber seiner Fernsprecheinrichtung war nach unsrer heutigen Bezeichnung ein Mikrophon, der Empfänger hatte im wesentlichen die Form eines Elektromagnets, welcher auf einem Resonanzkasten ruhte. Infolge der Stromschwankungen wurde der Magnetismus des Eisenkerns fortwährend geändert, wodurch der Eisenkern ins Tönen geriet. [Ueber die Erregung von Tönen in magnetisiertem Eisen siehe *May* u. *Krebs*, Lehrb. des Elektromagnetismus Antw. auf Frage 98. (Näheres über das Reissche Telephon findet man in *Kleyer*, Lehrb. der Telephonie.)]

II. Teil.

(Theoretischer Teil.)

A. Ueber das Prinzip der Erhaltung der Energie.

a). Das allgemeine Prinzip der Erhaltung der Energie.

Frage 227. Was besagt das Prinzip der Erhaltung der Energie?

Erkl. 203. Unter Energie versteht man die Fähigkeit, Arbeit zu leisten (vom griech. ἡ ἐνέργεια = Wirksamkeit). In der Physik unterscheidet man zwei Arten der Energie, die kinetische und die potentielle. Die erstere bezieht sich auf die Arbeitsfähigkeit, welche die in äusserer, sichtbarer Bewegung befindlichen Körper besitzen (kinetisch vom griech. κινητικός = zur Bewegung gehörig); sie ist gleich dem halben Produkt aus der Masse m des bewegten Körpers und dem Quadrat der Geschwindigkeit v desselben, also mathematisch ausgedrückt = $\frac{1}{2} m v^2$. Es gibt aber auch in Ruhe befindliche Körper, welche möglicherweise, d. i. potentiell, Arbeit leisten können; wird z. B. ein Stein auf eine gewisse Höhe gehoben, so kann er, wenn ihm zu irgend einer Zeit gestattet wird, wieder auf die Erde herabzusinken, soviel Arbeit leisten, als auf ihn beim Heben hat verwandt werden müssen (Gewichte einer Uhr).

Zieht man eine Feder auf, d. h. gibt man den Teilchen eine andere Lage gegen einander, so kann die Feder ebenfalls Arbeit leisten, wenn man ihr gestattet, ihre frühere Lage wieder einzunehmen. Man nennt diese Art der Energie „Energie der Lage oder potentielle Energie".

Potentielle Energie besitzt Schiesspulver, ein Mensch, welcher durch Nahrungszufuhr zur Arbeit befähigt ist, eine geladene Leydener Flasche, ein galvanisches Element u. s. w.

Antwort. Die kleinsten Teilchen der Körper sind nach der Ansicht der Physiker in ständiger Bewegung; je nach der Art derselben werden durch sie die Erscheinungen des Schalls, der Wärme, der Elektricität u. s. w. bedingt; man spricht daher auch von einer akustischen, kalorischen, elektrischen u. s. w. Energie (siehe Erkl. 203). Alle physikalischen Erscheinungen beruhen auf Energieverwandlungen nach gewissen Massen, bei denen nie etwas verloren geht: „Wenn verschiedene Massen aufeinander wirken, ohne dass sie von andern Massen beeinflusst werden, so bleibt die Summe der Energien trotz der Verwandlung dieselbe."

Da ausserhalb des Weltalls kein Körper mehr existiert, welcher auf es einwirken könnte, so gilt:

„Die Energie des Weltalls ist eine unveränderliche Grösse."

Aus diesem Prinzip folgt, dass überall, wo eine neue Energie entsteht, sie auf Kosten einer anderen Energie entstanden sein muss, und zwar geht diese Umsetzung zweier Energieen in einander ohne jeden Verlust vor sich. Alle Vorgänge in der Natur beruhen auf blossen Energieverwandlungen.

Frage 228. Welche Bedeutung hat das Prinzip der Erhaltung der Energie für die Naturwissenschaften?

Erkl. 204. Das Prinzip der Erhaltung der Energie ist durch die Forschungen von *Meyer, Joule, Helmholtz, Clausius* u. A. aufgestellt und als bei allen Veränderungen in der Natur geltend nachgewiesen worden.

Antwort. Das Prinzip der Erhaltung der Energie ist für die Naturwissenschaften von grundlegender Bedeutung. Es geht davon aus, dass es alle Erscheinungen in der Natur (die mechanischen, akustischen, optischen, kalorischen, elektrischen u. s. w.) auf Bewegungszustände zurückführt. Seine Bedeutung aber liegt darin, dass mit

Eine ausführliche Behandlung des Prinzips der Erhaltung der Energie als Grundlage der neueren Physik findet man in *G. Krebs*, „Das Prinzip der Erhaltung der Energie."

diesem Prinzip ein einheitlicher Gesichtspunkt, „ein ruhender Pol in der Erscheinungen Flucht" gefunden ist, aus welchem die Summe der Erscheinungen begriffen werden kann (siehe Erkl. 204).

b). Das Prinzip der Erhaltung der Energie und die Magneto-Induktion.

Frage 229. Inwiefern kommt bei der Magneto-Induktion das Prinzip der Erhaltung der Energie in Betracht?

Antwort. In der Magneto-Induktion wird mechanische Energie (Bewegung) in elektrische Energie (siehe Erkl. 205) umgesetzt. Für eine jede Umsetzung aber gilt immer das Gesetz der Erhaltung der Energie.

Erkl. 205. Unter elektrischer Energie versteht man die Arbeitsfähigkeit einer Stromquelle. Die Arbeit *A*, welche eine Stromquelle zu leisten im stande ist, ist gleich dem Produkt aus der elektromotorischen Kraft *e* und der Elektricitätsmenge *E*, welche in 1 Sekunde durch einen Querschnitt der Leitung fliesst, also:

$$A = e \cdot E$$

oder: Die elektrische Arbeit ist gleich dem Produkt aus der elektromotorischen Kraft einer Stromquelle und der Elektricitätsmenge, welche in der Sekunde durch einen Querschnitt der Leitung getrieben wird.

Frage 230. Wie kann man nachweisen, dass bei der Induktion mechanische Energie in elektrische umgewandelt wird?

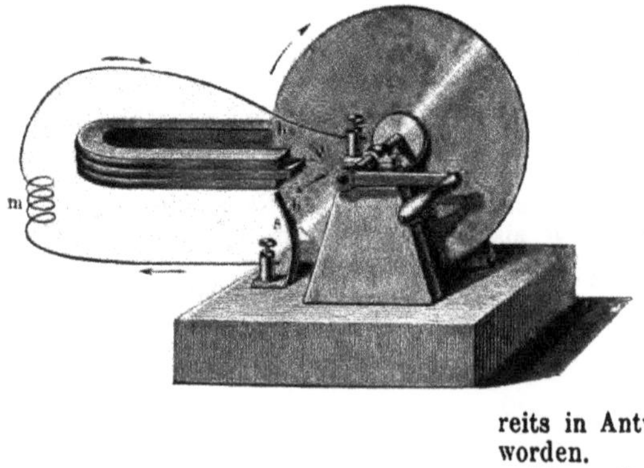

Antwort. Am einfachsten kann man die Umwandlung von mechanischer in elektrische Energie mittels des in Figur 107 dargestellten Apparats (siehe Erkl. 206) nachweisen. Solange die Kupferscheibe in Ruhe ist, entsteht nichts. Drehen wir jetzt die Scheibe um, so können wir mittels des Multiplikators *m* einen Strom nachweisen. Es fragt sich, wie entsteht dieser Strom? Ganz einfach dadurch, dass ein Teil der mechanischen Energie (Arbeit bei der Bewegung) in elektrische Energie verwandelt wird. Dass aber die elektrische Energie auf Kosten der mechanischen entsteht, ist bereits in Antwort auf Frage 204 gezeigt worden.

Figur 107.

Ein weiteres sehr schlagendes Beispiel für die Umsetzung mechanischer

Erkl. 206. Ueber die Einrichtung dieses Apparats siehe Antw. auf Frage 202.

Erkl. 207. Dass die in körperlichen Leitern erregten Induktionsströme, wenn sie nicht nach aussen fortgeleitet werden, eine Erwärmung bewirken, wurde bereits in Antw. auf Frage 205 und 206 gezeigt. Wir haben also eine zweifache Umsetzung der mechanischen Energie. Die Bewegung setzt sich um in Elektricität und diese in Wärme.

Energie in elektrische (Induktionselektricität) ist folgendes: Ein an einem Faden befestigtes Kupferperpendikel ist zwischen den Polen eines Elektromagnets aufgehängt; der Strom fliesst noch nicht durch die Windungen des Elektromagnets, die Eisenkerne desselben sind also noch unmagnetisch. Man lässt jetzt das Pendel zwischen den Polen hin und her schwingen. Im Moment jedoch, wo ein starker Strom die Windungen des Elektromagnets durchfliesst, das Eisen stark magnetisch wird, steht das Pendel plötzlich still und wird stark erwärmt. Die Bewegung des Pendels hat sich in Elektricität umgesetzt und diese zum Teil in Wärme (siehe Erkl. 207).

Weitere Beispiele der Umsetzung von mechanischer Energie (Bewegung) in elektrische Energie (Induktionselektricität) sind die magnetelektrischen und die dynamoelektrischen Maschinen (s. Abschnitt J u. K des I. Teils dieses Lehrb.).

Dass ferner die Bewegung es ist, auf deren Kosten die Induktionselektricität entsteht, erhellt schon daraus, dass mit Aufhören der Bewegung auch keine Elektricität mehr entsteht.

Frage 231. Welche Richtung müssen ganz allgemein die durch Bewegung eines Magnets erzeugten Induktionsströme haben?

Erkl. 208. Es erklärt sich aus dieser Ableitung sehr einfach die Richtung der Induktionsströme, welche man einen Magnet einer mit Draht bewickelten Rolle nähert, bezw. von ihr entfernt. Bewegt man in Fig. 108 den Magnet *NS* nach der Rolle *A* hin, so müssen, wenn überhaupt Ströme entstehen (und dass solche entstehen, lehrt die Erfahrung, s. Antw. auf Frage 3), die Ströme derart verlaufen, dass sie die Bewegung des Magnets hemmen. Sie müssen also, wenn sich der Südpol *S* des Magnets gegen die Rolle bewegt, derart verlaufen, dass die Rolle *A* an dem dem Magnetpol *S* zugekehrten Ende einen Südpol zeigt, also wenn man dieses Ende der Rolle ansieht, im Sinne des Zeigers einer Uhr verlaufen; denn nur ein Südpol kann der Bewegung eines sich annähernden Südpols entgegenwirken. Entfernt man dagegen den Südpol *S* von der Rolle, so muss der Strom derselben, wenn überhaupt ein solcher entsteht, entgegen-

Antwort. Die Richtung der Induktionsströme muss eine solche sein, dass sie infolge ihrer elektrodynamischen Fernwirkung die Bewegung des Magnets hemmt (Gesetz von *Lenz*, s. Antw. auf Frage 14); denn entstünden Ströme von der entgegengesetzten Richtung, so würde dadurch die Bewegung beschleunigt und wir hätten mittels einer bestimmten Menge mechanischer Energie eine grössere Menge mechanischer und dazu noch eine gewisse Menge elektrischer Energie erzielt; wir hätten also aus Nichts eine beschleunigte Bewegung und Elektricität erhalten, was undenkbar ist.

Es ergibt sich also die Richtung der Induktionsströme sofort aus dem Prinzip der Erhaltung der Energie (s. Erkl. 208).

gesetzt verlaufen, also an dem dem Magnet zugekehrten Ende der Rolle ein Nordpol entstehen, denn nur ein Nordpol kann die Bewegung eines sich entfernenden Südpols hemmen.

Figur 108.

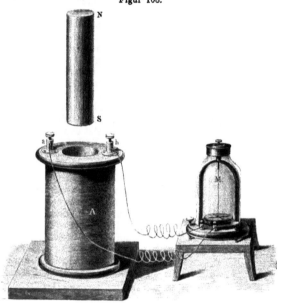

Frage 232. Wann kann überhaupt
Magneto-Induktionselektricität
entstehen?

Antwort. Da bei der Magneto-Induktion sich mechanische Energie (Bewegung) in elektrische Energie umsetzt,
so kann Magneto-Induktionselektricität nur entstehen, solange eine
Aenderung der relativen Lage zwischen Magnet und Leiter erfolgt,
solange also mechanische Arbeit geleistet wird.

Frage 233. Was folgt aus Antw.
auf vorige Frage für das Entstehen
und Verschwinden der Magneto-Induktionselektricität?

Antwort. Die Magneto-Induktionselektricität beginnt mit der Aenderung der relativen Lage zwischen Magnet und Leiter und verschwindet mit
Aufhören dieser Aenderung plötzlich.

Frage 234. Was lässt sich allgemein über die Grösse der durch die Bewegung eines Magnets induzierten elektrischen Energie sagen?

Erkl. 209. Dass die elektrische Energie der mechanischen nicht vollkommen gleichwertig ist, dass also nicht alle mechanische Energie gerade in elektrische umgesetzt wird, findet seine Erklärung darin, dass nicht die gesamte fernwirkende Kraft des Magnets auf den Leiter einwirkt, und dass bei grösserer oder geringerer Entfernung des Magnets die fernwirkende Kraft desselben in Bezug auf den Leiter verschieden (geringer oder grösser) ist.

Antwort. Bewegen wir einen Magnet vor einem Leiter, so leisten wir eine gewisse mechanische Arbeit. Angenommen, diese ganze mechanische Energie setze sich in elektrische um, und dies ist der günstigste Fall, so erhalten wir eine der mechanischen Energie gleichwertige Menge elektrischer Energie. Dieser günstigste Fall wird jedoch stets nur annähernd eintreten; wir können daher sagen:

Die Grösse der durch Bewegung eines Magnets induzierten elektrischen Energie könnte höchsten Falls der Grösse der bei der Bewegung des Magnets vorhandenen mechanischen Energie gleichwertig sein, in den meisten Fällen ist sie jedoch geringer als diese (siehe Erkl. 209).

---

c). Das Prinzip der Erhaltung der Energie und die galvanische Induktion.

Frage 235. In wiefern findet das Prinzip der Erhaltung der Energie Anwendung bei der galvanischen Induktion?

Erkl. 210. Ueber die galvanische Induktion siehe I. Teil, Abschnitt C.

Antwort. Bei der galvanischen Induktion (s. Erkl. 210) werden mittels eines stromdurchflossenen Leiters, dessen Strom geschlossen und geöffnet wird, in einem benachbarten Leiter Induktionsströme erzeugt; es findet also bei der galvanischen Induktion eine Umsetzung von elektrischer Energie in eine andere elektrische Energie statt. Bei jeder Umsetzung von Energie gilt aber das Prinzip der Erhaltung der Energie.

Frage 236. Was lässt sich allgemein über die Grösse der durch die elektrische Energie des Hauptstromkreises in dem Nebenstromkreis induzierten elektrischen Energie sagen?

Antwort. Die elektrische Energie des Hauptstromkreises besitzt eine bestimmte Grösse. Wird die ganze Energie umgesetzt, so besitzt die elektrische Energie des Nebenstromkreises genau die gleiche Grösse wie der Hauptstromkreis. Im günstigsten Falle sind also beide Energien einander gleich. Thatsächlich wird jedoch nicht die ganze Energie des Hauptstromkreises umgesetzt, da ein Teil derselben bei der

Fernwirkung verloren geht. Daher können wir sagen:
Die Grösse der im Nebenstromkreis induzierten elektrischen
Energie ist höchsten Falls gleich
der Energie des Hauptstromkreises.

Frage 237. Welche andere Grössen
dienen dazu, um die Energien eines
Haupt- und eines Nebenstromkreises
miteinander zu vergleichen?

Antwort. Unter Energie versteht
man die Fähigkeit, Arbeit zu leisten
(s. Erkl. 203), also eine Arbeit; nimmt
man noch darauf Rücksicht, in welcher
Zeit eine Arbeit geleistet wird, so haben
wir einen Effekt. Wir können also die
Energien der beiden Stromkreise auch
mittels der Effekte derselben vergleichen, da beide Stromkreise gleich lang
auf einander wirken (siehe Erkl. 211).

Erkl. 211. Unter Effekt versteht man die
Arbeit in der Zeiteinheit (1 Sekunde).

Frage 238. Wie gross ist der elektrische Effekt in einem Stromkreis?

Antwort. Bezeichnet man mit e die
elektromotorische Kraft des Stromkreises, mit E die in jeder Sekunde durch
einen Querschnitt getriebene Electricitätsmenge und mit A die Arbeit, so ist
nach Erkl. 205:

$$A = e \cdot E$$

Der elektrische Effekt ist ferner
gleich der Arbeit in 1 Sekunde.
Wurde also die Arbeit A in t Sekunden
geleistet, so ist der Effekt F:

$$F = \frac{A}{t} = \frac{e \cdot E}{t}$$

Nun ist aber:

$$E = i \cdot t \text{ (siehe Erkl. 212)}$$

worin i die Stromstärke im Hauptstromkreis bedeutet,

daher:

$$F = \frac{e \cdot i \cdot t}{t}$$

oder:

$$F = e \cdot i$$

d. h.: Der elektrische Effekt in
einem Stromkreis ist also gleich
dem Produkt aus der elektromotorischen Kraft und der Stromstärke
in dem Stromkreis.

Erkl. 212. Zum Verständnis der einzelnen
Grössen, wie Arbeit, Effekt, elektromotorische Kraft, Stromstärke u. s. w. ist es
von Vorteil, den Abschnitt „Ueber das elektromagnetische Masssystem in *May & Krebs*, Lehrbuch des Elektromagnetismus, durchzusehen;
ausserdem findet sich in einem der folgenden
Abschnitte eine kurze Zusammenstellung und
Erklärung obiger Begriffe.

Frage 239. Aus welchem Grunde wählt man an Stelle der elektrischen Arbeit den elektrischen Effekt zur Vergleichung der Energien zweier Stromkreise?

Antwort. Die in Antw. auf vorige Frage aufgestellte Formel für den Effekt:

$$F = e \cdot i$$

enthält zur Bestimmung der Grösse F die elektromotorische Kraft e und die Stromstärke i. Beide Grössen lassen sich direkt messen, so dass man sofort die Grösse des Effekts berechnen kann.

Frage 240. Was kann sich bei der induzierenden Wirkung des Hauptstromkreises auf den Nebenstromkreis allein ändern, wenn man annimmt, dass die gesamte Energie des Hauptstromkreises umgesetzt wird?

Antwort. Die gesamte Energie des Hauptstromkreises ist proportional dem Effekt:

$$F = e \cdot i$$

Da dieselbe vollständig umgesetzt werden soll, so ist der Effekt F_ι des Nebenstromkreises:

$$F_\iota = e_\iota \cdot i_\iota = F$$

Der Effekt des Nebenstromkreises ist also gleich dem des Hauptstromkreises. Dagegen kann e_ι von e und i_ι von i verschieden sein, nur muss immer

$$e_\iota \cdot i_\iota = e \cdot i \text{ (siehe Erkl. 213)}$$

Erkl. 213. Z. B. ist es für einen elektrischen Effekt $F = 40$ Einheiten gleichgültig, ob in

$$F = e \cdot i = 40$$
$$e = 10, \qquad i = 4$$

oder

$$e = 2, \qquad i = 20$$

wenn nur immer

$$e \cdot i = 40 \text{ Einheiten.}$$

sein. Ist e_ι grösser als e, so muss, damit $e_\iota \cdot i_\iota = e \cdot i$, i_ι im selben Verhältnis kleiner sein als i.

Bei der induzierenden Wirkung des Hauptstromkreises auf den Nebenstromkreis können sich daher die elektromotorische Kraft und die Stromstärke ändern, jedoch muss ihr Produkt immer den gleichen Wert behalten.

Frage 241. Wovon hängt die Aenderung der elektromotorischen Kraft und der Stromstärke im Nebenstromkreis ab, wenn die gesamte elektrische Energie des Hauptstromkreises umgesetzt wird?

Antwort. Nach dem Ohmschen Gesetz (siehe Erkl. 214) ist

$$i_\iota = \frac{e_\iota}{w_\iota}$$

worin w_ι den Widerstand des Nebenstromkreises bezeichnet.

Erkl. 212. Das Ohmsche Gesetz besagt: Die Stromstärke i eines Stromkreises ist gleich dem Quotient aus der elektromotorischen Kraft e und dem Widerstand w des Stromkreises; also:

Es hängt demnach die elektromotorische Kraft e_ι und die Strom-

$$i = \frac{e}{w}$$

(Näheres siehe *May*, Lehrb. der Kontakt-elektricität Antw. auf Frage 337.)

Frage 241. In welchem Zusammenhang stehen die elektromotorischen Kräfte und die Stromstärken des Haupt- und Nebenstromkreises, wenn der Widerstand beider Kreise bekannt ist und wenn die gesamte Energie des Hauptstromkreises umgesetzt wird?

Erkl. 215. Bei der Ableitung der Formeln 1, 2 und 3 ist vorausgesetzt — und dies muss sehr beachtet werden — dass die gesamte elektrische Energie des Hauptstromkreises umgesetzt wird.

stärke i_l wesentlich von dem Widerstand w_l des Nebenstromkreises ab.

Antwort. Es sei der elektrische Effekt F des Hauptstromkreises:

$$F = e \cdot i$$

Ferner ist nach dem Ohmschen Gesetz:

$$i = \frac{e}{w}$$

worin w der Widerstand des Hauptstromkreises ist;

mithin:

$$1). \ldots F = e \cdot i = e \cdot \frac{e}{w} = \frac{e^2}{w}$$

Der elektrische Effekt F_l des Nebenstromkreises ist:

$$F_l = e_l \cdot i_l$$

oder, da:

$$i_l = \frac{e_l}{w_l}$$

$$2). \ldots F_l = e_l \cdot i_l = \frac{e_l^2}{w_l}$$

Da alle elektrische Energie umgesetzt werden soll, so muss:

$$F_l = F$$

oder:

$$e \cdot i = e_l \cdot i_l$$

oder nach 1). und 2).:

$$\frac{e^2}{w} = \frac{e_l^2}{w_l}$$

woraus:

$$3). \ldots \ldots e_l^2 = e^2 \cdot \frac{w_l}{w}$$

oder:

Formel 1 .. $e_l = e \sqrt{\dfrac{w_l}{w}}$

Da ferner:

$$i = \frac{e}{w} \text{ und } i_l = \frac{e_l}{w_l}$$

also:

$$e = i \cdot w \text{ und } e_l = i_l \cdot w_l$$

und endlich:

$$e^2 = i^2 \cdot w^2 \qquad e_l^2 = i_l^2 \cdot w_l^2$$

so folgt, wenn wir die Werte von e^2 und
und $e_1{}^2$ in 3). einsetzen:

$$i_1{}^2 . w_1{}^2 = i^2 . w^2 . \frac{w_1}{w}$$

oder:

$$i_1{}^2 = i^2 . \frac{w^2}{w_1{}^2} . \frac{w_1}{w}$$

$$= i^2 . \frac{w}{w_1}$$

mithin:

Formel 2 . . $i_1 = i \sqrt{\dfrac{w}{w_1}}.$

Setzen wir endlich in Formel 1 für
e den Wert $i . w$, so folgt:

$$e_1 = i . w \sqrt{\frac{w_1}{w}} = \sqrt{\frac{w_1 . w^2}{w}}$$

oder:

Formel 3 . . $e_1 = i \sqrt{w_1 . w}$

Die Formeln 1, 2 und 3 geben somit den Zusammenhang zwischen den
elektromotorischen Kräften und den
Stromstärken des Haupt- und Nebenstromkreises (s. Erkl. 215).

Frage 242. Was drückt die in Formel 1 dargestellte Beziehung aus,
wenn man die elektromotorische Kraft
und den Widerstand des Hauptstromkreises als unveränderliche Grössen
annimmt?

Antwort. Formel 1 lautet:

$$e_1 = e \sqrt{\frac{w_1}{w}}$$

Für den Fall, dass die Grössen e und
w, welche sich auf den Hauptstromkreis
beziehen, unveränderlich sind, kann man:

$$\frac{e}{\sqrt{w}} = \text{konst. etwa} = C$$

setzen und wir haben:

$$e_1 = C \sqrt{w_1}$$

d. h.: Die elektromotorische Kraft
des Nebenstromkreises ist der
Quadratwurzel aus dem Widerstand desselben proportional.
Durch Vergrösserung des Widerstands des Nebenstromkreises kann man
also bei sonst gleichen Verhältnissen die
elektromotorische Kraft in demselben
erhöhen.

Frage 243. Was drückt die Formel 2 aus, wenn man annimmt, dass die auf den Hauptstromkreis bezüglichen Grössen (i und w) einen unveränderlichen Wert haben sollen?

Antwort. Für den Fall, dass in Formel 2:

$$i_\iota = i \sqrt{\frac{w}{w_\iota}}$$

die auf den Hauptstromkreis bezüglichen Grössen i und w unverändert bleiben sollen, kann man:

$$i \sqrt{w} = \text{konst.} = c$$

setzen und wir erhalten dann:

$$i_\iota = \frac{c}{\sqrt{w_\iota}}$$

d. h.: Die Stromstärken des Nebenstromkreises ist der Quadratwurzel aus dem Widerstand desselben umgekehrt proportional. Mit zunehmendem Widerstand nimmt also die Stromstärke des Nebenstromkreises ab.

Frage 244. Was besagt die Formel 3?

Antwort. Die Formel 3:

$$e_\iota = i \sqrt{w . w_\iota}$$

sagt aus:

Die elektromotorische Kraft des Nebenstromkreises ist proportional einerseits der Stromstärke des Hauptstromkreises und anderseits der Quadratwurzel aus dem Produkt der Widerstände des Haupt- und Nebenstromkreises.

Frage 245. Wie lassen sich die Formeln 1, 2 und 3 speziell für galvanische Induktionsapparate umformen, wenn man statt der Widerstände des Haupt- und Nebenstromkreises die Windungszahlen der Haupt- und Nebenrolle des Induktionsapparats einführt?

Antwort. Um die Formeln 1, 2 und 3 für Induktionsapparate umzuformen und die Windungszahlen der beiden Rollen desselben einzuführen, müssen wir zunächst die Beziehungen zwischen Windungszahl und Widerstand einer Rolle aufstellen.

Wir nehmen zunächst eine einzige Windung dicken Drahtes an, dessen Querschnitt q und dessen Länge l sei, dann ist nach Erkl. 216 der Widerstand W_ι:

$$W_\iota = \varkappa \cdot \frac{l}{q}$$

Ziehen wir diesen Kupferdraht aus,

so dass er n mal so lang und mithin n mal so dünn ist, und bilden wir aus ihm jetzt n Windungen, dann ist der Widerstand W_n derselben:

$$W_n = \varkappa \cdot \frac{n \cdot l}{\frac{1}{n} q}$$

Erkl. 216. Der elektrische Leitungswiderstand W eines Drahtes ist proportional der Länge l dieses Drahtes und umgekehrt proportional dem Querschnitt q desselben; also:

$$W = \varkappa \cdot \frac{l}{q}$$

worin $\varkappa$ eine Konstante, die sog. Proportionalitätskonstante ist. In physikalischer Hinsicht bedeutet $\varkappa$ den Widerstand eines Drahtes von der Länge 1 und dem Querschnitt 1, denn für $l = 1$ und $q = 1$ wird

$$W = \varkappa$$

denn der jetzige Kupferdraht hat eine Länge $n \cdot l$ und einen Querschnitt $\frac{1}{n} q$. Es ist daher:

$$W_n = \varkappa n^2 \cdot \frac{l}{q}$$

Da ferner:

$$W_1 = \varkappa \cdot \frac{l}{q}$$

so ergibt sich:

1) . . . . . $W_1 : W_n = 1 : n^2$

d. h.: **Der Widerstand einer Drahtrolle, bei welcher die Kupfermasse immer dieselbe ist, ist dem Quadrat der Windungszahl proportional.**

Wir nehmen an, die Hauptrolle der Induktionsrolle besitze m, die Nebenrolle n Windungen, dann ist nach vorigem in den Formeln 1, 2 und 3 zu setzen:

$$w = k^2 \cdot m^2$$
$$w_1 = k^2_1 \cdot n^2$$

Erkl. 217. Die Bedeutung der Proportionalitätskonstanten k und k_1 ergibt sich aus Gleichung 1).:

oder:

$$W_1 : W_n = 1 : n^2$$

für:

$$W_n = W_1 \cdot n^2$$

ist:

$$W_1 = k^2$$
$$W_n = k^2 \cdot n^2$$

Es ist demnach k^2 gleich dem Widerstande, welchen die gesamte Kupfermasse der Hauptrolle bietet, wenn aus ihr eine einzige Windung gebildet wird; k^2_1 hat die gleiche Bedeutung bezüglich der Nebenrolle.

worin k^2_1 Proportionalitätskonstanten (s. Erkl. 217) sind,

mithin geht Formel 1:

$$c_1 = e \sqrt{\frac{w_1}{w}}$$

über in:

$$e_1 = e \sqrt{\frac{k^2_1 \cdot n^2}{k^2 \cdot m^2}}$$

oder:

Formel 4: $e_1 = e \dfrac{k_1 \cdot n}{k \cdot m}$

Für Formel 2:

$$i_1 = i \sqrt{\frac{w}{w_1}}$$

ergibt sich:

$$i_1 = i \sqrt{\frac{k^2 \cdot m^2}{k^2_1 \cdot n^2}}$$

oder:

Formel 5: $i_1 = i \dfrac{k \cdot m}{k_1 \cdot n}$

Für Formel 3:

$$e_\iota = i \sqrt{w . w_\iota}$$

erhalten wir:

$$e_\iota = i \sqrt{k^2 . m^2 . k_\iota{}^2 . n^2}$$

oder:

Formel 6: $e_\iota = k . k_\iota . i . m . n$

Frage 246. Unter welcher Voraussetzung sind die Formeln 1 bis 6 gültig?

Antwort. Wir hatten bei der Ableitung der Formeln 1 bis 6 vorausgesetzt, dass die gesamte Energie des Hauptstromkreises (Hauptrolle) umgesetzt, dass also die Energie des Nebenstromkreises (Nebenrolle) gleich der des Hauptstromkreises sei, so dass wir setzen konnten:

$$e . i = e_\iota . i_\iota$$

Es sind also die Formeln 1 bis 6 nur unter dieser Voraussetzung gültig.

Frage 247. Wie kann man den Formeln 1 bis 6 eine ganz allgemein gültige Form geben?

Antwort. Gehen wir nicht von dem günstigsten Falle der Energieumsetzung:

$$e . i = e_\iota . i_\iota$$

aus, sondern von dem allgemeinen Fall:

$$e_\iota . i_\iota = C . e . i$$

worin C eine Konstante ist, deren Wert zwischen 0 und 1 liegt,

Erkl. 218. Da im günstigsten Falle

$$e . i = e_\iota . i_\iota$$

ist, so kann in der Gleichung:

$$e_\iota . i_\iota = C . e . i$$

C höchstenfalls $= 1$ sein.
Im ungünstigsten Falle wird

$$e_\iota . i_\iota = 0$$

sein, also im Nebenstromkreis überhaupt keine elektrische Energie entstehen; damit aber

$$e_\iota . i_\iota = C . e . i = 0$$

sei, muss $\qquad C = 0$

sein, da sowohl $e > 0$ und $i > 0$ ist, wenn der Hauptstromkreis von einem Strome durchflossen ist. Die Werte von C liegen daher zwischen 0 und 1; oder C ist ein echter Bruch.

so dass wir also für $C = 1$ den günstigsten, für $C = 0$ den ungünstigsten Fall haben (s. Erkl. 218), so gehen die Formeln 1 bis 6 über in:

Formel 7: $e_\iota = C . e \sqrt{\dfrac{w_\iota}{w}}$

Formel 8: $i_\iota = C . i \sqrt{\dfrac{w}{w_\iota}}$

Formel 9: $e_\iota = C . i \sqrt{w_\iota . w}$

Formel 10: $e_\iota = C . \dfrac{k_\iota}{k} . e . \dfrac{n}{m}$

Formel 11: $i_\iota = C . \dfrac{k}{k_\iota} . i . \dfrac{m}{n}$

Formel 12a: $e_\iota = C . k . k_\iota . i . n . m$

oder, wenn man $C . k . k_\iota = c$ setzt:

Formel 12b: $e_\iota = c . i . n . m$

Der ausführliche Prospekt und das ausführliche Inhalts-
verzeichnis der „vollständig gelösten Aufgabensammlung von
Dr. Ad. Kleyer" kann von jeder Buchhandlung, sowie von der
Verlagshandlung **gratis und portofrei** bezogen werden.

Bemerkt sei hier nur:

1). Jedes Heft ist aufgeschnitten und gut brochiert um den sofortigen und dauern-
den Gebrauch zu gestatten.

2). Jedes Kapitel enthält sein besonderes Titelblatt, Inhaltsverzeichnis, Berichtigungen
und Erklärungen am Schlusse desselben.

3). Auf jedes einzelne Kapitel kann abonniert werden.

4). Monatlich erscheinen 3—4 Hefte zu dem Abonnementspreise von 25 Pfg. pro Heft

5). Die Reihenfolge der Hefte im nachstehenden, kurz angedeuteten Inhaltsverzeichnis ist, wie aus dem Prospekt ersichtlich, ohne jede Bedeutung
für die Interessenten.

6). Das Werk enthält Alles, was sich überhaupt auf mathematische Wissenschaften
bezieht, alle Lehrsätze, Formeln und Regeln etc. mit Beweisen, alle praktischen
Aufgaben in vollständig gelöster Form mit Anhängen ungelöster analoger Aufgaben und vielen vortrefflichen Figuren.

7). Das Werk ist ein **praktisches Lehrbuch für Schüler aller Schulen**, das
beste **Handbuch** für Lehrer und Examinatoren, das **vorzüglichste Lehrbuch
zum Selbststudium, das vortrefflichste Nachschlagebuch** für Fachleute und
Techniker jeder Art.

8). Alle Buchhandlungen nehmen Bestellungen entgegen.

☞ **Das vollständige**

Inhaltsverzeichnis
der bis jetzt erschienenen Hefte
kann durch jede Buchhandlung bezogen werden.

Halbjährlich erscheinen Nachträge über die inzwischen neu erschienenen Hefte.

Druck von Carl Hammer in Stuttgart.

552. Heft.

Preis
des Heftes
25 Pf.

Die Induktionselektricität.

Forts. v. Heft 544. — Seite 145—160.

Mit 25 Figuren.

Vollständig gelöste
Aufgaben-Sammlung

— nebst Anhängen ungelöster Aufgaben, für den Schul- & Selbstunterricht —

mit

Angabe und Entwicklung der benutzten Sätze, Formeln, Regeln, in Fragen und Antworten

erläutert durch

viele Holzschnitte & lithograph. Tafeln,

aus allen Zweigen

der Rechenkunst, der niederen (Algebra, Planimetrie, Stereometrie, ebenen u. sphärischen Trigonometrie, synthetischen Geometrie etc.) u. höheren Mathematik (höhere Analysis, Differential- u. Integral-Rechnung, analytische Geometrie der Ebene u. des Raumes etc.); — aus allen Zweigen der Physik, Mechanik, Graphostatik, Chemie, Geodäsie, Nautik, mathemat. Geographie, Astronomie; des Maschinen-, Strassen-, Eisenbahn-, Wasser-, Brücken- u. Hochbau's; der Konstruktionslehren als: darstell. Geometrie, Polar- u. Parallel-Perspektive, Schattenkonstruktionen etc. etc.

für

Schüler, Studierende, Kandidaten, Lehrer, Techniker jeder Art, Militärs etc.

zum einzig richtigen und erfolgreichen

Studium, zur Forthülfe bei Schularbeiten und zur rationellen Verwertung der exakten Wissenschaften,

herausgegeben von

Dr. Adolph Kleyer,

Mathematiker, vereideter königl. preuss. Feldmesser, vereideter grossh. hessischer Geometer I. Klasse

in Frankfurt a. M.

unter Mitwirkung der bewährtesten Kräfte.

Die Induktionselektricität.

Nach System Kleyer bearbeitet von **Adolf Krebs** in Frankfurt a. M.

Fortsetzung v. Heft 544. — Seite 145—160. Mit 25 Figuren.

Inhalt:

Stuttgart 1889.
Verlag von Julius Maier.

PROSPEKT.

Dieses Werk, welchem kein ähnliches zur Seite steht, erscheint monatlich in 3—4 Heften zu dem billigen Preise von 25 ₰ pro Heft und bringt eine Sammlung der wichtigsten und praktischsten Aufgaben aus dem Gesamtgebiete der Mathematik, Physik, Mechanik, math. Geographie, Astronomie, des Maschinen-, Strassen-, Eisenbahn-, Brücken- und Hochbaues, des konstruktiven Zeichnens etc. etc. und zwar in vollständig gelöster Form, mit vielen Figuren, Erklärungen nebst Angabe und Entwickelung der benutzten Sätze, Formeln, Regeln in Fragen mit Antworten etc., so dass die Lösung jedermann verständlich sein kann, bezw. wird, wenn eine grössere Anzahl der Hefte erschienen ist, da dieselben sich in ihrer Gesamtheit ergänzen und alsdann auch alle Teile der reinen und angewandten Mathematik — nach besonderen selbständigen Kapiteln angeordnet — vorliegen.

Fast jedem Hefte ist ein Anhang von ungelösten Aufgaben beigegeben, welche der eigenen Lösung (in analoger Form wie die bezüglichen gelösten Aufgaben) des Studierenden überlassen bleiben, und zugleich von den Herren Lehrern für den Schulunterricht benutzt werden können. Die Lösungen hierzu werden später in besonderen Heften für die Hand des Lehrers erscheinen. Am Schlusse eines jeden Kapitels gelangen: Titelblatt, Inhaltsverzeichnis, Berichtigungen und erläuternde Erklärungen über das betreffende Kapitel zur Ausgabe.

Das Werk behandelt zunächst den Hauptbestandteil des mathematisch-naturwissenschaftlichen Unterrichtsplanes folgender Schulen: Realschulen I. und II. Ordn., gleichberechtigten höheren Bürgerschulen, Privatschulen, Gymnasien, Realgymnasien, Progymnasien, Schullehrer-Seminaren, Polytechniken, Techniken, Baugewerkschulen, Gewerbeschulen, Handelsschulen, techn. Vorbereitungsschulen aller Arten, gewerbliche Fortbildungsschulen, Akademien, Universitäten, Land- und Forstwissenschaftsschulen, Militärschulen, Vorbereitungs-Anstalten aller Arten als z. B. für das Einjährig-Freiwillige- und Offiziers-Examen etc.

Die Schüler, Studierenden und Kandidaten der mathematischen, technischen und naturwissenschaftlichen Fächer werden durch diese, Schritt für Schritt gelöste, Aufgabensammlung immerwährend an ihre in der Schule erworbenen oder nur gehörten Theorien etc. erinnert und wird ihnen hiermit der Weg zum unfehlbaren Auffinden der Lösungen derjenigen Aufgaben gezeigt, welche sie bei ihren Prüfungen zu lösen haben, zugleich aber auch die überaus grosse Fruchtbarkeit der mathematischen Wissenschaften vorgeführt.

Dem Lehrer soll mit dieser Aufgabensammlung eine kräftige Stütze für den Schul-Unterricht geboten werden, indem zur Erlernung des praktischen Teils der mathematischen Disciplinen — zum Auflösen von Aufgaben — in den meisten Schulen oft keine Zeit erübrigt werden kann, hiermit aber dem Schüler bei seinen häuslichen Arbeiten eine vollständige Anleitung in die Hände gegeben wird, entsprechende Aufgaben zu lösen, die gehabten Regeln, Formeln, Sätze etc. anzuwenden und praktisch zu verwerten. Lust, Liebe und Verständnis für den Schulunterricht wird dadurch erhalten und belebt werden.

Den Ingenieuren, Architekten, Technikern und Fachgenossen aller Art, Militärs etc. etc. soll diese Sammlung zur Auffrischung der erworbenen und vielleicht vergessen n mathematischen Kenntnisse dienen und zugleich durch ihre praktischen in allen Bei s-zweigen vorkommenden Anwendungen einem toten Kapital lebendige Kraft verleihen d somit den Antrieb zu weiteren praktischen Verwertungen und weiteren Forschungen ge n.

Alle Buchhandlungen nehmen Bestellungen entgegen. Wichtige und praktische f-gaben werden mit Dank von der Redaktion entgegengenommen und mit Angabe der Na n verbreitet. — Wünsche, Fragen etc., welche die Redaktion betreffen, nimmt der Verfa r, Dr. Kleyer, Frankfurt a. M., Fischerfeldstrasse 16, entgegen, und wird deren Erledi g thunlichst berücksichtigt.

Stuttgart.   Die Verlagshandlun⸗

Anmerkung. In den Formeln 7, 8, 9, 10, 11 und 12 ist die Bezeichnung C beibehalten; es ist jedoch der Wert von C in diesen Formeln gleich der Quadratwurzel aus C in der Gleichung $e_t \cdot i_t = C \cdot e \cdot i$, wie aus der Entwicklung hervorgeht.

Frage 248. Was besagt die Formel 12b?

Erkl. 219. Den gleichen Satz hatten wir bereits im I. Teil dieses Lehrbuchs aufgestellt (siehe Antw. auf Frage 143). Hier haben wir ihn aus allgemeinen Prinzipien abgeleitet.

Antwort. In Formel 12b ist das allgemeine Gesetz der Induktion bei Induktionsapparaten ausgedrückt. Gemäss Formel 12b:

$$e_t = c \cdot i \cdot n \cdot m$$

lautet dasselbe:

Die elektromotorische Kraft in der Nebenrolle eines Induktionsapparats ist proportional einerseits der Stromstärke in der Hauptrolle und anderseits dem Produkt der Windungszahlen beider Rollen (s. Erkl. 219).

Frage 249. Ist es zweckmässig, die elektromotorische Kraft in der Nebenrolle eines Induktionsapparats mittels der Formeln 12 zu berechnen, und in welchem Falle?

Erkl. 220. In Formel 12 bedeutet:

$\sqrt{c}$ = Prozentsatz der nutzbringend umgesetzten Energie der Hauptrolle,

k^2 = Widerstand, welchen die gesamte Kupfermenge der Hauptrolle besitzt, wenn man sich aus derselben eine einzige Windung mit dem gleichen Radius der einzelnen Windungen hergestellt denkt,

k_t^2 = Widerstand, welchen die gesamte Kupfermenge der Nebenrolle besitzt, wenn man sich aus derselben eine einzige Windung mit dem gleichen Radius der einzelnen Windungen hergestellt denkt.

Erkl. 221. Bleibt die Kupfermenge der Haupt- und der Nebenrolle dieselbe, so bleiben k^2 und k_t^2, mithin auch k und k_t ungeändert und die elektromotorische Kraft e_t:

$$e_t = C \cdot k \cdot k_t \cdot i \cdot n \cdot m$$

hängt wesentlich ab von der Stromstärke i und dem Produkt der Windungszahlen n und m; oder, wenn wir den Hauptstromkreis ungeändert lassen, nur von der Windungszahl der Nebenrolle (s. Erkl. 222).

Erkl. 222. Nach Formel 12:

$$e_t = C \cdot k \cdot k_t \cdot i \cdot n \cdot m$$

Krebs, Induktionselektricität.

Antwort. Die Formel 12a:

$$e_t = C \cdot k \cdot k_t \cdot i \cdot n \cdot m$$

gibt zu erkennen, dass zur Berechnung der elektromotorischen Kraft e_t die 3 Konstanten C, k, k_t bekannt sein müssen. Die Grösse C ergibt sich allerdings direkt daraus, wieviel Prozent der ursprünglichen Energie nutzbringend umgesetzt werden, dagegen ändern die Grössen k und k_t, welche allein von der Menge des Kupfers abhängen (s. Erkl. 220), in jedem einzelnen Fall ihren Wert und müssen in jedem einzelnen Fall aus der Länge und dem Querschnitt des verwendeten Kupferdrahtes berechnet werden, es sei denn, dass die Kupfermenge die gleiche bliebe, und dass wir nur die Anzahl der Windungen, in welche die Kupfermenge ausgezogen wird, veränderten.

Es ist daher die Anwendung der Formel 12 nur in dem Fall zur Berechnung der elektromotorischen Kraft e_t zweckmässig, wenn die Kupfermenge der Haupt- und Nebenrolle dieselbe bleibt und wir nur die Längen der Drähte ändern (s. Erkl. 221).

Es dient dann Formel 12 sehr zweckmässig zur Berechnung der Windungs-

10

ist e_t bei sonst gleichen Verhältnissen proportional i; die Stromstärke i steht aber mit der Windungszahl n derart in Beziehung, dass i mit wachsendem Widerstand abnimmt; der Widerstand ist aber seinerseits proportional dem Quadrat der Windungszahl n; man wird daher, um eine hohe elektromotorische Kraft e_t zu erreichen, nur die Windungszahl m verändern (d. h. vergrössern) dürfen. Die Vermehrung der Windungszahl findet aber eine Grenze darin, dass mit der Vermehrung derselben der Querschnitt des Drahtes ganz erheblich abnimmt.

zahl der Nebenrolle, damit eine bestimmte elektromotorische Kraft e_t erreicht werde.

B. Ueber das magnetische Feld und die Kraftlinien von Magneten und stromdurchflossenen Leitern.

Anmerkung. Zum besseren Verständnis dieses Abschnitts ist es von Vorteil, den Abschnitt E („Ueber das magnetische Feld") im II. Teil von *May & Krebs*, Lehrb. des Elektromagnetismus, durchzusehen. Zugleich wird angeraten, die in demselben Lehrbuch Seite 176 ff. entwickelten absoluten magnetischen Masse sich zu vergegenwärtigen. Man vergleiche auch die in einem späteren Abschnitt dieses Lehrb. enthaltene Zusammenstellung der magnetischen und elektromagnetischen Einheiten.

Frage 250. Was versteht man unter dem magnetischen Feld eines Magnets (bezw. Elektromagnets) oder eines stromdurchflossenen Leiters?

Antwort. Ein Magnet oder ein stromdurchflossener Leiter üben auf einen Magnet, auf einen stromdurchflossenen Leiter und auf weiches Eisen eine erkennbare Wirkung aus, solange sich dieselben in einer gewissen Entfernung befinden. Die Umgebung eines Magnets oder eines stromdurchflossenen Leiters, innerhalb welcher eine Wirkung beider auf die angeführten Körper noch erkennbar ist, nennt man das magnetische Feld des Magnets oder stromdurchflossenen Leiters.

Frage 251. Was versteht man unter der Stärke oder Intensität eines magnetischen Felds?

Antwort. Bringt man einen Magnetpol von der Magnetismusmenge 1 an eine bestimmte Stelle eines magnetischen Felds, so versteht man unter der Stärke oder Intensität des magnetischen Felds an dieser Stelle (s. Erkl. 223) die Grösse der Kraft, die von dem Felde auf den Magnetpol 1 an dieser Stelle ausgeübt wird.

Bedeutet f die auf den Pol von der Magnetismusmenge m an einer bestimm-

Erkl. 223. Man beachte genau, dass die Stärke eines magnetischen Felds von bestimmten Stellen abhängt, man also immer nach der Stärke eines magnetischen Felds an einer bestimmten Stelle fragen muss.

ten Stelle eines magnetischen Felds ausgeübte **Kraft** und H die Stärke des Felds an dieser Stelle, so ist:

$$f = m \cdot H$$

also:

$$H = \frac{f}{m}$$

für $m = 1$ ist $H = f$ (s. Erkl. 224).

In Wirklichkeit haben wir jedoch nie einen einzelnen Magnetpol, sondern zwei, — einen ganzen Magnet bezw. Magnetnadel —, auf welche das magnetische Feld einwirkt. Letzteres bewirkt also ein Drehungsmoment D; dasselbe ist:

$$D = 2\,m\,l \cdot H = M \cdot H$$

Erkl. 224. Das Nähere über die Ableitung der Gleichungen:

$f = m \cdot H$ und $D = 2\,m\,l \cdot H = M \cdot H$

findet man in *May & Krebs*, Lehrb. des Elektromagnetismus Antw. auf Frage 178 und 179.

worin m die Menge freien Magnetismus in einem der beiden Pole,
l der halbe Abstand der Pole,
$M = 2\,m\,l$ das magnetische Moment,
D das auf die beiden Pole an der betreffenden Stelle des magnetischen Felds ausgeübte Drehungsmoment bedeutet.

Für

$$2\,m\,l = M = 1$$

d. h. für

$$m = 1 \text{ und } 2\,l = 1$$

wird

$$H = D$$

d. h.: Die Stärke oder Intensität eines magnetischen Felds an einer bestimmten Stelle ist gleich dem Drehungsmoment, welches dasselbe auf eine Magnetnadel von der Länge $2\,l = 1$ und der Menge 1 freien Magnetismus, d. i. von dem magnetischen Moment 1, ausübt.

Frage 252. Wie kann man den Begriff „Stärke eines magnetischen Felds an einer bestimmten Stelle" noch anders definieren?

Erkl. 225. Nach Antw. auf Frage 180 und 181 des Elektromagnetismus ist die Bahn, welche ein Magnetpol in einem magnetischen Felde beschreibt, die Richtung der Wirkung der magnetischen Kraft in dem magnetischen Felde an den einzelnen Punkten. Eine Kraftlinie ist definiert als die Grösse und Richtung der magnetischen Kraft, welche von dem Pol mit der absoluten Menge 1 freien Magnetismus auf die Fläche 1 Quadratcentimeter in der Entfernung

Antwort. Die Stärke der Intensität eines magnetischen Felds an einer bestimmten Stelle ist definiert durch die Anzahl der Kraftlinien, welche die Flächeneinheit an dieser Stelle senkrecht treffen (siehe Erkl. 225). Denn das magnetische Feld eines Pols mit der Magnetismusmenge 1 besitzt in der Entfernung 1 vom Pole die Intensität $H = 1$ und in der Entfernung r die Intensität H^1:

1 Centimeter ausgeübt wird, vorausgesetzt, dass die Fläche senkrecht zu der Richtung der magnetischen Kraft steht.

Allgemein übt ein Pol mit der magnetischen Masse m auf die senkrechte Fläche von 1 qcm die Kraft f:

$$a). \quad \ldots \ldots f = \frac{m}{r^2} \text{ Kraftlinien}$$

aus; die **Anzahl der Kraftlinien, welche die Flächeneinheit an einer bestimmten Stelle des Felds senkrecht treffen, gibt die Grösse, die Richtung der Kraftlinien die Richtung der** von dem betreffenden Pol an dieser Stelle ausgeübten magnetischen Kraft (s. Erkl. 226).

Erkl. 226. Trifft eine gewisse Anzahl Kraftlinien auf eine zu deren Richtung senkrechte Fläche und neigt man dann diese Fläche gegen die Richtung der Kraftlinien, so treffen jetzt **weniger** Kraftlinien diese Fläche (s. Fig. 109). Es ist daher sehr notwendig hinzuzufügen, unter welchem Winkel die Kraftlinien auf eine Fläche auffallen. Steht die Fläche senkrecht, so ist die Zahl der sie treffenden Kraftlinien am **grössten.**

$$H^1 = \frac{1}{r^2}$$

Für einen Pol mit der Magnetismusmenge m ist:

$$H = m \quad \text{und} \quad H^1 = \frac{m}{r^2}.$$

Da nach der Gleichung a). in Erkl. 225:

$$f = \frac{m}{r^2} \quad \text{und} \quad \frac{m}{r^2} = \text{der An-}$$

zahl der Kraftlinien ist, welche die Flächeneinheit an einer bestimmten Stelle (in der Entfernung r) senkrecht treffen, so besagt die Gleichung:

$$H^1 = \frac{m}{r^2} \text{ Kraftlinien.}$$

Figur 109.

Frage 253. Wie kann man sich ein ungefähres Bild des Verlaufs der Kraftlinien in einem magnetischen Feld herstellen?

Figur 110.

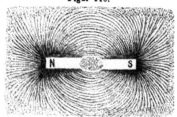

Antwort. 1). Legt man über einen Magnet ein Stück Papier oder eine Glastafel und streut Eisenfeilspäne darauf, so ordnen sich die kleinen Teilchen in regelmässigen Kurven an und zwar derart, dass sich die magnetischen Achsen in die Richtung der wirkenden Kraft stellen. Es gibt daher die **Anordnung der Eisenfeilspäne** ein Bild von dem **Verlauf der Kraftlinien.** Für einen Magnet mit den Polen N und S haben wir etwa nebenstehende Fig. 110.

Figur 111.

2). Das magnetische Feld bezw. die Kraftlinien eines geraden strom-durchflossenen Leiters sind konzentrische Kreise, deren Mittelpunkte auf diesem Leiter und deren Ebenen senkrecht zu diesem Leiter liegen (s. Fig. 111).

3). Das magnetische Feld eines Solenoids (Drahtrolle, s. Fig. 112) stimmt mit dem magnetischen Feld eines Magnets überein; die Kraftlinien gehen von dem einen Pol aus und münden in den andern Pol ein.

Figur 112.

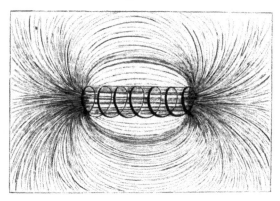

4). Das magnetische Feld eines zu einem Kreise gebogenen Drahtes hat die in Fig. 113 dargestellte Form. Die Kraftlinien treten aus der einen Fläche des Kreises aus und münden in grösseren oder geringeren geschlossenen Kurven in die andere Fläche ein. Man kann also einen stromdurchflossenen, kreisförmigen Leiter als einen Magnet von überaus kleiner Länge oder ein Solenoid von nur einer Windung ansehen. Diejenige Fläche des Kreises, in welcher, wenn man sie ansieht, der Strom im Sinne des Zeigers einer Uhr

kreist, ist dann als Südpol, die andere
Fläche als Nordpol zu betrachten.

Figur 113.

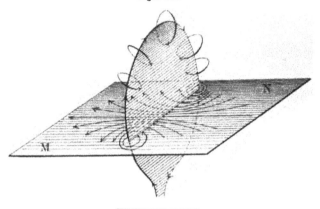

Frage 254. Was versteht man unter
positiver Richtung von Kraftlinien?

Erkl. 227. Die Bezeichnung von „positiver Richtung der Kraftlinien" in dem
in nebenstehender Antwort gegebenen Sinne ist
natürlich nur eine Benennung, welche man
nach allgemeinem Uebereinkommen gewählt hat.
Man könnte ebenso gut auch die entgegengesetzte Richtung als positiv annehmen.

Antwort. Man bezeichnet die
Kraftlinien in derjenigen Richtung
als positiv, nach welcher der Nordpol einer Magnetnadel zeigt, wenn
sich die Nadel in dem betreffenden magnetischen Feld befindet
(siehe Erkl. 227).

Da nun ein von einem Nordpol gebildetes Feld den Nordpol einer Magnetnadel nach einer Richtung zu stellen
sucht, welche von dem Pol weg gerichtet
ist, während für ein von einem Südpol
gebildetes Feld das entgegengesetzte
gilt, so sagt man:

Die positive Richtung der Kraftlinien
ist vom Nordpol weg und nach dem
Südpol hin gerichtet.

Frage 255. Welchen Einfluss übt
Eisen auf die Richtung der Kraftlinien eines magnetischen Feldes aus?

Antwort. Bringt man ein Stück Eisen
in die Nähe eines der Pole des Magnets,
so zeigen die Kraftlinien des magnetischen Feldes einen wesentlich anderen
Verlauf (siehe Fig. 114). Die Kraftlinien werden nach dem Eisen A
hingezogen. Es ist die Zahl der Kraftlinien, welche durch den Raum, welchen

das Eisen einnimmt, gehen, viel grösser als in freier Luft.

Figur 114.

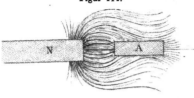

Frage 256. Was bewirkt das Eisen in einem magnetischen Feld?

Antwort. Nach Antwort auf vorige Frage wird durch das Eisen an der betreffenden Stelle die Zahl der die Flächeneinheit treffenden Kraftlinien vermehrt. Nun hängt aber nach Antw. auf vorige Frage die Stärke eines magnetischen Felds an einer bestimmten Stelle ab von der Zahl der Kraftlinien, welche an dieser Stelle die Flächeneinheit senkrecht treffen. **Das Eisen verstärkt also das magnetische Feld an der Stelle, wo es sich befindet.**

Frage 257. Was für eine Wirkung übt das magnetische Feld auf das in diesem Felde befindliche Eisen aus?

Antwort. Das Eisen wird im magnetischen Feld magnetisch, oder, wie man auch sagt, das magnetische Feld induziert in dem Eisen Magnetismus. So zeigt z. B. Figur 114 das Eisenstück *A* an dem dem Nordpol *N* zugewendeten Ende einen Südpol, am anderen Ende einen Nordpol.

Frage 258. Wie erklärt man sich das Bestreben der Kraftlinien ihre Bahn grösstenteils durch das im magnetischen Felde befindliche Eisen zu nehmen?

Erkl. 228. Unmagnetische Körper sind alle, ausser Eisen, Nickel, Kobalt, Mangan, Chrom.

Antwort. Legt man abwechselnd verschiedene Substanzen gleicher Form und Grösse an eine bestimmte Stelle eines magnetischen Felds und beobachtet man die Zahl der die Substanzen durchsetzenden Kraftlinien (experimentell mittels Eisenfeillicht), so bemerkt man, dass weiches Eisen am meisten, Gusseisen oder gar Stahl bedeutend weniger, Nickel und Kobalt noch weniger Kraftlinien aufnehmen. Die unmagnetischen Körper

Erkl. 229. Permeabilität (vom engl. permeability = Durchdringungsfähigkeit) bezeichnet die Fähigkeit eines Körpers, Kraftlinien in sich aufzunehmen. In der deutschen Wissenschaft wird dieser von *Thomson* zuerst eingeführte Ausdruck durch magnetische Leitungsfähigkeit oder magnetisches Leitungsvermögen wiedergegeben, analog der Bezeichnung elektrisches Leitungsvermögen.

(siehe Erkl. 228) bringen keine Veränderungen des magnetischen Felds hervor. Man sagt daher: Weiches (reines) Eisen besitzt den höchsten Grad der magnetischen Leitungsfähigkeit (Permeabilität, siehe Erkl. 229); oder: Der magnetische Leitungswiderstand des weichen Eisens ist am kleinsten.

Frage 259. Was versteht man unter einem gleichförmigen magnetischen Feld?

Antwort. Ein gleichförmiges, oder wie man auch sagt, uniformes, homogenes magnetisches Feld ist ein solches, in welchem die Kraftlinien einander parallel und gleichweit von einander entfernt verlaufend gedacht werden.

In einem gleichförmigen magnetischen Felde treffen an jeder Stelle auf die Flächeneinheit, welche senkrecht zur Richtung der Kraftlinien steht, gleichviel Kraftlinien.

Als gleichförmiges magnetisches Feld kann man das vom Erdmagnetismus hervorgebrachte magnetische Feld ansehen; auch kann das Feld eines Magnetpols in grosser Entfernung von demselben als annähernd gleichförmig gelten.

C. Ueber die Kraftlinientheorie und die Induktion.

a). Die Magneto-Induktion bezogen auf die Kraftlinientheorie.

Frage 260. Wie kann man mittels der Kraftlinientheorie das Entstehen von Induktionsströmen erklären?

Erkl. 230. Wir haben im vorigen Abschnitt auf das gleiche magnetische Verhalten von Magneten und stromdurchflossenen Leitern hingewiesen. Wenn wir daher die Gesetze der Induktion, bezogen auf die Kraftlinientheorie, für die Bewegung von Magneten ableiten, so gilt das Gleiche naturgemäss auch für die Bewegung von stromdurchflossenen Leitern.

Antwort. Jedesmal, wenn man einen Magnet oder einen stromdurchflossenen Leiter (siehe Erkl. 230) einem Leiter nähert oder von ihm entfernt, entsteht erfahrungsgemäss in diesem Leiter ein Induktionsstrom. Beim Annähern eines Magnets an einen Leiter nimmt jedoch die Zahl der die Fläche des Leiters treffenden Kraftlinien zu, beim Entfernen ab, denn in der Nähe des Magnetpols sind die Kraftlinien sehr dicht, in einiger Entfernung davon weniger dicht. Man kann daher sagen:

Jedesmal, wenn ein Magnet in

der Nähe eines Leiters derart
bewegt wird, dass die Zahl der
die Fläche dieses Leiters treffenden Kraftlinien zu- oder abnimmt, entsteht in dem Leiter
ein Induktionsstrom.

Frage 261. Welches allgemeine
Gesetz lässt sich mittels der Kraftlinientheorie über die Richtung der
bei der Magneto-Induktion erregten Induktionsströme aufstellen?

Antwort. Erfahrungsgemäss besitzen
die bei der Magneto-Induktion erregten
Induktionsströme eine solche Richtung,
dass sie vermöge ihrer elektrodynamischen Wirkung die Bewegung des Magnets zu hemmen suchen (Gesetz von
Lenz). Der Grund hierfür liegt in dem
Prinzip der Erhaltung der Energie (siehe
Antw. auf Frage 227).

Dieses Gesetz in die Kraftlinientheorie
übersetzt, lautet:

Erkl. 231. In Antw. auf Frage 254 haben
wir festgesetzt, dass der Verlauf (d. i. die positive Richtung) der Kraftlinien vom Nordpol weg und nach dem Südpol hin gerichtet ist.

Nimmt beim Bewegen des Magnets die Zahl der die Fläche des
Leiters treffenden Kraftlinien
ab (also beim Entfernen), und betrachtet man den Leiter in Richtung der Kraftlinien, so entsteht
in dem Leiter ein Strom, welcher
im Sinne des Zeigers einer Uhr
verläuft.

Nimmt die Zahl der Kraftlinien
zu und betrachtet man den Leiter
in Richtung der Kraftlinien, so
entsteht ein der Uhrzeigerbewegung entgegengesetzt gerichteter Strom.

Es ist also zur Bestimmung der Richtung der Induktionsströme wesentlich,
dass man den Leiter in Richtung der
Kraftlinien ansieht (siehe Erkl. 231).

Frage 262. Wie kann man die Richtigkeit des in voriger Antwort aufgestellten Satzes am einfachsten prüfen?

Antwort. Am einfachsten prüfen
wir die Richtigkeit obigen Satzes
an dem Grundversuch der Magneto-
Induktion (Bewegung eines Magnetes
in der Nähe einer Rolle).

In Fig. 115 sei N der Nordpol eines
Magnets, R eine mit Kupferdraht be-
wickelte Rolle, G ein Galvanometer.
Die Kraftlinien verlaufen vom Nordpol N
weg, etwa in der gezeichneten Richtung.
Nähern wir den Nordpol N, so muss

Figur 115.

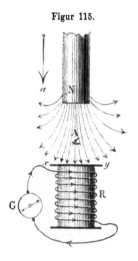

Figur 116.

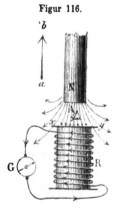

nach dem Lenzschen Gesetz, wenn man
die Rolle von oben ansieht, in derselben ein Strom von einer der Uhrzeigerbewegung entgegengesetzten Richtung entstehen, entfernen wir den
Pol *N*, so muss ein der Uhrzeigerbewegung gleichgerichteter Strom entstehen.

1). Nähern wir den Magnetpol *N*, so
nimmt die Zahl der Kraftlinien zu, sehen
wir die Rolle in Richtung des Verlaufs
der Kraftlinien an (also von oben, so
dass sich das Auge etwa bei *A* befindet),
so muss nach dem in voriger Antwort
aufgestellten Gesetz der Strom in der
Rolle *R* eine der Uhrzeigerbewegung
entgegengesetzte Richtung haben.
Entfernen wir den Pol *N* (s. Fig. 116),
so nimmt die Zahl der Kraftlinien ab
und in der Rolle *R*, von *A* aus gesehen, muss ein der Uhrzeigerbewegung
gleichgerichteter Strom fliessen. (Der
Stromverlauf ist durch die Pfeile angedeutet!)

Bei der in Fig. 115 und 116 dargestellten Bewegung eines Nordpols gegen
oder von einer Rolle müssen wir die
Rolle von oben (d. i. in der Richtung der
Kraftlinien) betrachten!

Nähern wir den Südpol *S* der Rolle
R, so muss nach dem Lenzschen Gesetz
in der Rolle, von oben gesehen, ein
der Uhrzeigerbewegung gleichgerichteter, beim Entfernen ein der Uhrzeigerbewegung entgegengesetzter
Strom entstehen.

2). Nähern wir den Südpol *S* der
Rolle *R*, so nimmt die Zahl der
Kraftlinien zu (siehe Fig. 117). Die
Kraftlinien verlaufen aber nach dem
Südpol hin. Wollen wir also jetzt die
Rolle in Richtung des Verlaufs der Kraft-
linien betrachten, so müssen wir die-
selbe von unten betrachten (also das
Auge etwa bei *A* haben). Nach dem
in voriger Antw. aufgestellten Gesetz
entsteht also, wenn die Zahl der Kraft-
linien zunimmt, in der Rolle ein der
Uhrzeigerbewegung entgegengesetz-
ter Strom. (Betrachten wir die Rolle
R von oben, so ist dieser Strom der
Uhrzeigerbewegung gleichgerichtet.

Figur 117.   Figur 118.

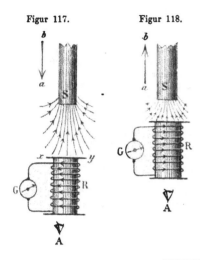

Es stimmt also der in Antw. auf Frage 261 aufgestellte Satz mit dem Lenzschen Gesetz überein!)

Entfernen wir den Südpol S von der Rolle R (siehe Fig. 118), so nimmt die Zahl der Kraftlinien ab. Sehen wir jetzt die Rolle in der Richtung des Verlaufs der Kraftlinien (also von unten, etwa von A aus) an, so muss der in der Rolle erregte Induktionsstrom in der Richtung des Uhrzeigers (also die Fläche von oben gesehen in entgegengesetzter Richtung der Uhrzeigerbewegung) verlaufen. Es erhellt hieraus die Uebereinstimmung mit dem Lenzschen Gesetze.

Bei der in Fig. 117 und 118 gekennzeichneten Bewegung eines **Südpols** gegen eine Rolle müssen wir die Rolle von **unten** (d. i. in Richtung der Kraftlinien) betrachten!.

Frage 263. Was gilt in Bezug auf die Dauer der Erregung von Induktionsströmen, ausgedrückt durch die Kraftlinientheorie?

Antwort. Durch Aenderung (Zu- oder Abnahme) der Zahl der Kraftlinien, welche den Leiter treffen, werden in demselben Induktionsströme erregt. Die Erregung von Induktionsströmen dauert somit solange, bis keine Aenderung (Zu- oder Abnahme) der Zahl von Kraftlinien mehr erfolgt.

Frage 264. Wie kann man das **Grundgesetz der Magneto-Induktion**, bezogen auf die Kraftlinientheorie, kurz fassen?

Antwort. Bewegen wir einen Magnet von oder gegen einen Leiter, oder auch umgekehrt einen Leiter von oder gegen einen Magnet, so gilt der Satz:

„Ein Induktionsstrom entsteht nur, wenn sich die Zahl der die Fläche des Leiters treffenden Kraftlinien ändert."

„Nimmt die Zahl der den Leiter treffenden Kraftlinien **zu** bezw. **ab**, so entsteht in dem Leiter, wenn man ihn in der Richtung des Verlaufs der Kraftlinien betrachtet, ein der Uhrzeigerbewegung **entgegengesetzt** gerichteter bezw. **gleich** gerichteter Induktionsstrom."

b). Die galvanische Induktion bezogen auf die Kraftlinientheorie.

Frage 265. Wie kann man mittels der Kraftlinientheorie das Entstehen von Induktionsströmen bei der galvanischen Induktion erklären?

Figur 119.

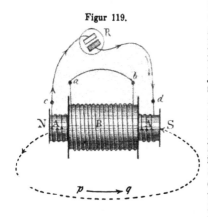

Erkl. 232. Solange der Strom in *A* geschlossen oder geöffnet bleibt, werden in *B* keine Induktionsströme erregt, da in beiden Fällen die Zahl der Kraftlinien ungeändert bleibt.

Antwort. Bei der galvanischen Induktion werden in einem Nebenstromkreis (Nebenrolle) Induktionsströme erregt dadurch, dass man den Strom des Hauptstromkreises (Hauptrolle) öffnet und schliesst. Wir betrachten den Vorgang an einem Induktionsapparat, der in Fig. 119 schematisch dargestellt ist. Ist die Rolle *A* stromlos, so existiert kein magnetisches Feld; in dem Moment jedoch, wo wir einen Strom durch *A* schicken, bildet sich ein solches, dessen Abbild wir bereits in Fig. 111 kennen gelernt haben. Es nimmt also im Moment des Stromschlusses die Zahl der Kraftlinien zu; denn vorher war ihre Zahl Null, jetzt aber ist ihre Zahl grösser als Null. Solange der Strom geschlossen bleibt, ist die Zahl der Kraftlinien ungeändert. Oeffnen wir jetzt den Strom, so wird die Zahl der Kraftlinien Null, sie nimmt ab.

Nach Antw. auf Frage 264 wird immer, wenn die Zahl der Kraftlinien, welche die Fläche eines Leiters treffen, zu- oder abnimmt, in demselben ein Induktionsstrom erregt. Es wird demgemäss im Moment, wo der Strom in *A* geschlossen oder geöffnet wird, in *B* ein Induktionsstrom erregt; denn nur in diesen beiden Momenten wird die Zahl der die Rolle *B* treffenden Kraftlinien verändert (siehe Erkl. 232).

Frage 266. Was lässt sich gemäss der Kraftlinientheorie über die Dauer der Induktionsströme bei der galvanischen Induktion sagen?

Antwort. Die Induktionsströme dauern gemäss der Kraftlinientheorie nur solange, wie sich die Zahl der Kraftlinien ändert. Eine Aenderung der Zahl der Kraftlinien tritt aber bei der galvanischen Induktion nur im Moment des Stromschlusses oder der Stromöffnung ein. Die Induktionsströme dauern daher bei der galvanischen Induktion nur einen Augenblick.

Frage 267. Was ergibt sich in betreff der Richtung der Induktionsströme nach der Kraftlinientheorie?

Erkl. 233. Nach den Lehren der Elektrodynamik zeigt die Fläche einer Rolle, an welcher der Strom in Richtung des Uhrzeigers verläuft, die Wirkung eines Südpols, die Fläche, in welcher er in entgegengesetzter Richtung verläuft, die Wirkung eines Nordpols.

Erkl. 234. Ueber die Uebereinstimmung der Gesetze über die Richtung der Induktionsströme, welche wir aus der Kraftlinientheorie abgeleitet haben, mit den früher gefundenen vergleiche man Antw. auf Frage 12.

Antwort. Um die Richtung der Induktionsströme mittels der Kraftlinientheorie zu ermitteln, bedienen wir uns der Fig. 119. Wir nehmen an, der Hauptstrom laufe in der durch die Pfeile angedeuteten Richtung, dann haben wir bei N einen Nord-, bei S einen Südpol (siehe Erkl. 233). Die Kraftlinien verlaufen dann von N nach S (in Fig. 119 ist durch die gestrichelte Linie die Bahn einer Kraftlinie und deren Richtung angedeutet). Bei Stromschluss nimmt die Zahl der Kraftlinien zu. Betrachten wir die Rolle B in Richtung der Kraftlinien, so müssen wir dieselbe von S aus ansehen. Nach dem in Antw. auf Frage 264 aufgestellten Gesetz erhalten wir in B einen Strom, der von S aus gesehen eine der Uhrzeigerbewegung entgegengesetzte Richtung hat. Verläuft also der Hauptstrom von d nach c, so verläuft der Schliessungsinduktionsstrom von a nach b, also in entgegengesetzter Richtung. Der Schliessungsinduktionsstrom ist dem Hauptstrom entgegengesetzt gerichtet.

Beim Oeffnen nimmt die Zahl der Kraftlinien ab. Die Richtung des Verlaufs der Kraftlinien ist auch in diesem Falle von N nach S. In B muss daher beim Oeffnen nach dem oben angeführten Gesetz von S aus gesehen ein der Uhrzeigerbewegung gleichgerichteter Strom fliessen. Verläuft also der Hauptstrom von d nach c, so verläuft der Oeffnungsinduktionsstrom von b nach a, also in gleicher Richtung. Der Oeffnungsinduktionsstrom ist daher dem Hauptstrom gleichgerichtet (siehe Erkl. 234).

Frage 268. Wie lässt sich die Verstärkung der Induktionsströme durch Einschieben von weichem Eisen in die Hauptrolle mittels der Kraftlinientheorie erklären?

Antwort. Befindet sich weiches Eisen in der Höhlung der Hauptrolle, so wird dasselbe magnetisch, sobald in der Rolle A (siehe Fig. 119) ein Strom fliesst. Es bildet sich daher ein magnetisches Feld infolge der stromdurchflossenen Rolle, und ein zweites infolge des magnetisierten Eisenkerns.

Erkl. 235. Die induzierende Kraft ist bei Induktionsapparaten proportional der Anzahl der entstandenen Kraftlinien, da bei Strom-öffnung die Anzahl derselben gleich Null ist. Es ist die Aenderung der Zahl der Kraftlinien gleich der Anzahl der entstandenen Kraftlinien.

Nun liegt aber der Nordpol des magnetischen Eisens an derselben Fläche der Rolle, wie der Nordpol der stromdurchflossenen Rolle, und für den Südpol gilt das Gleiche. Es gehen daher von der Fläche N nicht nur die Kraftlinien der stromdurchflossenen Rolle, sondern auch die des magnetisierten Eisenkerns aus und münden in die Fläche S. Es wird also die Zahl der Kraftlinien um die des magnetisierten Eisenkerns vermehrt.

Geht kein Strom durch die Rolle A, so ist der Eisenkern auch nicht magnetisch, also auch die Zahl der Kraftlinien gleich Null. Da ferner die Stärke der Induktion von der Aenderung der Zahl der Kraftlinien abhängt, so ist dieselbe stärker, wenn in der Hauptrolle Eisen enthalten ist (siehe Erkl. 235).

D. Spezielle Fälle der Erregung von Induktionsströmen in linearen Leitern durch Bewegen derselben in einem magnetischen Feld.

Frage 269. Was geschieht, wenn wir einen Leiter in einem gleichförmigen magnetischen Felde parallel zu sich selbst in Richtung der Kraftlinien verschieben?

Figur 120.

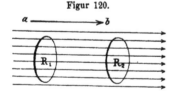

Antwort. In Fig. 120 sei durch die einzelnen geraden Linien der Verlauf der Kraftlinien eines gleichförmigen magnetischen Felds bestimmt. Bewegen wir die Rolle R_1 in Richtung der Kraftlinien nach R_2, so bleibt die Zahl der die Fläche des kreisförmigen Leiters treffenden Kraftlinien überall dieselbe. Bei einer Bewegung eines Leiters in einem gleichförmigen magnetischen Feld derart, dass die Zahl der die Fläche dieses Leiters treffenden Kraftlinien stets dieselbe bleibt, wird in dem Leiter kein Induktionsstrom erregt.

Frage 270. Wann kann in einem kreisförmigen Leiter (Rolle) ein Induktionsstrom überhaupt nur erregt werden?

Antwort. Bewegt sich ein kreisförmiger Leiter in einem magnetischen Felde, so kann in ihm dann und nur dann ein Induktionsstrom entstehen, wenn bei der Bewegung die Zahl der die Fläche des Leiters treffenden Kraftlinien geändert wird.

Frage 271. Auf welche Weise kann man in einem Leiter (Rolle) durch Bewegung in einem gleichförmigen magnetischen Felde allein Induktionsströme erregen?

Figur 121.

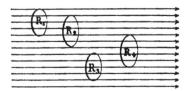

Figur 122.

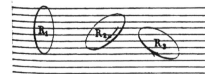

Erkl. 236. Die Richtung ergibt sich aus dem in Antwort auf Frage 264 aufgestellten Gesetz.

Antwort. Bewegen wir einen kreisförmigen Leiter R_1 in der in Fig. 121 angedeuteten Weise in einem gleichförmigen magnetischen Feld, so dass seine Fläche überall denselben Winkel mit der Richtung der Kraftlinien bildet, so bleibt überall die Zahl der seine Fläche treffenden Kraftlinien dieselbe. Es wird mithin kein Induktionsstrom erregt, wenn wir R_1 nach den verschiedenen Lagen R_2, R_3, R_4 parallel zu sich selbst bewegen.

Drehen wir jedoch den kreisförmigen Leiter, so dass seine Fläche mit der Richtung der Kraftlinien fortwährend andere Winkel bildet (siehe Fig. 122), so wird fortwährend die Zahl der die Fläche treffenden Kraftlinien geändert. Liegt die Fläche des Leiters mit der Richtung der Kraftlinien parallel, so treffen die wenigsten, steht die Fläche senkrecht zur Richtung der Kraftlinien, die meisten Kraftlinien die Fläche des Leiterkreises. Bei einer Drehung des Leiterkreises im gleichförmigen magnetischen Feld kann daher eine Aenderung der Zahl der Kraftlinien erreicht werden, welche die Fläche desselben treffen; es können daher auch nur in diesem Falle Induktionsströme erregt werden.

In Fig. 122 ist die Drehungsrichtung des Leiterkreises R_1 von links nach rechts gedacht. Drehen wir R_1 bis es die Lage R_2 hat, so nimmt die Zahl der Kraftlinien ab. Betrachten wir also die Fläche des Leiterkreises R_2 in Richtung der Kraftlinien, so fliesst der Induktionsstrom in Richtung des Uhrzeigers. Drehen wir weiter, bis die Zahl der Kraftlinien wieder zunimmt (etwa in der durch R_3 dargestellten Lage), so fliesst in R_3 ein der Uhrzeigerbewegung entgegengesetzter Strom, wenn man die Fläche R_3 in Richtung der Kraftlinien betrachtet (siehe Erkl. 236).

Frage 272. Ein kreisförmiger Leiter werde in einem gleichförmigen magnetischen Felde um eine durch seine Ebene gehende, zur Richtung der Kraftlinien senkrechte Achse gedreht; in welchem Augenblick tritt ein Wechsel in der Richtung der erregten Induktionsströme ein?

Figur 123.

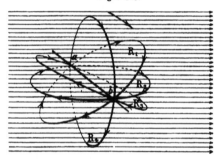

Antwort. In Fig. 123 ist der in unsrer Frage bestimmte Fall dargestellt. Bewegt sich der kreisförmige Leiter aus der zur Richtung der Kraftlinien senkrechten Lage nach R_1, so nimmt die Zahl der die Fläche treffenden Kraftlinien ab; der Strom fliesst also, wenn man die Fläche in Richtung der Kraftlinien ansieht, in der Richtung des Uhrzeigers, also auf der oberen Hälfte des Leiterkreises von a nach b. Das Gleiche gilt, wenn R_1 in die Lage R_2 gelangt ist. Von der Lage R_2 ab nimmt die Zahl der Kraftlinien zu, wir müssten also jetzt einen entgegengesetzten Strom erhalten, da jedoch jetzt die Fläche des Leiterkreises, wenn wir in Richtung der Kraftlinien sehen, die entgegengesetzte ist, so verläuft auch in diesem Falle der Induktionsstrom in der (jetzt unten befindlichen) oberen Hälfte R_3 des Leiterkreises von a nach b.

Sowie jedoch R_3 in die Lage R_4 gekommen ist, nimmt die Zahl der Kraftlinien wieder ab, wir erhalten also, die Fläche in Richtung des Kraftlinienverlaufs gesehen, einen der Uhrzeigerbewegung gleichgerichteten Strom und dieser läuft in dem untern Teile R_4 von b nach a, also in umgekehrter Richtung.

Nun steht aber R_4 auf der Richtung der Kraftlinien senkrecht. Ein Wechsel in der Richtung des Stromes tritt daher bei dem eben betrachteten Falle immer dann ein, wenn die Fläche des Leiterkreises eine zur Richtung der Kraftlinien senkrechte Lage passiert; bei einer vollen Umdrehung also zweimal.

Frage 273. Die Einrichtung und Handhabung welches Apparats beruht auf dem in voriger Antwort betrachteten speziellen Fall der Induktion?

Antwort. Der in Fig. 124 dargestellte, in Antwort auf Frage 192 beschriebene Erdinduktor beruht auf dem in voriger Antwort betrachteten Fall der Induktion. Als gleichförmiges magnetisches Feld haben wir das magnetische Feld der Erde. Die Richtung der Kraft-

Der **ausführliche Prospekt** und das **ausführliche Inhaltsverzeichnis** der „vollständig gelösten Aufgabensammlung von Dr. Ad. Kleyer" kann von jeder Buchhandlung, sowie von der Verlagshandlung **gratis und portofrei** bezogen werden.

Bemerkt sei hier nur:

1). Jedes Heft ist aufgeschnitten und gut brochiert, um den **sofortigen und dauern den** Gebrauch zu gestatten.

2). Jedes Kapitel enthält sein besonderes Titelblatt, Inhaltsverzeichnis, Berichtigungen und Erklärungen am Schlusse desselben.

3). Auf jedes einzelne Kapitel kann abonniert werden.

4). Monatlich erscheinen 3—4 Hefte zu dem **Abonnementspreise** von 25 Pfg. pro Heft.

5). Die **Reihenfolge** der Hefte im nachstehenden, kurz angedeuteten Inhaltsverzeichnis ist, wie aus dem Prospekt ersichtlich, **ohne jede Bedeutung** für die Interessenten.

6). Das Werk enthält Alles, was sich überhaupt auf mathematische Wissenschaften bezieht, alle Lehrsätze, Formeln und Regeln etc. mit Beweisen, alle praktischen Aufgaben in vollständig gelöster Form mit Anhängen ungelöster analoger Aufgaben und vielen vortrefflichen Figuren.

7). Das Werk ist ein **praktisches Lehrbuch** für Schüler aller Schulen, das **beste Handbuch** für Lehrer und Examinatoren, das **vorzüglichste Lehrbuch sum Selbststudium**, das **vortrefflichste Nachschlagebuch** für Fachleute und Techniker jeder Art.

8). Alle Buchhandlungen nehmen Bestellungen entgegen.

☛ Das vollständige

Inhaltsverzeichnis
der bis jetzt erschienenen Hefte

ka   urch jede Buchhandlung bezogen werden.

---

jährlich erscheinen Nachträge über die inzwischen neu erschienenen Hefte.

Druck von Carl Hammer in Stuttgart.

553. Heft.

Preis
des Heftes
25 Pf.

Die Induktionselektricität.
Forts. v. Heft 552. — Seite 161—176.
Mit 10 Figuren.

Vollständig gelöste
Aufgaben-Sammlung

— nebst Anhängen ungelöster Aufgaben, für den Schul- & Selbstunterricht —

mit

Angabe und Entwicklung der benutzten Sätze, Formeln, Regeln, in Fragen und Antworten

erläutert durch

viele Holzschnitte & lithograph. Tafeln,

aus allen Zweigen

der Rechenkunst, der niederen (Algebra, Planimetrie, Stereometrie, ebenen u. sphärischen Trigonometrie, synthetischen Geometrie etc.) u. höheren Mathematik (höhere Analysis, Differential- u. Integral-Rechnung, analytische Geometrie der Ebene u. des Raumes etc.); — aus allen Zweigen der Physik, Mechanik, Graphostatik, Chemie, Geodäsie, Nautik, mathemat. Geographie, Astronemie; des Maschinen-, Strassen-, Eisenbahn-, Wasser-, Brücken- u. Hochbau's; der Konstruktionslehren als: darstell. Geometrie, Polar- u. Parallel-Perspektive, Schattenkonstruktionen etc. etc.

für

Schüler, Studierende, Kandidaten, Lehrer, Techniker jeder Art, Militärs etc.

zum einzig richtigen und erfolgreichen

Studium, zur Forthülfe bei Schularbeiten und zur rationellen Verwertung der exakten Wissenschaften,

herausgegeben von

Dr. Adolph Kleyer,

Mathematiker, vereideter königl. preuss. Feldmesser, vereideter grossh. hessischer Geometer I. Klasse

in Frankfurt a. M.

unter Mitwirkung der bewährtesten Kräfte.

Die Induktionselektricität.

Nach System Kleyer bearbeitet von **Adolf Krebs** in Frankfurt a. M.

Fortsetzung v. Heft 552. — Seite 161—176. Mit 10 Figuren.

Inhalt:

... Magneto-Induktion, bezogen auf die Kraftlinientheorie. — Die Selbstinduktion und die Kraftlinientheorie. — Die Induktion in körperlichen Leitern. — Kurzgefasste Zusammenstellung und Erklärung der mechanischen, magnetischen und elektromagnetischen Einheiten.

Stuttgart 1889.
Verlag von Julius Maier.

PROSPEKT.

Dieses Werk, welchem kein ähnliches zur Seite steht, erscheint monatlich in 3—4 Heften zu dem billigen Preise von 25 ₰ pro Heft und bringt eine Sammlung der wichtigsten und praktischsten Aufgaben aus dem Gesamtgebiete der **Mathematik, Physik, Mechanik,** math. **Geographie, Astronomie, des Maschinen-, Strassen-, Eisenbahn-, Brücken- und Hochbaues, des konstruktiven Zeichnens** etc. etc. und zwar in **vollständig gelöster Form,** mit vielen Figuren, Erklärungen nebst Angabe und Entwickelung der benutzten Sätze, Formeln, Regeln in Fragen mit Antworten etc., so dass die Lösung jedermann verständlich sein kann, bezw. wird, wenn eine grössere Anzahl der Hefte erschienen ist, da dieselben sich in ihrer Gesamtheit ergänzen und alsdann auch alle Teile der reinen und angewandten Mathematik — nach besonderen selbständigen Kapiteln angeordnet — vorliegen.

Fast jedem Hefte ist ein Anhang von ungelösten Aufgaben beigegeben, welche der eigenen Lösung (in analoger Form wie die bezüglichen gelösten Aufgaben) des Studierenden überlassen bleiben, und zugleich von den Herren Lehrern für den Schulunterricht benutzt werden können. Die Lösungen hierzu werden später in besonderen Heften für die Hand des Lehrers erscheinen. Am Schlusse eines jeden Kapitels gelangen: Titelblatt, Inhaltsverzeichnis, Berichtigungen und erläuternde Erklärungen über das betreffende Kapitel zur Ausgabe.

Das Werk behandelt zunächst den Hauptbestandteil des mathematisch-naturwissenschaftlichen Unterrichtsplanes folgender Schulen: **Realschulen I. und II. Ordn.,** gleichberechtigten höheren Bürgerschulen, Privatschulen, Gymnasien, Realgymnasien, Progymnasien, Schullehrer-Seminaren, Polytechniken, Techniken, Baugewerkschulen, Gewerbeschulen, Handelsschulen, techn. Vorbereitungsschulen aller Arten, gewerbliche Fortbildungsschulen, Akademien, Universitäten, Land- und Forstwissenschaftsschulen, Militärschulen, Vorbereitungs-Anstalten aller Arten als z. B. für das Einjährig-Freiwillige- und Offiziers-Examen etc.

Die Schüler, Studierenden und Kandidaten der mathematischen, technischen und naturwissenschaftlichen Fächer werden durch diese, **Schritt für Schritt gelöste,** Aufgabensammlung **immerwährend** an ihre in der Schule erworbenen oder nur gehörten Theorien etc. erinnert und wird ihnen hiermit der Weg zum unfehlbaren Auffinden der Lösungen derjenigen Aufgaben gezeigt, welche sie bei ihren **Prüfungen** zu lösen haben, zugleich aber auch die überaus grosse Fruchtbarkeit der mathematischen Wissenschaften vorgeführt.

Dem Lehrer soll mit dieser Aufgabensammlung eine kräftige Stütze für den Schul-Unterricht geboten werden, indem zur Erlernung des **praktischen Teils** der mathematischen Disciplinen — zum Auflösen von Aufgaben — in den meisten Schulen oft keine Zeit erübrigt werden kann, hiermit aber dem Schüler bei seinen häuslichen Arbeiten eine vollständige Anleitung in die Hände gegeben wird, entsprechende Aufgaben zu lösen, die gehabten Regeln, Formeln, Sätze etc. anzuwenden und praktisch zu verwerten. Lust, Liebe und Verständnis für den Schulunterricht wird dadurch erhalten und belebt werden.

Den Ingenieuren, Architekten, Technikern und Fachgenossen aller Art, Militärs etc. etc. soll diese Sammlung zur Auffrischung der erworbenen und vielleicht vergessener mathematischen Kenntnisse dienen und zugleich durch ihre praktischen in allen Beruf zweigen vorkommenden Anwendungen einem toten Kapital lebendige Kraft verleihen un somit den Antrieb zu weiterer praktischen Verwertungen und weiterer Forschungen gebe

Alle Buchhandlungen nehmen Bestellungen entgegen. Wichtige und praktische Au gaben werden mit Dank von der Redaktion entgegengenommen und mit Angabe der Name verbreitet. — Wünsche, Fragen etc., welche die Redaktion betreffen, nimmt der Verfasse Dr. Kleyer, Frankfurt a. M., Fischerfeldstrasse 16, entgegen, und wird deren Erledigun thunlichst berücksichtigt.

Stuttgart.   **Die Verlagshandlung.**

Figur 124.

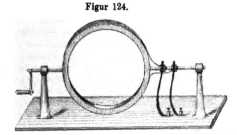

linien gibt die Inklinationsnadel. Es tritt nach voriger Antwort bei dem Erdinduktor jedesmal Stromwechsel ein, wenn die Ebene des Leiterkreises senkrecht zur Richtung der Kraftlinien, d. i. senkrecht zur Richtung der Inklinationsnadel steht, also bei einer ganzen Umdrehung zweimal (wie auch experimentell gezeigt wurde).

Frage 274. Ein Leiterkreis bewege sich im gleichförmigen magnetischen Felde so auf einem Kreise, dass seine Fläche immer senkrecht zum Umfang dieses Kreises liege. Welche Induktionserscheinungen treten in den verschiedenen Lagen auf und wann tritt Stromwechsel ein?

Antwort. Fig. 125 zeigt den fraglichen Fall. Die Richtung des Verlaufs der Kraftlinien ist von oben nach unten (durch die Pfeile angedeutet!). Bewegen wir R_1 nach R_2, so nimmt die Zahl der Kraftlinien ab; es kreist somit in

Figur 125.

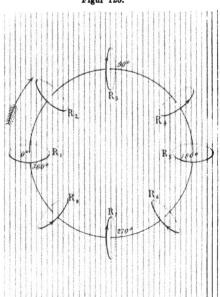

R_2, wenn man die Fläche R_2 in Richtung der Kraftlinien (d. i. von oben) betrachtet, ein der Uhrzeigerbewegung gleichgerichteter Strom. Diese Richtung

Erkl. 237. Betrachten wir z. B. den Leiterkreis R_2 von oben, so verläuft der Strom, wie der eingezeichnete Pfeil angibt, in Richtung des Uhrzeigers, betrachten wir R_2 von unten, so verläuft er in entgegengesetzter Richtung. Da jedoch an dem Stromverlauf nichts geändert wurde, so sieht man hieran deutlich, dass es sehr wesentlich ist, von welcher Seite aus man die Fläche ansieht und dass an dem Stromverlauf nichts geändert wird, wenn wir, die entgegengesetzte Fläche des Leiterkreises betrachtend, den Strom nach der entgegengesetzten Richtung verlaufen sehen.

Erkl. 238. Geht ein Strom $+i$ allmählich in einen Strom $-i$ über, so kann dies nur geschehen, wenn $+i$ mehr und mehr abnimmt und schliesslich Null wird.

Man ersieht ausserdem aus Fig. 124, dass in den Lagen R_1 und R_5 bei einer Bewegung des Leiterkreises durch dieselbe, die Aenderung der Zahl der Kraftlinien und mithin auch die Induktion eine kurze Zeit Null ist, da sich der Leiterkreis eine kurze Zeit den Kraftlinien parallel bewegt.

des Induktionsstroms bleibt dieselbe bis wir in die Stellung R_3 kommen. Von da ab nimmt die Zahl der Kraftlinien zu; in R_4 muss also, wenn man die Fläche R_4 in Richtung der Kraftlinien (d. i. von oben) ansieht, ein der Uhrzeigerbewegung entgegengesetzter Strom kreisen. Trotz alledem verläuft der Strom in R_4 in derselben Richtung wie in R_2 und R_3, da die Fläche, welche wir bei R_4 anschauen, der entgegengesetzten Fläche entspricht, welche wir bei R_2 und R_3 betrachten mussten. In R_4 ist die Stromrichtung wie in R_2 und R_3, da sowohl die anzuschauende Fläche als auch die Richtung des Induktionsstroms sich geändert haben (siehe Erkl. 237).

Bis in die Lage R_5 nimmt die Zahl der Kraftlinien zu. Es bleibt also bis dorthin die Richtung des Induktionsstroms ungeändert. Von da ab verringert sich aber die Zahl der Kraftlinien und da die Fläche, welche wir ansehen müssen, dieselbe bleibt, so erhalten wir in R_6 einen entgegengesetzten, also von oben gesehen einen Uhrzeigerstrom. Es tritt mithin beim Durchgang des Leiterkreises durch die Lage R_5 ein Stromwechsel ein. Von der Lage R_5 bis R_7 bleibt die Richtung der Induktionsströme dieselbe; denn obgleich auch von der Lage R_7 an die Zahl der Kraftlinien wieder zunimmt, so ändert sich allerdings die Richtung des Stroms, zugleich aber auch die Fläche, welche wir ansehen; es bleibt also die Richtung erhalten. Geht der Leiterkreis durch die Lage R_7, so nimmt die Zahl der Kraftlinien ab, während die Fläche von R_7, welche angesehen werden muss, dieselbe bleibt. Beim Durchgang durch die Lage R_7 tritt also ein Stromwechsel ein. Wir gelangen daher zu dem Resultat:

Bewegen wir den Leiterkreis von R_1 über R_2 u. s. w. nach R_5, d. h. von 0^0 bis 180^0, so kreisen in demselben Ströme von gleicher Richtung, desgleichen bei der Bewegung von 180^0 bis 360^0. Dagegen sind die zwischen 0^0 und 180^0 erregten Induktionsströme den zwischen 180^0 und 360^0 erregten entgegengesetzt gerichtet. In den Lagen R_1 und R_3 (0° und 180°) treten Stromwechsel ein. Es muss folglich der Leiterkreis in den Lagen R_1 und R_3 stromlos sein; denn der Uebergang eines Stromes von einer Richtung in einen Strom von der entgegengesetzten Richtung kann nur dann erfolgen, wenn an der Uebergangsstelle der Leiterkreis stromlos ist (siehe Erkl. 238).

Frage 275. Was lässt sich allgemein über die Stärke der Induktionsströme in einem Leiterkreise sagen, wenn sich derselbe in der in voriger Antwort beschriebenen Art und Weise in dem gleichförmigen magnetischen Felde bewegt?

Antwort. Die Stärke der Induktionsströme ist in den einzelnen Lagen des Leiterkreises proportional der Aenderung (Zu- oder Abnahme) der Zahl der die Fläche des Leiterkreises treffenden Kraftlinien. Ferner ist diese Aenderung der Zahl der Kraftlinien dem Sinus des Drehungswinkels proportional (siehe Antw. auf folgende Frage). Die Stärke der Induktionsströme ist daher für diesen Fall dem Sinus des Drehungswinkels proportional.

Frage 276. Wie kann man nachweisen, dass die Aenderung der Zahl der Kraftlinien dem Sinus des Drehungswinkels proportional ist?

Figur 126.

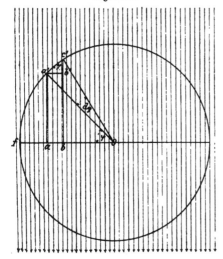

Antwort. Zu diesem Nachweis bedienen wir uns der Fig. 126. Angenommen, der Leiterkreis befinde sich bei a' und wir bewegen ihn ein sehr kleines Stück weiter, etwa nach c', so gibt die Linie $a'b'$ die Aenderung der Zahl der Kraftlinien an; es ist also $a'b'$ ein Mass für die Aenderung der Kraftlinienzahl; es ist dieser Zahl proportional. Liegt c' sehr nahe bei a', so können wir $a'c'$ als gerade Linie ansehen; dann ist aber, wenn $\angle\, aOa' = \varphi°$, auch $\angle\, a'c'b' = \varphi°$. Nun folgt aus dem rechtwinkligen Dreieck $a'b'c'$:

$$\sin \varphi = \frac{a'b'}{a'c'} \quad \text{(siehe Erkl. 239)}$$

oder:

1) .... $a'b' = a'c' \cdot \sin \varphi$

Da nun $a'c'$ sehr klein ist, so ist auch der Winkel $a'Oc'$, welchen wir mit $d\varphi$ bezeichnen wollen, sehr klein. In diesem Falle können wir den Winkel für den Bogen, also:

$$d\varphi = a'c'$$

setzen und erhalten:

Erkl. 239. In einem rechtwinkligen Dreieck ist der Sinus eines der Winkel gleich dem Verhältnis der dem Winkel gegenüber liegenden Kathete zur Hypotenuse. Also im Dreieck $a'c'b'$:

$$\sin \varphi = \frac{a'b'}{a'c'}$$

2). . . . . $a'b' = d\varphi \cdot \sin \varphi$

Da ferner $a'b'$ der Aenderung der Zahl der Kraftlinien proportional ist, so besagen 1). und 2).:

Die Aenderung der Zahl der Kraftlinien ist dem Sinus des Drehungswinkels proportional.

Frage 277. Wie kann man die Stärke der erregten Induktionsströme bei der betrachteten Bewegung eines Leiterkreises im gleichförmigen magnetischen Felde, an den einzelnen Stellen des Feldes bildlich darstellen?

Figur 127.

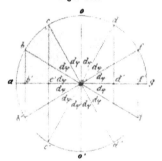

Figur 128.

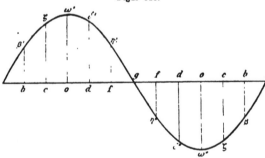

Erkl. 240. Von 0° ab bis gegen 60° nimmt der Sinus eines Winkels schnell zu, dann immer langsamer und in der Nähe von 90° ganz unbedeutend. Von da ab nimmt er erst langsam

Antwort. Um die Stärke der Induktionsströme an den einzelnen Stellen eines Feldes bildlich darzustellen, bemerken wir uns auf dem Kreis, auf welchem die Bewegung erfolgt, eine Anzahl Punkte, etwa die Punkte $a\,b\,c\,o\,d$ u. s. f., welche alle um den Winkel $d\varphi$ auseinander liegen sollen; ausserdem tragen wir auf einer Linie in gleichen Entfernungen die Punkte a, b, c, o u. s. f. auf. Die Kraftlinien sollen von oben nach unten, also senkrecht zu ag (s. Fig. 127) verlaufen. Es ist dann in den Punkten a und g (siehe Fig. 128) die Stärke der Induktion gleich Null, da $\sin \varphi$ für $\varphi = 0°$, 180°, 360° Null ist. Bewegt sich der Leiterkreis von a nach b, so wächst der Sinus und zwar ziemlich rasch (siehe Erkl. 240), so dass die Stärke der Induktion im Punkte b etwa gleich $b\beta'$ (siehe Fig. 128). Diese Länge tragen wir senkrecht zur Linie abc u. s. f. im Punkte b auf und erhalten den Punkt β'. Bei c ist dann die Induktion etwa gleich $c\zeta'$, bei o (am grössten, da $\sin 90° = 1$) gleich $o\omega'$ u. s. f., bei g Null, bei f etwa gleich $f\eta''$, welche Länge wir jetzt nach unten aufzutragen haben, da im Punkte g ein Stromwechsel eingetreten ist, bei d etwa $d\delta''$, bei o etwa $o\omega''$ (am grössten, da $\sin 270° = -1$) u. s. f., endlich bei a Null, da $\sin 360° = 0$.

Zieht man durch die einzelnen Punkte die Kurve $a, \beta', \zeta', \omega', \delta', \eta', g, \eta'', \delta'', \omega''$, ζ, β, a, so gibt dieselbe ein Bild für

und dann immer schneller ab, bis er bei 180°
den Wert Null erreicht u. s. f.

die Stärke der erregten Induktionsströme
in den einzelnen Stellen des gleichförmig
magnetischen Feldes.

Frage 278. Wie nennt man eine
solche in voriger Antw. gekennzeichnete
Kurve?

Antwort. Eine solche Kurve nennt
man Sinuskurve.

Frage 279. Eine Drahtrolle bewegt
sich in einem ungleichförmig magnetischen Felde. Welches ist die
Richtung des bei der Bewegung der
Rolle induzierten Stromes an den
verschiedenen Stellen?

Antwort. Um die Richtung der
induzierten Ströme festzustellen, bedienen wir uns der Fig. 129. Bewegen
wir die Drahtrolle aus der Lage R_1 nach
R_2, so nimmt die Zahl der die Win-
dungsflächen der Rolle treffenden Kraftlinien ab. In R_2 muss also ein Strom
kreisen, derart, dass er, die Rolle in
Richtung der Kraftlinien betrachtet, in
Richtung des Zeigers einer Uhr verläuft.
Bewegen wir die Rolle weiter nach R_3,
so nimmt die Zahl der Kraftlinien zu,
der Strom ändert also seine Richtung
und verläuft, wenn man die Rolle in
Richtung der Kraftlinien ansieht, in entgegengesetzter Richtung wie der Uhr-
zeiger.

Figur 129.

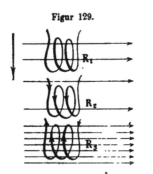

E. Die Gesetze der Magneto-Induktion bezogen auf die Kraftlinientheorie.

Frage 280. Welches allgemeine
Gesetz gilt für die in einem geschlossenen Leiter bei der Bewegung in einem
magnetischen Feld erregte elektromotorische Kraft?

Antwort. Für die elektromotorische
Kraft, welche bei der Bewegung eines
geschlossenen Leiters in einem magnetischen Felde erregt wird, gilt folgendes allgemeine Gesetz:

„Die elektromotorische Kraft
ist proportional der Fläche,
welche der geschlossene Leiter
einschliesst, und der Aenderung
der Zahl der Kraftlinien, welche
in jedem Augenblick der Bewegung die Fläche des Leiters
durchsetzen.“

Frage 281. Wie kann man dieses Grundgesetz, welches der Erfahrung entstammt, mathematisch ausdrücken?

Antwort. Ist F die Fläche des Leiters und N die Zahl der Kraftlinien, welche F in einem bestimmten Augenblick durchsetzen, ferner die Aenderung der Zahl der Kraftlinien bei einer Bewegung des Leiters während der kurzen Zeit dt gleich dN, so ist die Aenderung der Kraftlinien in jedem Augenblick (Zeiteinheit):

$$\frac{dN}{dt}$$

Mithin ist die in der Zeiteinheit erregte elektromotorische Kraft e bestimmt durch die Gleichung:

Formel 13: $e = k \cdot F \cdot \dfrac{dN}{dt}$

$k = $ Konstante.

Frage 282. Welche Gesetze gelten für den Spezialfall, dass sich ein kreisförmiger Leiter in einem gleichförmigen magnetischen Feld dreht?

Antwort. Für diesen speziellen Fall gelten folgende Gesetze:
Die elektromotorische Kraft ist proportional:
1). der Länge des Leiters,
2). dem Sinus des Winkels, welchen die Fläche des Leiters mit der Richtung der Kraftlinien bildet,
3). der Geschwindigkeit der Bewegung,
4). der Anzahl der Kraftlinien, welche die Fläche des Leiters treffen, wenn dieselbe senkrecht zur Richtung der Kraftlinien steht.

Frage 283. Wie kann man dieses Gesetz mathematisch ausdrücken?

Antwort. Ein kreisförmiger Leiter besitzt die Länge $2r\pi$, wenn r der Radius des Kreises ist. Wenn daher:

e die elektromotorische Kraft,
φ der Winkel, welchen die Fläche in einem bestimmten Augenblick mit der Richtung der Kraftlinien bildet,
v die Geschwindigkeit der Bewegung,
N die Zahl der Kraftlinien, welche die Fläche des Leiters treffen, wenn sie senkrecht zu der Richtung der Kraftlinien steht,

Erkl. 241. In nebenstehender Gleichung ist C eine Proportionalitätskonstante.

so ist: $e = C.2r\pi.v.N.\sin\varphi$ (s. Erkl. 241).

Frage 284. Wie kann man die in voriger Antwort aufgestellte Gleichung ableiten?

Erkl. 242. Ziehen wir vom Mittelpunkte eines Kreises aus zwei Radien nach dem Umfang, welche mit einander den sehr kleinen Winkel $d\varphi$ bilden, so ist der Bogen, welchen die Radien aus dem Umfang des Kreises ausschneiden, bei gleichbleibendem $d\varphi$ um so grösser, je grösser der Radius ist; der Bogen ist:

$$r\,d\varphi$$

Wird die Länge dieses Bogens in der Zeit dt zurückgelegt, so ist die Geschwindigkeit v:

$$v = r\frac{d\varphi}{dt}$$

Es ist also v die **Winkelgeschwindigkeit**, mit welcher sich der Leiter im magnetischen Felde dreht.

Antwort. Wir hatten allgemein gefunden (siehe Antw. auf Frage 281):

$$1).\ \ldots\ e = k.F\cdot\frac{dN}{dt}$$

Für einen **kreisförmigen** Leiter von dem Radius r ist:

$$2).\ \ldots\ F = r^2\pi$$

ferner hatten wir in Antw. auf Frage 276 nachgewiesen, dass die Aenderung der Zahl der Kraftlinien bei der Drehung eines kreisförmigen Leiters in einem gleichförmigen magnetischen Feld proportional sei dem Sinus des Drehungswinkels, so dass also:

$$3).\ \ldots\ dN = N\sin\varphi\,d\varphi$$

Setzen wir die Werte von F und dN in 1). ein, so ergibt sich:

$$e = k.r^2\pi.N.\sin\varphi\frac{d\varphi}{dt}$$

oder auch:

$$e = k.r\pi.N.\sin\varphi.r\frac{d\varphi}{dt}$$

Nach Erkl. 242 folgt endlich, dass die Grösse $r\dfrac{d\varphi}{dt}$ gleich der Geschwindigkeit (v) ist, mit welcher sich der Leiter dreht; demgemäss folgt:

$$e = k.r\pi.N\sin\varphi.v$$

Setzen wir jetzt noch:

$$k = 2\,C$$

so ergibt sich:

Formel 14: $e = C.2\,r\pi.v.N\sin\varphi$

was zu beweisen war.

Wir wissen ferner aus Antwort auf Frage 252, dass die Zahl der Kraftlinien, welche an einer bestimmten Stelle eine Fläche senkrecht treffen, proportional ist der Stärke (Intensität) H des magnetischen Feldes; daher haben wir:

$$N = \alpha.H$$

und

Formel 15: $e = c.2\,r\pi.v.H.\sin\varphi$

wo: $c = \alpha.C$

gesetzt wurde.

F. Ueber die Selbstinduktion und die Kraftlinientheorie.

Frage 285. Wie kann man die Erscheinungen der Selbstinduktion mit Hilfe der Kraftlinientheorie erklären?

Antwort. Nach Antw. auf Frage 23 treten in einem und demselben stromdurchflossenen Leiter Induktionserscheinungen auf, sobald der Strom in dem Leiter geöffnet oder geschlossen wird, indem die einzelnen Teile im Moment des Oeffnens oder Schliessens ungleichmässig vom Strome durchflossen sind.

Haben wir allgemein eine von einem gleichbleibenden Strome durchflossene Rolle R (siehe Fig. 130), so entsteht ein magnetisches Feld mit einer gewissen Zahl Kraftlinien. Dieselben verlaufen, wenn der Strom in der Rolle in der durch die Pfeile gekennzeichneten Richtung verläuft, von S nach N. Wird der Strom in der Rolle stärker, so nimmt die Zahl der die Rolle durchsetzenden Kraftlinien zu. Bei jeder Aenderung der Zahl der Kraftlinien, welche die Fläche eines Leiters durchsetzen, entsteht aber in dem Leiter ein Induktionsstrom. Die Richtung desselben gibt das in Antw. auf Frage 264 aufgestellte Gesetz. Bei einer Zunahme von Kraftlinien erhalten wir in der Rolle einen Induktions- (Extra-) Strom, welcher, wenn wir die Rolle in der Richtung $a\,b$ der Kraftlinien ansehen (also wenn wir die Fläche S betrachten), der Uhrzeigerbewegung entgegengesetzt gerichtet ist, also in Richtung der gestrichelten Pfeile, mithin dem Strom in der Rolle entgegenfliesst.

Figur 130.

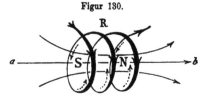

Erkl. 243. Dass der entstehende Induktionsstrom der Aenderung des Hauptstroms entgegenwirkt, ergibt sich schon aus dem Prinzip der Erhaltung der Energie (s. Antw. auf Frage 227 ff.), nach welchem alles, was entsteht, auf Kosten eines Andern entstanden sein muss.

Wird der Strom in der Rolle schwächer, so nimmt die Zahl der Kraftlinien ab, und wenn wir die Rolle wieder in Richtung der Kraftlinien (also die Fläche S) ansehen, so entwickelt sich in ihr ein Uhrzeigerstrom. Dieser hat also dieselbe Richtung wie der Strom in der Rolle.

In beiden Fällen wirkt der entstehende Induktionsstrom der Aenderung des Stroms in der Rolle entgegen. Im ersten Fall verzögert er die Verstärkung des Hauptstroms

dadurch, dass er in entgegengesetzter Richtung verläuft, im zweiten Fall
verzögert er die Abnahme des Hauptstroms dadurch, dass er in gleicher
Richtung verläuft und daher den Hauptstrom zu verstärken sucht (s. Erkl. 243).

Frage 286. Was lässt sich über die
Dauer der Selbstinduktion sagen?

Antwort. Ein Induktionsstrom in
einem Leiter dauert nach Antw. auf
Frage 263 nur so lange, als eine Aen-
derung der Kraftlinienzahl, welche die
Fläche des Leiters durchsetzen, erfolgt.
Bei der Selbstinduktion ändert sich diese
Kraftlinienzahl mit der Aenderung des
den Leiter durchfliessenden Hauptstroms.

Es tritt daher in einem Leiter
Selbstinduktion ein, so oft die
Stromstärke in diesem Leiter geändert wird, und sie dauert so
lange, bis keine Aenderung mehr
erfolgt.

Frage 287. Was bewirkt die in
einem Leiter auftretende Selbstinduktion?

Antwort. Die in einem stromdurch-
flossenen Leiter bei Aenderung der
Stromstärke auftretende Selbstinduktion
bewirkt, da sie immer einer Aende-
rung entgegenwirkt, eine langsamere
Aenderung des Hauptstroms. Der
Hauptstrom braucht bei der Ab- oder
Zunahme der Stromstärke eine grössere
Zeitdauer, um zu seiner vollen Stärke
zu gelangen.

Frage 288. Von welchen Grössen
hängt die Stärke der Selbstinduktion ab?

Antwort. Die Stärke der Selbstinduktion, d. i. die elektromotorische Kraft
des Selbstinduktionsstroms, hängt ab
1). von der Gestalt des Leiters,
2). von der Aenderung der Stärke
des Hauptstroms in diesem
Leiter.

Frage 289. Wie kann man die in
voriger Antw. aufgestellten Beziehungen der elektromotorischen Kraft der
Selbstinduktion durch eine Gleichung ausdrücken?

Antwort. Bezeichnet
E die elektromotorische Kraft der
Selbstinduktion,

L eine Konstante, welche von der Form des Leiters abhängt,

di die Grösse, um welche die Stromstärke i des Hauptstroms ab- oder zunimmt,

dt die Zeit, innerhalb welcher diese Aenderung erfolgt,

so ist:

$$1).\ \ldots\ldots\ E = L \cdot \frac{di}{dt}$$

denn $\frac{di}{dt}$ ist die Grösse der Aenderung des Hauptstroms pro Sekunde, E ist proportional der Aenderung der Zahl der Kraftlinien pro Sekunde (s. Antw. auf Frage 280), diese ihrerseits aber proportional der Grösse der Stromschwankung in 1 Sekunde, also proportional $\frac{di}{dt}$.

Frage 290. Wie nennt man die Konstante L in der Gleichung 1 in voriger Antwort?

Antwort. Diese Konstante L nennt man den Koefficienten der Selbstinduktion.

Frage 291. Wovon hängt der Koefficient der Selbstinduktion ab?

Antwort. Der Koefficient L hängt ab von der Form des Leiters; bei einem geradlinigen linearen Leiter ist derselbe eine kleine Grösse. Windet man diesen Draht jedoch auf eine Rolle, so wird er beträchtlich, da jetzt die einzelnen Elemente des Leiters näher zusammenliegen.

Frage 292. Auf welche Weise kann man einen Draht auf eine Rolle aufwickeln, ohne dass der Selbstinduktionskoefficient beträchtlich wird?

Figur 131.

Erkl. 244. Induktionsfreie Rollen sind zur Herstellung von Widerständen unumgänglich notwendig. In den Widerstandskästen (Rheostaten) haben die einzelnen Drahtwiderstände eine derartige induktionsfreie Wicklung.

Antwort. Biegen wir einen Draht in seiner Mitte derart um, dass die beiden Hälften des Drahts nebeneinander verlaufen (siehe Fig. 131), so tritt in demselben keine Selbstinduktion auf, da die entstehenden Induktionsströme in beiden Hälften entgegengesetzt verlaufen und sich infolgedessen aufheben. Wickelt man einen derartig gebogenen Draht auf eine Rolle auf, so entstehen nur ganz geringe Induktionserscheinungen und man kann eine derartige Wicklung als induktionsfrei ansehen (s. Erkl. 244).

Frage 293. Wodurch wird die Selbstinduktion in Drahtrollen wesentlich verstärkt?

Antwort. Bringt man in eine Drahtrolle einen Eisenkern, so ändert sich mit der durch die Rolle fliessenden Stromstärke nicht nur die Zahl der durch die Rolle, sondern auch der durch den magnetisierten Eisenkern hervorgerufenen Kraftlinien. Beide nehmen zugleich zu und ab. Die Aenderung der Zahl der Kraftlinien ist bei Stromschwankungen grösser, folglich auch die Selbstinduktion.

Frage 294. Als was stellt sich der Selbstinduktionskoefficient nach Massgabe der Dimensionen dar?

Antwort. Nach Antw. auf Frage 289 ist:

$$E = L \cdot \frac{d\,i}{d\,t}$$

woraus:

$$L = E \cdot \frac{d\,t}{d\,i}$$

Die Dimension der elektromotorischen Kraft (E) ist:

$$gr^{\frac{1}{2}} \cdot cm^{\frac{3}{2}} \cdot sec^{-2}$$

Erkl. 245. Ueber die Dimensionen vergleiche man *May* und *Krebs*, Lehrb. des Elektromagnetismus II. Teil Abschnitt F „Ueber das elektromagnetische Masssystem", oder den Abschnitt H dieses Lehrbuchs.

die der Stromstärke i:

$$gr^{\frac{1}{2}} \cdot cm^{\frac{1}{2}} \cdot sec^{-1}$$

diejenige der Zeit t:

$$sec$$

mithin:

$$\text{Dimension } L = \frac{\text{Dimension } E \cdot \text{Dimension } t}{\text{Dimension } i}$$

$$= \frac{gr^{\frac{1}{2}} \cdot cm^{\frac{3}{2}} \cdot sec^{-2} \cdot sec}{gr^{\frac{1}{2}} \cdot cm^{\frac{1}{2}} \cdot sec^{-1}}$$

oder:

$$\text{Dimension } L = cm.$$

Die Dimension des Selbstinduktionskoefficienten ist daher gleichartig mit einer Länge (s. Erkl. 245).

G. Ueber die Induktion in körperlichen Leitern.

a). Ueber die Richtung der in körperlichen Leitern erregten Induktionsströme.

Frage 295. Wie lässt sich die Richtung der in körperlichen Leitern erregten Induktionsströme bestimmen?

Figur 132.

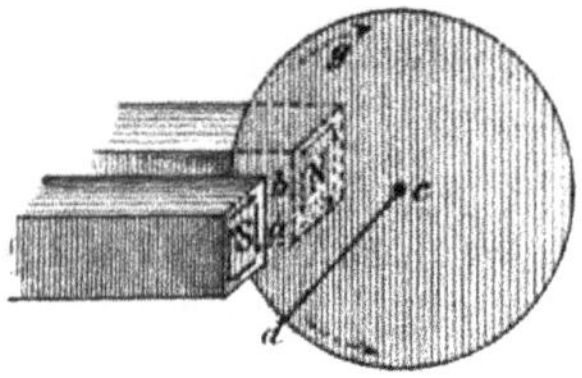

Erkl. 246. Nach *Ampère* kann man sich die Pole von Magneten von geschlossenen Strömen umkreist denken, deren elektrodynamische Wirkung die magnetischen Wirkungen der Pole ersetzt (siehe *May* und *Krebs*, Lehrb. des Elektromagnetismus Antw. auf Frage 37 ff.).

Erkl. 247. Die Lehren der Elektrodynamik zeigen, dass zwei Ströme, welche eine gekreuzte Lage gegen einander haben und von denen der eine beweglich ist, sich so zu stellen suchen, dass sie parallel sind und die Ströme in gleicher Richtung fliessen (s. *May*, Lehrbuch der Elektrodynamik Antw. auf Frage 15).

Antwort. Zur Bestimmung der Richtung der in körperlichen Leitern erregten Induktionsströme bedienen wir uns des in Fig. 132 dargestellten Falls, wo sich eine Kupferscheibe zwischen zwei Magnetpolen bewegt. Statt der Magnetpole N und S können wir uns zwei stromdurchflossene Leiter vorstellen, und zwar verlaufen die Ströme nach *Ampères* Theorie des Magnetismus (s. Erkl. 246) in der durch die Pfeile angedeuteten Richtung, so dass an den einander zugekehrten Seiten der Pole, also bei a und b, diese Ströme parallel nach unten gerichtet sind. Fliesst nun auf der Scheibe ein Strom in der Richtung cd, so würden die der Scheibe zunächst liegenden Teile der Ampèreschen Ströme das Bestreben haben, das Stromstück cd sich parallel und gleichgerichtet zu stellen (s. Erkl. 247), also in Richtung des unteren Pfeiles zu drehen. Man muss mithin die Scheibe in der entgegengesetzten Richtung (in Richtung des Pfeils g) drehen, wenn wir einen Induktionsstrom in der Richtung cd erregen wollen.

---

b). Ueber die Verhinderung des Zustandekommens von Induktionsströmen in körperlichen Leitern.

Frage 296. Wie kann man allgemein das Zustandekommen von Induktionsströmen in körperlichen Leitern verhindern?

Antwort. Will man das Zustandekommen von Induktionsströmen in körperlichen Leitern verhindern, so muss man den körperlichen Leiter senkrecht zu der Richtung, in welcher die

Ströme fliessen, in einzelne Schichten zerlegen und diese durch eine isolierende Masse von einander trennen.

Frage 297. Auf welche Weise kann man z. B. das Zustandekommen von Induktionsströmen in der in Fig. 133 gezeichneten Kupferscheibe verhindern?

Antwort. Um dies zu erreichen, zerlegen wir die Scheibe in einzelne Ringe, welche durch je eine isolierende Schicht von einander getrennt sind (s. Fig. 133 und Erkl. 248).

Figur 133.

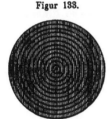

Erkl. 248. In der Fig. 133 sind die isolierenden Schichten dunkel gezeichnet.

Frage 298. Aus welchem Grunde ist es häufig notwendig, das Zustandekommen von Induktionsströmen in körperlichen Leitern zu verhindern?

Antwort. Es ist häufig der Fall, dass wir in linearen Leitern (Drähten), welche auf körperliche Leiter (Eisenmassen) gewickelt sind, durch Bewegen in einem magnetischen Felde Induktionsströme erregen und den körperlichen Leiter nur zur Verstärkung der Induktion (infolge der Magnetisierung der Eisenmassen) benutzen. Nun entstehen aber neben dieser Magnetisierung des Eisenkerns in demselben Induktionsströme, welche einerseits die Magnetisierung hemmen, anderseits dadurch, dass sie nicht weggeleitet werden, den körperlichen Leiter erwärmen. Die Erwärmung aber kann die Isolation der aufgewickelten Drähte zerstören; deswegen ist es notwendig, das Zustandekommen von Induktionsströmen in den Eisenmassen zu verhindern (s. Erkl. 249).

Erkl. 249. Ein solcher Fall tritt z. B. bei dem Pacinotti-Grammeschen Ring (s. Antw. auf Frage 166) ein. Man wickelt daher die Drähte nicht auf einen massiven Eisenkern, sondern auf ausgeglühte und gefirniste Eisendrähte, so dass die einzelnen Drähte von einander isoliert sind.

H. Kurz gefasste Zusammenstellung und Erklärung der wichtigsten mechanischen, magnetischen und elektromagnetischen Einheiten.

Anmerkung. Eine ausführlichere Darstellung dieser Einheiten wurde bereits in *May & Krebs*, Lehrb. des Elektromagnetismus, Teil II, Abschnitt F gegeben, worauf ich hier verweisen möchte.

a). Mechanische Masseinheiten.

Absolute Einheiten.

1). Einheit der Zeit ist die Sekunde.

2). Einheit der Länge ist das Centimeter (cm).

3). Einheit der Geschwindigkeit ist diejenige Geschwindigkeit, mittels welcher in 1 Sekunde ein Weg von 1 Centimeter zurückgelegt wird (siehe Erkl. 250).
(Dimension $v = $ cm . sec^{-1}.)

4). Einheit der Beschleunigung ist diejenige Beschleunigung, welche einer Geschwindigkeitsänderung um 1 Centimeter in 1 Sekunde entspricht (siehe Erkl. 251).
(Dimension $p = $ cm . sec^{-2}.)

5). Einheit der Masse ist das Gramm (gr).

6). Einheit der Kraft, **Dyn** genannt, ist diejenige Kraft, welche der Masse 1 Gramm in 1 Sekunde die Beschleunigung von 1 Centimeter erteilt (siehe Erkl. 252).
(Dimension $K = $ gr . cm . sec^{-2}.)

7). Einheit der Arbeit, **Erg** genannt, ist diejenige Arbeit, welche von der absoluten Krafteinheit auf dem Wege 1 cm geleistet wird.
Es ist nämlich die Arbeit (A) gleich dem Produkt aus Kraft (K) und Weg (s); also:
$$A = K . s$$
(Dimension $A = $ gr . cm^2 . sec^{-2}.)

8). Einheit des Effekts, **Sekundenerg** genannt, ist diejenige Arbeit, welche die absolute Krafteinheit (Dyn) auf dem Wege 1 cm in 1 Sekunde leistet.
Es ist nämlich der Effekt (F) gleich der Arbeit in 1 Sekunde. Ist die Arbeit innerhalb t Sekunden gleich A, so ist der Effekt:
$$F = \frac{A}{t}$$
(Dimension $F = $ gr . cm^2 . sec^{-3}.)

Praktische Einheiten.

Erkl. 250. Unter Geschwindigkeit (v) versteht man allgemein das Verhältnis des zurückgelegten Weges l zu der darauf verwendeten Zeit t. Also:
$$v = \frac{l}{t}$$

Erkl. 251. Unter Beschleunigung (p) versteht man das Verhältnis der Geschwindigkeitsänderung (v) zu der Zeit (t), innerhalb welcher diese Aenderung erfolgt. Also:
$$p = \frac{v}{t}$$

Erkl. 252. Die Kraft (K) ist gleich dem Produkt aus Masse (M) und Beschleunigung (p). Also:
$$K = M . p$$

7ª). Einheit der Arbeit ist das Meterkilogramm oder Kilogrammmeter, d. i. die Arbeit, welche nötig ist, um 1 Kilogramm 1 Meter hoch zu heben (also auf eine Erstreckung von 1 Meter die Anziehungskraft der Erde zu überwinden). Es ist:

1 Meterkilogramm = 9,81 . 10^7 Erg.

8ª). Einheit des Effekts ist das Sekundenmeterkilogramm, d. i. der Effekt einer Kraft, welche in 1 Sekunde 1 Kilogramm 1 Meter hebt.

75 Sekundenmeterkilogramm nennt man 1 Pferdekraft.

1 Sekundenmeterkilogramm = 9,81 . 10^7 Sekundenerg

1 Pferdekraft = 75.9,81 . 10^7 Sekun-

denerg $= 736.10^7$ Sekundenerg.

(Dimension Pferdekraft $=$
$736.10^7 . \text{gr} . \text{cm}^2 . \text{sec}^{-3}$.)

9). Einheit des Drehungsmoments
besitzt die absolute Krafteinheit am Hebelarme 1 cm (siehe Erkl. 253).

(Dimension $D = \text{gr} . \text{cm}^2 . \text{sec}^{-2}$.)

Erkl. 253. Wirkt eine Kraft (K) senkrecht an einem Hebelarme (l), so ist das
Drehungsmoment (D) bestimmt durch
das Produkt aus Kraft und Hebelarm;
also:
$$D = K.l$$

---

b). Magnetische Masseinheiten.

Absolute Einheiten.

1). Einheit der Magnetismusmenge
ist diejenige Menge Magnetismus, welche
in der Entfernung 1 cm auf eine ihr gleiche
Menge die absolute Krafteinheit ausübt (s.
Erkl. 254).

(Dimension $m = \text{gr}^{\frac{1}{2}} . \text{cm}^{\frac{3}{2}} . \text{sec}^{-1}$.)

Praktische Einheiten.

Erkl. 254. Zwei magnetische Massen
m und m_1 in der Entfernung l von einander ziehen sich an oder stossen sich
ab mit einer Kraft K:
$$K = \frac{m . m_1}{l^2}.$$

Für $m = m_1$ folgt $m = l . K^{\frac{1}{2}}$

**2). Einheit des magnetischen Mo-
ments** besitzt ein Magnet, welcher aus
zwei Polen mit den absoluten Magnetismus-
mengen ± 1 besteht, die um 1 cm von einander entfernt fest miteinander verbunden
sind (siehe Erkl. 255).

(Dimension $M = \text{gr}^{\frac{1}{2}} . \text{cm}^{\frac{5}{2}} . \text{sec}^{-1}$.)

Erkl. 255. Unter dem magnetischen
Moment (M) eines Magnets versteht man
das Produkt aus dem Abstand (l) der
beiden Pole und der Menge (m) des in
einem der Pole angehäuft gedachten
freien Magnetismus.

3). Einheit der Stärke (Intensität)
eines magnetischen Feldes besitzt ein
magnetisches Feld an der Stelle, an welcher sie einer Magnetnadel von dem absoluten magnetischen Moment 1 das absolute
Drehungsmoment 1 erteilt (siehe Erkl. 256);
oder: Die Einheit der Stärke besitzt ein
magnetisches Feld an einer bestimmten
Stelle, wenn an dieser Stelle eine Kraftlinie die Flächeneinheit senkrecht trifft (s.
Erkl. 257).

(Dimension $H = \text{gr}^{\frac{1}{2}} . \text{cm}^{-\frac{1}{2}} . \text{sec}^{-1}$.)

Erkl. 256. Das Drehungsmoment D,
welches auf eine Magnetnadel mit dem
magnetischen Moment M in einem magnetischen Feld von der Intensität H ausgeübt wird, ist:
$$D = M.H$$
Hieraus folgt:
$$H = \frac{D}{M}$$

Erkl. 257. Eine Kraftlinie ist die
Grösse und Richtung der magnetischen
Kraft, welche von dem Pol mit der absoluten Menge 1 freien Magnetismus auf
die in der Entfernung 1 cm befindliche
senkrechte Fläche von 1 qcm ausgeübt
wird.

---

c). Elektromagnetische Masseinheiten.

Absolute Einheiten.

1). Einheit der Stromstärke (i) ist
diejenige Stromstärke, welche, wenn sie

Praktische Einheiten.

1ª). Einheit der Stromstärke ist
das **Ampère**; dasselbe ist der 10. Teil

einem Leiter von der Länge 1 cm herrscht, auf die absolute Magnetismusmenge 1 in der Entfernung 1 cm die absolute Krafteinheit ausübt.

(Dimension $i = \mathrm{gr}^{\frac{1}{2}} . \mathrm{cm}^{\frac{1}{2}} . \mathrm{sec}^{-1}$.)

(Siehe *May & Krebs*, Lehrb. d. Elektromagnetismus Antw. auf Frage 189.)

2). **Einheit der Elektricitätsmenge** (*E*) ist diejenige Menge, welche, wenn sie in 1 Sekunde durch die Länge 1 cm der Leitung fliesst, die absolute Einheit der Stromstärke erzeugt. Es ist:

$$E = i . t$$

(Dimension $E = \mathrm{gr}^{\frac{1}{2}} . \mathrm{cm}^{\frac{1}{2}}$.)

(Siehe *May & Krebs*, Lehrb. d. Elektromagnetismus Antw. auf Frage 191.)

3). **Einheit der elektromotorischen Kraft** (*e*) entsteht, wenn sich ein geschlossener Leiter von der Fläche 1 qcm in einem magnetischen Felde senkrecht zur Richtung der Kraftlinien bewegt und bei der Geschwindigkeit von 1 cm pro Sekunde die Zahl der durch die Fläche des Leiters tretenden Kraftlinien um 1 Kraftlinie zu- oder abnimmt.

(Dimension $e = \mathrm{gr}^{\frac{1}{2}} . \mathrm{cm}^{\frac{3}{2}} . \mathrm{sec}^{-2}$.)

(Man vergleiche Antw. auf Frage 280.)

4). **Einheit der elektrischen Arbeit** (*A*) leistet eine Stromquelle, welche bei einer elektromotorischen Kraft (*e*) von 1 C. G. S. in 1 Sekunde die absolute Einheit der Elektricitätsmenge (*E*) erzeugt. Es ist allgemein:

$$A = e . E$$

Mithin:

(Dimension $A = \mathrm{gr} . \mathrm{cm}^2 . \mathrm{sec}^{-2}$.)

Die elektrische Arbeit, welche eine Stromquelle leistet, ist gleich der **elektrischen Energie der Stromquelle.**

5). **Einheit des elektrischen Effekts** (*F*) leistet eine Stromquelle von der absoluten Einheit der Stromstärke (*i*) und elektromotorischen Kraft (*e*) in 1 sec. Es ist allgemein der Effekt *F*:

$$F = \frac{A}{t} = \frac{e . E}{t}$$

und da:

$$\frac{E}{t} = i \text{ (siehe Nro. 2)}$$

so folgt:

$$F = e . i$$

(Dimension $F = \mathrm{gr} . \mathrm{cm}^2 . \mathrm{sec}^{-3}$.)

der absoluten Einheit der Stromstärke. Daher:

Dimension i Ampère $= \dfrac{1}{10} \mathrm{gr}^{\frac{1}{2}} . \mathrm{cm}^{\frac{1}{2}} . \mathrm{sec}^{-1}$

$$= 10^{-1} \mathrm{gr}^{\frac{1}{2}} . \mathrm{cm}^{\frac{1}{2}} . \mathrm{sec}^{-1}$$

(Man sehe die Erkl. 258 am Ende dieses Abschnitts.)

2ª). **Einheit der Elektricitätsmenge** ist das **Coulomb**; dasselbe ist der 10. Teil der absoluten Einheit der Elektricitätsmenge. Daher:

Dimension E Coulomb $= 10^{-1} \mathrm{gr}^{\frac{1}{2}} . \mathrm{cm}^{\frac{1}{2}}$

3ª). **Einheit der elektromotorischen Kraft** ist das **Volt**; dasselbe ist 10^8 mal grösser als die absolute Einheit der elektromotorischen Kraft.

Dimension e Volt $= 10^8 \mathrm{gr}^{\frac{1}{2}} . \mathrm{cm}^{\frac{3}{2}} . \mathrm{sec}^{-2}$

(Ueber die Wahl des Faktors 10^8 sehe man die Erkl. 258 am Ende dieses Abschnitts.)

4ª). **Einheit der elektrischen Arbeit** ist das **Volt-Coulomb**; dasselbe ist 10^7 mal grösser als die absolute Einheit der elektrischen Arbeit.

Dimension Volt-Coulomb $=$
$$10^7 \mathrm{gr} . \mathrm{cm}^2 . \mathrm{sec}^{-2}$$

denn das Volt ist $= 10^8 \mathrm{gr}^{\frac{1}{2}} . \mathrm{cm}^{\frac{3}{2}} . \mathrm{sec}^{-2}$

das Coulomb $= 10^{-1} \mathrm{gr}^{\frac{1}{2}} . \mathrm{cm}^{\frac{1}{2}}$

also:

Volt $\times$ Coulomb $= 10^7 \mathrm{gr} . \mathrm{cm}^2 . \mathrm{sec}^{-2}$

5ª). **Einheit des elektrischen Effekts** ist das **Voltampère** oder **Watt**; dasselbe ist 10^7 mal grösser als die absolute Einheit des elektrischen Effekts.

Dimension Voltampère (Watt) $=$
$$10^7 \mathrm{gr} . \mathrm{cm}^2 . \mathrm{sec}^{-3}$$

Vergleichen wir diese Dimension mit der Dimension einer Pferdekraft (siehe Seite 175 unter 8a.), so folgt, da:

Dimension Pferdekraft $=$
$$736 . 10^7 \mathrm{gr} . \mathrm{cm}^2 . \mathrm{sec}^{-3}$$

Preisgekrönt in Frankfurt a. M. 1881.

Der **ausführliche Prospekt** und das **ausführliche In-haltsverzeichnis** der „vollständig gelösten Aufgabensammlung von Dr. Ad. Kleyer" kann von jeder Buchhandlung, sowie von der Verlagshandlung **gratis und portofrei** bezogen werden.

Bemerkt sei hier nur:

1). Jedes Heft ist aufgeschnitten und gut brochiert, um den **sofortigen und dauern** den Gebrauch zu gestatten.

2). Jedes Kapitel enthält sein besonderes Titelblatt, Inhaltsverzeichnis, Berichtigungen und Erklärungen am Schlusse desselben.

3). Auf jedes einzelne Kapitel kann abonniert werden.

4). **Monatlich erscheinen 3—4 Hefte zu dem Abonnementspreise** von 25 Pfg. pro Heft.

5). Die **Reihenfolge** der Hefte im nachstehenden, kurz angedeuteten Inhaltsverzeichnis ist, **wie aus dem Prospekt ersichtlich, ohne jede Bedeutung für** die Interessenten.

6). Das Werk enthält **Alles**, was sich überhaupt auf mathematische Wissenschaften bezieht, alle Lehrsätze, Formeln und Regeln etc. mit Beweisen, alle praktischen Aufgaben in vollständig gelöster Form mit Anhängen ungelöster analoger Aufgaben und vielen vortrefflichen Figuren.

7). **Das Werk ist ein praktisches Lehrbuch für Schüler aller Schulen, das beste Handbuch für Lehrer und Examinatoren, das vorzüglichste Lehrbuch zum Selbststudium, das vortrefflichste Nachschlagebuch** für Fachleute und Techniker jeder Art.

8). Alle Buchhandlungen nehmen Bestellungen entgegen.

➤ Das vollständige

Inhaltsverzeichnis
der bis jetzt erschienenen Hefte

kan durch jede Buchhandlung bezogen werden.

---

¹jährlich erscheinen Nachträge über die inzwischen neu erschienenen Hefte.

Druck von Carl Hammer in Stuttgart.

562. Heft | Preis des Heftes **25 Pf.** | **Die Induktionselektricität.**
Forts. v. Heft 553. — Seite 177—192.
Mit 9 Figuren.

Vollständig gelöste
Aufgaben-Sammlung
— nebst Anhängen ungelöster Aufgaben, für den Schul- & Selbstunterricht —

mit

Angabe und Entwicklung der benutzten Sätze, Formeln, Regeln in Fragen und Antworten

erläutert durch

viele Holzschnitte & lithograph. Tafeln,

aus allen Zweigen

der Rechenkunst, der niederen (Algebra, Planimetrie, Stereometrie, ebenen u. sphärischen Trigonometrie, synthetischen Geometrie etc.) u. höheren Mathematik (höhere Analysis, Differential- u. Integral-Rechnung, analytische Geometrie der Ebene u. des Raumes etc.); — aus allen Zweigen der Physik, Mechanik, Graphostatik, Chemie, Geodäsie, Nautik, mathemat. Geographie, Astronomie; des Maschinen-, Strafsen-, Eisenbahn-, Wasser-, Brücken- u. Hochbau's; der Konstruktionslehren als: darstell. Geometrie, Polar- u. Parallel-Perspective, Schattenkonstruktionen etc. etc.

für

Schüler, Studierende, Kandidaten, Lehrer, Techniker jeder Art, Militärs etc.

zum einzig richtigen und erfolgreichen

Studium, zur **Forthülfe** bei Schularbeiten und zur **rationellen Verwertung** der exakten Wissenschaften,

herausgegeben von

Dr. Adolph Kleyer,

Mathematiker, vereideter königl. preuss. Feldmesser, vereideter grossh. hessischer Geometer I. Klasse

in **Frankfurt a. M.**

unter Mitwirkung der bewährtesten Kräfte.

Die Induktionselektricität.

Nach System Kleyer bearbeitet von **Adolf Krebs** in Frankfurt a. M.

Fortsetzung v. Heft 553. — Seite 177—192. Mit 9 Figuren.

Inhalt:

Stuttgart 1889.
Verlag von Julius Maier.

Preisgekrönt in Frankfurt a. M. 1881.

PROSPEKT.

Dieses Werk, welchem kein Ähnliches zur Seite steht, erscheint monatlich in 3—4 Heften zu dem billigen Preise von 25 ₰ pro Heft und bringt eine Sammlung der wichtigsten und praktischsten Aufgaben aus dem Gesamtgebiete der Mathematik, Physik, Mechanik, math. Geographie, Astronomie, des Maschinen-, Strassen-, Eisenbahn-, Brücken- und Hochbaues, des konstruktiven Zeichnens etc. etc. und zwar in vollständig gelöster Form, mit vielen Figuren, Erklärungen nebst Angabe und Entwickelung der benutzten Sätze, Formeln, Regeln in Fragen mit Antworten etc., so dass die Lösung jedermann verständlich sein kann, bezw. wird, wenn eine grössere Anzahl der Hefte erschienen ist, da dieselben sich in ihrer Gesamtheit ergänzen und alsdann auch alle Teile der reinen und angewandten Mathematik — nach besonderen selbständigen Kapiteln angeordnet — vorliegen.

Fast jedem Hefte ist ein Anhang von ungelösten Aufgaben beigegeben, welche der eigenen Lösung (in analoger Form, wie die bezüglichen gelösten Aufgaben) des Studierenden überlassen bleiben, und zugleich von den Herren Lehrern für den Schulunterricht benutzt werden können. — Die Lösungen hierzu werden später in besonderen Heften für die Hand des Lehrers erscheinen. Am Schlusse eines jeden Kapitels gelangen: Titelblatt, Inhaltsverzeichnis, Berichtigungen und erläuternde Erklärungen über das betreffende Kapitel zur Ausgabe.

Das Werk behandelt zunächst den Hauptbestandteil des mathematisch-naturwissenschaftlichen Unterrichtsplanes folgender Schulen: Realschulen I. und II. Ord., gleich berechtigten höheren Bürgerschulen, Privatschulen, Gymnasien, Realgymnasien, Progymnasien, Schullehrer-Seminaren, Polytechniken, Techniken, Baugewerkschulen, Gewerbeschulen, Handelsschulen, techn. Vorbereitungsschulen aller Arten, gewerbliche Fortbildungsschulen, Akademien, Universitäten, Land- und Forstwissenschaftsschulen, Militärschulen, Vorbereitungs-Anstalten aller Arten als z. B. für das Einjährig-Freiwillige- und Offiziers-Examen, etc.

Die Schüler, Studierenden und Kandidaten der mathematischen, technischen und naturwissenschaftlichen Fächer, werden durch diese, Schritt für Schritt gelöste, Aufgabensammlung immerwährend an ihre in der Schule erworbenen oder nur gehörten Theorien etc. erinnert und wird ihnen hiermit der Weg zum unfehlbaren Auffinden der Lösungen derjenigen Aufgaben gezeigt, welche sie bei ihren Prüfungen zu lösen haben, zugleich aber auch die überaus grosse Fruchtbarkeit der mathematischen Wissenschaften vorgeführt.

Dem Lehrer soll mit dieser Aufgabensammlung eine kräftige Stütze für den Schulunterricht geboten werden, indem zur Erlernung des praktischen Teiles der mathematischen Disziplinen — zum Auflösen von Aufgaben — in den meisten Schulen oft keine Zeit erübrigt werden kann, hiermit aber dem Schüler bei seinen häuslichen Arbeiten eine vollständige Anleitung in die Hände gegeben wird, entsprechende Aufgaben zu lösen, die gehabten Regeln, Formeln, Sätze etc. anzuwenden und praktisch zu verwerten. Lust, Liebe und Verständnis für den Schul-Unterricht wird dadurch erhalten und belebt werden.

Den Ingenieuren, Architekten, Technikern und Fachgenossen aller Art, Militärs etc. etc. soll diese Sammlung zur Auffrischung der erworbenen und vielleicht vergessenen mathematischen Kenntnisse dienen und zugleich durch ihre praktischen in allen Berufszweigen vorkommenden Anwendungen einem toten Kapitale lebendige Kraft verleihen und somit den Antrieb zu weiteren praktischen Verwertungen und weiteren Forschungen geben.

Alle Buchhandlungen nehmen Bestellungen entgegen. Wichtige und praktische Aufgaben werden mit Dank von der Redaktion entgegengenommen und mit Angabe der Namen verbreitet. — Wünsche, Fragen etc., welche die Redaktion betreffen, nimmt der Verfasser, Dr. Kleyer, Frankfurt a. M. Fischerfeldstrasse 16, entgegen und wird deren Erledigung thunlichst berücksichtigt.

Stuttgart.   Die Verlagshandlung.

$$1 \text{ Voltampère (Watt)} = \frac{1}{736} \text{ Pferdekraft}$$

oder:

$$1 \text{ Voltampère (Watt)} = 0,00136 \text{ Pferdekraft}$$

Da ferner:

$$1 \text{ Sekundenmeterkilogramm} = \frac{1}{75} \text{ Pferdekraft}$$

so folgt:

$$1 \text{ Voltampère (Watt)} = 0,102 \text{ Sekundenmeterkilogramm.}$$

6). Einheit des Widerstands (*w*) besitzt derjenige Leiter, in welchem bei der absoluten Einheit der elektromotorischen Kraft (*e*) der Strom mit der absoluten Einheit der Stromstärke (*i*) fliesst. Allgemein ist:

oder:

$$i = \frac{e}{w} \quad \text{(Ohmsches Gesetz)}$$

mithin:

$$w = \frac{e}{i}.$$

$$\text{Dimension } w = \text{cm . sec}^{-1}$$

6ª). Einheit des Widerstands ist das Ohm; dasselbe ist 10^9 mal so gross als die absolute Einheit des Widerstands. Daher:

$$\text{Dimension Ohm} = 10^9 . \text{cm . sec}^{-1}$$

Es ist nämlich:

$$\text{Ohm} = \frac{\text{Volt}}{\text{Ampère}}$$

$$= \frac{10^8 \, \text{gr}^{\frac{1}{2}} . \text{cm}^{\frac{3}{2}} . \text{sec}^{-2}}{10^{-1} \, \text{gr}^{\frac{1}{2}} . \text{cm}^{\frac{1}{2}} . \text{sec}^{-1}}$$

$$= 10^9 . \text{cm . sec}^{-1}$$

Erkl. 258. Unter elektromotorischer Kraft versteht man ganz allgemein die Ursache einer Elektricitätsbewegung. Eine solche Bewegung kann zwischen 2 Punkten, welche miteinander leitend verbunden sind, aber nur dann stattfinden, wenn die beiden Punkte verschiedene Mengen Elektricität, oder, wie man auch sagt, verschiedene elektrische Spannungen besitzen, so dass zwischen den beiden Punkten eine sogen. Spannungsdifferenz herrscht (siehe Erkl. 259). Je grösser diese Spannungsdifferenz ist, um so stärker ist das Bestreben, diese Differenz auszugleichen, Elektricität von dem einen Punkt nach dem andern überzuführen, um so grösser also die elektromotorische Kraft. Als Vergleich führt man häufig zwei mit Wasser gefüllte Gefässe an, welche miteinander durch eine Röhre verbunden sind, während der Wasserspiegel in beiden Gefässen verschieden hoch ist. Aus dem Gefäss, in welchem der höchste Wasserstand ist, strebt das Wasser in das andere Gefäss zu fliessen. Die Ursache der Bewegung des Wassers (also in elektrischer Hinsicht die elektromotorische Kraft) ist die Druckdifferenz zwischen den Wasserspiegeln in den Gefässen. Je grösser diese Druckdifferenz, um so grösser ist das Bestreben, einen Ausgleich herbeizuführen, eine Bewegung zu beginnen.

Sind die beiden Punkte, zwischen welchen eine Spannungsdifferenz herrscht, miteinander leitend verbunden, so fliesst Elektricität von dem einen Punkt nach dem andern über. Durch jede Längeneinheit der Leitung wird also eine bestimmte Elektricitätsmenge fliessen.

Diejenige Menge aber, welche in der Zeiteinheit durch die Längeneinheit der Leitung fliesst, stellt uns die Stärke dar, mit welcher die Elektricität von dem einen Punkt nach dem andern fliesst, die sog. Stromstärke oder Stromintensität. Die Grösse der Stromstärke hängt natürlich ab von dem Widerstand, welchen die leitende Verbindung der beiden Punkte dem Durchfluss von Elektricität bietet. Ist dieser sog. elektrische Leitungswiderstand = w, ferner die elektromotorische Kraft = e, so ist die Stromstärke i

$$i = \frac{e}{w}$$

Diese Beziehung wurde von Ohm gefunden und heisst das Ohmsche Gesetz.

Die Stromstärke ist an jedem Punkte eines Stromkreises dieselbe, wenn auch der Stromkreis an den verschiedenen Stellen von verschieden guten elektrischen Leitern gebildet wird.

Die Spannungsdifferenz dagegen ist an den verschiedenen Stellen verschieden. Die Spannungsdifferenz zwischen den beiden äussersten Punkten (d. i. an den Polen der Stromquelle) gibt die nutzbare elektromotorische Kraft.

Die praktische Einheit der elektromotorischen Kraft ist das Volt. Dasselbe entspricht ungefähr der elektromotorischen Kraft eines Daniell-Elements und ist 10^8 mal grösser als die absolute Einheit der elektromotorischen Kraft.

Die praktische Einheit der Stromstärke ist das Ampère; dasselbe ist $\frac{1}{10}$ der absoluten (C.-G.-S.) Einheit der Stromstärke. Man wählte das Volt 10^8 mal grösser als die absolute Einheit, weil es dann ungefähr mit der elektromotorischen Kraft eines Daniell-Elements übereinstimmt und diese für die Praxis genügend klein ist; ferner setzte man das Ampère = $\frac{1}{10}$ der absoluten Einheit, da dann das Produkt aus Volt und Ampère, das sog. Volt-Ampère oder Watt in seiner Dimension mit derjenigen eines mechanischen Effekts übereinstimmt. Es ist nämlich:

dim Volt-Ampère $= 10^8 . 10^{-1}\,\mathrm{gr}.\,\mathrm{cm}^2.\,\mathrm{sec}^{-3}$

$\qquad\qquad\quad = 10^7\,\mathrm{gr}.\,\mathrm{cm}^2.\,\mathrm{sec}^{-3}$

dim Sekundenmeterkilogramm =

$\qquad\qquad\qquad 10^7\,\mathrm{gr}.\,\mathrm{cm}^2.\,\mathrm{sec}^{-3}.\,9{,}81$

so dass:

1 Voltampère (Watt) =

$\qquad\qquad \frac{1}{9{,}81}$ Sekundenmeterkilogramm.

Also nur damit der Exponent von 10^7 bei Voltampère mit demjenigen eines Sekundenmeterkilogramms (oder auch Pferdekraft) übereinstimme, wurde 1 Ampère = $\frac{1}{10}$ C.-G.-S. = 10^{-1} C.-G.-S. gewählt. (Näheres sehe man *May & Krebs* Lehrbuch des Elektromagnetismus, Antw. auf Frage 189 ff.)

Erkl. 259. Die Spannungsdifferenz zwischen zwei Punkten kann man auch als Ursache einer Elektricitätsbewegung, also als elektromotorische Kraft ansehen. Sind die Punkte leitend miteinander verbunden, so ist die Spannungsdifferenz zwischen 2 entfernter gelegenen Punkten grösser, zwischen 2 näher gelegenen kleiner. Die elektromotorische Kraft eines Stromkreises dagegen bezieht sich auf die Spannungsdifferenz zwischen den beiden äussersten Punkten des Kreises; man kann also nur in diesem Falle von einer Übereinstimmung von elektromotorischer Kraft und Spannungsdifferenz sprechen. An Stelle von Spannungsdifferenz (auch Potenzialdifferenz genannt) sagt man auch schlechthin Spannung.

Uebersichtliche Zusammenstellung der in vorstehendem Abschnitt angeführten Grössen.

Zu messende Grösse.	Name der Einheit.	Dimension.
Zeit (absolut)	Sekunde	sec
Länge (absolut)	Centimeter	cm
Geschwindigkeit (absolut)	—	$cm \cdot sec^{-1}$
Beschleunigung (absolut)	—	$cm \cdot sec^{-2}$
Masse (absolut)	Gramm-Masse	gr
Kraft (absolut)	Dyn	$gr \cdot cm \cdot sec^{-2}$
Arbeit (absolut)	Erg	$gr \cdot cm^2 \cdot sec^{-2}$
— (praktisch) . . .	Meterkilogramm	$9{,}81 \cdot 10^7 \, gr \cdot cm^2 \cdot sec^{-2}$
Effekt (absolut)	Sekundenerg	$gr \cdot cm^2 \cdot sec^{-3}$
— (praktisch) . . .	Sekundenmeterkilogramm	$9{,}81 \cdot 10^7 \, gr \cdot cm^2 \cdot sec^{-3}$
— (praktisch) . . .	Pferdekraft	$736 \cdot 10^7 \, gr \cdot cm^2 \cdot sec^{-3}$
Drehungsmoment		$gr \cdot cm^2 \cdot sec^{-2}$
Magnetismusmenge . . . . ⎫		$gr^{\frac{1}{2}} \cdot cm^{\frac{3}{2}} \cdot sec^{-1}$
Magnetisches Moment . . . ⎬ (absolut)		$gr^{\frac{1}{2}} \cdot cm^{\frac{5}{2}} \cdot sec^{-1}$
Stärke (Intensität) eines magnetischen Feldes . . . ⎭	1 Kraftlinie	$gr^{\frac{1}{2}} \cdot cm^{-\frac{1}{2}} \cdot sec^{-1}$
Stromstärke (Intensität) (absolut) .	—	$gr^{\frac{1}{2}} \cdot cm^{\frac{1}{2}} \cdot sec^{-1}$
— (praktisch)	Ampère	$10^{-1} gr^{\frac{1}{2}} \cdot cm^{\frac{1}{2}} \cdot sec^{-1}$
Elektricitätsmenge (absolut) . . .	—	$gr^{\frac{1}{2}} \cdot cm^{\frac{1}{2}}$
— (praktisch) . .	Coulomb	$10^{-1} gr^{\frac{1}{2}} \cdot cm^{\frac{1}{2}}$
Elektromotorische Kraft (absolut) .	—	$gr^{\frac{1}{2}} \cdot cm^{\frac{3}{2}} \cdot sec^{-2}$
— — (praktisch) .	Volt	$10^8 gr^{\frac{1}{2}} \cdot cm^{\frac{3}{2}} \cdot sec^{-2}$
Elektrische Arbeit (absolut) . . .	—	$gr \cdot cm^2 \cdot sec^{-2}$
— — (praktisch) . .	Volt-Coulomb	$10^7 gr \cdot cm^2 \cdot sec^{-2}$
Elektrischer Effekt (absolut) . . .	—	$gr \cdot cm^2 \cdot sec^{-3}$
— (praktisch) . .	Voltampère od. Watt	$10^7 \cdot gr \cdot cm^2 \cdot sec^{-3}$
Elektrischer Widerstand (absolut) .	—	$cm \cdot sec^{-1}$
— (praktisch)	Ohm	$10^9 \cdot cm \cdot sec^{-1}$
Koeffizient d. Selbstinduktion (absolut)	—	cm

J. Gelöste Aufgaben.

Aufgabe 1. Der Leitungswiderstand der Hauptrolle eines Induktionsapparats sei 3,955 Ohm, derjenige der Nebenrolle 50 Ohm, ausserdem betrage der Widerstand des mit den Enden der Nebenrolle verbundenen Apparats 50 Ohm. Die elektromotorische Kraft der Hauptrolle werde erzeugt durch 4 parallel geschaltete Bunsensche Elemente, deren jedes 2 Volt und 0,18 Ohm inneren Widerstand besitze. Wie gross ist

1). die elektromotorische Kraft der Nebenrolle (Induktionsrolle),
2). die Stromstärke in der Haupt- und Nebenrolle,

wenn 10% der Energie der Hauptrolle verloren gehen?

Figur 134.

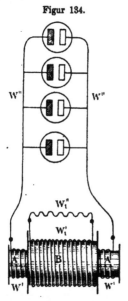

Auflösung. In Fig. 134 ist das schematische Bild des Haupt- (A) und Nebenstromkreises (B) dargestellt.

Der Widerstand w des Hauptstromkreises setzt sich zusammen aus dem Widerstand der Hauptrolle ($w' = 3,955$ Ohm) und dem Widerstand w'' der 4 parallel geschalteten Elemente. Bei der Parallelschaltung von 4 Elementen beträgt der Widerstand w'' in den Elementen den 4. Teil eines einzigen Elements (siehe Erkl. 260), daher:

$$w'' = \frac{0,18}{4} = 0,045 \text{ Ohm}$$

mithin ist:

$$w = w' + w'' = 3,955 + 0,045 = 4 \text{ Ohm}$$

Der Widerstand w' im Nebenstromkreis setzt sich zusammen aus dem Widerstand w_1' der Nebenrolle und dem Widerstand w_1'' des zwischen die Enden der Rolle geschalteten Apparats; also:

$$w_1 = w_1' + w_1'' = 50 + 50 = 100 \text{ Ohm}$$

Die elektromotorische Kraft e von 4 parallel geschalteten Elementen ist gleich derjenigen eines einzigen Elements, also:

$$e = 2 \text{ Volt}$$

Gemäss Formel 7 ist:

$$e_1 = C . e . \sqrt{\frac{w_1}{w}}$$

Da 10% Energie verloren geht, so ist:

$$C = \sqrt{0,9} = 0,95$$

mithin:

$$e_1 = 0,95 . 2 \sqrt{\frac{100}{4}} = 1,9 . 5$$

oder:

$$e_1 = 9,5 \text{ Volt}$$

Die induzierte elektromotorische Kraft e_1 in der Nebenrolle beträgt mithin 9,5 Volt.

2). a) Die mittlere Stromstärke i_1 in der Nebenrolle findet man aus dem Ohmschen Gesetz; es ist:

$$i_1 = \frac{e_1}{w_1} = \frac{9,5}{100} \text{ Ampère}$$

oder:

$$i_1 = 0,095 \text{ Ampère}$$

b) Die mittlere Stromstärke i in der Hauptrolle findet man ebenso aus der Formel:

$$i = \frac{e}{w} = \frac{2}{4} \text{ Ampère}$$

$$i = 0,5 \text{ Ampère}.$$

Aufgabe 2. Die Hauptrolle eines Induktionsapparats besitze 100 Windungen Kupferdraht von 0,5 qmm Querschnitt; jede Windung besitze einen mittleren Radius von 2,5 cm. Wie viel Windungen muss die Nebenrolle besitzen, wenn ihre elektromotorische Kraft 85 Volt sein soll, ferner der mittlere Radius einer Windung = 4 cm und der Querschnitt des Drahtes = 0,2 qmm ist, und wenn die elektromotorische Kraft im Hauptstromkreis von 3 hintereinander geschalteten Bunsenschen Elementen geliefert wird? Der Widerstand des mit den Enden der Nebenrolle verbundenen Apparats betrage $5/4$ des Widerstands der Rolle.

Auflösung. Wir wenden die Formel:

$$e_1 = C \cdot e \sqrt{\frac{w_1}{w}}$$

an. In dieser ist, wenn wir 10 % Energieverlust annehmen:

$$C = \sqrt{0,9} = 0,95$$

Der Widerstand w setzt sich zusammen aus dem Widerstand w'' in den hintereinander geschalteten Elementen (siehe Erkl. 261) und dem Widerstand w' der Hauptrolle.

w'' ist gleich dem Widerstand eines Elements (0,18 Ohm) multipliziert mit der Anzahl (3) der Elemente, also:

$$w'' = 3 \cdot 0,18 = 0,54$$

Figur 135.

Erkl. 261. Unter Hintereinanderschaltung von Elementen versteht man die Verbindung je eines positiven Pols eines Elements mit dem negativen Pol des folgenden, also etwa die in Fig. 135 gezeichnete Verbindung. Bei einer solchen Verbindung ist die gesamte elektromotorische Kraft gleich der Summe der elektromotorischen Kräfte der einzelnen Elemente; das gleiche gilt für den gesamten Leitungswiderstand in den Elementen (siehe *May*, Lehrb. der Kontaktelektricität, Antw. auf Frage 339).

w' berechnet sich aus der Windungszahl der Hauptrolle folgendermassen: Die Länge l einer Windung mit dem Radius $r = 2,5$ cm ist:

oder:

$$l = 2 \cdot r \cdot \pi = 2 \cdot 2,5 \cdot 3,1416$$

$$l = 15,708 \text{ cm}$$

Die 100 Windungen der Hauptrolle besitzen daher eine Länge L:

oder:

$$L = 15,708 \cdot 100 = 1570,8 \text{ cm}$$

$$L = 15,708 \text{ Meter.}$$

Der Widerstand w' dieser L Meter ist allgemein:

$$w' = c \frac{L}{Q} \quad \text{(siehe Erkl. 262)}$$

wo c den Widerstand eines Drahtes von 1 m Länge und 1 qmm Querschnitt, L die Länge in Metern und Q den Querschnitt des Drahtes in qmm bezeichnet. Für Kupfer ist:

$$c = 0,0167 \text{ Ohm}$$

Da ferner:

$$Q = 0,5 \text{ qmm (der Aufg. gemäss)}$$

Erkl. 262. Der Leitungswiderstand w eines beliebigen Drahtes vom Querschnitt Q qmm und L Meter Länge ist:

$$w = c \cdot \frac{L}{Q}$$

wo c den Widerstand eines Drahtes desselben Stoffs von 1 m Länge und 1 qmm Querschnitt bedeutet. Drückt man c in Ohm aus, so ergibt sich der Widerstand w in Ohm. (Näheres *May*, Lehrb. der Kontaktelektricität Antw. auf Frage 353.)

Hilfsrechnung 1.

Es ist:

$$\log w_1' = 2 \log 85 + \log 4 + \log 1,065$$
$$- 2 \log 0,95 + 2 \log 6 + \log 9$$

$$=\quad
\begin{array}{ll}
3,85884 & 0,95665 - 1 \\
0,60206 & 1,56229 \\
0,02735 & 0,95665 \\
\hline
4,48825 & \overline{2,47559 - 1} \\
-1,47559 & = 1,47559 \\
\end{array}$$

$$\log w_1' = \overline{3,01266}$$

$$w_1' = 1029,6$$

so folgt:

$$w' = 0,0167 \frac{15,708}{0,5}$$

woraus:

$$w' = 0,525 \text{ Ohm}$$

mithin ist:

$$w = w' + w'' = 0,525 + 0,54$$

oder:

$$w = 1,065 \text{ Ohm}$$

Der Widerstand w_1 im Nebenstromkreis setzt sich zusammen aus dem Widerstand w_1' der Nebenrolle und dem Widerstand w_1'' des mit den Enden der Nebenrolle verbundenen Apparats; es ist also:

$$w_1 = w_1' + w_1''$$

Da ferner der Aufgabe gemäss:

$$w_1'' = \frac{5}{4} w_1'$$

so folgt:

$$w_1 = w_1' + \frac{5}{4} \cdot w_1'' = \frac{9}{4} \cdot w_1'$$

Mittels Formel 7 können wir nun zunächst den Widerstand w_1' der Nebenrolle berechnen; es ist:

$$e_1 = C \cdot e \sqrt{\frac{w_1}{w}}$$

oder da:

$$e_1 = 85 \text{ Volt}, \ C = 0,95, \ e = 6 \text{ Volt}, \ w_1 = \frac{9}{4} w_1'$$

und $w = 1,065 \text{ Ohm}$

so folgt:

$$85 = 0,95 \cdot 6 \sqrt{\frac{\frac{9}{4} w_1'}{1,065}}$$

woraus:

$$85^2 = 0,95^2 \cdot 6^2 \cdot \frac{9}{4} \cdot \frac{w_1'}{1,065}$$

oder:

$$w_1' = \frac{85^2 \cdot 4 \cdot 1,065}{0,95^2 \cdot 6^2 \cdot 9}$$

folglich nach Hilfsrechnung 1:

$$w_1' = 1029,6 \text{ Ohm}$$

Der Widerstand w und die Dimensionen eines Drahtes stehen in folgendem Zusammenhang, es ist:

$$w = c \frac{L}{Q}$$

$L =$ Länge in Metern, $Q =$ Querschnitt in qmm.

Nun ist der Radius r einer Windung der Nebenrolle $= 4$ cm, also $= 0,04$ m, mithin die Länge L in Metern:

$$L = 2 r \cdot \pi = 2 \cdot 0,04 \cdot \pi$$

$$L = 0,25 \text{ Meter}$$

ferner der Aufgabe gemäss der Querschnitt 0,2 qmm. Mithin der Widerstand w einer einzigen Windung für Kupfer ($c = 0,0167$):

$$w = 0,0167 \cdot \frac{0,25}{0,2} = \frac{0,0167 \cdot 2,5}{2}$$

$$w = 0,2088 \text{ Ohm}$$

Auf den Widerstand $w = 0,2088$ Ohm kommt eine einzige Windung Kupferdraht von 0,2 qmm Querschnitt und 0,25 Meter Länge, mithin kommen auf $w_1' = 1029,6$ Ohm

$$\frac{1029,6}{0,2088} = 4932 \text{ Windungen.}$$

Die Nebenrolle besitzt demgemäss 4932 Windungen Kupferdraht von 0,2 qmm Querschnitt.

Aufgabe 3. In dem Hauptstromkreis fliesse ein Strom von 8 Ampère. Die Hauptrolle besitze 20 Windungen von 0,15 qmm Querschnitt und 2,5 cm Radius; ferner betrage der innere Widerstand der Stromquelle 0,15 Ohm. Wie gross ist die elektromotorische Kraft im Nebenstromkreise, wenn derselbe einen Widerstand von 200 Ohm besitzt?

Auflösung. 1). Gemäss Formel 9 ist:

$$e_1 = C \cdot i \sqrt{w \cdot w_1}$$

Hierin ist zu setzen, wenn wir 10 % Energieverlust annehmen:

$C = 0,95$, $i = 8$ Ampère, $w_1 = 200$ Ohm.

Um e_1 zu berechnen, müssen wir noch den Widerstand w des Hauptstromkreises bestimmen; derselbe setzt sich zusammen aus dem inneren Widerstand w' der Stromquelle ($= 0,15$ Ohm) und dem Widerstand w'' der Hauptrolle, so dass:

$$w = 0,15 + w'' \text{ Ohm}$$

w'' berechnet sich folgendermassen: 20 Windungen von dem Radius $r = 2,5$ cm haben eine Länge L,

$$L = 2 r \pi \cdot 20 = 2 \cdot 2,5 \cdot 3,1416 \cdot 20$$
$$= 314,16$$
$$L = 3,1416 \text{ m}$$

Der Widerstand w'' dieses Kupferdrahts von 3,1416 Meter Länge und 0,15 qmm Querschnitt ist:

$$w'' = 0,0167 \cdot \frac{L}{Q}$$

$$= 0,0167 \cdot \frac{3,1416}{0,15}$$

oder (siehe Hilfsrechnung 2):

$$w'' = 0,34977$$

oder annähernd:

$$w'' = 0,35$$

Hilfsrechnung 2:

Es ist:

$\log w'' = \log 0,0167 + \log 3,1416 - \log 0,15$

$$= \begin{array}{r} 0,22272 - 2 \\ 0,49715 \\ \hline 0,71987 - 2 \\ - 0,17609 - 1 \end{array}$$

$$\log w'' = \overline{0,54378} - 1$$

oder:

$$w'' = 0,34977$$

Daher ist:

$$w = 0{,}15 + w''$$
$$= 0{,}15 + 0{,}35$$

oder:

$$w = 0{,}5$$

mithin:

$$e_l = C \cdot i \sqrt{w \cdot w_l}$$
$$= 0{,}95 \cdot 8 \sqrt{0{,}5 \cdot 200}$$
$$= 0{,}95 \cdot 8 \cdot 10$$

woraus:

$$e_l = 76 \ \text{Volt.}$$

Die elektromotorische Kraft im Nebenstromkreise beträgt demgemäss 76 Volt.

III. Teil.

Die Anwendung der Induktion.

(Elemente der Elektrotechnik.)

A. Die elektrischen Maschinen im allgemeinen.

Frage 299. Worauf beruht ganz allgemein die Herstellung von elektrischen Maschinen?

Antwort. Die Herstellung von elektrischen Maschinen beruht auf der Thatsache, dass in elektrischen Leitern bei der Bewegung durch ein magnetisches Feld elektrische Ströme erregt werden.

Frage 300. Welchen Zweck haben die elektrischen Maschinen?

Antwort. Die elektrischen Maschinen haben den Zweck, mechanische Energie (Bewegung) in elektrische Energie (elektrische Ströme) umzuwandeln.

Frage 301. Wann wird dieser Zweck am vollkommensten erreicht?

Antwort. Falls die gesamte mechanische Energie in elektrische Energie umgesetzt wird, ist der Zweck der elektrischen Maschine am vollkommensten erreicht.

Frage 302. Welches ist daher das höchste Ziel, auf welches bei dem Bau von elektrischen Maschinen hingearbeitet wird?

Antwort. Das letzte und höchste Ziel, welches der Bau von elektrischen Maschinen zu erreichen sucht, ist die möglichst vollkommenste Umwandlung. der gesamten mechanischen Energie in elektrische Energie (siehe Erkl. 263).

Erkl. 263. Dieses Ziel wird allerdings nie ganz erreicht werden können, da die Umsetzung von Energien immer mit Verlusten verbunden ist; nicht aber etwa, dass ein Teil der ursprünglichen Energie spurlos verloren ginge, denn dies widerspricht ja dem Prinzip von der Erhaltung der Energie (Antw. auf Frage 227), sondern dass dieser Teil in eine andre, nicht gewünschte Energie verwandelt wird. So wird bei den elektrischen Maschinen immer ein Teil der mechanischen Energie in Wärme umgesetzt. Es ist daher das Ziel beim Bau der elektrischen Maschinen, diesen Verlust an gewünschter Energie möglichst klein zu machen.

Frage 303. Welche wesentlichen Teile unterscheidet man bei jeder elektrischen Maschine?

Antwort. Bei jeder elektrischen Maschine unterscheidet man
a). den Anker,
b). die Feldmagnete.

Frage 304. Was versteht man unter dem Anker einer elektrischen Maschine?

Erkl. 264. Häufig nennt man diesen Teil auch die Armatur der elektrischen Maschine. Wir werden den Ausdruck „Anker" beibehalten.

Antwort. Der Anker einer elektrischen Maschine ist derjenige Teil, in welchem Ströme erregt werden sollen (siehe Erkl. 264).

Frage 305. Was versteht man unter den Feldmagneten einer elektrischen Maschine?

Antwort. Die Feldmagnete bilden den Teil der elektrischen Maschine, welche das magnetische Feld erzeugen, in dem sich der Anker bewegt.

Frage 306. Welche Hauptrichtungen werden bei dem Bau von elektrischen Maschinen eingeschlagen?

Erkl. 265. Zwischen Gleichstrom- und Wechselstrommaschinen besteht ein prinzipieller Unterschied nicht. Wir treffen trotzdem diese Unterscheidung, da man auf der einen Seite mit Gleichstrom-, auf der andern Seite mit Wechselstrommaschinen den höchsten Nutzeffekt bei der Umsetzung mechanischer Energie in elektrische zu erreichen hofft.

Antwort. Man unterscheidet zwei Hauptrichtungen bei dem Bau von elektrischen Maschinen: Die Herstellung von

a). Gleichstrommaschinen,
b). Wechselstrommaschinen.

Die ersteren liefern vermöge ihrer Einrichtung Ströme von immer gleicher Richtung, die letzteren solche von schnell wechselnder Richtung (siehe Erkl. 265).

1). Ueber die Gleichstrommaschinen.

a). Ueber den Anker der Gleichstrommaschinen.

Frage 307. Welche Hauptformen des Ankers unterscheidet man bei Gleichstrommaschinen?

Erkl. 266. Es gibt noch eine dritte Form des Ankers, die sog. Scheibenform. Wir begnügen uns mit der Beschreibung des Rings und der Trommel, da diese am weitesten verbreitet sind.

Antwort. Die Hauptformen des Ankers bei Gleichstrommaschinen sind

α). der Ring,
β). die Trommel
(siehe Erkl. 266).

α). Ueber den Ringanker.

Frage 308. Woraus besteht der Ringanker?

Erkl. 267. Man vergl. dieses Lehrb. Teil I, Antw. auf Frage 165 ff.

Antwort. Der Ringanker besteht aus einem Ring von Eisen, auf welchem sich einzelne Drahtrollen befinden, die unter einander verbunden sind (siehe Erkl. 267).

Frage 309. Wie kann man sich über die in einem Ring anker bei der Bewegung desselben durch ein magnetisches Feld auftretenden Induktionserscheinungen am einfachsten Klarheit verschaffen?

Antwort. Um Klarheit über die auftretenden Induktionserscheinungen zu erhalten, nehmen wir einen speziellen Fall an. Wir setzen ein gleichförmig magnetisches Feld (Antw. auf Frage 259) voraus und nehmen an, dass der Kern des Ringes nicht aus Eisen (sondern etwa aus Holz) besteht. Sodann bilden wir uns nach und nach den Ringanker, indem wir von einer Windung ausgehen und den Ring nach und nach ganz mit Windungen bedecken.

Frage 310. Welche Induktionserscheinungen treten auf, wenn sich ein Holzring, auf welchem sich eine einzige Windung befindet, in einem gleichförmigen Felde dreht?

Antwort. Diesen Fall haben wir bereits in Antw. auf Frage 274 eingehend besprochen; wir hatten gesehen, dass in dem Leiterkreis bei der Be-

Figur 136.

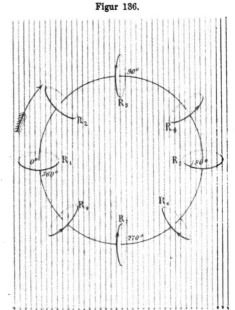

wegung in dem gleichförmigen magnetischen Felde Induktionsströme erregt wurden und zwar verliefen auf der oberen Hälfte (siehe Fig. 136) R_2, R_3, R_4

in der einen, auf der unteren Hälfte
R_5, R_7, R_8 in der entgegengesetzten
Richtung. An den Stellen R_1 und R_5
traten Wechsel in der Stromrichtung
ein. Die elektromotorischen Kräfte ferner, welche in den einzelnen Lagen induziert wurden, hatten in den Lagen R_1
und R_5 den Wert Null, in den Lagen
R_3 und R_7 ihren grössten Wert. Die
Grösse derselben in den einzelnen Lagen
hatten wir durch eine Sinuskurve dargestellt (siehe Fig. 137).

Figur 137.

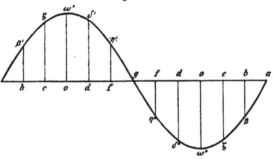

Frage 311. Wie kann man erreichen,
dass die Ströme, welche in dem Leiterkreis induziert werden, in allen Lagen
gleiche Richtung haben?

Figur 188.

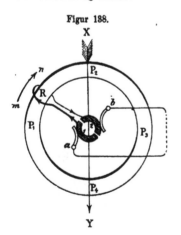

Um dies zu erreichen bedienen wir
uns eines zweiteiligen Stromsammlers. In Fig. 138 ist der Anfang des
Leiterkreises R mit dem einen (1), das
Ende mit einem zweiten Metallstück (2)
des Stromsammlers verbunden. An den
den Lagen P_1 und P_3 entsprechenden
Stellen des Stromsammlers schleifen
zwei Bürsten a und b. Die beiden
Metallstücke des Stromsammlers sind
von einander durch eine isolierende
Schicht getrennt, welche so gelegen
ist, dass die Bürsten a und b von dem
einen Metallstück auf das andere übergehen, sobald der Leiterkreis durch die
Lagen P_1 oder P_3 geht, also im Moment, wo in diesem ein Stromwechsel
eintritt. Es fliesst daher immer von der
einen Bürste der Strom ab und durch
den äusseren Stromkreis nach der
anderen Bürste hin. Der Strom ver-

Erkl. 268. Man vergleiche die ganz ähnlichen Vorrichtungen in Antw. auf Frage 155 und 163.

läuft also im äusseren Stromkreis immer in derselben Richtung (siehe Erkl. 268).

Frage 312. Wie kann man die Grösse der elektromotorischen Kraft dieses gleichgerichteten Induktionsstroms bildlich darstellen?

Figur 139.

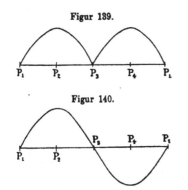

Figur 140.

Antwort. Fig. 139 zeigt den Verlauf der Grösse der elektromotorischen Kraft des gleichgerichteten Induktionsstroms, während Fig. 140 den Verlauf des nicht gleichgerichteten Induktionsstroms erkennen lässt. Bei P_1 ist dieselbe Null, nimmt zu bis P_2, wo sie ihren grössten Wert erhält, und wird bei P_3 wieder Null; von da ab steigt sie wieder in derselben Richtung wie vorher, da wir ja den Strom gleichgerichtet haben, erreicht bei P_4 ihren grössten Wert und wird bei P_1 wieder Null.

Frage 313. Wie müssen zwei auf einem Holzringe gegenüberliegende Rollen mit einander verbunden sein, damit die bei der Drehung in einem gleichförmigen magnetischen Felde induzierten elektromotorischen Kräfte sich summieren?

Figur 141.

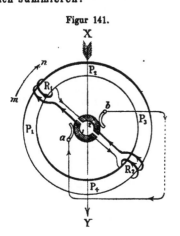

Antwort. Fig. 141 stellt eine solche Verbindung der beiden Rollen R_1 und R_2 dar. Auf einem Stromsammler mit den beiden Metallstücken 1 und 2 sind der Anfang der einen und das Ende der zweiten Rolle mit je einem Metallstück verbunden. An 1 und 2 schleifen die einander gegenüberliegenden Bürsten a und b. Die Metallstücke sind durch eine isolierende Schicht von einander getrennt, welche so gelegen ist, dass die Bürsten a und b von dem einen Metallstück auf das andre übergehen in dem Moment, wo die beiden Rollen die Lage P_1 bezw. P_3 passieren.

Man bemerkt, dass, wenn die Kraftlinien in der Richtung XY und die Bewegung in der Richtung mn erfolgt, auf Grund des Gesetzes in Antw. auf Frage 264 in den Rollen Induktionsströme erregt werden, derart, dass immer nach dem einen Metallstück zwei Ströme hin- (siehe die Pfeile in der Figur), von dem andern wegfliessen; es summieren sich also die in beiden Rollen erregten Induktionsströme. Im Augenblick, wo die Rollen die Lagen P_1 und P_3 passieren, tritt in beiden Rollen Stromwechsel ein; da aber gleichzeitig die Bürsten a und b von dem einen Metallstück auf das andre übergehen, so behält der Strom im äusseren Stromkreis, welcher zwischen den Bürsten a und b liegt, immer die gleiche Richtung.

Frage 314. Wie kann man die Grösse der elektromotorischen Gesamtkraft, welche bei der Bewegung der beiden Rollen im gleichförmigen magnetischen Feld entsteht, bildlich darstellen?

Figur 142.

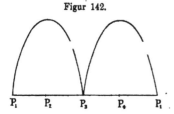

$P_1 \quad P_2 \quad P_3 \quad P_4 \quad P_1$

Antwort. In voriger Antwort haben wir gesehen, dass sich die in beiden Rollen induzierten elektromotorischen Kräfte summieren. Da ferner die Rollen eine diametrale Lage gegen einander haben, so ist die in beiden Rollen induzierte gesamte elektromotorische Kraft in jeder beliebigen Lage gleich dem doppelten der in einer Rolle erregten elektromotorischen Kraft, falls beide Rollen gleiche Beschaffenheit haben. Es wird daher die gesamte elektromotorische Kraft den in Fig. 142 dargestellten Verlauf haben. Befindet sich die Rolle R_1 an der Stelle P_1, mithin die Rolle R_2 an der Stelle R_3, so ist in beiden Rollen die gesamte elektromotorische Kraft = Null, in den Lagen P_2 und P_4 ist sie am grössten und zwar gleich dem doppelten der elektromotorischen Kraft einer Rolle, wie sie in Fig. 139 dargestellt ist.

Frage 315. Wie müssen 4 Rollen, welche auf einem Holzring um je 90^0 von einander entfernt sind, unter einander verbunden werden, damit sich die in denselben bei der Bewegung in einem gleichförmigen magnetischen Feld erregten elektromotorischen Kräfte addieren?

Antwort. In Fig. 143 ist eine solche Verbindung der 4 Rollen dargestellt. Das Ende der ersten Rolle ist mit dem Metallstück 4, der Anfang mit 1, ferner der Anfang der zweiten mit 1, das Ende mit 2, der Anfang der dritten mit 2, das Ende mit 3, der Anfang der vierten mit 3, das Ende mit 4 verbunden, so dass das Ende je der vorhergehenden und der Anfang der folgenden Rolle mit je einem Metallstück des Stromsammlers verbunden ist. Verlaufen die Kraftlinien in der Richtung des Pfeils XY, so werden, wenn sich die Rollen

Der ausführliche Prospekt und das ausführliche Inhalts-verzeichnis der „vollständig gelösten Aufgabensammlung von Dr. Ad. Kleyer" kann von jeder Buchhandlung, sowie von der Verlagshandlung **gratis und portofrei** bezogen werden.

Bemerkt sei hier nur:

1). Jedes Heft ist aufgeschnitten und gut brochiert um den **sofortigen** und **dauern-den** Gebrauch zu gestatten.

2). Jedes Kapitel enthält sein besonderes Titelblatt, Inhaltsverzeichnis, Berichtigungen und Erklärungen am Schlusse desselben.

3). Auf jedes einzelne Kapitel kann abonniert werden.

4). Monatlich erscheinen 3—4 Hefte zu dem Abonnementspreise von 25 Pfg. pro Heft

5). Die Reihenfolge der Hefte im nachstehenden, kurz angedeuteten Inhaltsver-zeichnis ist, wie aus dem Prospekt ersichtlich, ohne jede Bedeutung für die Interessenten.

6). Das Werk enthält Alles, was sich überhaupt auf mathematische Wissenschaften bezieht, alle Lehrsätze, Formeln und Regeln etc. mit Beweisen, alle praktischen Aufgaben in vollständig gelöster Form mit Anhängen ungelöster analoger Auf-gaben und vielen vortrefflichen Figuren.

7). Das Werk ist ein **praktisches Lehrbuch** für Schüler aller Schulen, das **beste Handbuch** für Lehrer und Examinatoren, das **vorzüglichste Lehrbuch** zum Selbststudium, das vortrefflichste **Nachschlagebuch** für Fachleute und Techniker jeder Art.

8). Alle Buchhandlungen nehmen Bestellungen entgegen.

☞ Das vollständige

Inhaltsverzeichnis
der bis jetzt erschienenen Hefte

kann durch jede Buchhandlung bezogen werden.

---

albjährlich erscheinen Nachträge über die inzwischen neu erschienenen Hefte.

Druck von Carl Hammer in Stuttgart.

563. Heft.

Preis des Heftes 25 Pf.

Die Induktionselektricität.

Forts. v. Heft 562. — Seite 193—208.

Mit 21 Figuren.

Vollständig gelöste

Aufgaben-Sammlung

— nebst Anhängen ungelöster Aufgaben, für den Schul- & Selbstunterricht —

mit

Angabe und Entwicklung der benutzten Sätze, Formeln, Regeln in Fragen und Antworten

erläutert durch

viele Holzschnitte & lithograph. Tafeln,

aus allen Zweigen

der Rechenkunst, der niederen (Algebra, Planimetrie, Stereometrie, ebenen u. sphärischen Trigonometrie; synthetischen Geometrie etc.) u. höheren Mathematik (höhere Analysis, Differential- u. Integral-Rechnung, analytische Geometrie der Ebene u. des Raumes etc.); — aus allen Zweigen der Physik, Mechanik, Graphostatik, Chemie, Geodäsie, Nautik, mathemat. Geographie, Astronomie; des Maschinen-, Straßen-, Eisenbahn-, Wasser-, Brücken- u. Hochbau's; der Konstruktionslehren als: darstell. Geometrie, Polar- u. Parallel-Perspective, Schattenkonstruktionen etc. etc.

für

Schüler, Studierende, Kandidaten, Lehrer, Techniker jeder Art, Militärs etc.

zum einzig richtigen und erfolgreichen

Studium, zur **Forthülfe** bei Schularbeiten und zur **rationellen Verwertung** der exakten Wissenschaften,

herausgegeben von

Dr. Adolph Kleyer,

Mathematiker, vereideter königl. preuss. Feldmesser, vereideter grossh. hessischer Geometer I. Klasse

in **Frankfurt a. M.**

unter Mitwirkung der bewährtesten Kräfte.

Die Induktionselektricität.

Nach System Kleyer bearbeitet von **Adolf Krebs** in Frankfurt a. M.

Fortsetzung v. Heft 562. — Seite 193—208. Mit 21 Figuren.

Inhalt:

Stuttgart 1889.

Verlag von Julius Maier.

☞ **Das vollständige Inhaltsverzeichnis der bis jetzt erschienenen Hefte kann durch jede Buchhandlung bezogen werden.**

PROSPEKT.

Dieses Werk, welchem kein ähnliches zur Seite steht, erscheint monatlich in 3—4 Heften zu dem billigen Preise von 25 ₰ pro Heft und bringt eine Sammlung der wichtigsten und praktischsten Aufgaben aus dem Gesamtgebiete der Mathematik, Physik, Mechanik, math. Geographie, Astronomie, des Maschinen-, Strassen-, Eisenbahn-, Brücken- und Hochbaues, des konstruktiven Zeichnens etc. etc. und zwar in vollständig gelöster Form, mit vielen Figuren, Erklärungen nebst Angabe und Entwickelung der benutzten Sätze, Formeln, Regeln in Fragen mit Antworten etc., so dass die Lösung jedermann verständlich sein kann, bezw. wird, wenn eine grössere Anzahl der Hefte erschienen ist, da dieselben sich in ihrer Gesamtheit ergänzen und alsdann auch alle Teile der reinen und angewandten Mathematik — nach besonderen selbständigen Kapiteln angeordnet — vorliegen.

Fast jedem Hefte ist ein Anhang von ungelösten Aufgaben beigegeben, welche der eigenen Lösung (in analoger Form, wie die bezüglichen gelösten Aufgaben) des Studierenden überlassen bleiben, und zugleich von den Herren Lehrern für den Schulunterricht benutzt werden können. — Die Lösungen hierzu werden später in besonderen Heften für die Hand des Lehrers erscheinen. Am Schlusse eines jeden Kapitels gelangen: Titelblatt, Inhaltsverzeichnis, Berichtigungen und erläuternde Erklärungen über das betreffende Kapitel zur Ausgabe.

Das Werk behandelt zunächst den Hauptbestandteil des mathematisch-naturwissenschaftlichen Unterrichtsplanes folgender Schulen: Realschulen I. und II. Ord., gleich berechtigten höheren Bürgerschulen, Privatschulen, Gymnasien, Realgymnasien, Progymnasien, Schullehrer-Seminaren, Polytechniken, Techniken, Baugewerkschulen, Gewerbeschulen, Handelsschulen, techn. Vorbereitungsschulen aller Arten, gewerbliche Fortbildungsschulen, Akademien, Universitäten, Land- und Forstwissenschaftsschulen, Militärschulen, Vorbereitungs-Anstalten aller Arten als z. B. für das Einjährig-Freiwillige- und Offiziers-Examen, etc.

Die Schüler, Studierenden und Kandidaten der mathematischen, technischen und naturwissenschaftlichen Fächer, werden durch diese, Schritt für Schritt gelöste, Aufgabensammlung immerwährend an ihre in der Schule erworbenen oder nur gehörten Theorien etc. erinnert und wird ihnen hiermit der Weg zum unfehlbaren Auffinden der Lösungen derjenigen Aufgaben gezeigt, welche sie bei ihren Prüfungen zu lösen haben, zugleich aber auch die überaus grosse Fruchtbarkeit der mathematischen Wissenschaften vorgeführt.

Dem Lehrer soll mit dieser Aufgabensammlung eine kräftige Stütze für den Schulunterricht geboten werden, indem zur Erlernung des praktischen Teiles der mathematischen Disziplinen — zum Auflösen von Aufgaben — in den meisten Schulen oft keine Zeit erübrigt werden kann, hiermit aber dem Schüler bei seinen häuslichen Arbeiten eine vollständige Anleitung in die Hände gegeben wird, entsprechende Aufgaben zu lösen, die gehabten Regeln, Formeln, Sätze etc. anzuwenden und praktisch zu verwerten. Lust, Liebe und Verständnis für den Schul-Unterricht wird dadurch erhalten und belebt werden.

Den Ingenieuren, Architekten, Technikern und Fachgenossen aller Art, Militärs etc. etc. soll diese Sammlung zur Auffrischung der erworbenen und vielleicht vergessenen mathematischen Kenntnisse dienen und zugleich durch ihre praktischen in allen Berufszweigen vorkommenden Anwendungen einem toten Kapitale lebendige Kraft verleihen und somit den Antrieb zu weiteren praktischen Verwertungen und weiteren Forschungen geben.

Alle Buchhandlungen nehmen Bestellungen entgegen. Wichtige und praktische Aufgaben werden mit Dank von der Redaktion entgegengenommen und mit Angabe der Namen verbreitet. — Wünsche, Fragen etc., welche die Redaktion betreffen, nimmt der Verfasser, Dr. Kleyer, Frankfurt a. M. Fischerfeldstrasse 16, entgegen und wird deren Erledigung thunlichst berücksichtigt.

Stuttgart.   Die Verlagshandlung.

Figur 143.

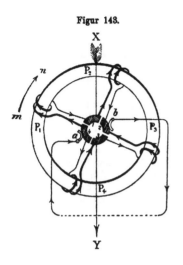

in den Lagen P_1 bezw. P_3 befinden, keine Induktionsströme erregt und es tritt Stromwechsel ein. In der unteren Hälfte des Holzrings $(P_1 P_4 P_3)$ verlaufen in allen Rollen die Induktionsströme in der einen, in der oberen Hälfte in der entgegengesetzten Richtung, wie aus der Figur hervorgeht. Man bemerkt ferner zwei Metallstücke und zwar immer diejenigen, welche jeweilig an den entsprechenden Stellen von P_1 und P_3 liegen, von welchen nach dem einen Metallstück zwei Ströme (durch die beiden mit ihm verbundenen Drähten) hinfliessen, von dem andern wegfliessen. Bei dem in Fig. 143 dargestellten Moment sind es die Metallstücke 2 und 4. Bringt man je eine Schleifbürste an diese beiden Metallstücke, so fliesst der Strom von der Bürste b durch den äusseren Stromkreis nach der Bürste a immer in gleicher Richtung.

Frage 316. Wie kann man die Grösse der in den 4 Rollen erregten gesamten elektromotorischen Kraft bildlich darstellen?

Figur 144.

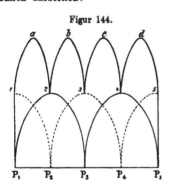

Erkl. 269. Wir bemerken bei einer solchen Anordnung der 4 Rollen, dass in keinem Augenblick deren elektromotorische Kraft Null ist. Ihr kleinster Wert ist gleich dem grössten Wert der elektromotorischen Kraft, welche in 2 gegenüberliegenden Rollen erregt werden kann.

Antwort. Die elektromotorische Kraft je zweier gegenüberliegenden Rollen zeigt den in Fig. 141 dargestellten Verlauf. Angenommen zwei Rollen befänden sich in den Lagen P_1, P_3, so ist deren elektromotorische Kraft = Null. In diesem Augenblicke befinden sich aber die beiden andern Rollen in den Lagen P_2 und P_4, in welchen sie das Maximum der elektromotorischen Kraft besitzen. Während die beiden ersten Rollen zusammen die durch die Kurve P_1, 2, P_3, 4, P_1 (Fig. 144) dargestellte elektromotorische Kraft liefern, ist die in den beiden andern Rollen erregte elektromotorische Kraft gekennzeichnet durch die Kurve 1, P_2, 3, P_4, 5. Die Summe beider ergibt die gesamte elektromotorische Kraft aller 4 Rollen, welche dargestellt ist durch die Kurve 1, a, 2, b, 3, c, 4, d, 5 (siehe Erkl. 269).

Frage 317. Wie müssen allgemein eine grössere Anzahl von Rollen mit einander verbunden sein, damit die bei der Drehung in einem magnetischen Feld erregten elektromotorischen Kräfte der einzelnen Rollen sich summieren?

Figur 145.

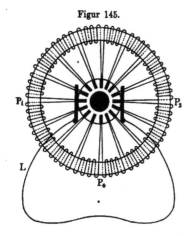

Antwort. Haben wir eine grössere Anzahl Drahtrollen und wollen wir die bei der Drehung im magnetischen Feld in den einzelnen Rollen erregten elektromotorischen Kräfte zu einer elektromotorischen Gesamtkraft vereinigen, so verbinden wir allgemein das Ende der vorhergehenden Rolle mit dem Anfang der folgenden u. s. f., etwa durch Verbindung mit demselben Metallstück eines Stromsammlers.

In Fig. 145 ist eine solche Verbindung von 16 Rollen hergestellt. Verlaufen die Kraftlinien in der Richtung von P_2 nach P_4, so haben wir die Bürsten A und B an den den Punkten P_1 und P_3 entsprechenden Stellen des Stromsammlers anzubringen.

Fig. 146 zeigt einen vollständig gewickelten Ring nebst Stromsammler in praktischer Ausführung.

Figur 146.

Frage 318. Welchen Verlauf zeigt allgemein die elektromotorische Gesamtkraft einer grösseren Anzahl von Rollen?

Antwort. Durch Vermehrung der Rollen und deren Verbindung, wie sie in voriger Antwort angegeben wurde, erhalten wir schliesslich eine elektromotorische Gesamtkraft, welche kaum noch merkliche Schwankungen zeigt. Man vergleiche Fig. 147. Für eine sehr grosse Anzahl Rollen erhalten wir

also eine fast gerade Linie als Bild
der elektromotorischen Gesamtkraft.

Figur 147.

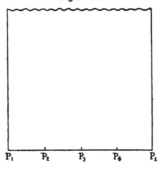

P₁   P₂   P₃   P₄   P₁

β). Ueber den Trommelanker.

Frage 319. Worin besteht im wesentlichen die Einrichtung eines Trommelankers?

Antwort. Ein Trommelanker besteht im wesentlichen aus Eisencylinder *F* (siehe Fig. 148), auf welchem
einzelne Drahtvierecke befestigt sind,
die unter einander in Verbindung stehen
(siehe Erkl. 270).

Erkl. 270. In Fig. 145 sind 2 Drahtvierecke
gezeichnet, welche noch nicht mit einander
verbunden sind.

Figur 148.

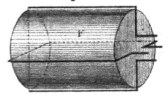

Frage 320. Wie kann man sich am
einfachsten über die in einem Trommelanker bei der Drehung desselben in
einem magnetischen Feld auftretenden
Induktionserscheinungen Klarheit
verschaffen?

Antwort. Wir denken uns zunächst
nur ein Drahtviereck, ausserdem den
Eisencylinder weg und drehen dasselbe
in einem gleichförmigen magnetischen
Feld um eine zur Richtung der Kraftlinien senkrechten Axe. Wir vermehren
sodann die Zahl der Vierecke und stellen
gleichzeitig die entsprechenden Verbindungen der Drahtvierecke unter einander her.

Frage 321. Welche Induktionserscheinungen treten in einem Drahtviereck auf, welches in einem gleichförmigen magnetischen Feld um eine zur Richtung der Kraftlinien senkrechte Axe gedreht wird?

Figur 149.

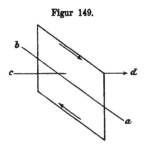

Antwort. Fig. 149 zeigt den fraglichen Fall. Wir sehen ein Drahtviereck, welches sich um die Axe ab drehen kann. Die Kraftlinien verlaufen senkrecht zu ab etwa in der Richtung von c nach d, ein gleichförmiges Feld bildend. Die hierbei auftretenden Induktionserscheinungen entsprechen vollkommen denen, welche wir bei der Drehung eines kreisförmigen Leiters in einem gleichförmigen magnetischen Feld erhalten haben (siehe Antw. auf Frage 272).

Bei der Drehung des Drahtvierecks im gleichförmigen magnetischen Feld tritt also nach Antw. auf Frage 272 ein Wechsel in der Richtung des Induktionsstroms ein, so oft die Fläche des Drahtvierecks eine zur Richtung der Kraftlinien senkrechte Lage passiert; also bei 1 Umdrehung zweimal.

Die in jedem Augenblick induzierte elektromotorische Kraft ist ferner dem Sinus des Drehungswinkels proportional.

Frage 322. Wie kann man die in dem Drahtviereck erregten Induktionsströme gleichrichten?

Figur 150.

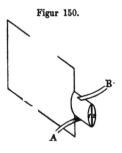

Erkl. 271. Wir haben die Wirkungsweise der Stromsammler bereits ausführlich betrachtet. Man vergl. die ganz ähnliche Vorrichtung in Antw. auf Frage 155, 163 und 311.

Antwort. Um die in dem Drahtviereck erregten Induktionsströme gleichzurichten, bedienen wir uns eines zweiteiligen Stromsammlers (siehe Fig. 150). Der Anfang des Drahtvierecks steht mit dem einen (1), das Ende mit dem andern Metallstück (2) des Stromsammlers in Verbindung. Beide Metallstücke sind von einander isoliert (durch die schwarze Linie zwischen 1 und 2 angedeutet!). Mittels dieses Stromsammlers werden die in dem Drahtviereck erregten Induktionsströme derart gerichtet, dass sie zwischen den Bürsten A und B (also im äusseren Stromkreise) immer in derselben Richtung verlaufen (siehe Erkl. 271).

Frage 323. Wie muss man zwei Drahtvierecke mit einander verbinden, damit sich die in denselben beim Drehen in einem magnetischen Feld erregten elektromotorischen Kräfte addieren?

Figur 151.

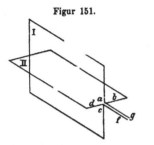

Antwort. Die Verbindung der beiden Drahtvierecke I und II (siehe Fig. 151) ist ganz dieselbe wie die Verbindung zweier Rollen (siehe Antw. auf Frage 313). Man verbindet das Ende *c* von I und den Anfang *d* von II mit dem einen, ferner das Ende *b* von II und den Anfang *a* von I mit dem zweiten Metallstück eines Stromsammlers (siehe Erkl. 172). Auf diese Weise werden erstens die in den beiden Drahtvierecken erregten Induktionsströme zu einem Gesamtstrom vereinigt und mittels des Stromsammlers in bekannter Weise in gleicher Richtung durch den äusseren Stromkreis geschickt.

Erkl. 272. In Fig. 151 sind nur die Drähte (*f* und *g*) gezeichnet, nicht aber der zweiteilige Stromsammler, mit welchem sie verbunden sind.

Frage 324. Wie muss man allgemein die einzelnen Drahtvierecke einer Trommel verbinden, damit sich die in denselben bei der Drehung im magnetischen Feld erregten elektromotorischen Kräfte addieren und im äusseren Stromkreis in gleicher Richtung verlaufen?

Erkl. 273. Man vergleiche ausserdem die ausführlich beschriebene und gezeichnete v. Hefner-Altenecksche Trommel im I. Teil dieses Lehrbuches, Antw. auf Frage 170 ff. Fig. 152 zeigt eine vollständig gewickelte Trommel mit Stromsammler in praktischer Ausführung.

Antwort. Wir verbinden zu diesem Zwecke allgemein das Ende des vorhergehenden und den Anfang des folgenden Drahtvierecks mit je einem Metallstück des Stromsammlers, jedoch so, dass der Anfang und das Ende eines und desselben Drahtvierecks in 2 benachbarten Metallstücken endigen (also ganz genau wie bei den Rollen des Rings). Die Bürsten schleifen am Stromsammler in einer zur Richtung der Kraftlinien senkrechten Lage (siehe Erkl. 273).

Figur 152.

γ). Ueber den Eisenkern des Ankers.

Frage 325. Was soll der Eisenkern in den Ankern bezwecken?

Antwort. Dadurch, dass der Anker im inneren Eisen enthält, haben die

Erkl. 274. Nach Antw. auf Frage 282 ist ja die elektromotorische Kraft für einen Leiter, welcher sich in einem magnetischen Feld dreht, proportional der Anzahl der Kraftlinien, welche die Fläche des Leiters treffen, wenn dieselbe senkrecht zur Richtung der Kraftlinien steht.

Kraftlinien das Bestreben, hauptsächlich durch das Eisen des Ankers zu treten (siehe Antw. auf Frage 255). Infolgedessen wird durch das Eisen die Zahl der den Anker treffenden Kraftlinien beträchtlich vermehrt. Da ferner die Grösse der Induktion von dieser Zahl abhängt (siehe Erkl. 274), so bezweckt also der Eisenkern des Ankers eine Verstärkung der Induktion in der Ankerbewicklung.

Frage 326. In welcher Form muss das Eisen in den Ankern verwendet werden?

Erkl. 275. Die Beseitigung der im Eisen erregten Ströme ist ein dringendes Erfordernis, denn die durch dieselben hervorgebrachte Erwärmung ist ganz beträchtlich (siehe Antw. auf Frage 205 ff.).

Antwort. Der Eisenkern soll nur den Zweck haben, die Induktionsströme in den Ankerdrähten zu verstärken. Dadurch aber, dass sich ein Eisenkern in einem magnetischen Feld bewegt, werden in demselben noch Induktionsströme erregt, welche, da sie nicht abgeleitet werden, den Eisenkern erwärmen und dadurch die Isolation der Drähte gefährden (siehe Erkl. 275). Die Ströme, welche namentlich in massiven Kernen sehr beträchtlich sind, müssen verhindert werden und dies geschieht nach Antw. auf Frage 296 ff. dadurch, dass man die Eisenkerne senkrecht zu der Richtung, in welcher die Induktionsströme fliessen, in einzelne Schichten zerlegt, welche von einander isoliert sind (siehe Erkl. 275).

Frage 327. Welche Form hat der Eisenkern in Ringankern?

Antwort. Bei Ringankern verwendet man ein Bündel weicher Eisendrähte, welches in Ringform gebogen wird. Die einzelnen Eisendrähte sind gut ausgeglüht und gefirnisst, wodurch sie eine gute Isolation bekommen, so dass das Zustandekommen von Induktionsströmen verhindert ist.

Frage 328. Wie ist der Eisenkern eines Trommelankers eingerichtet?

Erkl. 276. Auf der Mantelfläche des Eisencylinders würden, wenn die Fläche zusammenhängend wäre, die Induktionsströme in Rich-

Antwort. Der Eisenkern eines Trommelankers (siehe Fig. 153) besteht aus einem Eisencylinder, dessen Mantelfläche in einzelne Ringe zerschnitten ist (siehe Erkl. 276).

tung der Axe verlaufen. Wenn wir daher die
Mantelfläche in einer dazu senkrechten Rich-
tung zerschneiden, so ist der Verlauf der
Ströme gehindert.

Figur 153.

b). Ueber das magnetische Feld der Gleichstrommaschinen.

Frage 329. Wie wird das magnetische Feld der Gleichstrommaschinen
gebildet?

Erkl. 277. Bei 4 Polen sind naturgemäss
auch 4 Schleifbürsten am Stromsammler nötig.
Man kann jedoch die einzelnen Quadranten
des Ringes je zu zweien derart verbinden
(immer 2 gegenüberliegende), dass nur 2 Bürsten
notwendig sind.

Antwort. Das magnetische Feld der
Gleichstrommaschinen wird durch gegenüberstehende Pole von Elektromagneten gebildet. Man verwendet
häufig 2 Pole, jedoch kommen auch 4
und mehr Pole vor (siehe Erkl. 277).
Fig. 154 zeigt ein solches von 2 Polen
gebildetes Feld.

Figur 154.

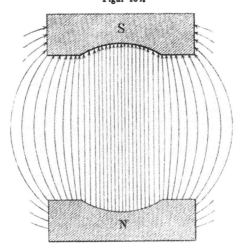

Frage 330. Wie werden die Elektromagnete erregt?

Antwort. Die Elektromagnete werden fast ausschliesslich von der Maschine selbst erregt (man vergleiche Abschnitt b, Seite 106 ff.).

α). **Veränderung des magnetischen Felds durch den Eisenkern des Ankers.**

Frage 331. Wie wird das durch zwei gegenüberliegende Pole gebildete magnetische Feld verändert, wenn wir einen Anker (Ring- oder Trommelanker) in dasselbe bringen?

Figur 155.

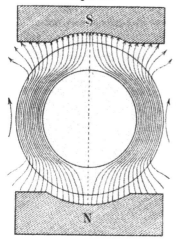

Antwort. Sowohl der Kern des Rings, als auch der der Trommel bestehen aus Eisen, welches im Durchschnitt etwa die Gestalt eines Ringes hat. Stellt uns nun Fig. 154 ein magnetisches Feld vor, dessen Kraftlinien etwa in der angedeuteten Weise verlaufen, so wird dasselbe sehr wesentlich verändert, wenn wir einen Anker in dasselbe bringen. Es zeigt etwa die in Fig. 155 dargestellte Form. Wir bemerken, dass die meisten Kraftlinien durch den Eisenkern gehen, dass also durch letzteren das magnetische Feld an dieser Stelle ganz beträchtlich verstärkt wird.

Frage 332. Was bewirkt diese Veränderung des magnetischen Felds?

Antwort. Infolge des Eisenkerns des Rings bezw. der Trommel durchsetzen eine weitaus grössere Zahl von Kraftlinien den Ring bezw. die Trommel. Nun hängt aber die induzierende Wirkung auf die Ring- bezw. Trommelwicklung von der Zahl der Kraftlinien, welche die Bewicklung treffen, ab. Es wird mithin durch den Eisenkern die Induktion ganz wesentlich verstärkt.

β). **Ueber die Veränderung des magnetischen Felds durch den strom-durchflossenen Anker.**

Frage 333. Welche Wirkung übt der stromdurchflossenen Anker einer elektrischen Maschine auf das magnetische Feld aus?

Antwort. Sobald sich ein Anker in einem magnetischen Feld bewegt, laufen durch seine Windungen Ströme. Infolgedessen wird der durch das magnetische Feld bereits magnetisierte Eisenkern des Ankers auch noch durch die stromdurchflossenen Windungen magnetisiert. Da nun diese beiden Magnetisierungen nicht vollkommen mit einander übereinstimmen, so wird unter dem Einfluss beider eine Magnetisierung in einer neuen Richtung erfolgen. Es wird also infolge des stromdurchflossenen Ankers der Verlauf der Kraftlinien des Felds, wie ihn Fig. 155 angibt, verändert.

Frage 334. In welcher Weise wird durch den stromdurchflossenen Anker das magnetische Feld verändert?

Antwort. Um die Veränderung zu verstehen, welche das magnetische Feld infolge des stromdurchflossenen

Figur 156.

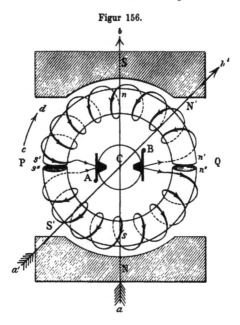

Figur 157.

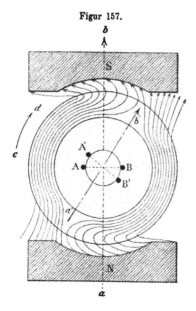

Erkl. 278. Wir können ebenso gut einen Trommelanker nehmen. Es treten bei demselben genau dieselben Erscheinungen auf.

Erkl. 279. Der Deutlichkeit wegen ist in Fig. 156 der eiserne Ring an den Stellen P und Q durchgeschnitten, um an dem Stromverlauf die magnetischen Pole leichter zu erkennen.

Ankers erfährt, bedienen wir uns der Fig. 156. N und S sollen die Magnetpole darstellen, welche das magnetische Feld erzeugen. In demselben dreht sich der mit Draht bewickelte Ring (siehe Erkl. 278). Bei der Drehung werden, wie wir wissen (siehe Antw. auf Frage 274), in der oberen Hälfte Ströme von der einen, in der unteren von der entgegengesetzten Richtung erzeugt. Sie durchlaufen also die Windungen in der durch die Pfeile angezeigten Richtung. Infolge der magnetisierenden Wirkung der stromdurchflossenen Windungen bilden sich in der Lage P zwei Südpole s' und s'' und in der Lage Q zwei Nordpole n', n'' (siehe Erkl. 279). Gleichzeitig aber induziert der Nordpol N an dem ihm gegenüberliegenden Teil des Rings einen Südpol s und der Südpol S einen Nordpol n. Die Nordpole n, n' und n'' des Rings vereinigen sich nun zu einem Nordpol N', die Südpole s, s' und s'' zu einem Südpol S'. Es erscheint also der Ring infolge der beiden magnetisierenden Einwirkungen (der Pole N, S und der stromdurchflossenen Drahtbewicklung) in einer Richtung $a'b'$ magnetisiert und nicht mehr, wie früher, in der Richtung ab (siehe Fig. 155). Es verlaufen in diesem Falle die Kraftlinien nicht mehr wie in Fig. 155, sondern etwa wie in Fig. 157.

Frage 335. Was bewirkt diese Verschiebung der magnetischen Verhältnisse des Ankereisens?

Antwort. Die Veränderung des magnetischen Felds hat die Veränderung der Bürstenstellung zur Folge.

Frage 336. Inwiefern müssen die Bürsten verstellt werden?

Antwort. Wir hatten gesehen, dass die Bürsten, welche den Strom vom Stromsammler abnehmen, an den zwei Stellen des Stromsammlers schleifen müssen, deren Verbindungslinie senkrecht zur Richtung der Kraftlinien steht. Hatten wir früher, ehe wir die Verschiebung der Kraftlinien in Betracht zogen, die Stellung AB (siehe Fig. 157) als die richtige erkannt, so müssen wir jetzt diese Bürstenstellung in die Lage $A'B'$ bringen, damit sie senkrecht zur Richtung der Kraftlinien sei.

Frage 337. Wovon hängt die Grösse der Verschiebung des magnetischen Felds ab?

Erkl. 280. Man war häufig und bis in die neueste Zeit hinein der Ansicht, dass infolge der Rotation des Eisenkerns das magnetische Feld in Richtung der Rotation verschoben werde, indem man meinte, das Eisen des Rings brauche, um seinen magnetischen Zustand zu verändern, eine gewisse Zeit. Es ist aber festgestellt, dass dies nicht der Grund sein kann; denn einesteils ist der Eisenkern in den Ankern nicht massiv, sondern besteht aus einzelnen Teilen (Bändern, Drähten etc.), so dass die Aenderung des magnetischen Zustands fast augenblicklich erfolgt; andernteils würde selbst diese Verzögerung keine beträchtlichere Verschiebung der Kraftlinien bewirken können.

Antwort. In Antw. auf Frage 334 sahen wir, dass sich aus den 3 Nordpolen n, n', n'' (siehe Fig. 156) ein Nordpol N', aus den 3 Südpolen s, s', s'' ein Südpol S' bilde. Die Lage des Nordpols N' ist zwischen n und n', n'', die des Südpols S' zwischen s und s', s''; es ist aber leicht einzusehen, dass der Nordpol N' näher bei n oder bei n', n'' (und der Südpol S' näher bei s oder bei s', s'') liegt, je stärker n oder n', n'' (bezw. s oder s', s'') ist. Die Grösse der Verschiebung hängt daher wesentlich ab von dem Verhältnis der Magnetisierung des Rings durch die Feldmagnete und durch die stromdurchflossene Drahtwicklung. Ueberwiegt erstere, so ist die Verschiebung geringer, überwiegt letztere, so ist sie grösser (siehe Erkl. 280).

Frage 338. In welcher Richtung erscheint das magnetische Feld verschoben?

Antwort. Um die in Fig. 156 gezeichnete Verschiebung von ab in die Lage $a'b'$ zu erhalten, musste der Strom in der Wicklung in der durch die Pfeile angedeuteten Richtung fliessen. Um aber einen solchen Strom zu erhalten, müssen wir den Anker in der Richtung des Pfeils cd drehen. Es erscheint mithin das magnetische Feld in der Richtung der Umdrehung verschoben.

γ). **Ueber die Beschaffenheit der Feldmagnete.**

Frage 339. Was ist bei der Wahl der Gestalt der Feldmagnete besonders zu beachten?

Erkl. 281. Die das magnetische Feld erzeugenden Magnete nennt man Feldmagnete.

Antwort. Die Feldmagnete (siehe Erkl. 281) bilden zusammen mit dem Eisenkern des Ankers einen magnetischen Kreis (siehe Erkl. 282). Bei der in Fig. 158 dargestellten Anordnung

Figur 158.

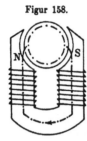

ist derselbe etwa durch die gestrichelte Linie angedeutet. In einem solchen magnetischen Kreis ist die Wirkung dann am grössten, wenn der magnetische Widerstand am kleinsten ist (ganz analog wie bei einem elektrischen Stromkreis). **Bei der Wahl der Feldmagnete ist daher darauf zu achten, dass ihr magnetischer Widerstand gering sei.**

Erkl. 282. Der Ausdruck „magnetischer Kreis" ist dem Ausdruck „elektrischer (Strom-) Kreis" nachgebildet, desgl. der Ausdruck „magnetischer Widerstand"; man vergl. Antw. auf Frage 258.

Frage 340. Wie erreicht man einen geringen magnetischen Widerstand in den Feldmagneten?

Antwort. Der magnetische Widerstand des Eisens nimmt ab mit der Vergrösserung des Querschnitts und mit Verkleinerung der Länge. Ausserdem ist er für bestes, weichstes Eisen am kleinsten. Um daher einen geringen magnetischen Widerstand zu erhalten, wählt man den Kern der Feldmagnete aus weichstem Eisen, dessen Querschnitt möglichst gross und dessen Länge möglichst gering ist. Ferner sollen die Feldmagnete aus einem Stück bestehen (s. Antw. auf folgende Frage).

Frage 341. Was erhöht den magnetischen Widerstand in den Feldmagneten?

Antwort. Der magnetische Widerstand wird meist dadurch erhöht, dass die Eisenkerne der Feldmagnete nicht aus einem zusammenhängenden Stück Eisen bestehen, sondern aus mehreren Stücken, welche mit einander verschraubt sind. Eine solche Verbindung bietet aber immer einen grösseren magnetischen Widerstand, da die Berührung der einzelnen Eisenstücke keine vollkommene ist.

c). Ueber die wesentlichsten Formen der Gleichstrommaschinen.

Anmerkung. In nachstehendem Kapitel soll eine Reihe von Gleichstrom- (Dynamo-) Maschinen in Bezug auf die Anordnung der das magnetische Feld bildenden Elektro-

magnete behandelt werden. Dieser Punkt ist es, auf welchen bei den neueren Gleichstrommaschinen am meisten Rücksicht genommen wird. Wir betrachten daher auch
nur die für ihre magnetische Anordnung beachtenswertesten Maschinen.

Frage 342. Worin besteht die Anordnung der in Fig. 159 dargestellten
Dynamomaschine?

Figur 159.

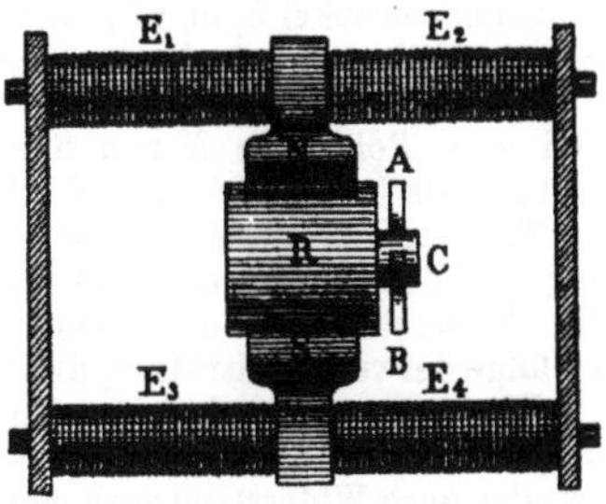

Erkl. 283. *Gramme* war der erste, welcher
eine für grössere Betriebe (elektrische Beleuchtung in grossem Massstabe) brauchbare
Maschine hergestellt hat; nicht aber hat er
den von ihm meist benutzten Ringanker zuerst
erfunden. Derselbe rührt vielmehr von *Pacinotti* her. Die häufige Bezeichnung „Gramme-
scher Ring" dürfte daher nicht zutreffen.

Antwort. In Fig. 159 ist die Form
einer Grammeschen (siehe Erkl. 283)
Gleichstrommaschine abgebildet. An
einem eisernen Gestell sind 4 Elektromagnete E_1, E_2, E_3, E_4 befestigt. E_1
und E_2 sowie E_3 und E_4 sind je durch
ein Eisenstück (Polschuh) mit einander
verbunden. Die Wicklung von E_1 und
E_2 sowie von E_3 und E_4 ist derart,
dass bei Stromschluss der Polschuh N
nordmagnetisch, der Polschuh S südmagnetisch wird. Zwischen N und S,
welche das magnetische Feld erzeugen,
wird ein Ringanker R gedreht und
hierdurch in demselben Induktionsströme
erregt, welche mittels der Bürsten A
und B von dem Stromsammler C abgenommen werden.

Frage 343. Welchen Mangel in
Bezug auf die magnetische Anord-
nung zeigt die in Fig. 159 dargestellte
Grammesche Maschine?

Erkl. 284. Nach Antw. auf Frage 340
nimmt der magnetische Leitungswiderstand mit
der Verkleinerung des Eisenquerschnitts zu.

Erkl. 285. Die beiden Polschuhe N und S
sind mit den Elektromagneten nur verschraubt.

Antwort. Wie die Figur 159 erkennen
lässt, kann man die magnetische Anordnung folgendermassen auffassen. Zwei
hufeisenförmige Elektromagnete, deren
beide Schenkel E_1 und E_3 bezw. E_2
und E_4 sind, stossen mit gleichen Polen
an einander. Die Kraftlinien gehen also
von N nach S, von da aus einesteils
über E_3 durch die Verbindungs- (Rück-)
Platte nach E_1 und N, andernteils über
E_4 durch die zweite Rückplatte nach
E_2 und N. Auf diesen beiden Wegen
aber erfahren die Kraftlinien zunächst
einen Widerstand beim Uebergang von
dem Polschuh S nach E_3 und E_4, da
die Polschuhe und die Elektromagnete
nur verschraubt sind (siehe Antw. auf
Frage 341), ausserdem bei dem Uebergang nach den beiden Rückplatten aus
demselben Grunde, dann in letzteren
selbst, da diese verhältnismässig sehr
dünn sind (siehe Erkl. 284), ferner beim

Uebergang nach E_1 bezw. E_4 und endlich beim Uebergang nach dem Polschuh N (siehe Erkl. 285).

Frage 344. Wie ist die in Fig. 160
abgebildete Maschine eingerichtet?

Figur 160.

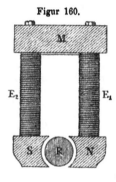

Antwort. Die in Fig. 160 abgebildete Edisonsche Maschine zeigt zwei
Elektromagnetschenkel E_1 und E_2, welche
auf einer verhältnismässig dicken Rückplatte M verschraubt sind. An E_1 und
E_2 sind zwei Polschuhe N und S angebracht, zwischen welchen sich der
Anker (Trommel) R dreht. Diese Anordnung hat den Vorteil, dass der magnetische Widerstand in den Feldmagneten infolge der verhältnismässig dicken,
kurzen Eisenteile ziemlich gering ist;
immerhin ist aber an den Verschrau-
bungsstellen noch Widerstand vorhanden,
welcher beseitigt werden könnte.

Frage 345. Was ist zu der in Fig.
161 abgebildeten Maschine zu bemerken?

Antwort. Die in Fig. 161 abgebildete Maschine ist eine namentlich für

Figur 161.

grössere elektrische Anlagen augenblicklich vielfach verwendete Maschine.

Figur 162.

Wie der Durchschnitt der Maschine (siehe Fig. 162) erkennen lässt, besitzt die Maschine folgende Einrichtung. Das magnetische Feld wird durch 4 feststehende, im Kreise radial angeordnete, mit Draht bewickelte Eisenkerne gebildet. Dieselben sind aus einem Stück Gusseisen hergestellt. Um dieses Elektromagnetkreuz rotiert ein flacher Ringanker, dessen Eisenkern aus 200 gut von einander isolierten Eisenblechscheiben besteht. Der Ring nebst Eisenkern wird zusammengehalten von 12 Metallbolzen. Die Zahl der einzelnen Rollen beträgt 96, demgemäss besteht auch der Stromsammler aus 96 einzelnen Metallstücken, an welchem 4 Bürsten schleifen, da wir ja auch 4 Magnetpole haben.

Frage 346. Welche Vorteile hat die in Fig. 161 abgebildete Maschine?

Antwort. Die in Fig. 161 dargestellte Maschine hat folgende Vorteile: Zunächst besitzen die Elektromagnete einen geringen magnetischen Widerstand, da sie aus einem Stück bestehen und einen verhältnismässig grossen Eisenquerschnitt besitzen. Dann aber hat der Ringanker einen sehr grossen Durchmesser, welcher eine verhältnismässig geringe Umdrehungszahl gestattet, um eine bestimmte elektromotorische Kraft zu erzeugen. Zudem ist die Erwärmung in der Maschine gering, da die Anordnung eine sehr gute Ventilation mit sich bringt. Ferner sind die einzelnen Teile der Maschine leicht zugänglich, wodurch schadhafte Teile leicht ausgewechselt werden können, und endlich ist infolge der geringen Umdrehungszahl die Möglichkeit gegeben, die Maschine unmittelbar mit einer Dampfmaschine zu kuppeln, so dass die Verluste, welche durch Riemengleiten, Widerstand des Vorgeleges u. s. w. auftreten, in Wegfall kommen.

Erkl. 286. Derartige Maschinen werden in neuerer Zeit vielfach gebaut und namentlich in elektrischen Zentralstationen verwendet, wo sie mit den Dampfmaschinen direkt gekuppelt sind (d. h. mit diesen auf derselben Axe sitzen).

Dagegen darf man nicht übersehen, dass infolge der magnetischen Anordnung hauptsächlich die auf der Innenseite des Rings liegenden Drähte erregt werden und die auf der Aussenseite

Erkl. 287. Die in Fig. 161 dargestellte Maschine wird von *Fein* in Stuttgart gebaut. *Siemens & Halske* in Berlin stellen ähnliche her.

liegenden infolge der grösseren Entfernung von den Magnetpolen weit weniger, so dass also die zur Induktion vorhandene Drahtmenge des Rings nicht voll ausgenützt wird. Dieser Nachteil liesse sich allerdings durch eine wenig veränderte magnetische Anordnung beseitigen (siehe Erkl. 286 und 287).

Frage 347. Wie nennt man die elektrischen Maschinen, bei welchen sich der Anker aussen und die Elektromagnete innen befinden?

Antwort. Diese Maschinen nennt man Innenpol-Maschinen.

Frage 348. Welche Einrichtung besitzt die in Fig. 163 dargestellte Maschine?

Antwort. Die in Fig. 163 abgebildete Maschine zeigt in ihrer magnetischen Anordnung einige Aehnlichkeit mit der Maschine von *Edison* (siehe Antw. auf Frage 344). Jedoch vermeidet sie den Mangel derselben, indem der Eisenkern des Hufeisen-Elektromagnets aus einem einzigen kurzen Stück Eisen von grossem Querschnitt besteht, so dass der magnetische Widerstand wesentlich verringert ist. Diese Maschine wird von *Siemens & Halske* gebaut. Ganz analoge Formen werden auch von anderen hergestellt. Sie besitzt einen Trommelanker. Fig. 158 gibt ein Bild der magnetischen Anordnung.

Figur 163.

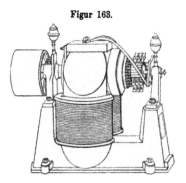

Frage 349. Welchen Hauptmangel in Bezug auf die magnetische Anordnung hat die in Fig. 163 abgebildete Maschine?

Antwort. Der Hauptmangel in Bezug auf die magnetische Anordnung der in Fig. 163 abgebildeten Maschine besteht darin, dass eine nicht unbeträchtliche Anzahl Kraftlinien nach oben in die Luft tritt und nicht in den Anker. Es kommt dies infolge des unsymetrisch gebildeten magnetischen Felds.

Der ausführliche Prospekt und das ausführliche Inhalts-
verzeichnis der „vollständig gelösten Aufgabensammlung von
Dr. Ad. Kleyer" kann von jeder Buchhandlung, sowie von der
Verlagshandlung gratis und portofrei bezogen werden.

Bemerkt sei hier nur:

1). Jedes Heft ist aufgeschnitten und gut brochiert um den sofortigen und dauern-
den Gebrauch zu gestatten.

2). Jedes Kapitel enthält sein besonderes Titelblatt, Inhaltsverzeichnis, Berichtigungen
und Erklärungen am Schlusse desselben.

3). Auf jedes einzelne Kapitel kann abonniert werden.

4). Monatlich erscheinen 3—4 Hefte zu dem Abonnementspreise von 25 Pfg. pro Heft

5). Die Reihenfolge der Hefte im nachstehenden, kurz angedeuteten Inhaltsverzeichnis ist, wie aus dem Prospekt ersichtlich, ohne jede Bedeutung
für die Interessenten.

6). Das Werk enthält Alles, was sich überhaupt auf mathematische Wissenschaften
bezieht, alle Lehrsätze, Formeln und Regeln etc. mit Beweisen, alle praktischen
Aufgaben in vollständig gelöster Form mit Anhängen ungelöster analoger Aufgaben und vielen vortrefflichen Figuren.

7). Das Werk ist ein praktisches Lehrbuch für Schüler aller Schulen, das
beste Handbuch für Lehrer und Examinatoren, das vorzüglichste Lehrbuch
zum Selbststudium, das vortrefflichste Nachschlagebuch für Fachleute und
Techniker jeder Art.

8). Alle Buchhandlungen nehmen Bestellungen entgegen.

Das vollständige

Inhaltsverzeichnis
der bis jetzt erschienenen Hefte

ın durch jede Buchhandlung bezogen werden.

Halbjährlich erscheinen Nachträge über die inzwischen neu erschienenen Hefte.

Druck von Carl Hammer in Stuttgart.

Vollständig gelöste

Aufgaben-Sammlung

— nebst Anhängen ungelöster Aufgaben, für den Schul- & Selbstunterricht —

mit

Angabe und Entwicklung der benutzten Sätze, Formeln, Regeln in Fragen und Antworten

erläutert durch

viele Holzschnitte & lithograph. Tafeln,

aus allen Zweigen

der Rechenkunst, der niederen (Algebra, Planimetrie, Stereometrie, ebenen u. sphärischen Trigonometrie, synthetischen Geometrie etc.) u. höheren Mathematik (höhere Analysis, Differential- u. Integral-Rechnung, analytische Geometrie der Ebene u. des Raumes etc.); — aus allen Zweigen der Physik, Mechanik, Graphostatik, Chemie, Geodäsie, Nautik, mathemat. Geographie, Astronomie; des Maschinen-, Strassen-, Eisenbahn-, Wasser-, Brücken- u. Hochbau's; der Konstruktionslehren als: darstell. Geometrie, Polar- u. Parallel-Perspective, Schattenkonstruktionen etc. etc.

für

Schüler, Studierende, Kandidaten; Lehrer, Techniker jeder Art, Militärs etc.

zum einzig richtigen und erfolgreichen

Studium, zur Forthülfe bei Schularbeiten und zur rationellen Verwertung der exakten Wissenschaften,

herausgegeben von

Dr. Adolph Kleyer,

Mathematiker, vereideter königl. preuss. Feldmesser, vereideter grossh. hessischer Geometer I. Klasse

in **Frankfurt a. M.**

unter Mitwirkung der bewährtesten Kräfte.

Die Induktionselektricität.

Nach System Kleyer bearbeitet von **Adolf Krebs** in Berlin.

Fortsetzung v. Heft 563. — Seite 209—224. Mit 15 Figuren.

Inhalt:

Die bei elektrischen Maschinen vorkommenden Begriffe. — Schaltungen der Gleichstrommaschinen. — Hauptstrommaschinen. — Nebenschlussmaschine. — Compoundmaschine. — Verwendung derselben. — Aufspeicherung der in elektrischen Maschinen erregten elektrischen Energie (Akkumulatoren).

Stuttgart 1889.

Verlag von Julius Maier.

PROSPEKT.

Dieses Werk, welchem kein ähnliches zur Seite steht, erscheint monatlich in 3—4 Heften zu dem billigen Preise von 25 ₰ pro Heft und bringt eine Sammlung der wichtigsten und praktischsten Aufgaben aus dem Gesamtgebiete der Mathematik, Physik, Mechanik, math. Geographie, Astronomie, des Maschinen-, Strassen-, Eisenbahn-, Brücken- und Hochbaues, des konstruktiven Zeichnens etc. etc. und zwar in vollständig gelöster Form, mit vielen Figuren, Erklärungen nebst Angabe und Entwickelung der benutzten Sätze, Formeln, Regeln in Fragen mit Antworten etc., so dass die Lösung jedermann verständlich sein kann, bezw. wird, wenn eine grössere Anzahl der Hefte erschienen ist, da dieselben sich in ihrer Gesamtheit ergänzen und alsdann auch alle Teile der reinen und angewandten Mathematik — nach besonderen selbständigen Kapiteln angeordnet — vorliegen.

Fast jedem Hefte ist ein Anhang von ungelösten Aufgaben beigegeben, welche der eigenen Lösung (in analoger Form, wie die bezüglichen gelösten Aufgaben) des Studierenden überlassen bleiben, und zugleich von den Herren Lehrern für den Schulunterricht benutzt werden können. — Die Lösungen hierzu werden später in besonderen Heften für die Hand des Lehrers erscheinen. Am Schlusse eines jeden Kapitels gelangen: Titelblatt, Inhaltsverzeichnis, Berichtigungen und erläuternde Erklärungen über das betreffende Kapitel zur Ausgabe.

Das Werk behandelt zunächst den Hauptbestandteil des mathematisch-naturwissenschaftlichen Unterrichtsplanes folgender Schulen: Realschulen I. und II. Ord., gleichberechtigten höheren Bürgerschulen, Privatschulen, Gymnasien, Realgymnasien, Progymnasien, Schullehrer-Seminaren, Polytechniken, Techniken, Baugewerkschulen, Gewerbeschulen, Handelsschulen, techn. Vorbereitungsschulen aller Arten, gewerbliche Fortbildungsschulen, Akademien, Universitäten, Land- und Forstwissenschaftsschulen, Militärschulen, Vorbereitungs-Anstalten aller Arten als z. B. für das Einjährig-Freiwillige- und Offiziers-Examen, etc.

Die Schüler, Studierenden und Kandidaten der mathematischen, technischen und naturwissenschaftlichen Fächer, werden durch diese, Schritt für Schritt gelöste, Aufgabensammlung immerwährend an ihre in der Schule erworbenen oder nur gehörten Theorien etc. erinnert und wird ihnen hiermit der Weg zum unfehlbaren Auffinden der Lösungen derjenigen Aufgaben gezeigt, welche sie bei ihren Prüfungen zu lösen haben, zugleich aber auch die überaus grosse Fruchtbarkeit der mathematischen Wissenschaften vorgeführt.

Dem Lehrer soll mit dieser Aufgabensammlung eine kräftige Stütze für den Schulunterricht geboten werden, indem zur Erlernung des praktischen Teiles der mathematischen Disziplinen — zum Auflösen von Aufgaben — in den meisten Schulen oft keine Zeit erübrigt werden kann, hiermit aber dem Schüler bei seinen häuslichen Arbeiten eine vollständige Anleitung in die Hände gegeben wird, entsprechende Aufgaben zu lösen, die gehabten Regeln, Formeln, Sätze etc. anzuwenden und praktisch zu verwerten. Lust, Liebe und Verständnis für den Schul-Unterricht wird dadurch erhalten und belebt werden.

Den Ingenieuren, Architekten, Technikern und Fachgenossen aller Art, Militärs etc. etc. soll diese Sammlung zur Auffrischung der erworbenen und vielleicht vergessenen mathematischen Kenntnisse dienen und zugleich durch ihre praktischen in allen Berufszweigen vorkommenden Anwendungen einem toten Kapitale lebendige Kraft verleihen und somit den Antrieb zu weiteren praktischen Verwertungen und weiteren Forschungen geben.

Alle Buchhandlungen nehmen Bestellungen entgegen. Wichtige und praktische Aufgaben werden mit Dank von der Redaktion entgegengenommen und mit Angabe der Namen verbreitet. — Wünsche, Fragen etc., welche die Redaktion betreffen, nimmt der Verfasser, Dr. Kleyer, Frankfurt a. M. Fischerfeldstrasse 16, entgegen und wird deren Erledigung thunlichst berücksichtigt.

Stuttgart.   Die Verlagshandlung.

Frage 350. Auf welche Weise hat man es versucht, den in Antwort auf vorige Frage angegebenen Mangel zu beseitigen?

Antwort. Durch eine vollkommene Symetrie der Eisenteile der Feldmagnete kann der in voriger Antwort angegebene Mangel beseitigt werden. Die Maschinen, welche mit Rücksicht auf diesen Mangel hergestellt wurden, sind:

1). die Maschine von *Hopkinson*,
2). die Maschine von *Lahmeyer*,
3). die Maschine von *Kennedy*.

Frage 351. Wie ist die Maschine von *Hopkinson* eingerichtet?

Figur 164.

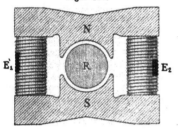

Antwort. Fig. 164 zeigt die Einrichtung der Maschine von *Hopkinson* (siehe Erkl. 288). Ein viereckiger Eisenrahmen ist an seinen senkrechten Seiten E_1 und E_2 (von kreisrundem Querschnitt) mit Draht bewickelt und erzeugt ein magnetisches Feld mit den Polen N und S, zwischen welchen der Anker R rotiert. Es ist leicht einzusehen, dass ein vollkommenes symmetrisches Feld auf diese Weise erhalten wird. Ausserdem sind die Eisenmassen aus einem Stück gegossen, so dass der magnetische Widerstand verhältnismässig gering ist.

Erkl. 288. Diese Art von Maschinen wurde zuerst von *Hopkinson* angegeben und von *Mather* und *Platt* hergestellt. Eine ähnliche magnetische Anordnung finden wir bei der „Westminster"-Dynamo und den Maschinen der Fabriken „Oerlikon" und „Esslingen". Diese Maschinen besitzen meist Ringanker.

Frage 352. Welche Einrichtung besitzt die Maschine von *Lahmeyer?*

Figur 165.

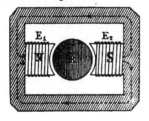

Antwort. *Lahmeyer* erreicht die Symmetrie in der magnetischen Anordnung in der in Fig. 165 angegebenen Weise. Ein viereckiger Eisenrahmen trägt an seinen beiden lotrechten Wandungen zwei Eisenstücke, welche mit Draht bewickelt sind (E_1 und E_2) und die zwei magnetische Pole N und S erzeugen, zwischen welchen der Anker (Trommelanker) R rotiert. Die magnetischen Kraftlinien verlaufen in der durch die gestrichelten Linien angedeuteten Weise. Die von der stromdurchflossenen Bewickelung erregten Kraftlinien durchsetzen fast alle den Anker, da die horizontale Seite des

Erkl. 289. Unter der magnetisierenden Kraft der Bewicklung eines Elektromagnets versteht man das Produkt aus Stromstärke und Windungszahl. Da ferner das praktische Mass der Stromstärke das Ampère ist, so kann man die magnetisierende Kraft auch ausdrücken durch das Produkt aus der Zahl der Ampère und der Zahl der Windungen, wofür man zur Abkürzung den Ausdruck „Ampèrewindungen" gebraucht.

viereckigen Eisenrahmens oben wie unten ein Austreten von Kraftlinien in die Luft verhindert. Die magnetisierende Kraft, oder wie man auch sagt: die Ampèrewindungen (siehe Erkl. 289) sind daher verhältnismässig gering, um eine bestimmte Anzahl von wirksamen (d. h. durch den Anker tretenden) Kraftlinien zu erzeugen. Durch diesen Vorteil wird auch der grössere Aufwand an Eisen zum mindesten ausgeglichen.

Frage 353. Wie ist die Maschine von *Kennedy* eingerichtet?

Figur 166.

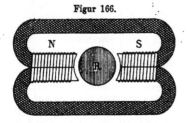

Erkl. 290. Die Maschine von *Kennedy* dürfte bei passender Konstruktion eine der wirksamsten Maschinen sein.

Antwort. Die Maschine von *Kennedy* hat eine ganz ähnliche Einrichtung wie diejenige von *Lahmeyer*, jedoch bemerkt man (siehe Fig. 166), dass die Ecken bei dem Eisengestell vermieden sind. Es ist dies insofern von Vorteil, als die magnetischen Kraftlinien ebenso wie die Elektricität an Spitzen, Ecken, scharfen Kanten u. s. w. sehr leicht in das umgebende Mittel austreten. Es wäre daher zweckmässig, auch den Querschnitt des Eisengestells kreisförmig oder elliptisch zu wählen (siehe Erkl. 290).

d). Ueber die bei den elektrischen Maschinen vorkommenden Begriffe.

Frage 354. Welche hauptsächlichsten Begriffe sind bei den elektrischen Maschinen zu bemerken?

Antwort. Bei den elektrischen Maschinen kommen folgende Begriffe in Betracht:

1). Die elektromotorische Kraft der Maschine,
2). die sog. Klemmspannung,
3). die Stromstärke in den Ankerwindungen,
4). die Stromstärke in dem äusseren Stromkreis,
5). der gesamte elektrische Effekt,
6). der elektrische Nutzeffekt,
7). der elektrische Wirkungsgrad,
8). der mechanische Wirkungsgrad.

Frage 355. Was versteht man unter der elektromotorischen Kraft einer elektrischen Maschine?

Antwort. Unter der elektromotorischen Kraft einer elektrischen Maschine versteht man die gesamte in den Windungen des Ankers induzierte elektromotorische Kraft. Wir bezeichnen dieselbe mit E.

Frage 356. Was bezeichnet man mit Klemmspannung einer elektrischen Maschine?

Erkl. 291. Man nennt die nutzbare elektromotorische Kraft (d. i. die Spannungsdifferenz) an den Bürsten Klemmspannung, weil die Bürsten mit zwei an der Maschine befindlichen Klemmschrauben verbunden sind, mittels derer der äussere Stromkreis an die Maschine angeschlossen wird.

Antwort. Die Klemmspannung ist die Spannungsdifferenz, welche an den Enden der Ankerwickelung, also an den Klemmen der Maschine herrscht. Dieselbe ist gleich der Grösse der für den äusseren Stromkreis, welcher ja zwischen den beiden Klemmen liegt, nutzbaren elektromotorischen Kraft. Sie ist natürlich kleiner als die elektromotorische Kraft der Maschine, da letztere, die Ankerwindungen durchfliessend, einen Teil ihrer Spannungsdifferenz verliert. Wir bezeichnen die Klemmspannung mit e (siehe Erkl. 291).

Frage 357. Was bezeichnet man mit Stromstärke in den Ankerwindungen?

Antwort. Die Stromstärke in den Ankerwindungen ist die Stärke, mit welcher der Strom in den Ankerwindungen fliesst. Wir bezeichnen dieselbe mit J.

Frage 358. Was versteht man unter der Stromstärke im äusseren Stromkreis?

Antwort. Die Stromstärke im äusseren Stromkreis ist diejenige Stromstärke, welche in der Leitung zwischen den Klemmen der Maschine, d. i. im äusseren Stromkreis, herrscht. Wir bezeichnen dieselbe mit i.

Frage 359. Was begreift man unter dem gesamten elektrischen Effekt einer elektrischen Maschine?

Antwort. Der elektrische Effekt ist gleich dem Produkt aus der elektromotorischen Kraft und der Stromstärke (siehe Teil II, Antwort auf Frage 238). Der gesamte elektrische Effekt L einer elektrischen Maschine ist also gleich dem Produkt aus der elektromotorischen Kraft E der Maschine und der Stromstärke J in den Ankerwindungen, also:

$$L = E \cdot J$$

Drückt man L in praktischem Mass aus, also E in Volt und J in Ampère, so ist:

$$L = E \cdot J \text{ Voltampère (Watt)};$$

da ferner:

$$736 \text{ Voltampère} = 1 \text{ Pferdekraft}$$

(siehe Erkl. 292)

so folgt:

$$L = \frac{1}{736} \cdot E \cdot J \text{ Pferdekräfte.}$$

Erkl. 292. Man vergleiche die Entwicklungen auf Seite 176 und 177.

Frage 360. Was bezeichnet man mit dem elektrischen Nutzeffekt einer elektrischen Maschine?

Antwort. Der elektrische Nutzeffekt l bezieht sich auf die im äusseren Stromkreise vorhandene elektromotorische Kraft und Stromstärke. Er ist also gleich dem Produkt aus der Klemmspannung e und der Stromstärke i im äusseren Stromkreis; mithin:

$$l = e \cdot i \text{ Voltampère (Watt)}$$

oder:

$$l = \frac{1}{736} \cdot e \cdot i \text{ Pferdekräfte.}$$

Frage 361. Was versteht man unter dem elektrischen Wirkungsgrad einer elektrischen Maschine?

Antwort. Der elektrische Wirkungsgrad einer Maschine ist gleich dem Quotient aus dem elektrischen Nutzeffekt l und dem gesamten elektrischen Effekt L der Maschine. Bezeichnen wir denselben mit γ, so ist:

$$\gamma = \frac{l}{L} = \frac{e \cdot i}{E \cdot J}$$

Frage 362. Was bezeichnet man mit dem mechanischen Wirkungsgrad einer elektrischen Maschine?

Antwort. Um eine elektrische Maschine zu betreiben, ist eine gewisse mechanische Arbeitsleistung A nötig, welche man in Pferdekräften ausdrückt. Diese erzeugt einen gewissen elektrischen Effekt $E \cdot J$ (siehe Antw. auf Frage 359), von welchem jedoch nur der elektrische Nutzeffekt $e \cdot i$ (siehe Antw. auf Frage 360) für die Arbeitsleistung im äusseren Stromkreis verfügbar ist. Der mechanische Wirkungsgrad (g) ist also gleich

Erkl. 293. Für gute Maschinen schwankt g zwischen 0,80 und 0,93, so dass auf 100 mechanische Pferdekräfte 80 bis 93 elektrische kommen. Diese hohe Zahl zeigt, dass bei der Umsetzung von mechanischer in elektrische Energie äusserst wenig Energie nutzlos verloren geht.

dem Quotient aus dem elektrischen Nutzeffekt in Pferdekräften $\left(\dfrac{e.i}{736}\right)$ und der aufgewendeten mechanischen Arbeit (A) in Pferdekräften; mithin:

$$g = \frac{l}{A} = \frac{e.i}{736 \cdot A}$$

(siehe Erkl. 293).

---

e). Ueber die Schaltungen der Gleichstrommaschinen.

Frage 363. Welches Grundprinzip liegt den Schaltungen der Gleichstrommaschinen zu Grunde?

Antwort. Die Schaltungen der Gleichstrommaschinen beruhen auf dem dynamo-elektrischen Prinzip von *Siemens*, nach welchem der in dem Anker erregte Strom zugleich zur Magnetisierung der Feldmagnete benutzt wird. (Dasselbe ist in Antw. auf Frage 184 ausführlich behandelt, worauf hier verwiesen wird.)

Frage 364. Wie teilt man die Gleichstrommaschinen in Bezug auf ihre Schaltungen ein?

Antwort. Nach Massgabe ihrer Schaltungen teilt man die Gleichstrommaschinen ein in:

1). Hauptstrommaschinen,
2). Nebenschlussmaschinen,
3). Maschinen mit gemischter Bewickelung (Compoundmaschinen).

α). Ueber die Hauptstrommaschinen.

Frage 365. Worin besteht die Einrichtung einer Hauptstrommaschine?

Erkl. 294. Man nennt diese Art Maschinen auch Serienmaschinen oder auch „gewöhnliche" Dynamomaschinen.

Antwort. Fig. 167 gibt ein schematisches Bild einer Hauptstrommaschine. R ist der Anker, an welchem die Bürsten c und d schleifen, und M der Elektromagnet. Der in dem Anker induzierte Strom fliesst von d durch die Elektromagnetwindungen und den zwischen den Klemmen a und b angeschlossenen äusseren Stromkreis nach c. Die Elektromagnetwindungen befinden sich mithin in Hintereinanderschaltung mit dem äusseren Stromkreis. Daher:

Figur 167.

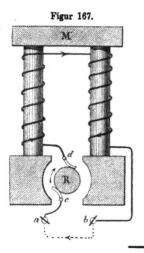

Bei einer Hauptstrommaschine
sind die Elektromagnetwindungen und der äussere Stromkreis hintereinander geschaltet
(siehe Erkl. 294).

Frage 366. Wovon hängt die in
einer Hauptstrommaschine erregte
elektromotorische Kraft ab?

Figur 168.

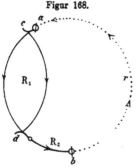

Erkl. 295. In Fig. 168 ist das Schema einer
Hauptstrommaschine (Fig. 167) etwas übersicht-
licher gezeichnet. Der Strom fliesst von der
Bürste d durch die Elektromagnetwindungen
R_2 nach der Klemme b und von da durch den
äusseren Stromkreis (r) über die Klemme a
nach der Bürste c. Wir haben also einen einfachen, unverzweigten Stromkreis, in
dessen einzelnen Teilen überall gleiche Stromstärke herrschen muss.

Erkl. 296. Die elektromotorische Kraft E
einer Maschine kann man nicht direkt messen, sondern sie wird berechnet aus den Widerständen der einzelnen Teile und der Strom-

Antwort. Bei einer Hauptstrommaschine ist die Stromstärke J in
den Ankerwindungen gleich der Stromstärke i in dem äusseren Stromkreise.
Es fliesst also in dem Anker, den Elektromagnetwindungen und dem äusseren
Stromkreis der Strom mit gleicher
Stärke, welche durch ein Stromstärke-
messer (Ampèremeter) gemessen wird.
Ist ferner der Widerstand (siehe Fig. 168
und Erkl. 295) im Anker $= R_1$, in den
Elektromagnetwindungen $= R_2$ und im
äusseren Stromkreis $= r$, so ist der
Gesamtwiderstand $W = R_1 + R_2 + r$;
mithin, da nach dem Ohmschen Gesetz:

$$E = J \cdot W$$
$$E = (R_1 + R_2 + r) \, J$$

oder da $J = i$:

$$E = (R + R_2 + r) \, i$$

Setzen wir:

$$R_1 + R_2 = R = \text{Widerstand in}$$
$$\text{der Maschine,}$$

so folgt:

$$1). \ldots . \, E = i \cdot R + i \cdot r$$

In Gleichung 1). können i, R und r
direkt gemessen werden. Nun ist aber
für eine bestimmte Maschine der Wider-

stärke i im äusseren Stromkreise, welche gemessen werden können. Man kann sie jedoch
auch graphisch ermitteln. Für eine Hauptstrommaschine geschieht dies auf folgende Weise:
Auf einer geraden Linie tragen wir die Widerstände R_1, R_2 und r auf; es sei $R_1 = OB$
(s. Fig. 169), $R_2 = BC$ und $r = CA$. Wir
tragen nun auf einer Senkrechten zu OA im
Punkte C die Grösse $i \cdot r = e$, also die Klemmspannung auf, verbinden A mit D und ver-
längern diese Linie, bis sie die im Punkte O
errichtete Senkrechte schneidet; dann ist CD
$=$ der Klemmspannung e (an den Klemmen ab)
und $OF =$ der elektromotorischen Kraft E,
ferner $BG =$ der Spannungsdifferenz an den
Bürsten cd. Die ursprüngliche elektromotorische Kraft E verliert also die Ankerwindungen durchfliessend den Betrag HF, und bis
zu den Klemmen ab (s. Fig. 168) den Betrag
KF. KF stellt also die Grösse der in dem
Anker und den Feldmagneten für den äusseren Stromkreis verlorenen elektromotorischen
Kraft dar.

stand R konstant, mithin hängt die
elektromotorische Kraft E wesentlich von dem Widerstand r im
äusseren Stromkreis ab (siehe
Erkl. 296).

Figur 169.

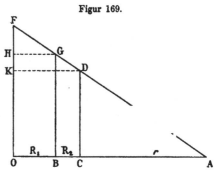

Frage 367. Wie ändert sich die
elektromotorische Kraft einer Hauptstrommaschine mit dem Widerstand
im äusseren Stromkreis?

Figur 170.

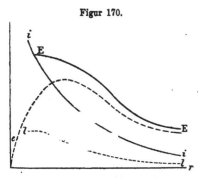

Erkl. 297. Ueber die Abhängigkeit der elektromotorischen Kraft von der Zahl der Kraftlinien vergl. Antw. auf Frage 282.

Antwort. Die elektromotorische
Kraft nimmt für ganz kleine äussere
Widerstände zu und von einem gewissen Widerstand an anfangs langsam, später rasch ab und wird Null
für $r = \infty$ gross, d. h. wenn die
Bürsten der Maschine nicht mehr leitend
mit einander verbunden sind, also bei
offenem äusserem Stromkreis. Fig.
170, Kurve E, gibt den Verlauf der
elektromotorischen Kraft E für die verschiedenen Widerstände. Dass die elektromotorische Kraft mit wachsendem
Widerstand r abnimmt, ist leicht erklärlich, denn mit wachsendem r nimmt
die Stromstärke ab, die Eisenkerne des
Elektromagnets werden weniger stark
magnetisch und die Zahl der durch den
Anker tretenden Kraftlinien und mithin
die elektromotorische Kraft nimmt ab
(siehe Erkl. 297).

Frage 368. Wie ändert sich die
Klemmspannung e mit dem äusseren
Widerstand?

Antwort. Die Klemmspannung e,
das ist die Spannungsdifferenz zwischen
den Klemmen a und b (siehe Fig. 168),
also die für den äusseren Stromkreis
nutzbare elektromotorische Kraft zeigt
einen ganz ähnlichen Verlauf, siehe

Fig. 169, Kurve e, nur ist sie für alle r kleiner als die gesamte elektromotorische Kraft der Maschine, und nur für $r = 0$ und $r = \infty$ ist $e = E$.

Frage 369. Wie ändert sich die Stromstärke in einer Hauptstrommaschine mit wachsendem äusserem Widerstand?

Antwort. Die Stromstärke in einer Hauptstrommaschine nimmt mit wachsendem Widerstand r rasch ab.

Frage 370. Wie ändert sich der elektrische Nutzeffekt einer Hauptstrommaschine mit wachsendem äusserem Widerstand?

Antwort. Der elektrische Nutzeffekt l ist:

$$l = c \cdot i \text{ (siehe Antw. auf Frage 238)}$$

Derselbe zeigt bei wachsendem äusserem Widerstand den in Fig. 170 Kurve l dargestellten Verlauf. Der Nutzeffekt nimmt also von einem bestimmten äusseren Widerstand an allmählich ab und wird für $r = \infty$ Null.

β). Ueber die Nebenschlussmaschine.

Frage 371. Wie ist eine Nebenschlussmaschine eingerichtet?

Figur 171.

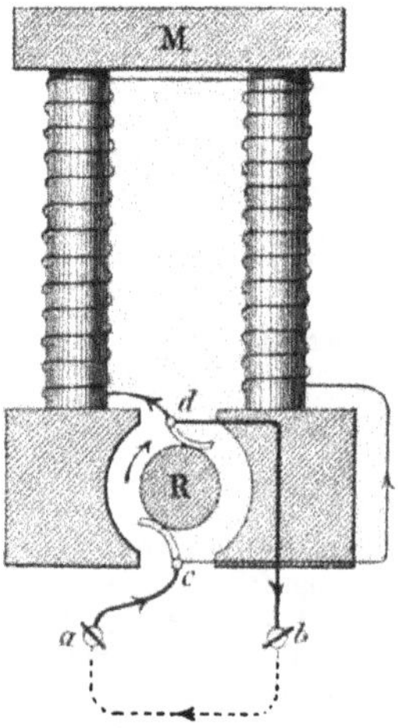

Antwort. Eine Nebenschlussmaschine zeigt die in Fig. 171 dargestellte schematische Einrichtung. M stellt einen Elektromagnet dar und R einen Anker, an welchem die Bürsten c und d schleifen. Von diesen gehen zwei Stromzweige ab. Der eine umgibt in vielen Windungen dünnen Drahtes die Schenkel der Elektromagnetkerne, der zweite bildet den äusseren Stromkreis (zwischen den Klemmen a und b). Die Elektromagnetwindungen liegen also nicht wie bei der Hauptstrommaschine (siehe Antw. auf Frage 365) im Hauptstromkreis, sondern in einer an den Klemmen a und b abgezweigten Leitung, einem sog. Nebenschluss. Daher:

Bei einer Nebenschlussmaschine liegen die Elektromagnetwindungen im Nebenschluss zum äusseren Stromkreis.

Frage 372. Wie ändert sich bei einer Nebenschlussmaschine die elektromotorische Kraft mit dem Widerstand im äusseren Stromkreis?

Figur 172.

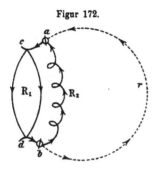

Figur 173.

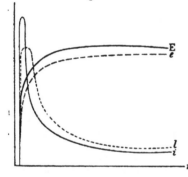

Erkl. 298. Teilt sich ein Strom von der Stärke J an einer bestimmten Stelle in n Teile, so ist die Summe dieser n Stromstärken i gleich der ursprünglichen, also:

$$i_1 + i_2 + i_3 + \ldots i_n = J$$

(s. *May*, Lehrb. d. Kontaktelektricität Antw. auf Frage 348).

Erkl. 299. Den Widerstand der beiden zwischen a und b befindlichen Stromzweige finden wir wie folgt:

Es ist $\frac{1}{r}$ das Leitungsvermögen im äusseren Stromkreis, und $\frac{1}{R_2}$ dasjenige im Nebenschluss; mithin das Leitungsvermögen K der beiden Stromzweige zusammen:

$$K = \frac{1}{r} + \frac{1}{R_2} = \frac{r + R_2}{r \cdot R_2}$$

Nun ist der Leitungswiderstand der beiden

Antwort. Zur deutlicheren Erkenntnis der obwaltenden Verhältnisse stellen wir uns den Stromverlauf einer Nebenschlussmaschine in der in Fig. 172 angegebenen Weise dar. Zwischen den Bürsten c und d befinden sich die Ankerwindungen mit dem Widerstand R_1 und der Stromstärke J; ausserdem sind von den Bürsten zwischen a und b die Elektromagnetwindungen mit dem Widerstand R_2 abgezweigt, durch welche eine Stromstärke J' fliesst. Zwischen a und b befindet sich der äussere Stromkreis mit dem Widerstand r und der Stromstärke i.

Ist W der Gesamtwiderstand in dem ganzen Stromkreis und J die in den Ankerwindungen herrschende Stromstärke, so gilt für die elektromotorische Kraft E:

$$E = J \cdot W$$

Die Stromstärke J teilt sich an den Punkten a und b in J' und i, so dass:

$$J = J' + i \quad \text{(siehe Erkl. 298)}$$

Der Widerstand W ist gleich dem Widerstand R_1 der Ankerwindungen und dem Widerstand $\frac{R_2 \cdot r}{R_2 + r}$ der beiden parallel geschalteten Stromleitungen R_2 und r (siehe Erkl. 299). Mithin:

$$E = (J' + i) \left(R_1 + \frac{R_2 \cdot r}{R_2 + r} \right)$$

In dieser Gleichung sind R_1 und R_2 nahezu konstant. Bei wachsendem r verläuft die elektromotorische Kraft E, wie in Fig. 173 abgebildet. Sie steigt von $r = 0$ ab rasch an und verläuft von einem gewissen Widerstand ab nahezu geradlinig.

Stromzweige $= \dfrac{1}{K}$, wenn K das Leitungsvermögen ist; mithin ist der Widerstand:

$$\frac{1}{K} = \frac{r \cdot R_2}{r + R_2}$$

Frage 373. Welchen Verlauf zeigt die Klemmspannung einer Nebenschlussmaschine bei wachsendem Widerstand im äusseren Stromkreis?

Antwort. Die Klemmspannung zeigt einen ähnlichen Verlauf wie die elektromotorische Kraft: sie wächst mit wachsendem äusserem Widerstand (siehe Fig. 173, Kurve e). Dies ist auch von vornherein klar; denn wächst der Widerstand im äusseren Stromkreis, so läuft der grössere Teil des Stromes J durch den Nebenschluss; es wächst also der durch die Elektromagnetwindungen fliessende Strom J', wodurch die Zahl der Kraftlinien vermehrt und infolgedessen sowohl die elektromotorische Kraft E als auch die Klemmspannung e zunimmt. Für $r = \infty$, d. h. bei offenem äusserem Stromkreis wird die Nebenschlussmaschine nicht stromlos (siehe Erkl. 300).

Erkl. 300. Die Nebenschlussmaschine zeigt mithin ein anderes Verhalten als die Hauptstrommaschine, welche für $r = \infty$ keinen Strom erzeugt. Dies ist auch klar; denn wenn auch der äussere Stromkreis einer Nebenschlussmaschine geöffnet wird, so ist immer noch ein geschlossener Stromkreis durch den Nebenschluss hergestellt. In diesem Falle hat die Nebenschlussmaschine die Schaltung einer Hauptstrommaschine, deren Stromkreis geschlossen ist. Dagegen wird sie stromlos, wenn der äussere Widerstand fast Null wird, da dann kein Strom mehr durch die dünnen Elektromagnetwindungen fliesst.

Frage 374. Welchen Verlauf zeigt die Stromstärke im äusseren Stromkreis bei einer Nebenschlussmaschine?

Antwort. Die Stromstärke i im äusseren Stromkreis einer Nebenschlussmaschine beginnt erst, nachdem der Widerstand r im äusseren Stromkreis eine bestimmte Grösse erlangt hat. Dies erklärt sich dadurch, dass bei sehr kleinem r die Stromstärke hauptsächlich durch den äusseren Stromkreis fliessen würde und nicht durch die Elektromagnetwindungen, welche einen verhältnismässig weit grösseren Widerstand bieten. Es werden mithin bei sehr kleinem r die Elektromagnete nicht erregt, somit auch keine elektromotorische Kraft E, keine Klemmspannung e und keine Stromstärke i erzeugt. Erst von einem bestimmten äusseren Widerstand an tritt dies ein. Die Stromstärke i wächst von einem gewissen r an rasch, nimmt dann ebenso schnell wieder ab, um sich allmählich (für $r = \infty$) dem Werte Null zu nähern (s. Erkl. 301).

Erkl. 301. In Fig. 172 bezeichnet die Kurve i den Stromverlauf im äusseren Stromkreis bei wachsendem äusseren Widerstand.

Frage 375. Wie ändert sich der elektrische Nutzeffekt einer Nebenschlussmaschine mit wachsendem äusserem Widerstand?

Antwort. Der elektrische Nutzeffekt $l = e \cdot i$ einer Nebenschlussmaschine zeigt den in Fig. 173, Kurve l dargestellten Verlauf. Er wächst von einem bestimmten r an rasch an und fällt dann erst schneller und dann langsamer, um für $r = \infty$ Null zu werden.

γ). Ueber die Maschinen mit gemischter Bewicklung.
(Compoundmaschinen.)

Frage 376. Wie ist eine Maschine mit gemischter Wicklung eingerichtet?

Figur 174.

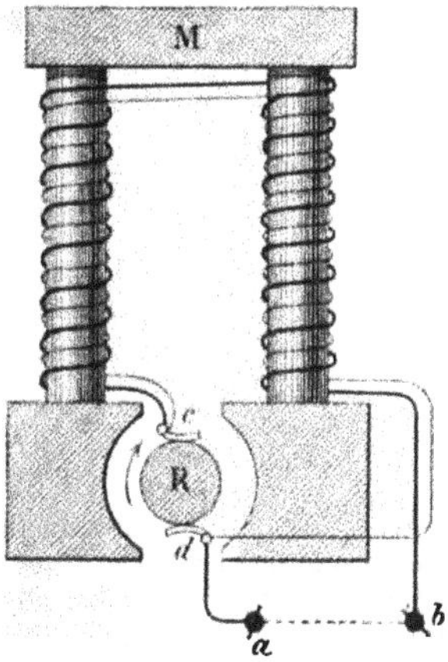

Antwort. Bei der Maschine mit gemischter Wicklung haben die Feldmagnete zwei Windungen (siehe Fig. 174). Die eine (dickere) befindet sich mit dem äusseren Stromkreis in Hintereinanderschaltung, die zweite (dünnere) liegt in einem an den Bürsten abgezweigten Nebenschluss zum äusseren Stromkreis. Man kann daher auch sagen:

. Die Maschine mit gemischter Wicklung ist eine Hauptstrommaschine, deren Feldmagnete noch in einem Nebenschluss zum äusseren Stromkreis liegen.

Frage 377. Wie ändert sich die elektromotorische Kraft E mit wachsendem äusserem Widerstand?

Antwort. Zur deutlicheren Erkenntnis der obwaltenden Verhältnisse bedienen wir uns des in Fig. 175 dargestellten Stromverlaufs einer Compoundmaschine. Es stellt dann in Fig. 176 die Kurve E den Verlauf der elektromotorischen Kraft dar. Sie fällt mit wachsendem äusserem Widerstand langsam ab und verläuft schliesslich in gerader Linie. Man berechnet sie aus der Gleichung:

$$1). \ldots E = e\left(\frac{1}{R_2} + \frac{1}{r}\right)\left[R_1 + R_3 + \frac{R_2 \cdot r}{R_2 + r}\right]$$

Figur 175.

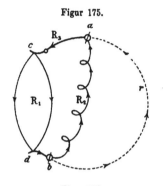

Figur 176.

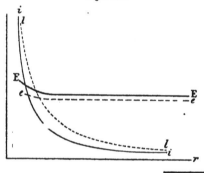

in welcher die Grössen r, R_1, R_2, R_1 und e gemessen werden können. Die Gleichung 1). leitet man folgendermassen ab: Es ist allgemein:

$$E = J . W$$

($W =$ Widerstand des gesamten Stromkreises)

Nun ist:

a). . . $W = R_1 + R_2 + \dfrac{R_2 . r}{R_2 + r}$

ferner:

$\quad$. $\quad J = J' + i = \dfrac{e}{R_2} + \dfrac{e}{r}$

oder:

b). . . . . $J = e \left(\dfrac{1}{R_2} + \dfrac{1}{r} \right)$

Durch Multiplikation der Gleichungen a). und b). erhalten wir die Gleichung 1).

Frage 378. Wie ändert sich die Klemmspannung e mit wachsendem äusseren Widerstand?

Antwort. Die Klemmspannung e bleibt mit wachsendem r innerhalb bestimmter Grenzen dieselbe. Sie verläuft also bildlich dargestellt in fast gerader Linie (siehe die Kurve e in Fig. 176).

Frage 379. Wie ändert sich die Stromstärke im äusseren Stromkreise mit wachsendem äusseren Widerstand?

Antwort. Die Stromstärke i (s. Kurve i in Fig. 176) nimmt mit wachsendem äusseren Widerstande r erst rasch und dann langsamer ab, um sich allmählich (für $r = \infty$) dem Werte Null zu nähern.

Frage 380. Wie ändert sich der elektrische Nutzeffekt mit wachsendem äusseren Widerstande?

Antwort. Die Kurve l in Fig. 176 zeigt den Verlauf des elektrischen Nutzeffekts. Derselbe nimmt zuerst sehr rasch und dann immer langsamer ab.

f). **Ueber die Verwendung der Hauptstrom-, Nebenschluss- und gemischt bewickelten Dynamomaschinen.**

(Gleichspannungsmaschinen.)

Frage 381. In welchen Fällen findet die Hauptstrommaschine Verwendung?

Antwort. Bei der Hauptstrommaschine ändert sich sowohl die Klemmspannung als auch die Stromstärke bei verschiedenem äusseren Widerstand. Man verwendet daher diese Art Maschinen mit Vorteil nur dann, wenn der äussere Widerstand ungeändert bleibt, wenn also z. B. eine bestimmte Anzahl Lampen fortwährend gespeist werden sollen. Die Grösse der Maschine wählt man ferner mit Rücksicht darauf, dass für diesen bestimmten äusseren Widerstand das Produkt $e.i$ aus Klemmspannung e und Stromstärke i möglichst der grössten Leistung der Maschine entspricht (siehe Erkl. 302).

Erkl. 302. Ist etwa

für $r = 4$ Ohm $e = 80$ Volt $i = 20$ Amp.
„ $r = 5$ „ $e = 90$ „ $i = 18$ „
„ $r = 6$ „ $e = 92$ „ $i = 15,3$ „

so ist also:

für $r = 4$ Ohm $e.i = 1600$ Voltampère
„ $r = 5$ „ $e.i = 1620$ „
„ $r = 6$ „ $e.i = 1407,6$ „

Die Maschine hat demgemäss für einen äusseren Widerstand (ungefähr) $r = 5$ Ohm ihre grösste Leistung (Nutzeffekt).

Erkl. 303. Die Hauptstrommaschinen werden immer weniger benutzt, da bei Verteilungssystemen elektrischer Energie der Widerstand im äusseren Stromkreis nur in den seltensten Fällen ungeändert bleibt. Ferner sind dieselben nicht zum Laden der sogen. Akkumulatoren [Elektricitäts-Aufspeicherungsapparate, s. III. Teil Abschnitt g).] zu verwenden, da die Polarität der Maschine umgekehrt wird, sobald die Spannung der Maschine sinkt. Und dies tritt ein, sobald die Akkumulatoren fast vollgeladen sind, da dann der Widerstand in denselben wächst und dadurch die Stromstärke und mit ihr die Klemmspannung der Maschine sinkt. Dies hat zur Folge, dass die Akkumulatoren die Maschine in entgegengesetzter Richtung drehen!

Frage 382. Auf welche Weise kann man sich bei der Verteilung elektrischer Energie vom äusseren Widerstande einigermassen unabhängig machen?

Antwort. Man erreicht eine Unabhängigkeit vom äusseren Widerstande entweder dadurch, dass man alle im äusseren Stromkreise befindlichen Apparate (Lampen etc.) parallel schaltet (siehe Erkl. 303) und die elektrischen Maschinen derart einrichtet, dass sie trotz veränderlichem äusseren Widerstande gleiche Klemmspannung haben, oder dadurch, dass man alle Apparate im äusseren Stromkreise hintereinanderschaltet (siehe Erkl. 304) und Maschinen wählt, welche trotz veränderlichem äusseren Widerstand immer gleiche Stromstärke im äusseren Stromkreise erhalten.

Figur 177.

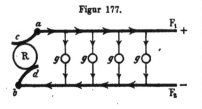

Figur 178.

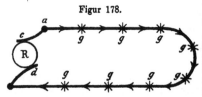

Erkl. 304. Unter **Hintereinanderschal-**
tung versteht man die in **Fig. 178** dargestellte
Anordnung. Der Strom der Maschine *R* durchfliesst die Apparate *g*, *g* .... nach der Reihe
„hintereinander". Die Apparate *g* sind derart konstruiert, dass sie bei einer bestimmten
Stromstärke in gewünschter Thätigkeit sind.

Unter **Parallelschaltung** versteht man
die in Fig. 177 dargestellte Anordnung.
R bedeutet eine Dynamomaschine, *c* und
d die beiden Bürsten, F_1, F_2 die beiden
zum äusseren Stromkreis (zwischen den
Klemmen *a* und *b*) gehörigen Leitungen
und *g*, *g* ... die eingeschalteten Apparate. Letztere sind so gewählt, dass
sie bei einer bestimmten Spannung (etwa
100 Volt) in Thätigkeit treten. Der
Stromverlauf ist durch die Pfeile angedeutet.

Frage 383. Wie nennt man die
elektrischen Maschinen, welche bei
ungleichem äusseren Widerstande und
bei Parallelschaltung gleiche Spannung liefern?

Antwort. Derartige Maschinen nennt
man Gleichspannungsmaschinen.

Frage 384. Welche Benennung
haben die elektrischen Maschinen, welche
trotz veränderlichem äusseren Widerstande gleiche Stromstärke liefern?

Antwort. Derartige Maschinen nennt
man Maschinen mit gleichbleibender Stromstärke (siehe Erkl. 305).

Erkl. 305. Maschinen mit gleichbleibender
Stromstärke, welche zum Betrieb von hintereinandergeschalteten Apparaten dienen, zu kon-
struieren, ist noch nicht mit wünschenswerter
Vollkommenheit gelungen. Ausserdem hat schon
das System der Hintereinanderschaltung den
Mangel, dass, wenn ein Apparat (Lampe) versagt (etwa beschädigt ist, so dass kein Strom
durchfliesst), alle andern Apparate in Mitleidenschaft gezogen werden. Aus diesem Grunde
findet das System augenblicklich wenig Anwendung, weshalb wir auf diese Maschinen nicht
näher eingehen.

Frage 385. Welche elektrische Maschinen liefern gleiche Spannung bei
ungleichem Widerstande im äusseren Stromkreise?

Antwort. Um den Mangel der Hauptstrommaschinen (veränderliche Spannung
und Stromstärke bei ungleichem äusseren Widerstande) zu heben, wurden die
Nebenschlussmaschine und die Maschine mit gemischter Wickelung
(siehe Antw. anf Frage 371 und 376)
hergestellt. Beide liefern, wie die Kurven *e*
in Fig. 173 und 176 zeigen, innerhalb
gewisser Grenzen für ungleichen äusseren
Widerstand (*r*) einigermassen gleiche

Erkl. 306. Auch die Nebenschlussmaschine
ändert ihre Spannung wenig, jedoch immerhin
etwas, weshalb man meist in die Windungen
der Feldmagnete (also in den Nebenschluss)
einen Widerstandsregler einschaltet, wodurch
die Klemmspannung durch Ein- und Ausschalten von Widerstand reguliert werden kann.

Klemmspannung und zwar die Maschine mit gemischter Wickelung am vollkommensten (siehe Erkl. 306).

Frage 386. Für welches System der Verteilung elektrischer Energie sind daher die Nebenschlussmaschine und die Maschine mit gemischter Wickelung mit Vorteil zu verwenden?

Erkl. 307. Versagt bei Parallelschaltung ein eingeschalteter Apparat (etwa eine Lampe), so ist dadurch der Stromkreis n i c h t unterbrochen, wie bei der Parallelschaltung!

Antwort. Die Nebenschlussmaschine und die Maschine mit gemischter Bewickelung werden infolge ihrer Eigenschaft, gleiche Spannung bei variablem äusseren Widerstande zu liefern, bei dem System der Parallelschaltung (siehe Erkl. 307 und Fig. 177) verwendet. Ausserdem besitzt dieses System den Vorteil, dass man Apparate (Lampen) ein- und ausschalten kann, ohne dass dadurch die anderen Apparate in Mitleidenschaft gezogen werden. Selbst ein Versagen der Apparate ist ohne Einfluss (siehe Erkl. 307).

Frage 387. Welche gemeinsamen Namen führen die Nebenschlussmaschine und die Maschine für gemischte Bewickelung?

Antwort. Die Nebenschlussmaschinen und die Maschinen mit gemischter Bewickelung fasst man zusammen unter dem gemeinsamen Namen **Gleichspannungsmaschinen.**

g). Ueber die Aufspeicherung der in Gleichstrommaschinen erregten elektrischen Energie.

(Die Akkumulatoren.)

Frage 388. Welche Bedeutung hat die Aufspeicherung elektrischer Energie für die elektrischen Maschinen?

Erkl. 308. Die elektrische Energie wird bemessen aus dem Produkt aus Stromstärke und Klemmspannung (siehe Antw. auf Frage 237 ff.). Die Stromstärke im äusseren Stromkreise aber ändert sich mit dem Widerstand in demselben.

Antwort. Es ist eine bekannte Thatsache, dass die elektrischen Maschinen für eine ganz bestimmte Klemmspannung und eine ganz bestimmte Stromstärke ihren höchsten Nutzeffekt geben; dies ersieht man leicht aus den Kurven l der Fig. 170, 173 u. 176. Wenn nun auch mittels der Gleichspannungsmaschinen (siehe Antw. auf Frage 387) erreicht werden kann, dass die Klemmspannung dieselbe bleibt, so ändert sich immerhin die Stromstärke, je nach der Energieentnahme, d. h. je nach dem Widerstand im äusseren Stromkreise (s. Erkl. 308). Ausserdem kann der Fall eintreten, dass zu gewissen Zeiten mehr elektrische

Energie gewünscht wird, als die Maschine liefern kann und zu andern Zeiten weniger als ihrem grössten Nutzeffekt entspricht. Für diese Fälle ist es von nicht zu unterschätzendem Wert, dass während der geringeren Beanspruchung der elektrischen Maschine diejenige Energie, welche noch bis zur normalen Beanspruchung der Maschine verfügbar ist, aufgespeichert werde, um dann bei gesteigerter Energieentnahme die der Maschine fehlende Energie zu ersetzen.

Erkl. 309. Die Aufspeicherung von elektrischer Energie hat dieselbe Bedeutung für die Elektrotechnik wie die Wasserreservoire und die Gasometer für die Wasser- bezw. Gas-Technik.

Die Bedeutung der Aufspeicherung elektrischer Energie für elektrische Maschinen liegt also in der möglichst vollkommenen Ausnutzung ihrer Leistungsfähigkeit (siehe Erkl. 309).

Frage 389. Worauf beruht die Aufspeicherung elektrischer Energie?

Antwort. Die Aufspeicherung elektrischer Energie beruht auf der Thatsache, dass wenn man in ein Gefäss mit Flüssigkeit zwei von einander getrennte Platten eintaucht, welche in einen Stromkreis eingeschaltet sind, die infolge der Zersetzung an den beiden Platten entstehenden Zersetzungsprodukte ein galvanisches Element von einer bestimmten elektromotorischen Kraft bilden (siehe Erkl. 310).

Erkl. 310. Ueber die in nebenstehender Antwort angeführte Thatsache, welche allgemein unter dem Namen Polarisation bekannt ist, findet man ausführliches in *Mays* Lehrb. der Kontaktelektricität, Antw. auf Frage 216 ff.

Die elektromotorische Kraft ist natürlich derjenigen im Stromkreis entgegengesetzt gerichtet, wie aus dem Prinzip der Erhaltung der Energie hervorgeht; denn wären beide gleichgerichtet, so würden sie sich addieren und die Stromquelle im Stromkreis hätte mehr Energie entwickelt, als sie aus sich selbst zu entwickeln im stande gewesen wäre; sie hätte aus Nichts ein gewisses Quantum elektrischer Energie erzeugt! Man nennt daher die elektromotorische Kraft der Zersetzungsprodukte „elektromotorische Gegenkraft".

Frage 390. Bei welcher Anordnung ist die in voriger Antwort angeführte Thatsache besonders deutlich zu erkennen?

Antwort. Stellt man zwei Bleiplatten in ein Gefäss mit verdünnter Schwefelsäure und schaltet sie in einen Stromkreis, so ist die in voriger Antwort angeführte Thatsache sehr deutlich zu erkennen. Infolge der chemischen Wirkung des Hauptstroms bildet sich an der negativen Platte Wasserstoff, an

Der ausführliche Prospekt und das ausführliche Inhaltsverzeichnis der „vollständig gelösten Aufgabensammlung von Dr. Ad. Kleyer" kann von jeder Buchhandlung, sowie von der Verlagshandlung **gratis und portofrei** bezogen werden.

Bemerkt sei hier nur:

1). Jedes Heft ist aufgeschnitten und gut brochiert um den **sofortigen** und dauernden Gebrauch zu gestatten.

2). Jedes Kapitel enthält sein besonderes Titelblatt, Inhaltsverzeichnis, Berichtigungen und Erklärungen am Schlusse desselben.

3). Auf jedes einzelne Kapitel kann abonniert werden.

4). Monatlich erscheinen 3—4 Hefte zu dem **Abonnementspreise** von 25 Pfg. pro Heft

5). Die **Reihenfolge** der Hefte im nachstehenden, kurz angedeuteten Inhaltsverzeichnis ist, **wie aus dem Prospekt ersichtlich, ohne jede Bedeutung für die Interessenten.**

6). Das Werk enthält **Alles,** was sich überhaupt auf mathematische Wissenschaften bezieht, alle Lehrsätze, Formeln und Regeln etc. mit Beweisen, alle praktischen Aufgaben in vollständig gelöster Form mit Anhängen ungelöster analoger Aufgaben und vielen vortrefflichen Figuren.

7). Das Werk ist ein **praktisches Lehrbuch für Schüler** aller Schulen, das **beste Handbuch** für Lehrer und Examinatoren, das **vorzüglichste Lehrbuch zum Selbststudium,** das **vortrefflichste Nachschlagebuch** für Fachleute und Techniker jeder Art.

8). Alle Buchhandlungen nehmen Bestellungen entgegen.

☞ Das vollständige

Inhaltsverzeichnis
der bis jetzt erschienenen Hefte

kann durch jede Buchhandlung bezogen werden.

Halbjährlich erscheinen Nachträge über die inzwischen neu erschienenen Hefte.

Druck von Carl Hammer in Stuttgart.

573. Heft.

Preis des Heftes 25 Pf.

Die Induktionselektricität.

Forts. v. Heft 572. — Seite 225—240.

Mit 12 Figuren.

Vollständig gelöste

Aufgaben-Sammlung

— nebst Anhängen ungelöster Aufgaben, für den Schul- & Selbstunterricht —

mit

Angabe und Entwicklung der benutzten Sätze, Formeln, Regeln in Fragen und Antworten

erläutert durch

viele Holzschnitte & lithograph. Tafeln,

aus allen Zweigen

der Rechenkunst, der niederen (Algebra, Planimetrie, Stereometrie, ebenen u. sphärischen Trigonometrie, synthetischen Geometrie etc.) u. höheren **Mathematik** (höhere Analysis, Differential- u. Integral-Rechnung, analytische Geometrie der Ebene u. des Raumes etc.); — aus allen Zweigen der **Physik, Mechanik, Graphostatik, Chemie, Geodäsie, Nautik,** mathemat. **Geographie, Astronomie;** des **Maschinen-, Strafsen-, Eisenbahn-, Wasser-, Brücken-** u. **Hochbau's;** der **Konstruktionslehren** als: darstell. **Geometrie, Polar-** u. **Parallel-Perspective, Schattenkonstruktionen** etc. etc.

für

Schüler, Studierende, Kandidaten, Lehrer, Techniker jeder Art, Militärs etc.

zum einzig richtigen und erfolgreichen

Studium, zur Forthülfe bei **Schularbeiten** und zur **rationellen Verwertung** der exakten Wissenschaften,

herausgegeben von

Dr. Adolph Kleyer,

Mathematiker, vereideter königl. preuss. Feldmesser, vereideter grossh. hessischer Geometer I. Klasse

in **Frankfurt a. M.**

unter Mitwirkung der bewährtesten Kräfte.

Die Induktionselektricität.

Nach System Kleyer bearbeitet von **Adolf Krebs** in Berlin.

Fortsetzung v. Heft 572. — Seite 225—240. Mit 12 Figuren.

Inhalt:

Stuttgart 1889.

Verlag von Julius Maier.

PROSPEKT.

Dieses Werk, welchem kein ähnliches zur Seite steht, erscheint monatlich in 3—4 Heften zu dem billigen Preise von 25 ₰ pro Heft und bringt eine Sammlung der wichtigsten und praktischsten Aufgaben aus dem Gesamtgebiete der Mathematik, Physik, Mechanik, math. Geographie, Astronomie, des Maschinen-, Strassen-, Eisenbahn-, Brücken- und Hochbaues, des konstruktiven Zeichnens etc. etc. und zwar in vollständig gelöster Form, mit vielen Figuren, Erklärungen nebst Angabe und Entwickelung der benutzten Sätze, Formeln, Regeln in Fragen mit Antworten etc., so dass die Lösung jedermann verständlich sein kann, bezw. wird, wenn eine grössere Anzahl der Hefte erschienen ist, da dieselben sich in ihrer Gesamtheit ergänzen und alsdann auch alle Teile der reinen und angewandten Mathematik — nach besonderen selbständigen Kapiteln angeordnet — vorliegen.

Fast jedem Hefte ist ein Anhang von ungelösten Aufgaben beigegeben, welche der eigenen Lösung (in analoger Form, wie die bezüglichen gelösten Aufgaben) des Studierenden überlassen bleiben, und zugleich von den Herren Lehrern für den Schulunterricht benutzt werden können. — Die Lösungen hierzu werden später in besonderen Heften für die Hand des Lehrers erscheinen. Am Schlusse eines jeden Kapitels gelangen: Titelblatt, Inhaltsverzeichnis, Berichtigungen und erläuternde Erklärungen über das betreffende Kapitel zur Ausgabe.

Das Werk behandelt zunächst den Hauptbestandteil des mathematisch-naturwissenschaftlichen Unterrichtsplanes folgender Schulen: Realschulen I. und II. Ord., gleichberechtigten höheren Bürgerschulen, Privatschulen, Gymnasien, Realgymnasien, Progymnasien, Schullehrer-Seminaren, Polytechniken, Techniken, Baugewerkschulen, Gewerbeschulen, Handelsschulen, techn. Vorbereitungsschulen aller Arten, gewerbliche Fortbildungsschulen, Akademien, Universitäten, Land- und Forstwissenschaftsschulen, Militärschulen, Vorbereitungs-Anstalten aller Arten als z. B. für das Einjährig-Freiwillige- und Offiziers-Examen, etc.

Die Schüler, Studierenden und Kandidaten der mathematischen, technischen und naturwissenschaftlichen Fächer, werden durch diese, Schritt für Schritt gelöste, Aufgabensammlung immerwährend an ihre in der Schule erworbenen oder nur gehörten Theorien etc. erinnert und wird ihnen hiermit der Weg zum unfehlbaren Auffinden der Lösungen derjenigen Aufgaben gezeigt, welche sie bei ihren Prüfungen zu lösen haben, zugleich aber auch die überaus grosse Fruchtbarkeit der mathematischen Wissenschaften vorgeführt.

Dem Lehrer soll mit dieser Aufgabensammlung eine kräftige Stütze für den Schulunterricht geboten werden, indem zur Erlernung des praktischen Teiles der mathematischen Disziplinen — zum Auflösen von Aufgaben — in den meisten Schulen oft keine Zeit erübrigt werden kann, hiermit aber dem Schüler bei seinen häuslichen Arbeiten eine vollständige Anleitung in die Hände gegeben wird, entsprechende Aufgaben zu lösen, die gehabten Regeln, Formeln, Sätze etc. anzuwenden und praktisch zu verwerten. Lust, Liebe und Verständnis für den Schul-Unterricht wird dadurch erhalten und belebt werden.

Den Ingenieuren, Architekten, Technikern und Fachgenossen aller Art, Militärs etc. etc. soll diese Sammlung zur Auffrischung der erworbenen und vielleicht vergessenen mathematischen Kenntnisse dienen und zugleich durch ihre praktischen in allen Berufszweigen vorkommenden Anwendungen einem toten Kapitale lebendige Kraft verleihen und somit den Antrieb zu weiteren praktischen Verwertungen und weiteren Forschungen geben.

Alle Buchhandlungen nehmen Bestellungen entgegen. Wichtige und praktische Aufgaben werden mit Dank von der Redaktion entgegengenommen und mit Angabe der Namen verbreitet. — Wünsche, Fragen etc., welche die Redaktion betreffen, nimmt der Verfasser, Dr. Kleyer, Frankfurt a. M. Fischerfeldstrasse 16, entgegen und wird deren Erledigung thunlichst berücksichtigt.

Stuttgart. **Die Verlagshandlung.**

Erkl. 311. Bekanntlich ziehen ungleichnamig elektrisch geladene Körper einander an, gleichnamige stossen einander ab.

Erkl. 312. Die Anwendung zweier Bleiplatten rührt von *Gaston Planté* her und bis heute sind diese sog. Bleiakkumulatoren diejenigen, welche in der Technik mit Erfolg verwendet werden.

der positiven Platte Sauerstoff. Der Wasserstoff bedeckt die eine Platte und wird von ihr festgehalten, da diese Platte negativ, der Wasserstoff aber positiv elektrisch ist, also in elektrischer Hinsicht angezogen wird (siehe Erkl. 311); der Sauerstoff aber verbindet sich mit dem Blei der zweiten Platte zu Bleisuperoxyd. Wir haben also jetzt nicht mehr zwei Bleiplatten und Schwefelsäure, sondern eine mit Wasserstoff beladene Bleiplatte und eine Bleisuperoxydplatte. Diese bilden aber in verdünnte Schwefelsäure gestellt ein galvanisches Element von ziemlich hoher elektromotorischer Kraft (siehe Erkl. 312).

Frage 391. Wie nennt man die Apparate, welche dazu dienen, elektrische Energie aufzuspeichern und im Bedürfnisfalle abzugeben?

Erkl. 313. Man nennt die Aufspeicherungsapparate „Sekundär"-Elemente zum Unterschied von den andern galvanischen Elementen, welche „primäre" heissen. Diese geben sofort Elektricität, während jene erst geladen werden müssen, bevor sie Elektricität liefern. Akkumulator (vom lat. accumulare = anhäufen) heisst Aufspeicherungsapparat, Sammelzelle (Zelle = Element).

Antwort. Die Apparate, welche elektrische Energie aufspeichern, sind ihrer Anordnung gemäss nichts anderes als galvanische Elemente. Man nennt sie Sekundär-Elemente, Akkumulatoren oder auch Sammelzellen (siehe Erkl. 313).

Frage 392. Wie müssen ganz allgemein die Bleiplatten einer Sammelzelle eingerichtet sein, damit sie in der Technik verwendet werden können?

Antwort. Es ist von vornherein klar, dass eine Sammelzelle um so länger leistungsfähig ist, je mehr die beiden Bleiplatten im stande sind, Wasserstoff an der einen und Sauerstoff an der andern Platte aufzunehmen. Der Wasserstoff und der Sauerstoff sind es, welche die Platten so verändern, dass sie Elektricität liefern. Es muss daher darauf gesehen werden, dass die Bleiplatten möglichst viel Wasserstoff bezw. Sauerstoff aufnehmen.

Frage 393. Auf welche Weise kann man erreichen, dass die Bleiplatten einer Sammelzelle möglichst viel Wasserstoff bezw. Sauerstoff aufnehmen?

Antwort. Macht man die Bleiplatten der Sammelzelle möglichst porös, weich und von grosser Oberfläche, so werden sie am meisten geeignet sein, Wasserstoff bezw. Sauerstoff aufzunehmen.

Frage 394. Wie kann man die Bleiplatten einer Sammelzelle möglichst
porös und weich machen?

Antwort. Um dies zu bewirken, ver-
fahren wir folgendermassen:

1). Wir stellen die beiden Bleiplatten
in ein Gefäss mit verdünnter Schwefelsäure und schalten sie in einen Stromkreis. Der elektrische Strom zersetzt
das Wasser der Schwefelsäure und scheidet Wasserstoff an der negativen, Sauerstoff an der positiven Platte ab. Dadurch wird letztere an ihrer Oberfläche
zu Bleisuperoxyd oxydiert, während die
negative Platte unverändert bleibt. Jetzt
verbinden wir beide Platten durch einen
Draht. Die Sammelzelle wirkt dann wie
ein galvanisches Element; jedoch fliesst
der Strom in demselben nunmehr in
umgekehrter Richtung, weshalb jetzt
an der Bleisuperoxydplatte Wasserstoff
abgeschieden wird, welcher das Bleisuperoxyd wieder zu Blei reduziert, während an der negativen (Blei-) Platte
Sauerstoff aufsteigt, welcher sich mit
dem an dieser Platte befindlichen Wasserstoff zu Wasser verbindet (siehe Erkl.
314). Dieser Vorgang dauert so lange,
bis alles Bleisuperoxyd durch den Wasserstoff reduziert ist; denn dann haben wir
wieder zwei gleichartige (Blei-) Platten.
Infolge der Reduktion des Bleisuperoxyds
zu Blei wird das letztere zunächst an
seiner Oberfläche und bei öfterer Wieder-
holung auch bis ins Innere aufgelockert,
mithin auch porös und weich. Auf
die gleiche Art kann man auch die negative Platte porös und weich machen,
indem wir die negative Platte an die
Stelle der positiven setzen, also kurz
dadurch, dass wir die Richtung des
Ladestroms umkehren (*Planté*).

2). Eine Auflockerung der Bleiplatten erhält man ausserdem noch
dadurch — und dies ist bei den in der
Technik verwendeten Akkumulatoren der
Fall —, dass man die Bleiplatten mit
Bleiverbindungen (Schwefelblei, Blei-
oxyd, Mennige u. a.) bedeckt und innig
verbindet. Es werden dann bei den
elektrolytischen Zersetzungen die Bleiplatten ungemein porös und weich (siehe
Erkl. 315).

Erkl. 314. Wie in der Chemie gezeigt wird,
besteht das Wasser aus Wasserstoff und Sauerstoff. Ebenso wie man das Wasser in seine
beiden Bestandteile zerlegen kann, kann man
auch Wasserstoff und Sauerstoff wieder zu
Wasser vereinigen.

Erkl. 315. Sehr wichtig für die chemischen
Vorgänge in den Sammelzellen ist auch die
Schwefelsäure. Sie verbindet sich mit den
Bleiplatten zu Bleisulfat, welches die Oberfläche
derselben überzieht und eine weitere Einwirkung der Schwefelsäure auf das Blei verhindert, da die Bleisulfatschicht die Säure von den
Platten fernhält. Der Ladestrom zersetzt zunächst das Bleisulfat, wodurch die negative
Platte in reines Blei, welches als schwammige
Masse zurückbleibt, die positive in Bleisuperoxyd verwandelt wird. Die Schwefelsäure
lockert mithin die Platten auf.

Frage 395. Auf welche Weise wird die Oberfläche der Bleiplatten vergrössert?

Antwort. Einesteils vergrössert sich infolge der Auflockerung der Bleiplatten die wirksame Oberfläche derselben, andernteils erreicht man dies durch Anwendung gerippter Bleiplatten.

Frage 396. Wovon hängt die Menge der aufgespeicherten Elektricität ab?

Antwort. Die Menge der aufgespeicherten Elektricität ist um so grösser, je mehr Sauerstoff die positive Platte aufnehmen, je mehr also Bleisuperoxyd an der positiven Bleiplatte gebildet werden kann. Diese Fähigkeit hängt nach Antw. auf Frage 393 wesentlich von der Oberfläche der Platte ab.

Frage 397. Wie nennt man die Elektricitätsmenge, welche eine Sammelzelle höchstenfalls aufspeichern kann?

Erkl. 316. Kapazität (vom lat. capacitas) heisst Fassungsvermögen, Aufnahmefähigkeit.

Antwort. Je nach der Oberfläche und der Beschaffenheit der Bleiplatten ist eine Sammelzelle im stande eine grössere oder geringere Menge Bleisuperoxyd an der positiven Platte zu bilden, also eine grössere Elektricitätsmenge aufzuspeichern. Diejenige Elektricitätsmenge, welche eine Sammelzelle höchstenfalls aufzuspeichern vermag, nennt man ihre Kapazität (siehe Erkl. 316).

Frage 398. Wie drückt man die Kapazität einer Sammelzelle praktisch aus?

Erkl. 317. Wir wissen, dass die Elektricitätsmenge E gleich ist dem Produkt aus der Stromstärke i und der Zeit t, während welcher diese Stromstärke herrscht, so dass

a)$\qquad\qquad E = i \cdot t$

Nun ist die Kapazität eines Akkumulators gleich einer Elektricitätsmenge. Diese kann nach Gleichung a). ausgedrückt werden durch das Produkt aus Stromstärke (etwa in Ampère) und Zeit (etwa in Stunden), also durch „Ampèrestunden", demgemäss also auch die Kapazität.

Antwort. Laden wir eine Sammelzelle, so brauchen wir bei einer gegebenen Stromstärke eine bestimmte Zeit, um die Kapazität (die volle Ladung) zu erreichen. Die Stromstärke drücken wir durch die Zahl der Ampère [siehe Abschnitt H. c. 1 Seite 175] aus und die Zeit in Stunden. Man sagt daher die Kapazität dieser oder jener Sammelzelle beträgt eine gewisse Zahl Ampèrestunden (siehe Erkl. 317).

Frage 399. Wovon hängt die Zeit, welche man bis zur vollkommenen Ladung einer Sammelzelle braucht, ab?

Antwort. Die vollkommene Ladung einer Sammelzelle benötigt eine gewisse Zahl Ampèrestunden. Haben wir einen

Erkl. 318. Benötigt eine Sammelzelle zur vollen Ladung z. B. 60 Ampèrestunden, so ist bei 30 Ampère die Ladezeit gleich 2, für 20 Ampère gleich 3, für 10 Ampère gleich 6 Stunden u. s. f.; denn es ist:

$$30 . 2 = 20 . 3 = 10 . 6 = 60$$

Ladestrom von einer grossen Anzahl Ampère zur Verfügung, so brauchen wir weniger lange zu laden. Die Ladezeit einer bestimmten Sammelzelle hängt daher wesentlich von der Stärke des Ladestroms ab; sie ist kürzer für eine grössere, länger für eine geringere Stromstärke (siehe Erkl. 318 und folg. Antw.).

Frage 400. Was ist in Bezug auf die Stärke des Ladestroms zu beachten?

Antwort. In voriger Antw. wurde dargelegt, dass die Ladezeit um so kürzer sei, je grösser die Zahl der Ampère. Es ist jedoch zu beachten, dass man den Ladestrom einer Sammelzelle nicht beliebig gross wählen darf; wir dürfen den Ladestrom höchstenfalls so stark nehmen, dass er die Flüssigkeit zersetzend an der positiven Platte in jedem Augenblick nur so viel Sauerstoff abscheidet, als die Platte ihrer Beschaffenheit gemäss zur Bildung von Bleisuperoxyd verbrauchen kann. Würde der Strom stärker, so könnte die Platte nicht mehr allen Sauerstoff aufnehmen; es würde also ein Teil für die Bildung von Bleisuperoxyd nutzlos sein und aus der Zelle entweichen; die gesamte Elektricitätsmenge des Ladestroms würde nicht aufgespeichert (siehe Erkl. 319).

Erkl. 319. Aus diesem Grunde geben die Akkumulatorfabriken nicht nur die Kapazität ihrer Sammelzellen an, sondern bemerken noch ausdrücklich, wieviel Ampère der Ladestrom höchsten Falls betragen darf. Eine grössere Stärke des Ladestroms hat aber noch einen Nachteil für die positive Platte der Sammelzelle. Bildet sich nämlich infolge der grossen Menge entstehenden Sauerstoffs das Bleisuperoxyd zu plötzlich, so haftet dasselbe nicht mehr so gut an der Platte und fällt ab, so dass die wirksame Menge des Bleisuperoxyds (d. i. die an der Platte hängende) verringert wird.

Frage 401. Was ist in Bezug auf den Entladestrom einer Sammelzelle zu bemerken?

Antwort. Auch der Entladestrom einer Sammelzelle darf eine bestimmte Stärke nicht überschreiten, damit nicht die positive Platte infolge der allzuschnellen Reduktion durch den aufsteigenden Wasserstoff beschädigt werde.

Frage 402. Woran erkennt man, dass eine Sammelzelle vollkommen geladen ist?

Antwort. Der an der positiven Bleiplatte aufsteigende Sauerstoff bildet an derselben Bleisuperoxyd. Hat sich nun die Platte allmählich ganz mit Bleisuperoxyd bedeckt, so wird immer weniger Sauerstoff zur Bildung von Bleisuperoxyd benötigt, der Sauerstoff beginnt also aufzusteigen. Die volle Ladung

Erkl. 320. Dies ist auch von vornherein klar; denn wenn die Platte keinen Sauerstoff mehr annimmt, so steigt er in Gestalt von Gasblasen auf.

einer Sammelzelle wird man also daran erkennen, dass an der positiven Platte Gasblasen aufsteigen (siehe Erkl. 320).

Frage 403. Was versteht man unter dem Wirkungsgrad einer Sammelzelle?

Erkl. 321. Für die besseren Akkumulatoren schwankt γ in Prozenten ausgedrückt zwischen 75 % und 90 %.

Antwort. Eine Sammelzelle wird infolge mannigfacher Verluste nicht die ganze Elektricitätsmenge aufspeichern, welche in sie geleitet wurde. Unter dem Wirkungsgrad γ einer Sammelzelle versteht man demgemäss das Verhältnis der aufgespeicherten Elektricitätsmenge E' zu der eingeleiteten Elektricitätsmenge E, so dass:

$$\gamma = \frac{E'}{E} \text{ (siehe Erkl. 321).}$$

Frage 404. Welches ist die elektromotorische Kraft einer Sammelzelle?

Erkl. 322. Wegen der raschen Abnahme der elektromotorischen Kraft gegen das Ende der Entladung hin zieht man es vor, die Sammelzelle nie ganz zu entladen, sondern etwa nur so lange die elektromotorische Kraft einigermassen konstant bleibt, also bis sie etwa auf 1,8 Volt gesunken ist. Dies geschieht dadurch, dass man etwa die Zelle so lange entladet, bis nur noch die Hälfte der Ampèrestunden vorhanden sind und dann wieder mit der Ladung beginnt; diese dauert dann natürlich auch nur die halbe Zeit.

Antwort. Die elektromotorische Kraft einer Sammelzelle beträgt ungefähr 2 Volt. Dieselbe steigt mit Beginn der Ladung erst schneller, dann langsamer bis ca. 2,35 Volt und fällt bei der Entladung erst rasch bis auf ungefähr 2 Volt und bleibt lange Zeit nahezu konstant, um dann gegen das Ende der Entladung wieder rasch abzunehmen (siehe Erkl. 322).

Frage 405. Wie wirkt die elektromotorische Kraft einer Zelle bei der Ladung?

Antwort. Die elektromotorische Kraft einer Sammelzelle wirkt bei der Ladung der elektromotorischen Kraft der Stromquelle entgegen; daher spricht man auch von der elektromotorischen Gegenkraft einer Sammelzelle.

Frage 406. Wie gross muss die elektromotorische Kraft des Ladestroms sein?

Antwort. Die elektromotorische Gegenkraft einer Sammelzelle ist ungefähr 2,35 Volt; es muss mithin die elektromotorische Kraft des Ladestroms grösser sein als 2,35 Volt. Man wählt meist einen Ladestrom von 2,5 Volt pro Zelle.

Frage 407. Welche Art elektrischer Maschinen werden zum Laden von Sammelzellen benutzt?

Antwort. Die Thatsache, dass die Sammelzellen eine elektromotorische

Gegenkraft entwickeln, welche mit der Ladung wächst, gibt der Möglichkeit Raum, dass einmal die Gegenkraft grösser wird als die elektromotorische Kraft der Maschine. In diesem Falle aber würde aus den Sammelzellen Strom in die Maschine fliessen und den Anker derselben in entgegengesetzter Richtung zu drehen suchen. Dieser Fall kann eintreten bei einer Hauptstrommaschine

Erkl. 323. Näheres über Hauptstrom-, Nebenschluss- und gemischt gewickelte Maschinen findet man im Abschnitt e). Seite 213.

und einer Maschine mit gemischter Bewickelung, bei welchen beiden der äussere Stromkreis und die Elektromagnetwindungen sich in Hintereinanderschaltung befinden, so dass ein entgegengesetzter Strom die Elektromagnetwindungen durchfliessend die Polarität der Eisenkerne umkehren würde. Nicht aber ist dies der Fall bei einer Nebenschlussmaschine. Wächst die elektromotorische Gegenkraft, so wächst mit ihr der Widerstand im äusseren Stromkreise; es fliesst infolgedessen ein grösserer Teil der Stromstärke der Maschine durch den Nebenschluss, das magnetische Feld wird verstärkt und es wächst infolgedessen auch die elektromotorische Kraft der Maschine. Man benutzt daher zum Laden von Akkumulatoren fast ausschliesslich Nebenschlussmaschinen (siehe Erkl. 323).

Frage 408. Welche Akkumulatoren werden in der Technik meist verwendet?

Antwort. Die weiteste Verbreitung haben bis jetzt die „Electrical Power Storage Co. Akkumulatoren", ferner diejenigen von *Huber*, *Tudor* und *de Khotinsky*.

Frage 409. Welche Einrichtung besitzen die in voriger Antw. erwähnten Sammelzellen?

Erkl. 324. Befindet sich in einem Gefäss verdünnte Schwefelsäure (oder sonst eine Lösung), so ist die Sättigung an der Oberfläche anders als am Boden. Stellen wir eine Platte senkrecht in die Flüssigkeit, so taucht dieselbe in verschieden dichte Flüssigkeitsschichten; es ist in diesem Falle auch die Zersetzung an den einzelnen Punkten der Platte mehr oder minder stark. Nicht aber, wenn wir die Platten horizontal legen.

Antwort. Fig. 179 zeigt die Einrichtung der Electrical Power Storage Co. Akkumulatoren. Jede dieser Sammelzellen besteht aus einer Anzahl positiver und negativer Platten. Zwischen je zwei negativen Platten befindet sich eine positive Platte. Alle positiven (P) und alle negativen Platten (N) sind unter einander leitend verbunden. Die Sammelzellen von *Huber* und *Tudor* zeigen eine ähnliche Anordnung.

Erkl. 325. Es ist hier nicht der Ort, auf die Beschaffenheit der Platten der einzelnen Akkumulatorfabriken einzugehen; wenn auch in den Hauptpunkten bekannt, so werden doch die speziellen Eigentümlichkeiten von den Fabriken natürlich geheim gehalten.

Auch bei ihnen stehen die Platten senkrecht in der Flüssigkeit; dagegen liegen die Platten der de Khotinskyschen Akkumulatoren horizontal (siehe Fig. 180) und zwar die negativen Platten

Figur 179.

Figur 180.

in einzelnen unter einander verbundenen schmalen Streifen oben, die positiven in ähnlicher Anordnung unten. Die horizontale Lagerung der Platten hat den Vorteil, dass die beiden Plattenreihen in einer gleichmässigen Flüssigkeitsschicht liegen (siehe Erkl. 324), wodurch eine gleichmässige Bildung von Superoxyd an allen Punkten der Platten gewährleistet ist. Ausserdem lassen sich die einzelnen Platten im Falle einer Beschädigung sehr leicht auswechseln (siehe Erkl. 325).

2). Ueber die Wechselstrommaschinen.

a). Ueber den Anker der Wechselstrommaschinen.

Frage 410. Welche Gestalt besitzt der Anker der Wechselstrommaschinen?

Antwort. Der Anker der Wechselstrommaschinen besteht aus einer Anzahl Drahtrollen, welche im Kreise angeordnet sind und deren Drähte alle mit einander in Verbindung stehen (siehe die Fig. 56 und 58.)

Frage 411. Wie ist die Verbindung der einzelnen Rollen eines Wechselstromankers?

Antwort. Den einzelnen Rollen des Wechselstromankers stehen ebensoviel

Figur 181.

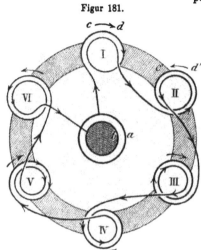

Magnetpole (abwechselnd Nord- und Südpole) gegenüber, welche in den Rollen
bei der Bewegung die Induktionsströme erregen. Bewegt sich eine
Rolle gerade gegen einen Nordpol,
so bewegt sich die folgende gegen
einen Südpol; in diesen beiden Rollen würde also der Strom entgegengesetzt verlaufen und wenn beide
Rollen gleichartig gewickelt wären,
würden sie einander aufheben. Um
dies zu vermeiden, wickelt man
die Rollen abwechselnd rechts
und links (s. Antw. auf Frage 154).
Fig. 181 zeigt eine Verbindung
von 6 Rollen. Verläuft in der Rolle
I der Strom in Richtung des Uhrzeigers, so hat der in der Rolle II
induzierte Strom die entgegengesetzte Richtung; in Rolle III erhalten wir einen Uhrzeigerstrom,
in IV einen entgegengesetzten u.s.f.
Wickeln wir die Rollen abwechselnd rechts und links, so summieren sich die in den einzelnen Rollen
induzierten Ströme. Wenn wir daher
den Anfang des Drahtes mit dem Metallring a, das Ende mit b verbinden, so
können wir von a und b die Induktionsströme abnehmen.

---

b). Ueber das magnetische Feld der Wechselstrommaschinen.

Frage 412. Wie wird das magnetische Feld der Wechselstrommaschinen
gebildet?

Antwort. Das magnetische Feld
der Wechselstrommaschinen wird von
einer Anzahl Magnetpole gebildet.
Bei den älteren Wechselstrommaschinen,
z. B. bei der von *Stöhrer* (siehe Antw.
auf Frage 156) und der Maschine der
Gesellschaft „Alliance" (siehe Antw. auf
Frage 158) sind es permanente, bei
den neueren Elektromagnete.

Frage 413. Wie gross ist die Anzahl der Magnetpole einer Wechselstrommaschine und wie sind dieselben
angeordnet?

Antwort. Jeder einzelnen Rolle muss
ein Magnetpol entsprechen; es ist also
die Zahl der Magnetpole gleich

Figur 182.

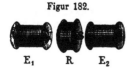

E_1 R E_2

der Zahl der Rollen. Sie müssen
ferner so angeordnet werden, dass in
dem Moment, wo eine Rolle einem Magnetpol gegenübersteht, auch alle anderen
Rollen sich einem Magnetpol gegenüber
befinden. Die Magnetpole sind ferner
abwechselnd Nord- und Südpole.

Die Zahl der Magnetpole kann
aber auch doppelt so gross sein,
wie die der Rollen. In diesem Falle
sind dieselben wie in Fig. 182 angeordnet, wo sich die Rolle R zwischen
zwei Magnetpolen N und S bewegt. Es
kommen dann auf jede Rolle zwei Pole.
E_1 und E_2 sind von entgegengesetzter
Polarität.

Frage 414. Wie werden die Elektromagnete einer Wechselstrommaschine
erregt?

Antwort. Da eine Wechselstrommaschine nur Ströme wechselnder Richtung liefert, die Elektromagnete aber
immer in gleichem Sinne magnetisiert
sein müssen, so kann man nicht wie bei
den Gleichstrommaschinen die Elektromagnete durch die Maschine selbst erregen, sondern man benötigt entweder
dazu eine besondere Stromquelle
(und dies ist fast ausschliesslich der
Fall) oder man könnte auch die von
einem Teil der Rollen gelieferten Ströme
gleichrichten und dadurch die Elektromagnete erregen (siehe Erkl. 326).

Erkl. 326. Letztere Möglichkeit wird nur
sehr selten angewendet. Meist wird dieselbe
zur Regulierung des von einer besonderen
Stromquelle erregten Felds verwendet. Als besondere Stromquelle nimmt man meist eine
Gleichstrommaschine; häufig sitzt dieselbe mit
der Wechselstrommaschine auf derselben Achse.

c). Ueber die Formen der Wechselstrommaschinen.

Frage 415. Welches sind die hauptsächlichsten Wechselstrommaschinen?

Antwort. Die ältesten Wechselstrommaschinen sind die magnetelektrischen Maschinen von *Siemens,
Pixii, Stöhrer* und die der Gesellschaft „Alliance". Von den neueren,
in der Technik verwendeten Wechselstrommaschinen sind hauptsächlich die
Wechselstrommaschine von *Siemens*
und die von *Zipernowski* zu nennen (siehe
Erkl. 327).

Erkl. 327. Ausserdem haben noch *Gramme,
Gérard, Gordon, Westinghouse* u. a. brauchbare Wechselstrommaschinen gebaut.

Frage 416. Welche Gestalt hat die
magnetelektrische (Wechselstrom-)
Maschine von *Siemens?*

Antwort. Die einfachste Gestalt einer
Wechselstrommaschine ist die von *Siemens* (siehe Fig. 183), bekannt unter dem
Namen Doppel-T-Anker-Maschine,
deren Beschreibung in Antw. auf Frage
160 ff. gegeben ist.

Figur 183.

Frage 417. Welche Einrichtung
besitzen die Maschinen von *Pixii, Stöhrer*
und der Gesellschaft „Alliance"?

Antwort. Die Maschine von *Pixii*
(siehe Fig. 184) kann als die Grundlage
der gesamten neueren Wechselstrommaschinen gelten, indem ihr Anker aus
einzelnen Rollen (zwei) besteht. Durch
Vermehrung der Rollen erhalten wir die
Maschine von *Stöhrer* (siehe Fig. 185)
und die der Gesellschaft „Alliance" (siehe
Fig. 186).

Figur 184.

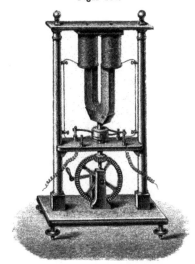

Figur 185.

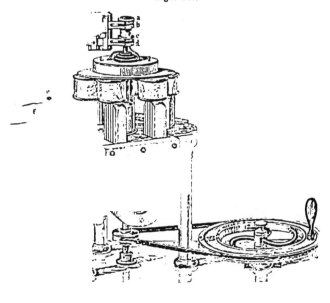

Figur 186.

Frage 418. Welche Einrichtung
hat die Wechselstrommaschine von
Siemens?

Antwort. Nach Fig. 187 besteht die
Wechselstrommaschine von *Siemens*
aus zwei kreisförmigen Eisenrahmen, auf
welchen je 12 Elektromagnete
sitzen. Je zwei gegenüber und
nebeneinander stehende haben entgegengesetzte Polarität. In dem
Zwischenraum zwischen den beiden
Elektromagnetkränzen rotiert ein
kreisförmiger Rahmen mit 12 Rollen. In diesen werden Ströme induziert. Die kleine Gleichstrommaschine dient zur Erregung der
Elektromagnete.

Figur 187.

Frage 419. Welche Eigentümlichkeit hat der Anker der Wechselstrommaschine von *Siemens?*

Erkl. 328. Dreht sich der Anker in der Minute z. B. 300 mal um, also in der Sekunde 5 mal, so treten, da bei jeder Umdrehung 12 Polwechsel erfolgen (jedesmal, wenn die Rollen vor den Polen stehen), in der Sekunde 5 . 12 = 60 Polwechsel auf.

Erkl. 329. Durch den raschen Polwechsel werden aber auch die Kupferdrähte erwärmt; man muss daher für eine gute Ventilation sorgen, damit die Drähte nicht allzu warm werden und die Isolation gefährden.

Antwort. Die einzelnen Rollen des Ankers enthalten im Gegensatze zu den andern Wechselstrommaschinen kein Eisen und zwar aus folgendem Grunde. Infolge des äusserst schnellen Stromwechsels in den Rollen (siehe Erkl. 328) wird das Eisen des Ankers in rascher Folge bald nord-, bald südmagnetisch. Diese ungemein rasche Aenderung der Polarität hat den Uebelstand, dass das Eisen sehr stark erwärmt wird. Die mechanische Energie (Bewegung) setzt sich also nicht nur in elektrische um, sondern geht zum Teil in Wärme über, was für die elektrische Energie einen Verlust bedeutet. *Siemens* verzichtete daher auf einen Eisenkern und wickelte die Rollen auf Holz, welches er zum Zwecke einer guten Ventilation mit Oeffnungen versieht (siehe Erkl. 329).

Frage 420. Welche Einrichtung besitzt die Wechselstrommaschine von *Zipernowski?*

Figur 188.

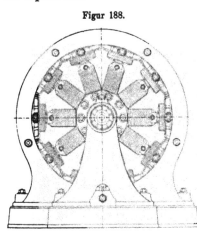

Erkl. 330. Bei elektrischen Maschinen wird meistenteils die Zahl der Umdrehungen der Volt und der Ampère angegeben. Dass die Zahl der Volt und der Umdrehungen angegeben wird, ist klar, denn die heutigen elektrischen Verteilungssysteme (Parallelschaltung) fordern eine konstante Anzahl Volt, welche bei einer be-

Antwort. Fig. 188 gibt ein schematisches Bild der Wechselstrommaschine von *Zipernowski.* Auf der Drehungsachse der Maschine sitzen strahlenförmig eine Anzahl (in Figur sind es 10) Elektromagnete, von welchen je zwei aufeinanderfolgende entgegengesetzte Polarität haben. Diesen 10 Magnetpolen stehen 10 auf einem kreisförmigen Eisenrahmen befestigte Ankerrollen gegenüber. Dreht sich die Achse mit den Elektromagnetpolen, so werden in den Rollen Ströme von schnell wechselnder Richtung erregt. Bei der Maschine von *Zipernowski* bewegen sich also die Elektromagnete, während der Anker feststeht. Die Ankerrollen besitzen eine Anzahl T-förmiger Eisenlamellen.

Fig. 189 zeigt eine Wechselstrommaschine von *Zipernowski* in praktischer Ausführung. Diese Maschine besitzt 14 Elektromagnetpole und 14 Ankerspulen; sie ergibt bei 360 Umdrehungen in der Minute 2000 Volt und ist für 40 Ampère gebaut (s. Erkl. 330). Um bei Beschädigungen an die einzelnen Teile leichten Zugang zu haben, ist die

Figur 189.

Figur 190.

stimmten Umdrehungsgeschwindigkeit erreicht
wird. Nicht so einleuchtend ist die Angabe
der Zahl der Ampère. Diese Zahl gibt an, wieviel Ampère höchsten Falls aus der Maschine
entnommen werden dürfen. Entnimmt man mehr
Ampère (durch Verkleinerung des Widerstands

Maschine derart eingerichtet, dass sich
die Achse samt den auf ihr befindlichen
Elektromagneten horizontal verschieben
lässt. In Fig. 190 ist die Achse ganz
aus dem Eisenrahmen herausgezogen.

im äusseren Stromkreise), so werden die Anker- drähte der Maschine zu sehr erwärmt.

Es ist leicht einzusehen, dass auf diese Weise beschädigte Teile ohne weiteres ausgewechselt werden können.

---

d). Ueber die Umwandlung der in Wechselstrommaschinen erregten Induktionsströme.

(Die Transformatoren.)

Frage 421. Welcher Art sind die in Wechselstrommaschinen erregten Induktionsströme?

Antwort. Die Wechselstrommaschinen werden nur bei solchen elektrischen Anlagen verwendet, wo die Stellen, an welchen die elektrische Energie zur Verwendung kommt, sehr weit auseinander liegen, mithin von der Wechselstrommaschine sehr weit entfernt sind. Um die elektrische Energie nun weit leiten zu können, ohne zu dicke (und daher kostspielige) Leitungen zu benötigen, ist es notwendig, die elektrische Energie von der Beschaffenheit zu wählen, dass sie eine möglichst geringe Stromstärke und dementsprechend eine hohe elektromotorische Kraft (Spannung) besitzt (s. Erkl. 331).

Erkl. 331. Wir werden später, im Abschnitt C, sehen, dass der Querschnitt der Leitungen ganz allein von der durch sie fliessenden Stromstärke abhängt. Für eine grosse Stromstärke benötigt man einen grossen Querschnitt der Leitung, damit der Strom dieselbe nicht erwärmt, also einen Teil seiner Energie nutzlos in Wärme umsetzt. Nun ist es für die Grösse der Energie gleichgültig, ob man z. B. 400 Ampère und 100 Volt, oder 10 Ampère und 4000 Volt u. s. f. hat, da ja $400 \cdot 100 = 40\,000$ und auch $10 \cdot 4000 = 40\,000$; dagegen brauchen wir einen viel geringeren Querschnitt, wenn wir unsere Energie von $40\,000$ Voltampère aus 10 Ampère und 4000 Volt zusammensetzen, als wenn wir 400 Ampère und 100 Volt nehmen.

Die Wechselstrommaschinen sind daher so eingerichtet, dass sie Induktionsströme von hoher Spannung [von vielen (1000 und mehr) Volt] und geringer Stromstärke (wenig Ampère) liefern.

Frage 422. Sind die hochgespannten Induktionsströme der Wechselstrommaschinen unmittelbar für die technischen Zwecke verwendbar?

Antwort. Die Apparate, welche mit Strom zu versehen sind, wie etwa Glühlampen, Bogenlampen u. dergl., können nur mit niederen Spannungen (bis 150 Volt) betrieben werden. Die Ströme der Wechselstrommaschinen sind daher nicht unmittelbar zu technischen Zwecken verwendbar; sie müssen erst in Ströme niederer Spannung verwandelt werden (siehe Erkl. 331a).

Erkl. 331a. Ueber die für Bogenlampen und Glühlampen erforderliche Spannung vergl. man den folgenden Abschnitt.

Frage 423. Welche Apparate dienen dazu, um Wechselströme hoher Spannung in solche von niederer Spannung umzusetzen?

Antwort. Die Apparate, welche eine solche Umsetzung herbeiführen, nennt man Transformatoren.

Frage 424. Was versteht man unter einem Transformator?

Erkl. 332. Transformator (vom latein. transformare = umwandeln) heisst Umwandlungsapparat.

Erkl. 333. Wir werden in Kapitel F Teil III dieses Lehrb. sehen, dass die Umwandlung elektrischer Energie, und zwar die von hoher elektromotorischer Kraft in niedere, bei einem hervorragenden System zur Verteilung elektrischer Energie (bei dem sog. Wechselstromsystem) von grosser Bedeutung ist. Die Wechselstrommaschinen sind derart eingerichtet, dass sie hochgespannte Ströme liefern. Diese können nun nicht direkt zur Beleuchtung verwendet werden, da man zu derselben höchsten Falls 150 Volt nehmen darf. Man muss also diese hochgespannten Ströme in Ströme niederer Spannung umsetzen.

Antwort. Unter einem Transformator (siehe Erkl. 332) versteht man einen Apparat, mit welchem man eine gewisse Menge elektrischer Energie von einer bestimmten Beschaffenheit in eine gleiche Menge von einer andern Beschaffenheit umwandeln kann. Die elektrische Energie wird, wie wir wissen (s. Antw. auf Frage 237), bestimmt durch das Produkt aus elektromotorischer Kraft (e) und Stromstärke (i), also durch die Grösse $e \cdot i$. Ist von den Grössen e und i eine bekannt, so kennen wir auch die Beschaffenheit der Energie. Haben wir z. B. $e \cdot i = 5000$ Voltampère und $e = 1000$ Volt, so besitzen wir eine elektrische Energie von einer elektromotorischen Kraft $e = 1000$ Volt und $i = 5$ Ampère. Es kann nun der Fall vorliegen, dass wir diese elektrische Energie von 5000 Voltampère bei 1000 Volt in eine Energie von anderer Beschaffenheit, etwa von 100 Volt und demgemäss 50 Ampère umwandeln wollen (s. Erkl. 333); wir erreichen dies dann mittels eines sog. Transformators.

Frage 425. Wozu dienen die Transformatoren?

Antwort. Die Transformatoren dienen speziell dazu, Ströme höherer Spannung und geringerer Stromstärke in solche von niederer Spannung und grösserer Stromstärke zu verwandeln.

Frage 426. Aus welchen wesentlichen Teilen besteht ein Transformator?

Erkl. 334. Man vergl. Abschnitt 3 Seite 52.

Antwort. Die Transformatoren sind Induktionsapparate (siehe Abschnitt D Seite 24). Sie bestehen im wesentlichen aus zwei von einander getrennten Wicklungen, von denen die eine viele Windungen dünnen Drahtes (die Hauptwicklung), die andere wenig Windungen dicken Drahtes (die Nebenwicklung) besitzt; ausserdem schliessen die beiden Wicklungen zur Verstärkung der induzierenden Wirkung einen Eisenkern ein (s. Erkl. 334).

Druck von Carl Hammer in Stuttgart.

582. Heft.

Preis
des Heftes
25 Pf.

Die Induktionselektricität.

Forts. v. Heft 573. — Seite 241—256.

Mit 9 Figuren.

NOV 15 1889

Vollständig gelöste

Aufgaben-Sammlung

— nebst Anhängen ungelöster Aufgaben, für den Schul- & Selbstunterricht —

mit

Angabe und Entwicklung der benutzten Sätze, Formeln, Regeln in Fragen und Antworten

erläutert durch

viele Holzschnitte & lithograph. Tafeln,

aus allen Zweigen

der Rechenkunst, der niederen (Algebra, Planimetrie, Stereometrie, ebenen u. sphärischen Trigonometrie, synthetischen Geometrie etc.) u. höheren Mathematik (höhere Analysis, Differential- u. Integral-Rechnung, analytische Geometrie der Ebene u. des Raumes etc.); — aus allen Zweigen der Physik, Mechanik, Graphostatik, Chemie, Geodäsie, Nautik, mathemat. Geographie, Astronomie; des Maschinen-, Straßen-, Eisenbahn-, Wasser-, Brücken- u. Hochbau's; der Konstruktionslehren als: darstell. Geometrie, Polar- u. Parallel-Perspective, Schattenkonstruktionen etc. etc.

für

Schüler, Studierende, Kandidaten, Lehrer, Techniker jeder Art, Militärs etc.

zum einzig richtigen und erfolgreichen

Studium, zur Forthülfe bei Schularbeiten und zur rationellen Verwertung der exakten Wissenschaften,

herausgegeben von

Dr. Adolph Kleyer,

Mathematiker, vereideter königl. preuss. Feldmesser, vereideter grossh. hessischer Geometer I. Klasse

in **Frankfurt a. M.**

unter Mitwirkung der bewährtesten Kräfte.

Die Induktionselektricität.

Nach System Kleyer bearbeitet von **Dr. Adolf Krebs** in Berlin.

Fortsetzung v. Heft 573. — Seite 241—256. Mit 9 Figuren.

Inhalt:

Stuttgart 1889.

Verlag von Julius Maier.

PROSPEKT.

Dieses Werk, welchem kein ähnliches zur Seite steht, erscheint monatlich in 3—4 Heften zu dem billigen Preise von 25 ₰ pro Heft und bringt eine Sammlung der wichtigsten und praktischsten Aufgaben aus dem Gesamtgebiete der **Mathematik**, **Physik**, **Mechanik**, math. Geographie, Astronomie, des Maschinen-, Strassen-, Eisenbahn-, Brücken- und Hochbaues, des konstruktiven Zeichnens etc. etc. und zwar in vollständig gelöster Form, mit vielen Figuren, Erklärungen nebst Angabe und Entwickelung der benutzten Sätze, Formeln, Regeln in Fragen mit Antworten etc., so dass die Lösung jedermann verständlich sein kann, bezw. wird, wenn eine grössere Anzahl der Hefte erschienen ist, da dieselben sich in ihrer Gesamtheit ergänzen und alsdann auch alle Teile der reinen und angewandten Mathematik — nach besonderen selbständigen Kapiteln angeordnet — vorliegen.

Fast jedem Hefte ist ein Anhang von ungelösten Aufgaben beigegeben, welche der eigenen Lösung (in analoger Form, wie die bezüglichen gelösten Aufgaben) des Studierenden überlassen bleiben, und zugleich von den Herren Lehrern für den Schulunterricht benutzt werden können. — Die Lösungen hierzu werden später in besonderen Heften für die Hand des Lehrers erscheinen. Am Schlusse eines jeden Kapitels gelangen: Titelblatt, Inhaltsverzeichnis, Berichtigungen und erläuternde Erklärungen über das betreffende Kapitel zur Ausgabe.

Das Werk behandelt zunächst den Hauptbestandteil des mathematisch-naturwissenschaftlichen Unterrichtsplanes folgender Schulen: **Realschulen I. und II. Ord.**, gleichberechtigten höheren Bürgerschulen, Privatschulen, Gymnasien, Realgymnasien, Pregymnasien, Schullehrer-Seminaren, Polytechniken, Techniken, Baugewerkschulen, Gewerbeschulen, Handelsschulen, techn. Vorbereitungsschulen aller Arten, gewerbliche Fortbildungsschulen, Akademien, Universitäten, Land- und Forstwissenschaftsschulen, Militärschulen, Vorbereitungs-Anstalten aller Arten als z. B. für das Einjährig-Freiwillige- und Offiziers-Examen, etc.

Die Schüler, Studierenden und Kandidaten der mathematischen, technischen und naturwissenschaftlichen Fächer, werden durch diese, Schritt für Schritt gelöste, Aufgabensammlung immerwährend an ihre in der Schule erworbenen oder nur gehörten Theorien etc. erinnert und wird ihnen hiermit der Weg zum unfehlbaren Auffinden der Lösungen derjenigen Aufgaben gezeigt, welche sie bei ihren Prüfungen zu lösen haben, zugleich aber auch die überaus grosse Fruchtbarkeit der mathematischen Wissenschaften vorgeführt.

Dem Lehrer soll mit dieser Aufgabensammlung eine **kräftige Stütze** für den Schulunterricht geboten werden, indem zur Erlernung des praktischen Teiles der mathematischen Disziplinen — zum Auflösen von Aufgaben — in den meisten Schulen oft keine Zeit erübrigt werden kann, hiermit aber dem Schüler bei seinen häuslichen Arbeiten eine vollständige Anleitung in die Hände gegeben wird, entsprechende Aufgaben zu lösen, die gehabten Regeln, Formeln, Sätze etc. anzuwenden und praktisch zu verwerten. Lust, Liebe und Verständnis für den Schul-Unterricht wird dadurch erhalten und belebt werden.

Den Ingenieuren, Architekten, Technikern und Fachgenossen aller Art, Militärs etc. etc. soll diese Sammlung zur Auffrischung der erworbenen und vielleicht vergessenen mathematischen Kenntnisse dienen und zugleich durch ihre praktischen in allen Berufszweigen verkommenden Anwendungen einem toten Kapitale lebendige Kraft verleihen und somit den Antrieb zu weiteren praktischen Verwertungen und weiteren Forschungen geben.

Alle Buchhandlungen nehmen Bestellungen entgegen. Wichtige und praktische Aufgaben werden mit Dank von der Redaktion entgegengenommen und mit Angabe der Namen verbreitet. — Wünsche, Fragen etc., welche die Redaktion betreffen, nimmt der Verfasser, Dr. Kleyer, Frankfurt a. M. Fischerfeldstrasse 16, entgegen und wird deren Erledigung thunlichst berücksichtigt.

Stuttgart.   **Die Verlagshandlung.**

Frage 427. Wie wird der Zweck der Transformatoren, hochgespannte Ströme in Ströme niederer Spannung zu verwandeln, erreicht?

Antwort. Bei den Induktorien (siehe Abschnitt 1, Seite 25) erhielten wir dadurch, dass wir einen Strom niederer Spannung in die Rolle mit wenig Windungen dicken Drahtes einleiteten und die Stromstärke änderten, in die Rolle mit vielen Windungen dünnen Drahtes hochgespannte Ströme. Leiten wir daher umgekehrt einen hochgespannten Strom in die dünnen Windungen, so induziert derselbe in den dicken Windungen einen Strom niederer Spannung. Bei den Transformatoren wird demgemäss die dünne Wicklung mit der Stromquelle (Wechselstrommaschine) verbunden, wodurch wir dann in der dicken Wicklung einen Strom niederer Spannung erhalten.

Frage 428. Welcher Transformator wird augenblicklich in der Technik mit grossem Erfolg verwendet?

Antwort. Am weitesten verbreitet sind die Transformatoren von *Zipernowski*, *Déri* und *Blathy*.

Frage 429. Welche Einrichtung besitzt der Transformator von *Zipernowski*, *Déri* und *Blathy*?

Antwort. Nach Fig. 191 ist der Transformator von *Zipernowski*, *Déri* und *Blathy* folgendermassen eingerichtet:

Figur 192.

Figur 191.

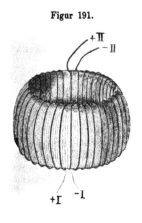

Ein Bündel weicher Eisendrähte ist zu einem Ring zusammengebogen. Auf diesem befindet sich eine Wicklung mit vielen Windungen dünnen Drahtes mit den Enden $+$I und $-$I, und eine zweite mit wenig Windungen dicken Drahtes, deren Enden $+$II und $-$II sind. Verbinden wir $+$I und $-$I mit dem hochgespannten Wechselstrom, so können wir an den Enden $+$II und $-$II einen Strom niederer Spannung abnehmen. Fig. 192 zeigt einen Transformator in praktischer Ausführung.

Man nimmt einen Ring von Eisendrähten, um Induktionsströme im Eisen zu vermeiden.

Frage 430. Wie nennt man die beiden Windungen eines Transformators?

Antwort. Die dünne Wicklung eines Transformators nennt man die primäre, die dicke die sekundäre Wicklung.

Frage 431. Welcher Art sind die durch die induzierende Wirkung der primären Wicklung in der sekundären erregten Induktionsströme?

Antwort. Die Ströme in der sekundären Wicklung sind Wechselströme.

Frage 432. Welchen anderen Namen führen noch die Transformatoren?

Antwort. Die Transformatoren werden häufig auch Sekundär-Generatoren genannt, da durch sie elektrische Energie von der einen Art in eine von einer zweiten („sekundären") Art umgewandelt wird.

B. Ueber die elektrischen Lampen.

Frage 433. Worauf beruht die Verwendung elektrischer Ströme zur Beleuchtung?

Antwort. Die Verwendung elektrischer Ströme zur Beleuchtung beruht auf der Thatsache, dass man mittels elektrischer Ströme Lichtwirkungen hervorrufen kann. (Ueber die Lichtwirkungen speziell der Induktionsströme siehe Abschnitt a. Seite 54.)

Frage 434. Wovon hängt allgemein die Lichtstärke ab?

Antwort. Die Lichtstärke hängt wesentlich von der in der Zeiteinheit erzeugten Wärmemenge ab; denn die Wärme ist es, welche das Licht erzeugt.

Frage 435. Welche Beziehung besteht zwischen der in der Zeiteinheit erzeugten Wärmemenge und der elektrischen Energie?

Antwort. Die Wärme ist ebenso wie die Bewegung eine Energie. Die elektrische Energie, welche ein Strom von der elektromotorischen Kraft e und der Stromstärke i in der Zeiteinheit ausgibt, ist $= e.i$. Diese erzeugt eine gewisse Wärmemenge Q derart, dass

$$1). \ldots Q = k.e.i.t$$

worin t die Zeitdauer und k diejenige Wärmemenge ist, welche ein Strom von der Beschaffenheit $e.i = 1$ erzeugt (siehe Erkl. 335).

Erkl. 335. Setzen wir in Gleichung 1:

$$e.i = 1$$

so erhalten wir:

$$Q = k$$

Es ist also k eine Wärmemenge und zwar die, welche einem Strome entspricht, bei welchem

$$e.i = 1$$

Wir können ferner nach dem Ohmschen Gesetz:

$$e = \frac{i}{w}$$

setzen, wo w der Widerstand des Stromkreises ist. Führen wir diesen Wert in 1). ein, so ergibt sich für $t = 1$:

$$2). \ldots Q = k.i^2.w$$

Erkl. 336. Die Erwärmung in einem Stromkreise ist nicht an allen Stellen gleich; sie ist an den einzelnen Stellen um so grösser, je grösser der Widerstand ist.

d. h. die in einem Leiter bei Stromdurchfluss in der Zeiteinheit ($t = 1$) erzeugte Wärmemenge ist proportional dem Produkt aus dem Quadrate der Stromstärke und dem Widerstand des Leiters (s. Erkl. 336).

Erkl. 337. Der Leitungswiderstand w eines beliebigen Drahtes vom Querschnitt q Quadratmillimeter und l Meter Länge ist:

$$w = c.\frac{l}{q}$$

worin c den Widerstand eines Drahtes desselben Stoffs von 1 m Länge und 1 qmm Querschnitt bedeutet. Drückt man c in Ohm aus, so ergibt sich der Widerstand w in Ohm. (Näheres May, Lehrb. der Kontaktelektricität Antw. auf Frage 353.)

Hat ferner der Leiter die Gestalt eines Drahtes von q Quadratmillimeter Querschnitt und l Meter Länge, so ist (siehe Erkl. 337) der Widerstand w desselben:

$$w = c\frac{l}{q}$$

Setzen wir diesen Wert in Gleichung 2). ein, so ergibt sich:

$$3). \ldots Q = k.i^2.c\frac{l}{q}$$

d. h. die in einem Drahte bei Stromdurchfluss erzeugte Wärmemenge ist direkt proportional dem Quadrate

der Stromstärke und der der Länge,
dagegen umgekehrt proportional dem
Querschnitt.

Frage 436. Welche Wärmemenge
entwickelt·ein elektrischer Strom von
1 Voltampère in 1 Sekunde?

Antwort. Diese Frage ist gleich-
bedeutend mit der Frage nach der Grösse
des Faktors k in den Gleichungen in
voriger Antwort, im Falle wir den elektrischen Strom auf die Einheiten Volt
und Ampère beziehen. Um die Wärmemenge zu bestimmen, welche 1 Voltampère in 1 Sekunde erzeugt, bedenken
wir, dass 424 Meterkilogramm in
1 Sekunde 1 Wärmeeinheit, eine sog.
Kilogrammkalorie entwickeln kann
(siehe Erkl. 338), so dass also:

$$1 \text{ Sekunden-Meterkgr.} = \frac{1}{424} \text{ kg Kalorien}$$

Nun ist (siehe unter 5a. Seite 177):

Erkl. 338. Unter einer Wärmeeinheit (Kilogrammkalorie) versteht man die Wärme, welche
dazu nötig ist, um 1 Kilogramm Wasser von
0° auf 1° Celsius zu erhitzen. Durch Versuche
ist festgestellt worden, dass wenn man diese
Erwärmung durch mechanische Arbeit erreichen
will, man eine Arbeit von 424 Meterkilogramm
dazu benötigt. Die Zahl 424 heisst das mechanische Aequivalent der Wärme.

1 Voltampère = 0,102 Sekundenmeterkgr.
folglich ist 1 Voltampère, in kg Kalorien
ausgedrückt:

$$1 \text{ Voltampère} = \frac{0,102}{424} \text{ kg Kalorien}$$

oder da 1 kg Kalorie = 1000 Gramm
(g)-Kalorien sind, so ist:

$$1 \text{ Voltampère} = \frac{1000 . 0,102}{424} \text{ g-Kalorien}$$

oder:

1 Voltampère = 0,24 Gramm-Kalorien.

Ein Strom von 1 Voltampère entwickelt mithin in der Sekunde eine
Wärmemenge von 0,24 Grammkalorien.

In den Gleichungen 1)., 2). und 3).
in voriger Antw. ist daher:

$$k = \frac{1}{0,24} = 4,16$$

zu setzen.

Frage 437. Welche Apparate dienen
zur elektrischen Beleuchtung?

Antwort. Die Apparate zur elektrischen Beleuchtung fasst man zusammen
unter dem Namen elektrische Lampen.

Frage 438. Wie teilt man die elektrischen Lampen ein?

Antwort. Die in der Technik verwendeten elektrischen Lampen sind:
a). Glühlampen,
b). Bogenlampen.

1). Ueber die Glühlampen.

Frage 439. Welche wesentliche Einrichtung besitzt eine Glühlampe?

Figur 193.

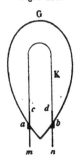

Antwort. Eine Glühlampe besteht (s. Fig. 193) aus einem Kohlefaden K, welcher mit zwei Platindrähten cm und dn verbunden in ein birnförmiges Glasgefäss (bei a und b) eingeschmolzen ist. Leitet man durch den Kohlefaden einen Strom von einer bestimmten elektromotorischen Kraft, so glüht er. Um ein Verbrennen dieses glühenden Kohlefadens aber zu verhindern, ist das Glasgefäss G luftleer.

Frage 440. Aus welchen Substanzen wird der Kohlefaden der Glühlampen hergestellt?

Antwort. Die Kohlefäden gewinnt man dadurch, dass man feine Holzfasern, Papierstreifen etc. verkohlt.

Frage 441. Wie muss der Kohlefaden eingerichtet sein, damit er an allen Stellen gleiche Lichtstärke zeigt?

Antwort. Damit der Kohlefaden an allen Stellen gleiche Lichtstärke liefert,. ist es notwendig, dass er an allen Stellen gleichen Widerstand habe, dass er also vollkommen gleichförmig sei, denn die Wärme- bezw. Lichtwirkung hängt von dem Widerstande ab (siehe Antw. auf Frage 435 und Erkl. 386).

Frage 442. Wie erreicht man eine vollkommene Gleichförmigkeit der Kohlefäden?

Antwort. Die durch Verkohlung der Holzfasern u. s. w. erhaltenen Kohlefäden haben an sich noch nicht jene Gleichförmigkeit, welche gefordert werden muss. Um diese jedoch zu erreichen, bringt man den Kohlefaden in einem mit

Kohlenwasserstoffgas gefüllten Glasgefäss zum Glühen. An den Stellen, wo der Kohlefaden am dünnsten, glüht er am stärksten, zersetzt dort am meisten Kohlenwasserstoff, dessen Kohle sich an die dünnen Stellen niederschlägt. Hierdurch wird der Kohlefaden nach kurzer Zeit gleichförmig (siehe Erkl. 339).

Erkl. 339. Der Kohlenwasserstoff zersetzt sich in Berührung mit heissen Körpern zu Kohle und Wasserstoff. An den wärmsten Stellen zersetzt sich mehr, an den kälteren weniger.

Frage 443. Welche Zahl von Voltampère benötigt eine Glühlampe für 1 Kerzenstärke?

Antwort. Die Lichtstärke der Glühlampen wird in der Technik in „Kerzenstärken" ausgedrückt. Um mit einer Glühlampe eine Helligkeit von 1 Kerze zu erreichen, benötigt man 3 bis 4 Voltampère.

Frage 444. Für welche Spannungen werden in der Praxis die Glühlampen meistens hergerichtet?

Antwort. Die meisten Glühlampen werden mit Spannungen zwischen 65 und 150 Volt betrieben.

Frage 445. In welchem Verhältnis stehen die Dimensionen des Kohlefadens und die Spannung?

Antwort. Je grösser die Spannung (elektromotorische Kraft) der Stromquelle ist, um so grösseren Widerstand des Kohlefadens kann der Strom überwinden. Der Kohlefaden kann daher für grosse Spannungen dünner bezw. länger sein, als für geringere Spannungen.

Frage 446. In welcher Beziehung stehen die Spannung und die Stromstärke für eine bestimmte Leuchtkraft (Kerzenstärke)?

Antwort. Für eine bestimmte Leuchtkraft ist eine bestimmte Anzahl Voltampère erforderlich. Haben wir daher hohe Spannungen, so brauchen wir wenig Ampère, haben wir geringe Spannungen, so brauchen wir mehr Ampère.

Frage 447. Wie viel Ampère benötigt eine 16kerzige Glühlampe bei 65, 100 und 150 Volt Spannung?

Erkl. 340. Denn es ist:

$$65 \cdot 0{,}77 = 50 \text{ Voltampère}$$
$$100 \cdot 0{,}5 = 50 \quad \text{,,}$$
$$150 \cdot 0{,}33 = 50 \quad \text{,,}$$

Antwort. Haben wir eine 16kerzige Glühlampe, für welche pro Kerzenstärke 3,125 Voltampère zur vollen Leuchtkraft nötig sind, also 50 Voltampère für 16 Kerzen, so haben wir für:

$$65 \text{ Volt } 0{,}77 \text{ Ampère}$$
$$100 \text{ ,, } 0{,}5 \quad \text{,,}$$
$$150 \text{ ,, } 0{,}33 \quad \text{,,}$$

nötig (siehe Erkl. 340).

Frage 448. Was lässt sich über die Dauer der Glühlampen sagen? ·

Erkl. 341. Die Glühlampen werden dadurch unbrauchbar, dass der Kohlefaden durch mechanische Wirkungen des Stroms allmählich an einzelnen Stellen dünner wird und bricht.

Antwort. Jede Glühlampe ist für eine ganz bestimmte Spannung hergestellt; für diese Spannung hält sie eine bestimmte Zeit, Lebensdauer, nach welcher sie unbrauchbar wird (d. h. ihr Kohlefaden zerstört ist). Die Lebensdauer wird sehr verkürzt, wenn man höhere Spannungen anwendet, da dann eine grössere Stromstärke durch den Kohlefaden geht, welche den Kohlefaden schneller zerstört (siehe Erkl. 341). Die Lebensdauer der besseren Glühlampen beträgt ca. 1000 Brennstunden.

Frage 449. Mit welchen Strömen können Glühlampen gespeist werden?

Erkl. 342. Der Betrieb mit einer und derselben Glühlampe mit Gleichstrom oder Wechselstrom benötigt so ziemlich denselben Kraftaufwand. Etwas mehr Energie verbrauchen allerdings die Lampen bei Wechselstrombetrieb. So ist durch Messungen festgestellt, dass eine bestimmte Glühlampe für 1 Kerze bei Gleichstrom 3,0490, bei Wechselstrom 3,0497 Voltampère benötigte (siehe Bulletin de la Société Internat. des Électriciens, Bd. VI, 1889, Seite 275).

Antwort. Zur Speisung von Glühlampen können ebensowohl Gleichströme wie Wechselströme benutzt werden (siehe Erkl. 342).

Frage 450. Welche Maschinen benutzt man zur Speisung von Glühlampen?

Erkl. 343. In neuerer Zeit werden jedoch auch die Glühlampen in Hintereinanderschaltung verwendet. In diesem Falle ist zur Erreichung einer gleichmässigen Lichtstärke eine immer gleiche Stromstärke erforderlich. Die Glühlampen für Hintereinanderschaltung haben beträchtlich dickere Kohlefäden und werden vorwiegend für grosse Lichtstärken konstruiert.

Antwort. Glühlampen werden fast ausschliesslich in Parallelschaltung verwendet; für diese Schaltung ist es nötig, dass die Maschinen, einerlei wie viele Lampen eingeschaltet sind, gleiche Spannung liefern. Bei Gleichstrombetrieb nimmt man daher Nebenschluss- oder Compoundmaschinen und zwar die ersteren meist in Verbindung mit Akkumulatoren (s. Erkl. 343).

2). Ueber die Bogenlampen.

Frage 451. Welches ist die einfachste Gestalt einer Bogenlampe?

Antwort. Die einfachste Gestalt einer Bogenlampe dürfte etwa die in Fig. 194 abgebildete Einrichtung haben. Eine Säule aus Glas trägt oben wie unten Messingfassungen. Die untere trägt eine feste Messingstange M_2, die obere eine verschiebbare M_1. Mittels der .Klemmen p_1 und p_2 werden zwei

Figur 194.

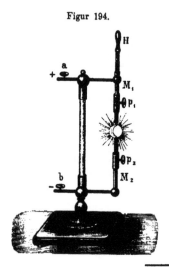

Stäbchen harter Kohle befestigt. Die Klemmen a und b verbindet man mit der Stromquelle. Zunächst lässt man die beiden an ihren Enden zugespitzten Kohlenstäbe sich berühren und zieht sie nach Stromschluss etwas auseinander. Es geht dann der Strom von der einen zur anderen Kohle, macht die Kohlenspitzen weissglühend und bildet noch den sog. Lichtbogen (siehe Antw. auf Frage 91 ff.).

Frage 452. Woher rührt die Bezeichnung Bogenlampe?

Antwort. Der Lichtbogen, welcher sich zwischen beiden Kohlenspitzen bildet, hat zu der Bezeichnung Bogenlampen geführt.

Frage 453. Welche wesentlichen Eigenschaften besitzt der Lichtbogen einer Bogenlampe?

Figur 195.

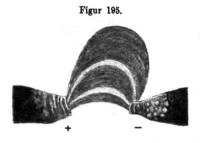

Erkl. 344. *v. Lang* hat durch Versuche das Vorhandensein elektromotorischer Gegenkraft im Lichtbogen nachzuweisen versucht. Neuerdings wird eine solche von *Lecher* in Zweifel gestellt (siehe *Strecker*, Fortschritte der Elektrotechnik, Bd. I Seite 365).

Antwort. Um zwischen zwei Kohlenspitzen einen Lichtbogen hervorzurufen, muss die Stromquelle eine elektromotorische Kraft von beiläufig 35 bis 40 Volt haben. Die Thatsache wurde zuerst von *Edlund* gefunden und dadurch erklärt, dass er annahm der Lichtbogen besitze eine elektromotorische Gegenkraft von 35 bis 40 Volt (siehe Erkl. 344). Die Gestalt des Lichtbogens ist halbmondförmig (siehe Fig. 195 und Antw. auf Frage 93); die Leuchtkraft desselben ist weit weniger gross, als die der glühenden Kohlenspitzen. Dagegen besitzt er eine Temperatur, wie man sie höher nicht erzeugen kann. Während die Kohlenspitzen selbst eine Temperatur von 2500—3000 Grad haben, besitzt der Lichtbogen eine solche von fast 5000 Grad. Ueber die Bildung und die Länge des Lichtbogens ist bereits in Antw. auf Frage 93 und 94 das Nötige gesagt. Zu erwähnen ist noch, dass die Länge des Lichtbogens mit der elektromotorischen Kraft der Stromquelle wächst.

Frage 454. Wie kann ein Lichtbogen zwischen zwei Kohlenspitzen überhaupt erst hervorgerufen werden?

Erkl. 345. Wir werden später sehen (siehe Antw. auf Frage 463), dass bei den Regulierungen der Bogenlampen auf nebenstehenden Umstand Rücksicht zu nehmen ist.

Antwort. Abgesehen davon, dass die elektromotorische Kraft der Stromquelle eine bestimmte Grösse haben muss, ehe überhaupt ein Lichtbogen möglich ist (siehe Antw. auf vorige Frage), so müssen ausserdem die Kohlenspitzen zunächst miteinander in Berührung gebracht werden. Dies muss ferner jedesmal geschehen, so oft der Lichtbogen aus irgend einem Grunde erloschen ist; dann erst darf man die Kohlenspitzen nach Massgabe der Länge des Lichtbogens von einander entfernen (s. Erkl. 345).

Frage 455. Mit welchen Strömen können Bogenlampen betrieben werden?

Antwort. Zum Betrieb von Bogenlampen dienen sowohl Wechselströme wie Gleichströme.

Frage 456. Was lässt sich über die Verbrennung der Kohlenstifte bei Gleichstrombetrieb sagen?

Antwort. Wenden wir zur Erzeugung des Bogenlichts Gleichstrom an, so bemerken wir, dass die Kohle, welche mit dem positiven-Pole der Stromquelle verbunden ist, nahezu (die positive Kohle) doppelt so schnell abbrennt als die negative Kohle.

Frage 457. Welche Erscheinung zeigt sich an der positiven Kohle einer Bogenlampe?

Antwort. Die positive Kohle höhlt sich beim Verbrennen aus und bildet einen sog. Krater. Derselbe wirkt als Reflektor.

Frage 458. Wie werden die Kohlenstifte in Bogenlampen bei Gleichstrombetrieb angeordnet?

Antwort. Die Kraterbildung an der positiven Kohle ist für die Gleichstrombogenlampen von ausserordentlicher Bedeutung, da man sie als natürlichen Reflektor des Lichtes benutzen kann. Zu dem Ende werden die Kohlenstifte lotrecht angeordnet und zwar derart, dass sich die positive Kohle oben, die negative unten befindet. Das Licht wird dann hauptsächlich nach unten geworfen.

Frage 459. Wie verteilt sich das Licht einer Gleichstrom-Bogenlampe bei der in voriger Antw. angegebenen Anordnung?

Figur 196.

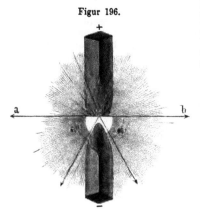

Antwort. Die Verteilung des Lichts einer Gleichstrom-Bogenlampe bei der in voriger Antw. angegebenen Anordnung ist folgendermassen. Fast alles Licht wird nach unten geworfen. Die grösste Helligkeit liegt unter einem Winkel von 60° gegen die Horizontalebene ab (siehe Fig. 196); sie ist hier etwa 5mal so gross als in der Horizontalebene ab.

Frage 460. Was lässt sich allgemein über die Wechselstrom-Bogenlampen sagen?

Erkl. 346. Bei der praktischen Beleuchtung kommt es natürlich vorwiegend auf das zum Boden geworfene Licht an.

Erkl. 347. Die durch Wechselströme erzeugten Lichtbögen verursachen infolge des schnellen Stromwechsels ein summendes Geräusch, welches sehr störend sein kann.

Antwort. Bei den mit Wechselstrom betriebenen Bogenlampen verbrennen die Kohlenstifte gleich schnell. Ein grosser Nachteil für dieselben ist, dass keine Kraterbildung stattfindet, das Licht also bei lotrechter Kohlenanordnung zum weitaus grössten Teile in Richtung der Horizontalen sich ausbreitet. Um also eine gleiche Helligkeit (siehe Erkl. 346) wie eine Gleichstrombogenlampe zu erzielen, ist eine grössere Menge elektrischer Energie nötig. Ausserdem kühlen sich die Kohlenspitzen infolge des Stromwechsels wenn auch wenig, so doch immerhin etwas ab, wodurch wiederum ein Energieverlust auftritt. Dann aber macht das Summen der Wechselstromlampen (siehe Erkl. 347) die Verwendung derselben in manchen Fällen unmöglich.

Frage 461. Welche Spannungen benötigen die Bogenlampen?

Antwort. Die zum Betriebe von Bogenlampen an den Kohlen notwendige Spannungsdifferenz ist bei Lichtbogenlängen von 2 bis 4 mm zwischen 40 und 50 Volt; denn zunächst ist die elektromotorische Gegenkraft des Lichtbogens zu überwinden und dann noch der Widerstand in den Kohlenstiften selbst.

Frage 462. Für welche Stromstärke werden die Bogenlampen gebaut und welche Leuchtkraft besitzen sie bei den verschiedenen Stromstärken?

Erkl. 348. Für Wechselstromlampen sind bei gleicher Spannung mehr Ampère notwendig, die gleiche Helligkeit zu erhalten wie mit Gleichstromlampen.

Antwort. Die Stromstärke, mit welcher Bogenlampen betrieben werden, liegt zwischen 2 und 80 Ampère. Eine 6 Ampère-Bogenlampe liefert eine Lichtstärke von ca. 1000 Kerzen (s. Erkl. 348).

Frage 463. Was ist zum gleichmässigen Brennen der Bogenlampen unbedingt erforderlich?

Antwort. Um ein gleichmässiges Brennen und dadurch eine gleichbleibende Helligkeit der Bogenlampen zu erzielen, müssen die Kohlenspitzen immer in gleicher Entfernung von einander gehalten werden. Es muss also, da die Kohlen allmählich verbrennen, dafür gesorgt werden, dass im selben Masse die Kohlenspitzen einander näher gebracht werden. Ausserdem muss jede Regulierungsvorrichtung die Kohlenspitzen in Berührung mit einander bringen wenn die Lampe ausser Betrieb ist, oder, wenn durch irgend eine Störung der Lichtbogen aufgehört hat, damit er sich von neuem zu bilden vermag (siehe Antw. auf Frage 454).

Frage 464. Auf welche Weise erreicht man eine konstante Entfernung der Kohlenspitzen?

Antwort. Die ältesten Methoden zur Erhaltung einer konstanten Entfernung waren Hand- oder Uhrwerkregulierungen. Bei den praktisch verwendeten Bogenlampen musste jedoch darauf gesehen werden, dass die Regulierung selbstthätig und vollkommen sicher arbeite, so dass sie von Störungen im Stromkreise möglichst unabhängig sei. Um eine solche zu erreichen, verwendete

man den Strom selbst und zwar haben
sich zwei Hauptarten von Bogenlampen
mit selbstthätiger Regulierung ausgebildet:

 a). Die Differential-Bogen-
 lampen,
 b). die Nebenschluss-Bogen-
 lampen.

Frage 465. Worin besteht die wesentliche Einrichtung einer Neben-
schlussbogenlampe?

Figur 197.

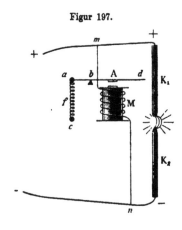

Erkl. 349. Der Mechanismus ist es, welcher
die einzelnen Nebenschlusslampen von einander
unterscheidet. Bei manchen Lampen ist es ein
Uhrwerk, welches durch den Hebel *b d* ausgelöst und wieder arretiert wird.

Erkl. 350. Bei den meisten Lampen ist nur
die obere Kohle beweglich. Man kann es jedoch auch einrichten, dass infolge der Bewegung
der oberen Kohle nach unten, die untere Kohle
nach oben bewegt wird.

Antwort. Eine Nebenschluss-
bogenlampe ist im wesentlichen folgendermassen eingerichtet. Von dem
Hauptstromkreis, in welchem die beiden
Kohlen K_1 und K_2 (siehe Fig. 197) eingeschaltet sind, ist zwischen den Punkten *m* und *n* ein Nebenschluss abgezweigt, in welchem sich der Elektromagnet *M* befindet. Dem Elektromagnet
steht ein Anker *A* gegenüber, welcher
an dem Hebel *a b d* befestigt ist, der
sich in Punkte *b* drehen kann und durch
eine Spiralfeder *f* zwischen *a* und *c* in
einer bestimmten Lage gehalten wird.
Die Wirkungsweise ist nun die folgende:
Stehen bei Beginn des Stromschlusses
die Kohlenspitzen auseinander, so fliesst
der Strom ausschliesslich durch den
Nebenschluss *m n*, magnetisiert den
Eisenkern des Elektromagnets *M* und
bewirkt, dass der Anker *A* angezogen
wird. Mit dem Ende *d* des Hebels ist
ein Mechanismus verbunden (siehe Erkl.
349), welcher in Betrieb kommt, sobald
der Hebelarm *b d* sich nach unten bewegt; die obere Kohle K_1 sinkt dann
infolge ihres Gewichts bis sie die Kohle
K_2 berührt. In diesem Moment läuft
aber der Strom nicht mehr allein durch
den Nebenschluss, sondern auch durch
die Kohlen; die Magnetisierung ist
weniger stark und die Feder *f* zieht
den Hebelarm *b d* nach oben, wodurch
einesteils der Mechanismus arretiert
und die Kohle um die Lichtbogenlänge
gehoben wird. Brennen allmählich die
Kohlenstifte ab, so wird der Widerstand
im Hauptstromkreis grösser, es fliesst
ein stärkerer Strom durch den Nebenschluss, der Anker *A* wird etwas angezogen, der Mechanismus ausgelöst und

die Kohle K_1 sinkt, bis der Widerstand
und die Länge des Lichtbogens zwischen
K_1 und K_2 ihre normale Grösse haben.
Dann geht der Anker wieder in die
Höhe und der Mechanismus wird ausgelöst (siehe Erkl. 350).

Frage 466. Worin besteht die wesentliche Einrichtung einer Differential-
Bogenlampe?

Antwort. Fig. 198 zeigt schematisch
die Einrichtung einer Differential-Bogen-
lampe. In den Stromkreis sind zwei
Drahtspulen eingeschaltet, eine mit wenig
Windungen dicken Drahts (R_1) und eine
zweite mit vielen Windungen dünnen
Drahts. In den Spulen befindet sich
ein Eisenstab FF, welcher in seiner
Mitte a durch einen Hebel abc mit dem
Kohlenhalter A verbunden ist. Der
Drehpunkt des Hebels ist bei b. Bei
$+P$ tritt der Strom ein und verzweigt
sich in die beiden Spulen und zwar
fliesst er teilweise durch R_2 nach b
und durch die Kohlen nach $-P$, teilweise durch R_1 und d nach $-P$. Stehen
mit Beginn der Beleuchtung die Kohlenspitzen auseinander, so läuft der Strom
ausschliesslich durch R_1. Der Eisenkern FF wird infolgedessen in die
Spule R_1 hineingezogen, d. h. der Punkt a
hebt sich und der Kohlenhalter A senkt
sich bis die Kohlenspitzen einander berühren. In diesem Augenblicke ist dem
Strom auch der Weg durch R_2, b, A,
K_1, K_2, B geöffnet. Es läuft also ein
Teil (und zwar der grösste Teil) durch
die Spule R_2. Der Eisenkern F wird
demgemäss mehr in die untere Spule
hineingezogen, die Kohlenspitzen entfernen sich von einander und es entsteht der Lichtbogen. Die anziehenden
Wirkungen der beiden Spulen sind einander entgegengerichtet und so abge-
messen, dass sie sich bei einer bestimmten Entfernung der Kohlenspitzen das
Gleichgewicht halten (siehe Erkl. 351).

Figur 198.

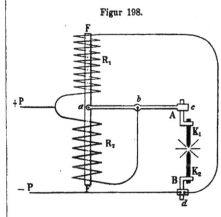

Erkl. 351. Man nennt diese Art Bogenlampen „Differential"-Lampen, da die Regulierung durch die Differenz der anziehenden Wirkungen beider Spulen bewirkt wird.

C. Ueber die elektrischen Leitungen.

1). Ueber die Erwärmung stromdurchflossener Leitungen.

Frage 467. Was geschieht, wenn ein Leiter von einem Strome durchflossen wird?

Antwort. Wird ein Leiter von einem elektrischen Strom durchflossen, so setzt sich ein Teil der elektrischen Energie in kalorische d. i. Wärme um. Der Leiter wird also erwärmt.

Frage 468. Von welchen Grössen hängt die in Leitungen erzeugte Wärme ab?

Antwort. Die bei Stromdurchfluss in Leitern erzeugte Wärme hängt ab von der Stärke des Stroms und dem Widerstand des Leiters; oder da der Widerstand von den Dimensionen der Leitungen abhängt, so hängt die Wärme ab von der Stromstärke und den Dimensionen der Leitungen (siehe Erkl. 352).

Erkl. 352. Ist w der Widerstand eines Leiters, l seine Länge und q sein Querschnitt, so gilt bekanntlich:

$$w = c \cdot \frac{l}{q} \qquad c = \text{Konstante.}$$

Frage 469. Welche mathematische Beziehung findet zwischen der erzeugten Wärme, der Stromstärke und dem Widerstand statt?

Antwort. Die Wärmemenge, welche in der Zeiteinheit entsteht, ist ein gewisser Bruchteil der elektrischen Energie. Ist die Wärmemenge pro Sekunde $= Q$, die Stromstärke $= i$ und die elektromotorische Kraft $= e$, so ist:

$$1). \ldots \quad Q = C . e . i$$

Hierin ist C eine Konstante, welche angibt der wievielte Teil der elektrischen Energie in Wärme umgesetzt wird; der Wert von C liegt also zwischen 0 und 1.

Nun ist $e = i . w$, wo w der Widerstand der Leitung ist, folglich geht 1). über in:

$$2). \ldots \quad Q = C . i^2 . w$$

Erkl. 353. Die Gleichung 2). nennt man das Joulesche Gesetz, da *Joule* diese Beziehung zuerst experimentell bestätigt hat. Mathematisch ergibt sich dieselbe sofort aus Gleichung 1).

(siehe Erkl. 353). Ferner wissen wir, dass:

$$w = c \frac{l}{q} \quad \text{(siehe Erkl. 352)}$$

folglich erhalten wir aus Gleichung 2).:

$$3). \ldots \quad Q = C . i^2 . c \frac{l}{q}$$

Hierin bedeutet c den Leitungswiderstand, welchen die Einheit der Länge des Leitungsmaterials bei der Einheit des Querschnitts besitzt.

Frage 470. Von welchen Grössen hängt die in Leitungen bei Stromdurchfluss hervorgebrachte Erwärmung ab?

Antwort. Ein Strom von einer bestimmten elektrischen Energie erzeugt in einem Leiter pro Sekunde eine bestimmte Wärmemenge. Hierdurch wird der Leiter wärmer als seine Umgebung und gibt an diese Wärme ab. Er wird um so mehr Wärme abgeben, je grösser seine Berührung mit der Umgebung ist, d. h. je grösser seine Oberfläche ist. Schliesslich wird eine Erwärmung eintreten, welche weder zu- noch abnimmt, indem die von dem Strom über diese Erwärmung hinaus zugeführte Wärme von dem Leiter an die Umgebung abgegeben wird. Dieser stationäre Zustand wird um so eher erreicht, je grösser die Oberfläche des Leiters ist. Daher können wir sagen: Die von einem elektrischen Strome verursachte Erwärmung eines Leiters ist um so geringer, je grösser dessen Oberfläche ist (s. Erkl. 354).

Erkl. 354. Wir müssen wohl unterscheiden zwischen der von einem Strome in einem Leiter erzeugten Wärmemenge und der durch den Strom verursachten Erwärmung. Die Wärmemenge ist allerdings die Ursache der Erwärmung, der Grad der Erwärmung dagegen hängt von der Oberfläche des Leiters ab.

Frage 471. Wie gross ist die Erwärmung eines Leiters durch einen elektrischen Strom?

Antwort. Die von einem Strome mit der elektromotorischen Kraft e und der Stromstärke i erzeugte Wärmemenge Q ist pro Sekunde:

$$Q = C \cdot i^2 \cdot c \cdot \frac{l}{q} \quad \text{(siehe Antw. auf Frage 469)}$$

Diese Wärmemenge wird von dem Leiter teilweise an die Umgebung abgegeben und zwar ist diese Wärmeabgabe der Oberfläche u des Leiters umgekehrt proportional, so dass die Wärmemenge Q einen Temperaturgrad T in dem Leiter erzeugt:

$$1). \ldots T = C \cdot i^2 \cdot c \cdot \frac{l}{q} \cdot \frac{1}{k \cdot u}$$

Erkl. 355. In nebenstehenden Gleichungen ist C gleich der Wärme, welche der Strom von der elektrischen Energie 1 pro Sekunde erzeugt. Für eine Energie von 1 Voltampère pro Sekunde ist $C = 4,16$ (siehe Antw. auf Frage 436). c ist gleich dem Widerstand der Längeneinheit des Leiters bei der Einheit des Querschnitts.

wo die Konstante k angibt, wieviel Wärme die Flächeneinheit des Leiters an die Umgebung abgibt.

Setzen wir:

$$C \cdot c \cdot \frac{1}{k} = C'$$

so geht Gleichung 1). über in:

$$2). \ldots T = C' \cdot i^2 \frac{l}{q \cdot u} \quad \text{(siehe Erkl. 355)}.$$

Frage 472. Welche Formel gilt für die Erwärmung eines Drahtes mit kreisförmigem Querschnitt?

Erkl. 356. Haben wir einen blanken horizontal gespannten Kupferdraht, durch welchen wir einen Strom von 50 Ampère leiten wollen und soll die Temperaturerhöhung des Drahtes über die Temperatur der Umgebung 10° C. betragen, so finden wir den Radius dieses Drahts aus Formel I:

$$T = K \cdot \frac{i^2}{r^3}$$

indem wir $T = 10$, $K = 0,04$, $i = 20$ setzen. Es ist nämlich:

$$r^3 = K \frac{i^2}{T}$$

oder:

$$r = \sqrt[3]{K \cdot \frac{i^2}{T}} = \sqrt[3]{0,04 \cdot \frac{50^2}{10}}$$

woraus:

$$r = 2,1544 \text{ mm.}$$

Antwort. Für einen kreisförmigen Leiter mit dem Radius r und der Länge l ist:

$$q = r^2 \pi$$

ferner:

$$u = 2r.\pi.l$$

Setzen wir diese Werte in Formel 2. (siehe vorige Antw.), so ergibt sich für Temperaturerhöhung T:

$$T = C'.i \cdot \frac{l}{r^2\pi.2r\pi.l}$$

oder wenn wir:

$$\frac{C'}{\pi^2} = K$$

setzen:

$$\text{I).} \quad \dots \quad T = K \cdot \frac{i^2}{r^3}$$

Für blanke horizontal ausgespannte Kupferdrähte ist $K = 0,04$ (siehe Erkl. 356).

---

2). Ueber den Spannungsverlust in stromdurchflossenen Leitungen.

Frage 473. Welche Erscheinung tritt in Bezug auf die Spannungsdifferenz in stromdurchflossenen Leitungen auf?

Antwort. Sind (siehe Fig. 199) a und b die Klemmen der Stromquelle, an welche die beiden Leitungen F_1 und F_2 angeschlossen sind, so herrscht zwischen den Punkten a und b die grösste, zwischen m und n eine kleinere und

Figur 199.

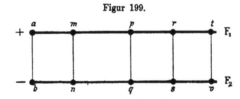

zwischen t und v endlich die kleinste Spannungsdifferenz, indem der Strom die Leitungen F_1 und F_2 durchfliessend einen Spannungsverlust erleidet, da ein Teil der elektrischen Energie infolge des Widerstandes in F_1 und F_2 in Wärme umgesetzt wird.

Preisgekrönt in Frankfurt a. M. 1881.

Der ausführliche Prospekt und das ausführliche Inhalts-
verzeichnis der „vollständig gelösten Aufgabensammlung von
Dr. Ad. Kleyer" kann von jeder Buchhandlung, sowie von der
Verlagshandlung **gratis und portofrei** bezogen werden.

Bemerkt sei hier nur:

1). Jedes Heft ist aufgeschnitten und gut brochiert um den sofortigen und dauern-
den Gebrauch zu gestatten.

2). Jedes Kapitel enthält sein besonderes Titelblatt, Inhaltsverzeichnis, Berichtigungen
und Erklärungen am Schlusse desselben.

3). Auf jedes einzelne Kapitel kann abonniert werden.

4). Monatlich erscheinen 3—4 Hefte zu dem **Abonnementspreise** von 25 Pfg. pro Heft

5). Die Reihenfolge der Hefte im nachstehenden, kurz angedeuteten Inhaltsverzeichnis ist, wie aus dem Prospekt ersichtlich, ohne jede Bedeutung
für die Interessenten.

6). Das Werk enthält Alles, was sich überhaupt auf mathematische Wissenschaften
bezieht, alle Lehrsätze, Formeln und Regeln etc. mit Beweisen, alle praktischen
Aufgaben in vollständig gelöster Form mit Anhängen ungelöster analoger Aufgaben und vielen vortrefflichen Figuren.

7). Das Werk ist ein **praktisches Lehrbuch für Schüler aller Schulen**, das
beste Handbuch für Lehrer und Examinatoren, das **vorzüglichste Lehrbuch**
zum Selbststudium, das **vortrefflichste Nachschlagebuch für Fachleute** und
Techniker jeder Art.

8). Alle Buchhandlungen nehmen Bestellungen entgegen.

──────────

▬▬ Das vollständige

Inhaltsverzeichnis
der bis jetzt erschienenen Hefte
ann durch j e d e B u c h h a n d l u n g bezogen werden.

──────────

Halbjährlich erscheinen Nachträge über die inzwischen neu erschienenen Hefte.

──────────

Druck von Carl Hammer in Stuttgart.

583. Heft.

Preis
des Heftes
25 Pf.

Die Induktionselektricität.

Forts. v. Heft 582. — Seite 257—272.

Mit 6 Figuren.

Vollständig gelöste
Aufgaben-Sammlung

— nebst Anhängen ungelöster Aufgaben, für den Schul- & Selbstunterricht —

mit

Angabe und Entwicklung der benutzten Sätze, Formeln, Regeln in Fragen und Antworten

erläutert durch

viele Holzschnitte & lithograph. Tafeln,

aus allen Zweigen

der Rechenkunst, der niederen (Algebra, Planimetrie, Stereometrie, ebenen u. sphärischen Trigonometrie, synthetischen Geometrie etc.) u. höheren **Mathematik** (höhere Analysis, Differential- u. Integral-Rechnung, analytische Geometrie der Ebene u. des Raumes etc.); — aus allen Zweigen der **Physik, Mechanik, Graphostatik, Chemie, Geodäsie, Nautik,** mathemat. Geographie, Astronomie; des Maschinen-, Straßen-, Eisenbahn-, Wasser-, Brücken- u. Hochbau's; der Konstruktionslehren als: darstell. Geometrie, Polar- u. Parallel-Perspective, Schattenkonstruktionen etc. etc.

für

Schüler, Studierende, Kandidaten, Lehrer, Techniker jeder Art, Militärs etc.

zum einzig richtigen und erfolgreichen

Studium, zur Forthülfe bei Schularbeiten und zur rationellen Verwertung der exakten Wissenschaften,

herausgegeben von

Dr. Adolph Kleyer,

Mathematiker, vereideter königl. preuss. Feldmesser, vereideter grossh. hessischer Geometer I. Klasse

in Frankfurt a. M.

unter Mitwirkung der bewährtesten Kräfte.

Die Induktionselektricität.

Nach System Kleyer bearbeitet von **Dr. Adolf Krebs** in Berlin.

Fortsetzung v. Heft 582. — Seite 257—272. Mit 6 Figuren.

Inhalt:

Stuttgart 1889.

Verlag von Julius Maier.

Das vollständige Inhaltsverzeichnis der bis jetzt erschienenen Hefte kann durch jede Buchhandlung bezogen werden.

PROSPEKT.

Dieses Werk, welchem kein ähnliches zur Seite steht, erscheint monatlich in 3—4 Heften zu dem billigen Preise von 25 ₰ pro Heft und bringt eine Sammlung der wichtigsten und praktischsten Aufgaben aus dem Gesamtgebiete der Mathematik, Physik, Mechanik, math. Geographie, Astronomie, des Maschinen-, Strassen-, Eisenbahn-, Brücken- und Hochbaues, des konstruktiven Zeichnens etc. etc. und zwar in vollständig gelöster Form, mit vielen Figuren, Erklärungen nebst Angabe und Entwickelung der benutzten Sätze, Formeln, Regeln in Fragen mit Antworten etc., so dass die Lösung jedermann verständlich sein kann, besw. wird, wenn eine grössere Anzahl der Hefte erschienen ist, da dieselben sich in ihrer Gesamtheit ergänzen und alsdann auch alle Teile der reinen und angewandten Mathematik — nach besonderen selbständigen Kapiteln angeordnet — vorliegen.

Fast jedem Hefte ist ein Anhang von ungelösten Aufgaben beigegeben, welche der eigenen Lösung (in analoger Form, wie die bezüglichen gelösten Aufgaben) des Studierenden überlassen bleiben, und zugleich von den Herren Lehrern für den Schulunterricht benutzt werden können. — Die Lösungen hierzu werden später in besonderen Heften für die Hand des Lehrers erscheinen. Am Schlusse eines jeden Kapitels gelangen: Titelblatt, Inhaltsverzeichnis, Berichtigungen und erläuternde Erklärungen über das betreffende Kapitel zur Ausgabe.

Das Werk behandelt zunächst den Hauptbestandteil des mathematisch-naturwissenschaftlichen Unterrichtsplanes folgender Schulen: Realschulen I. und II. Ord., gleichberechtigten höheren Bürgerschulen, Privatschulen, Gymnasien, Realgymnasien, Progymnasien, Schullehrer-Seminaren, Polytechniken, Techniken, Baugewerkschulen, Gewerbeschulen, Handelsschulen, techn. Vorbereitungsschulen aller Arten, gewerbliche Fortbildungsschulen, Akademien, Universitäten, Land- und Forstwissenschaftsschulen, Militärschulen, Vorbereitungs-Anstalten aller Arten als z. B. für das Einjährig-Freiwillige- und Offiziers-Examen, etc.

Die Schüler, Studierenden und Kandidaten der mathematischen, technischen und naturwissenschaftlichen Fächer, werden durch diese, Schritt für Schritt gelöste, Aufgabensammlung immerwährend an ihre in der Schule erworbenen oder nur gehörten Theorien etc. erinnert und wird ihnen hiermit der Weg zum unfehlbaren Auffinden der Lösungen derjenigen Aufgaben gezeigt, welche sie bei ihren Prüfungen zu lösen haben, zugleich aber auch die überaus grosse Fruchtbarkeit der mathematischen Wissenschaften vorgeführt.

Dem Lehrer soll mit dieser Aufgabensammlung eine kräftige Stütze für den Schulunterricht geboten werden, indem zur Erlernung des praktischen Teiles der mathematischen Disziplinen — zum Auflösen von Aufgaben — in den meisten Schulen oft keine Zeit erübrigt werden kann, hiermit aber dem Schüler bei seinen häuslichen Arbeiten eine vollständige Anleitung in die Hände gegeben wird, entsprechende Aufgaben zu lösen, die gehabten Regeln, Formeln, Sätze etc. anzuwenden und praktisch zu verwerten. Lust, Liebe und Verständnis für den Schul-Unterricht wird dadurch erhalten und belebt werden.

Den Ingenieuren, Architekten, Technikern und Fachgenossen aller Art, Militär, etc. etc. soll diese Sammlung zur Auffrischung der erworbenen und vielleicht vergessenen mathematischen Kenntnisse dienen und zugleich durch ihre praktischen in allen Berufszweigen vorkommenden Anwendungen einem toten Kapitale lebendige Kraft verleihen und somit den Antrieb zu weiteren praktischen Verwertungen und weiteren Forschungen geben.

Alle Buchhandlungen nehmen Bestellungen entgegen. Wichtige und praktische Aufgaben werden mit Dank von der Redaktion entgegengenommen und mit Angabe der Namen verbreitet. — Wünsche, Fragen etc., welche die Redaktion betreffen, nimmt der Verfasser. Dr. Kleyer, Frankfurt a. M. Fischerfeldstrasse 16, entgegen und wird deren Erledigung thunlichst berücksichtigt.

Stuttgart.   Die Verlagshandlung.

Frage 474. Von welchen Grössen hängt der Spannungsverlust wesentlich ab?

Antwort. Der Spannungsverlust tritt ein infolge der Umsetzung eines Teils der elektrischen Energie in Wärme; er ist also um so grösser, je grösser die vom Strom erzeugte Wärmemenge ist. Letztere hängt aber ab von der Stromstärke und dem Widerstand bezw. den Dimensionen der Leitung. Daher: **Der Spannungsverlust hängt ab von der Stromstärke und den Dimensionen der Leitung.**

Frage 475. Welche Beziehung gilt für den Spannungsverlust?

Antwort. Der Spannungsverlust p wächst mit der Stromstärke i und dem Widerstand w. Es ist:

$$p = i \cdot w \text{ (Ohmsches Gesetz)}.$$

Da ferner:

Erkl. 357. Ist die Entfernung der Stromquelle von der Verwendungsstelle $= L$, so ist die Länge l des Stromkreises, da wir nach der Verwendungsstelle eine Hin- und eine Rückleitung haben müssen, $l = 2L$.

$$w = c \frac{l}{q}$$

so folgt:

$$p = i \cdot c \frac{l}{q}$$

oder:

$$\text{II)} \dots \dots p = i \cdot c \frac{2L}{q}$$

wenn L die Entfernung der Verwendungsstelle des Stroms von der Stromquelle ist (siehe Erkl. 357). Für Kupfer ist $c = \frac{1}{55}$, so dass:

$$\text{III)} \dots \dots p = \frac{1}{27,5} \cdot \frac{i \cdot L}{q}$$

Frage 476. Welchen Querschnitt der Leitung haben wir für einen bestimmten Spannungsverlust zu wählen?

Antwort. Um den Querschnitt einer Leitung für einen bestimmten Spannungsverlust zu ermitteln, bedienen wir uns Formel II der vorigen Antwort:

$$p = i \cdot c \frac{2L}{q}$$

woraus:

$$\text{IV)} \dots q = i \cdot c \frac{2L}{p}$$

oder da $c = \frac{1}{55}$

$$\text{V)} \dots \dots q = \frac{1}{27,5} \cdot \frac{i \cdot L}{p}$$

Frage 477. Bei welcher Zusammensetzung einer bestimmten Menge elektrischer Energie ist der Spannungsverlust in den Leitungen am kleinsten?

Antwort. Haben wir eine bestimmte Menge elektrischer Energie durch eine Leitung von gegebenen Dimensionen (Länge und Querschnitt) zu leiten, so ist der Spannungsverlust um so geringer, je grösser wir die Spannung der elektrischen Energie wählen. Denn die elektrische Energie pro Sekunde ist gleich dem Produkt aus Stromstärke i und der Spannung e der Stromquelle, also gleich $e.i$. Nun nimmt der Spannungsverlust p mit der Stromstärke i ab. Wählen wir daher in dem Produkt $e.i$ die Stromstärke i klein, so haben wir einen geringen Spannungsverlust. Damit aber das Produkt $e.i$ seinen ursprünglichen Wert behalte, so müssen wir e dementsprechend grösser nehmen (siehe Erkl. 358).

Erkl. 358. Wir haben z. B. $e.i = 5000$ Voltampère; dies können wir zerlegen in:

1 Volt und 5000 Ampère
10 „ „ 500 „
100 „ „ 50 „
1000 „ „ 5 „ u. s. f.

Bei 1000 Volt ist dann der Spannungsverlust weit geringer als bei 1 Volt, da wir nur 5 Ampère zu leiten haben.

Frage 478. In welcher Beziehung steht der Querschnitt eines Leiters zu der Spannung einer bestimmten Menge elektrischer Energie, wenn der Spannungsverlust eine gegebene Grösse haben soll?

Antwort. Um eine bestimmte elektrische Energie zu leiten, welche einen gegebenen Spannungsverlust erfahren soll, haben wir bei hoher Spannung der betreffenden elektrischen Energie einen kleineren, bei niederer Spannung einen grösseren Querschnitt nötig, da wir im ersten nur eine kleine, im zweiten Falle dagegen eine grosse Stromstärke haben. Anderseits können wir bei grossen Spannungen auf grössere Entfernungen hin die elektrische Energie leiten, als bei kleinen Spannungen, bevor wir bei gleichem Querschnitt einen bestimmten Spannungsverlust erleiden.

3). Ueber den Querschnitt der Leitungen.

Frage 479. Was ist bei der Bestimmung des Querschnitts von Leitungen von vornherein zu berücksichtigen?

Antwort. Für die Bestimmung des Querschnitts von Leitungen ist zunächst eine Unterscheidung zwischen kurzen und langen Leitungen zu treffen.

Frage 480. Welche Grösse ist für die Bestimmung des Querschnitts von kurzen Leitungen allein massgebend?

Erkl. 359. Unter kurzen Leitungen versteht man die einzelnen Zweigleitungen, welche nach den einzelnen Apparaten (Lampen) führen.

Erkl. 360. In nebenstehender Gleichung ist:

K = Konstante,
i = Stromstärke,
r = Radius des kreisförmigen Leiters.

Antwort. Ist eine Leitung kurz (siehe Erkl. 359), so ist der Spannungsverlust in der Leitung nur gering; wir können ihn daher ohne grösseren Fehler einfach vernachlässigen. Für die Bestimmung des Querschnitts der Leitung ist dann allein die Erwärmung massgebend. Man wird den Querschnitt derart wählen, dass ein bestimmter Temperaturgrad nicht überschritten wird. Die Wahl der zulässigen Erwärmung hängt von besonderen Umständen ab. Der Querschnitt für eine bestimmte höchste Erwärmung und einen kreisförmigen Querschnitt ergibt sich aus der Gleichung I (siehe Antw. auf Frage 472):

$$T = K \cdot \frac{i^2}{r^3}. \quad \text{(siehe Erkl. 360)}$$

woraus:

$$r = \sqrt[3]{K \cdot \frac{i^2}{T}}.$$

Ferner ist der Querschnitt q eines Drahtes:

$$q = r^2 \pi$$

folglich:

VI). $\quad q = \left(K \cdot \frac{i^2}{T} \right)^{\frac{2}{3}} . \pi$

Für blanke, horizontal ausgespannte Kupferdrähte ist $K = 0{,}04$, folglich:

VII). $\quad q = \left(0{,}04 \cdot \frac{i^2}{T} \right)^{\frac{2}{3}} . \pi$ Quadr.-Millim.

Für isolierte (besponnene) Kupferdrähte rechnet man 1,6 bis 2 Ampère pro Quadratmillimeter Querschnitt, wodurch eine nur geringe Erwärmung eintritt.

Frage 481. Welche Grössen kommen bei der Bestimmung des Querschnitts langer Leitungen in Betracht?

Antwort. Bei langen Leitungen (siehe Erkl. 361) kommen in Betracht:

1). die Erwärmung,
2). der Spannungsverlust.

Frage 482. Was muss man bei langen Leitungen zunächst in Betreff des Querschnitts feststellen?

Antwort. Die Aufgabe der Leitung ist zunächst eine bestimmte Menge elektrischer Energie von einer bestimmten Spannung und Stromstärke zu leiten, ohne eine bestimmte Erwärmung des Leiters zu überschreiten. Aus der Stromstärke und der zulässigen Erwärmung ist dann mittels der Formel:

$$q = \left(K \cdot \frac{i^2}{T} \right)^{\frac{2}{5}} . \pi$$

(siehe Antw. auf Frage 481, Gleichung VI)

der für diese Verhältnisse kleinstmögliche Querschnitt q' zu berechnen.

Bei langen Leitungen ist daher zunächst festzustellen, welchen Querschnitt die Leitung mindestens haben muss, damit die Erwärmung nach Massgabe der Stromstärke eine gegebene Grösse nicht überschreite.

Frage 483. Was lässt sich bei langen Leitungen in Bezug auf den Spannungsverlust sagen?

Erkl. 361. In vielen Fällen soll der Spannungsverlust eine bestimmte Grösse nicht überschreiten. Man berechnet dann nach der Formel:

$$q = i \cdot c \frac{2L}{p}$$

(siehe Antw. auf Frage 476, Gleichung IV)

den Querschnitt q und prüft durch Einsetzen des Wertes q in:

$$q = \left(K \cdot \frac{i^2}{T} \right)^{\frac{2}{5}} . \pi$$

oder:

$$T = K \cdot i^2 \left(\frac{\pi}{q} \right)^{\frac{5}{2}}$$

ob die bei dem Querschnitt q auftretende Erwärmung T noch zulässig ist.

Antwort. Nachdem mit Bezug auf die Stromstärke und die zulässige Erwärmung die untere Grenze des Leitungsquerschnitts q' festgestellt ist, handelt es sich um die Bestimmung des Querschnitts q nach Massgabe des zulässigen Spannungsverlustes. Aus der Formel:

$$p = i \cdot c \frac{2L}{q}$$

(siehe Antw. auf Frage 475, Gleichung II)

erhalten wir durch Einsetzen des Wertes q' den nach Massgabe der Erwärmung höchstenfalls zulässigen Spannungsverlust. In den meisten Fällen beabsichtigen wir aber einen geringeren Spannungsverlust. Um einen solchen zu erreichen, haben wir den Querschnitt des Leiters zu vergrössern. Der dann bei diesem vergrösserten Querschnitt auftretende Spannungsverlust berechnet sich nach obiger Formel (siehe Erkl. 361).

Frage 484. Was versteht man unter dem wirtschaftlichen Querschnitt von Leitungen?

Erkl. 362. Um den wirtschaftlichen Querschnitt zu finden, gibt Sir *W. Thomson* folgende Regel:

„Der wirtschaftlichste Querschnitt ist dann erreicht, wenn der jährliche Energieverlust gleich ist der Verzinsung des Anlagekapitals der Leitungen "

Von einer Amortisation sieht *Thomson* ab, da das Kupfer, welches ja zu Leitungen ausschliesslich benutzt wird, seinen Wert behält.

Antwort. Bei dem Durchfluss von elektrischer Energie durch Leitungen entsteht ein Energie- (Spannungs-) Verlust; dieser ist um so kleiner, je grösser der Querschnitt der Leitungen ist. Nun sind aber für dickere Leitungen die Anlagekosten, die Verzinsung und die Amortisation beträchtlicher. Man muss daher zwischen den beiden äussersten Fällen: dünne (d. h. billige) Leitungen und grosser Energieverlust, und starke (d. h. teuere) Leitungen und geringer Energieverlust einen mittleren Querschnitt suchen, welcher beiden Fällen Rechnung trägt. Diesen mittleren Querschnitt nennt man den wirtschaftlichen Querschnitt (siehe Erkl. 362).

D. Ueber die elektrischen Beleuchtungsanlagen.

Frage 485. Wie werden die elektrischen Lampen bei Beleuchtungsanlagen geschaltet?

Antwort. Bei Beleuchtungsanlagen unterscheidet man zwei Hauptschaltungen der elektrischen Lampen:
    a). die Hintereinanderschaltung,
    b). die Parallelschaltung.

I). Ueber die Hintereinanderschaltung elektrischer Lampen.

Frage 486. Was versteht man unter der Hintereinanderschaltung elektrischer Lampen?

Antwort. Unter Hintereinanderschaltung versteht man die in Fig. 200 dargestellte Anordnung. Der Strom

Figur 200.

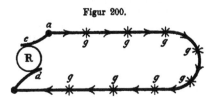

der elektrischen Maschine *R* durchfliesst die Lampen *g*, *g* . . . nach der Reihe „hintereinander".

Frage 487. Wie müssen die einzelnen Lampen bei der Hintereinanderschaltung beschaffen sein?

Antwort. Bei der Hintereinanderschaltung haben wir einen einfachen unverzweigten Stromkreis. In einem solchen herrscht an allen Punkten gleiche Stromstärke. Die Lampen müssen also so beschaffen sein, dass sie bei dieser betreffenden Stromstärke brennen. Sie müssen also alle gleichen Widerstand haben, d. h. von gleicher Grösse (Leuchtkraft) sein.

Frage 488. In welcher Weise kann mit Rücksicht auf vorige Antwort die Hintereinanderschaltung nur verwendet werden?

Erkl. 363. Die Bogenlampen werden für mindestens 2 Ampère gebaut; sie treten in Betrieb bei 40 bis 50 Volt; die Glühlampen dagegen werden meist nur für 0,5 bis 0,8 Ampère hergestellt, so dass ihr Widerstand weit grösser ist.

Erkl. 364. Die Hintereinanderschaltung von Glühlampen wird erst in neuerer Zeit praktisch ausgeführt und zwar für Glühlampen mit hoher Lichtstärke. *A. Bernstein* hat dieses System zuerst angewendet. Die Bernsteinschen Glühlampen besitzen einen geringeren inneren Widerstand und benötigen zu ihrer vollen Leuchtkraft eine grössere Stromstärke.

Antwort. Da alle Lampen bei der Hintereinanderschaltung gleichen Widerstand haben müssen, so können wir nicht gleichzeitig Bogenlampen und Glühlampen hintereinanderschalten, da beide verschiedene Widerstände besitzen (s. Erkl. 363). Die Hintereinanderschaltung ist daher nur anwendbar, wenn wir entweder lauter Bogenlampen oder lauter Glühlampen (s. Erkl. 364) betreiben wollen.

Frage 489. Welche Forderung muss an die elektrische Maschine beim Betrieb hintereinandergeschalteter Lampen gestellt werden?

Erkl. 365. Der Widerstand im äusseren Stromkreise hängt natürlich ab von der Zahl der eingeschalteten Lampen.

Antwort. Der Betrieb hintereinandergeschalteter Lampen erfordert, einerlei wie viele Lampen gerade eingeschaltet sind, eine gleichbleibende Stromstärke. Die elektrische Maschine muss also trotz veränderlichem äusserem Widerstand (siehe Erkl. 365) eine gleichbleibende Stromstärke liefern.

Frage 490. Wie erreicht man eine gleichbleibende Stromstärke im äusseren Stromkreise bei wechselnder Lampenzahl?

Erkl. 366. Maschinen für gleichbleibende Stromstärke herzustellen, ist noch nicht mit genügender Vollkommenheit gelungen (siehe Antw. auf Frage 884 und Erkl. 305).

Antwort. Man hat es versucht, die Stromstärke bei wechselnder Lampenzahl dadurch konstant zu erhalten, dass man die Maschinen demgemäss schaltet (siehe Erkl. 366). Meistenteils erhält man jedoch die Stromstärke dadurch konstant, dass man Wider stände einschaltet, welche dem Widerstand der ausgeschalteten Bogenlampeu entsprechen.

Frage 491. Welchen Nachteil hat die Hintereinanderschaltung für die elektrische Beleuchtung.

Antwort. Einen Hauptmangel besitzt die Hintereinanderschaltung: Wird nämlich der Widerstand in irgend einer Lampe (etwa durch vergrösserte Entfernung der Kohlenspitzen bei Bogenlampen) geändert, so ändert sich die Stromstärke im ganzen Stromkreise. Da ferner von der Stromstärke die Lichtstärke abhängt, so werden, wenn eine Lampe zuckt, alle andern auch zucken, und wenn eine Lampe versagt, alle Lampen erlöschen (siehe Erkl. 367).

Erkl. 367. Versagt eine Lampe, d. h. fliesst kein Strom durch sie, so ist der ganze Stromkreis unterbrochen und es fliesst nirgends Strom; also erlöschen alle Lampen.

Frage 492. Wie hat man es versucht, diesen Uebelstand abzustellen?

Antwort. Um ein vollkommenes Erlöschen aller Lampen zu verhüten, hat man an jeder Lampe eine zweite Leitung, deren Widerstand gleich dem der Lampe ist, angebracht, welche sich selbstthätig an Stelle der Lampe einschaltet, sobald ihr Widerstand zu gross wird, also sobald etwa die Lampe versagt (siehe Erkl. 368).

Erkl. 368. Eine solche Sicherheitsleitung ist an den von *Bernstein* hergestellten Glühlampen für Hintereinanderschaltung angebracht. Für Glühlampen hat die Hintereinanderschaltung mehr Zweck, da ihr Widerstand nur dann geändert wird, wenn der Kohlefaden der Lampe zerstört wird. In diesem Moment aber tritt dann sofort die Sicherheitsleitung in Betrieb, so dass ein Erlöschen aller Lampen ausgeschlossen ist. Der Widerstand der Bogenlampen ändert sich dagegen fortwährend, wenn auch sehr wenig.

Frage 493. Wovon hängt die Zahl der Lampen ab, welche man in einen bestimmten Stromkreis hintereinanderschalten kann?

Antwort. Die Zahl der Lampen, welche man in einen bestimmten Stromkreis hintereinanderschalten kann, ist um so grösser, je grösser die Spannung (elektromotorische Kraft) der Stromquelle ist. Haben wir z. B. 2000 Volt Spannung und verzehrt jede Lampe 50 Volt, so können wir, abgesehen von dem Spannungsverlust in den Leitungen, $\frac{2000}{50} = 40$ Lampen hintereinanderschalten.

2). Ueber die Parallelschaltung elektrischer Lampen.

Frage 494. Was versteht man unter der Parallelschaltung elektrischer Lampen?

Antwort. Unter Parallelschaltung versteht man die in Fig. 201 dargestellte

Anordnung von Lampen. *R* bedeutet die elektrische Maschine, F_1, F_2 die beiden Leitungen des äusseren Stromkreises, von welchen die Drähte zu den einzelnen Lampen *g*, *g* ... abgezweigt sind. Die einzelnen Lampen sind also **parallel** zu einander geschaltet (siehe Erkl. 369).

Erkl. 369. Den Stromverlauf lassen die eingezeichneten Pfeile erkennen.

Figur 201.

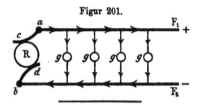

Frage 495. Wie müssen die Lampen bei der Parallelschaltung beschaffen sein?

Antwort. Bei der Parallelschaltung müssen die einzelnen Lampen alle für **gleiche Spannungen** hergestellt sein, denn würde eine Lampe weniger Volt zum Brennen beanspruchen, so würde die grössere Spannung eine für die Lampe zu grosse Stromstärke erzeugen; die Lampe also infolge der Ueberhitzung zerstört werden.

Dagegen ist es ganz einerlei, wieviel Stromstärke durch eine jede Lampe fliesst, also für welche Lichtstärke die Lampe hergestellt ist. Es können also die einzelnen Lampen von **verschiedener Kerzenstärke** sein.

Frage 496. Welche Forderung muss an eine elektrische Maschine bei der Parallelschaltung von Lampen gestellt werden?

Erkl. 370. Wie wir in Antw. auf Frage 434 ff. gesehen haben, hängt die Leuchtkraft einer Lampe wesentlich von dem Widerstande und der durch sie fliessenden Stromstärke ab. Jede Aenderung der Stromstärke bewirkt daher eine Aenderung der Lichtstärke.

Antwort. Die in einen bestimmten Stromkreis verwendeten Lampen sind alle für eine und dieselbe Spannung hergestellt, d. h. bei dieser Spannung geht durch jede Lampe soviel Strom, als zu ihrer normalen Leuchtkraft (Kerzenstärke) nötig ist. Wird die Spannung der Maschine grösser, so geht eine grössere Stromstärke durch die Lampen; sie brennen heller und bei Glühlampen laufen die Kohlenfäden Gefahr, zerstört zu werden.

Sinkt aber die Spannung der Maschine, so geht weniger Strom durch die Lampen, sie brennen daher dunkler (siehe Erkl. 370). Die Spannung einer elektrischen Maschine ändert sich aber allgemein mit dem äusseren Widerstande, d. h. mit der Zahl der brennenden Lampen. Aus diesen Gründen muss von der elektrischen Maschine gefordert werden, dass ihre Spannung immer die gleiche bleibe, einerlei wieviel Lampen brennen.

Frage 497. Wie erreicht man eine konstante Spannung bei einer elektrischen Maschine?

Erkl. 371. Ueber die Akkumulatoren vergleiche man Abschnitt g, Seite 223. Unter einer Akkumulatoren-Batterie versteht man eine Anzahl miteinander verbundener Akkumulatoren. Schalten wir eine solche mit den Lampen parallel, so müssen dieselben mit Bezug auf die Spannung der Maschine verbunden sein. Besitzt die Maschine z. B. 100 Volt und nehmen wir die Spannung des Akkumulators zu 2 Volt an, so müssten wir 50 Akkumulatoren hintereinanderschalten, damit ihre Spannung = 100 Volt sei. Zum besseren Verständnis der obwaltenden Verhältnisse ist im Abschnitt H dieses Teils eine Aufgabe nebst Auflösung behandelt.

Erkl. 372. Haben wir eine Akkumulatorenbatterie, so braucht die Maschine nicht so gross zu sein, dass sie alle Lampen allein speisen könnte, da die Akkumulatoren die Maschine unterstützen. Anderseits braucht man bei einer Akkumulatorenbatterie die Maschine nicht während der ganzen Zeit des Lichtbedürfnisses laufen zu lassen, da die Akkumulatoren für die Maschine eintreten können. Auch hierüber findet sich im Abschnitt H eine Aufgabe.

Antwort. Zur Erhaltung einer gleichbleibenden Spannung trotz veränderlichem äusserem Widerstand hat man bei Betrieb mit Gleichstrom die sog. Gleichspannungsmaschinen konstruiert (siehe Antw. auf Frage 385 ff.). Anderseits kann man eine gleiche Spannung erreichen, wenn man für die ausgeschalteten Lampen entsprechend grosse Widerstände einschaltet, oder endlich dadurch, dass man parallel zu den Lampen eine Akkumulatorenbatterie (siehe Erki. 371) schaltet, welche, wenn wenig Lampen brennen, den überschüssigen Strom aufnimmt und wenn viele Lampen brennen (mehr als die Maschine betreiben kann) wieder Strom abgibt (siehe Erkl. 372).

Frage 498. In welchem Falle ist es von Vorteil, eine Akkumulatorenbatterie zur Erhaltung gleicher Spannung einzuschalten?

Antwort. Ist die Zahl der gleichzeitig brennenden Lampen sehr wechselnd und über einen grossen Teil des Tages und der Nacht verteilt, so ist es notwendig, eine Akkumulatorenbatterie aufzustellen, um nicht während der ganzen langen Betriebszeit die Maschine vielleicht nur für wenige Lampen laufen zu lassen.

Frage 499. Welche Lampen kann man in Parallelschaltung verwenden?

Antwort. In Parallelschaltung kann man entweder Glühlampen oder Bogenlampen oder beides zugleich verwenden.

Frage 500. Welche Spannung wendet man bei parallelgeschalteten Glühlampen an?

Erkl. 373. In Antw. auf Frage 478 haben wir gesehen, dass wir um eine bestimmte Menge elektrischer Energie zu leiten, den Querschnitt geringer nehmen können, wenn wir hohe Spannungen anwenden. Mit Rücksicht auf die Kosten der Leitung geht man selbst bei kleinen Anlagen nicht unter 65 Volt. Ueber 150 Volt kann man aber anderseits nicht gehen, da sonst der Kohlenfaden der Glühlampen zu dünn wird, so dass er infolge seiner eigenen Schwere und Haltlosigkeit eventuell die Glaswand berührt und sie beim Glühen zerstören würde, wodurch er mit der Luft in Berührung kommt und verbrennt.

Antwort. Die Spannung, mit welcher parallelgeschaltete Glühlampen betrieben werden, liegt zwischen 65 und 150 Volt (siehe Erkl. 373) und zwar wird man für ein langes Leitungsnetz mit Rücksicht auf den Spannungsverlust (siehe Abschnitt 2, Seite 256) und den Querschnitt (d. i. die Kosten) der Leitungen möglichst hohe Spannungen verwenden.

Frage 501. Welche Spannung wendet man bei parallelgeschalteten Bogenlampen an?

Figur 202.

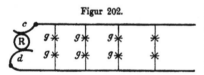

Erkl. 374. Für den Betrieb von nur Bogenlampen verwendet man mit Rücksicht auf die Kosten der Leitung die Hintereinanderschaltung. Die Regulierung der Entfernung der Kohlenspitzen wird der Hauptstrom verwendet; man nennt diese Bogenlampen Hauptstromlampen.

Antwort. Will man nur Bogenlampen betreiben, so muss man die für diese nach Massgabe ihrer elektromotorischen Gegenkraft (siehe Antw. auf Frage 453) notwendige Spannung wählen; also eine Spannung zwischen 40 und 50 Volt. Nun wird aber bei langen Leitungen sehr auf den Querschnitt (d. i. auf die Kosten) Rücksicht zu nehmen sein, da derselbe bei geringen Spannungen gross, bei grossen Spannungen kleiner ist (siehe Antwort auf Frage 478). Man schaltet daher bei langen Leitungen in je einen parallelen Zweig zwei Bogenlampen g hintereinander (siehe Fig. 202) und kann dann zum Betrieb die doppelte Spannung (also auch den halben Leitungsquerschnitt nehmen (s. Erkl. 374).

Frage 502. Welche Spannungen verwendet man beim Betrieb von Glühlampen und Bogenlampen zugleich?

Antwort. Für Glühlampen ist die geringste Spannung, welche man anwendet, 65 Volt (siehe Antw. auf Frage 500). Will man bei einer 65 Volt-Anlage Glühlampen g und Bogenlampen g' gleichzeitig in Parallelschaltung be-

Figur 203.

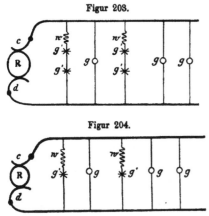

Figur 204.

treiben, so müssen wir vor die einzelnen Bogenlampen g' (siehe Fig. 203) einen Widerstand w schalten derart, dass je eine Bogenlampe zusammen mit dem Widerstande w 65 Volt verzehrt. Nun verzehrt eine Bogenlampe zwischen 40 und 50 Volt, es muss also der Widerstand w so bemessen sein, dass er zwischen 25 und 15 Volt verzehrt.

Für lange Leitungen dagegen wendet man 100 Volt an und schaltet je zwei hintereinandergeschaltete Bogenlampen g' (siehe Fig. 204) mit den Glühlampen g parallel. Haben die zwei hintereinandergeschalteten Bogenlampen weniger als 100 Volt, so verzehrt man die überschüssige Anzahl Volt durch vorgeschaltete Widerstände w.

Frage 503. Wovon hängt die Zahl der Lampen ab, welche man mit einer Stromquelle (elektrischen Maschine) in Parallelschaltung betreiben kann?

Antwort. Die Zahl der in Parallelschaltung betriebenen Lampen ist um so grösser, je grösser die vorhandene Stromstärke ist.

E. Ueber die elektrische Energieübertragung.

Frage 504. Worin besteht die Aufgabe der elektrischen Energieübertragung?

Antwort. Die elektrische Energieübertragung hat den Zweck, eine an einem bestimmten Orte verfügbare mechanische Energie nach einem andern, von dem ersten Orte entfernten Ort zu übertragen, so dass sie dort zu Arbeitsleistungen verwendet werden kann.

Frage 505. Welches Ziel hat die elektrische Energieübertragung?

Antwort. Die elektrische Energieübertragung hat wie alle Energieübertragungen das Ziel, die an dem einen Ort verfügbare mechanische Energie an der Verwendungsstelle möglichst ohne Verlust wieder abzugeben.

Frage 506. Auf welche Weise wird mechanische Energie auf elektrischem Wege übertragen?

Antwort. Die Uebertragung mechanischer Energie geschieht ganz

allgemein folgendermassen: An einem
bestimmten Orte wird eine gewisse
Menge mechanischer Energie in elektrische Energie verwandelt, die letztere mittels Leitungen nach der Verwendungsstelle geführt und dort wieder in mechanische Energie umgesetzt.

Frage 507. In welchen Fällen
findet die elektrische Energieübertragung am meisten Anwendung?

Antwort. Die Energieübertragung
auf elektrischem Wege findet hauptsächlich da Anwendung, wo fern von
der Verwendungsstelle eine billige Be-
triebskraft (Kraft von Wasserfällen u.s.w.)
vorhanden ist, welche wegen ihrer Entfernung von der Verwendungsstelle nicht
direkt verwendet werden kann. Ferner
zur Energieabgabe an kleinere Betriebe von einer Centralstation aus,
weil häufig der Platz mangelt, an der
Verbrauchsstelle die mechanische Energie zu erzeugen. Endlich zum Betrieb
von Trambahnen und zwar aus Bil-
ligkeitsrücksichten (siehe Erkl. 375).

Erkl. 375. Die Energieübertragung auf
elektrischem Wege ist, namentlich für bedeutende Entfernungen, das einfachste, billigste
und in manchen Fällen das einzig mögliche
System. Die Energieverluste sind bedeutend
geringer als bei anderen Systemen der Kraft-
übertragung.

Frage 508. Aus welchen Teilen besteht eine elektrische Energieübertragungsanlage?

Antwort. Eine elektrische Energieübertragungsanlage besteht aus
1). einer mechanischen Maschine
(Dampfmaschine, Turbine bei ver-
fügbarer Wasserkraft u. s. w.),
2). einer elektrischen Maschine,
welche mechanische Energie in
elektrische umwandelt,
3). aus einer Leitung, welche die
elektrische Energie nach der Verwendungsstelle hinführt,
4). aus einer elektrischen Maschine, welche die elektrische
Energie wieder in mechanische
Energie umsetzt.

Frage 509. Wie nennt man bei der
Energieübertragung die Maschine,
welche die mechanische Energie in
elektrische umsetzt?

Antwort. Diese Maschine nennt man
den Generator oder Erzeuger-
maschine (siehe Erkl. 376); dieselbe
ist einfach eine elektrische Maschine,
welche ja zu diesem Zweck hergestellt
sind (siehe Antw. auf Frage 300).

Erkl. 376. Generator (vom lateinischen
generator) heisst Erzeuger.

Frage 510. Wie nennt man die Maschine, welche die elektrische Energie wieder in mechanische Energie umsetzt?

Antwort. Diese Maschine nennt man den Motor (siehe Erkl. 377) oder die Arbeitsmaschine.

Erkl. 377. Motor (vom lateinischen movere = bewegen) heisst Beweger, Arbeitsmaschine.

Frage 511. Welche Einrichtung besitzt der Motor einer elektrischen Energieübertragungsanlage?

Antwort. Der Motor einer elektrischen Energieübertragungsanlage ist eine elektrische Maschine und zwar muss sie im allgemeinen dieselbe Konstruktion und Grösse haben wie der Generator, da sie dieselbe Energieumwandlung wie der Generator, nur in umgekehrtem Sinne, ausführen soll.

Frage 512. Worauf beruht die Verwendbarkeit elektrischer Maschinen als Motoren?

Antwort. Die Verwendbarkeit elektrischer Maschinen als Motoren beruht auf der Thatsache, dass eine elektrische Maschine in Umdrehung versetzt wird, wenn man in sie einen elektrischen Strom leitet; sie entwickelt dabei, abgesehen von den Energieverlusten, ebensoviel mechanische Energie, wie auf sie verwendet werden müsste, wenn man diesen Strom mittels der Maschine erzeugen wollte. Die Richtung der Umdrehung ist eine solche, dass man die Maschine in entgegengesetzter Richtung drehen müsste, um aus ihr einen Strom von der Richtung des eingeleiteten Stroms zu erzielen. Es entsteht also bei der infolge des eingeleiteten Stroms verursachten Umdrehung in dem Motor ein entgegengesetzter Strom, eine elektromotorische Gegenkraft, da sich die Maschine in Bezug auf den eingeleiteten Strom in entgegengesetzter Richtung dreht.

Frage 513. Wovon hängt die Grösse der in dem Motor erzeugten elektromotorischen Gegenkraft ab?

Antwort. In dem Motor entsteht eine der elektromotorischen Kraft des eingeleiteten Stroms entgegengesetzte Kraft, da sich der Anker des Motors in einem magnetischen Felde bewegt und zwar in umgekehrter Richtung, als wenn er den eingeleiteten Strom erzeugen wollte. Die bei der Drehung in einem magnetischen Felde erzeugte elektromotorische Gegenkraft ist (siehe Erkl. 378) proportional der **Peripheriegeschwindigkeit** des Ankers und proportional der **Intensität des magnetischen Felds**, d. h. proportional **der Zahl der den Anker durchsetzenden Kraftlinien.**

Erkl. 378. In Antw. auf Frage 282 haben wir gesehen, dass die bei der Drehung im magnetischen Felde erregte elektromotorische Kraft proportional ist der Peripheriegeschwindigkeit, der Länge des Leiters und der Zahl der geschnittenen Kraftlinien.

Frage 514. Was versteht man unter dem Wirkungsgrad einer elektrischen Energieübertragung?

Antwort. Bei einer elektrischen Energieübertragung wird dem Generator eine gewisse Menge A mechanischer Energie zugeführt, von welcher der Motor infolge auftretender Energieverluste (siehe Antw. auf folgende Frage) nur einen Teil a wieder abgibt. Das Verhältnis γ

$$\gamma = \frac{a}{A}$$

nennt man den Wirkungsgrad der elektrischen Energieübertragung (siehe Erkl. 379).

Erkl. 379. γ ist am grössten, wenn $a = A$, und am kleinsten, wenn $a = 0$; der Wert von γ liegt also zwischen $\gamma = 1$ und $\gamma = 0$.

Frage 515. Welche Energieverluste treten bei einer elektrischen Energieübertragung auf?

Antwort. Zunächst tritt infolge der Reibung u. s. w. während des Betriebs des Generators ein Verlust an mechanischer Energie ein; weiterhin geht ein Teil der in dem Generator selbst erzeugten elektrischen Energie verloren, indem sowohl in den Anker-, als auch den Elektromagnetwindungen ein Teil derselben in Wärme umgesetzt wird. Die an den Klemmen des Generators verfügbare elektrische Energie erleidet auf dem Wege nach dem Motor, d. i. in den Zuleitungen nach dem Motor, einen Verlust, da ein Teil in Wärme (Erwärmung der Leitungen) umgesetzt wird. Endlich findet noch ein Energieverlust im Motor statt, indem die elektrische Energie die Elektromagnet- und Ankerwindungen durchfliessend einen Teil einbüsst, welcher

Erkl. 380. Auf diese vielfachen Verluste ist bei der elektrischen Energieübertragung sehr Rücksicht zu nehmen. Man muss sie möglichst beschränken, damit der Wirkungsgrad der elektrischen Energieübertragung möglichst gut werde. Trotz dieser mannigfachen Verluste ist die Energieübertragung auf elektrischem Wege namentlich für grosse Entfernungen die beste und billigste.

infolge der Reibung u. s. w. während der Bewegung des Motors wiederum nicht vollkommen in mechanische Energie umgesetzt wird (siehe Erkl. 380).

Frage 516. Wann ist die Energieübertragung auf elektrischem Wege mit möglichst geringen Verlusten verbunden?

Antwort. Aus voriger Antwort geht hervor, dass die Verluste bei der elektrischen Energieübertragung um so geringer sind, je grösser der mechanische Wirkungsgrad (siehe Antw. auf Frage 362) des Generators und Motors ist, und je weniger Verluste in den Leitungen auftreten.

Frage 517. Auf welche Weise wird der Energieverlust in den Leitungen verringert?

Erkl. 381. Ueber eine gewisse Spannung (etwa 6000 Volt) wird man in der Praxis kaum gehen dürfen, da es schwierig ist, für höhere Spannungen eine genügende Isolation der Leitungen herzustellen.

Antwort. Der Energieverlust in den Leitungen (Spannungsverlust) wird um so geringer, je grösser wir bei gleichbleibendem Querschnitt die Spannung der der mechanischen Energie entsprechenden elektrischen Energie wählen (siehe Antw. auf Frage 478). Die elektrische Energieübertragung muss also, namentlich bei langen Leitungen, mit möglichst hohen Spannungen betrieben werden (siehe Erkl. 381).

Frage 518. Wie gross ist die pro Sekunde für den Motor verfügbare elektrische Energie, welche in mechanische Energie umgesetzt werden soll?

Erkl. 382. Infolge der Gegenkraft des Motors ist die elektromotorische Kraft im gesamten Stromkreise nicht E, sondern $E - e$.

$$i = \frac{E - e}{R}$$

ist das bekannte Ohmsche Gesetz.

Antwort. Der Generator liefert allgemein pro Sekunde eine elektrische Energie $E \cdot J$, wo E die elektromotorische Kraft und J die Stromstärke bedeutet. Der Motor liefert eine elektromotorische Gegenkraft e, infolgedessen die Stromstärke, welche den Generator, die Leitungen und den Motor durchfliesst, nicht mehr J, sondern i ist; diese ist, wenn R der Widerstand der beiden Maschinen und der Leitungen ist:

$$1) \ldots \ldots \; i = \frac{E - e}{R}$$

Die pro Sekunde von dem Motor in mechanische Energie umzusetzende elektrische Energie ist $e \cdot i$ oder nach 1).:

$$2) \ldots \ldots \; e \cdot i = \frac{e(E - e)}{R}$$

Frage 519. In welchem Falle ist die zur Umsetzung in mechanische Energie verfügbare elektrische Energie am grössten?

Antwort. In voriger Antwort, Gleichung 2). bedeutet $e.i$ die pro Sekunde zur Umsetzung in mechanische Energie verfügbare elektrische Energie; dieselbe ist am grössten, wenn in

$$e.i = \frac{(E - e)e}{R}$$

$(E - e)e$ seinen grössten Wert hat (R ist a konstant); dieser Fall tritt ein, wenn

$$E = 2e$$

Frage 520. Aus welchen Grössen setzt sich die in dem Motor pro Sekunde erzeugte mechanische Energie zusammen?

Antwort. Der Motor leistet in der Zeit t Sekunden eine mechanische Energie a, also in einer Sekunde:

$$\frac{a}{t}$$

Nun ist allgemein:

$$a = K.s \text{ (s. Seite 174, Nr. 7)}$$

wo K die Kraft und s den zurückgelegten Weg des Angriffspunkts der Kraft ist. Die Kraft K wirkt bei einem Motor an der Riemenscheibe. Der Weg s ist für eine solche um so grösser, je grösser der Winkel α ist, um welche sich die Scheibe dreht, und je grösser der Radius r der Scheibe ist; es ist also:

$$s = r.\alpha$$

mithin:

$$a = K.r.\alpha$$

ferner:

$$\frac{a}{t} = K.r.\frac{\alpha}{t}$$

Nun ist aber $\frac{a}{t}$ die Winkelgeschwindigkeit und $r.\frac{a}{t}$ die Peripheriegeschwindigkeit der Scheibe (siehe Erkl. 383); mithin setzt sich die vom Motor pro Sekunde geleistete Arbeit zusammen aus der Zugkraft und der Peripheriegeschwindigkeit.

Figur 205.

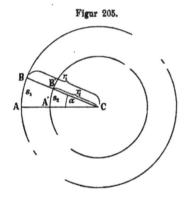

Erkl. 383. Aus Fig. 205 folgt, dass $r_2.\alpha = \overline{A'.B'}$, $r_1.\alpha = \overline{A.B}$; dies ist aber nichts anderes als der bei der Bewegung des Punktes A' nach B' bezw. A nach B zurückgelegte Weg s_1 bezw. s_2. s_1 bezw. s_2 ist um so grösser, je grösser r_1 bezw. r_2. Wird s_1 bezw. s_2 in t Sekunden zurückgelegt, so ist die Geschwindigkeit, mit welcher sich ein Punkt auf dem Umfang eines der beiden Kreise bewegt, $\frac{s_1}{t}$ bezw. $\frac{s_2}{t}$; denn Geschwindigkeit ist der Weg in 1 Sekunde. Folglich ist allgemein:

$$\frac{s}{t} = r\frac{\alpha}{t}$$

gleich der Geschwindigkeit auf dem Umfang (Peripherie) des Kreises, d. i. gleich der Peripheriegeschwindigkeit.

Preisgekrönt in Frankfurt a. M. 1881.

Der **ausführliche Prospekt** und das **ausführliche Inhalts-verzeichnis** der „vollständig gelösten Aufgabensammlung von Dr. Ad. Kleyer" kann von jeder Buchhandlung, sowie von der Verlagshandlung **gratis und portofrei** bezogen werden.

Bemerkt sei hier nur:

1). Jedes Heft ist aufgeschnitten und gut brochiert um den sofortigen und dauern-den Gebrauch zu gestatten.

2). Jedes Kapitel enthält sein besonderes Titelblatt, Inhaltsverzeichnis, Berichtigungen und Erklärungen am Schlusse desselben.

3). Auf jedes einzelne Kapitel kann abonniert werden.

4). Monatlich erscheinen 3—4 Hefte zu dem **Abonnementspreise** von 25 Pfg. pro Heft

5). Die **Reihenfolge** der Hefte im nachstehenden, kurz angedeuteten Inhaltsver-zeichnis ist, wie aus dem Prospekt ersichtlich, **o h n e j e d e Bedeutung** für die Interessenten.

6). Das Werk enthält **Alles,** was sich überhaupt auf mathematische Wissenschaften bezieht, alle Lehrsätze, Formeln und Regeln etc. mit Beweisen, alle praktischen Aufgaben in vollständig gelöster Form mit Anhängen ungelöster analoger Auf-gaben und vielen vortrefflichen Figuren.

7). Das Werk ist ein **praktisches Lehrbuch für Schüler aller Schulen,** das **beste Handbuch für Lehrer und Examinatoren,** das **vorzüglichste Lehrbuch sum Selbststudium,** das **vortrefflichste Nachschlagebuch** für Fachleute und Techniker jeder Art.

8). Alle Buchhandlungen nehmen Bestellungen entgegen.

▬ Das vollständige

Inhaltsverzeichnis
der bis jetzt erschienenen Hefte

k nn durch j e d e Buchhandlung bezogen werden.

Halbjährlich erscheinen Nachträge über die inzwischen neu erschienenen Hefte.

Druck von Carl Hammer in Stuttgart.

592. Heft.

Preis des Heftes 25 Pf.

Die Induktionselektricität.

Forts. v. Heft 583. — Seite 273—288.

Mit 2 Figuren.

NOV 15 1889

Vollständig gelöste
Aufgaben-Sammlung

— nebst Anhängen ungelöster Aufgaben, für den Schul- & Selbstunterricht —

mit

Angabe und Entwicklung der benutzten Sätze, Formeln, Regeln, in Fragen und Antworten

erläutert durch

viele Holzschnitte & lithograph. Tafeln,

aus allen Zweigen

der Rechenkunst, der niederen (Algebra, Planimetrie, Stereometrie, ebenen u. sphärischen Trigonometrie, synthetischen Geometrie etc.) u. höheren Mathematik (höhere Analysis, Differential- u. Integral-Rechnung, analytische Geometrie der Ebene u. des Raumes etc.); — aus allen Zweigen der Physik, Mechanik, Graphostatik, Chemie, Geodäsie, Nautik, mathemat. Geographie, Astronomie; des Maschinen-, Strassen-, Eisenbahn-, Wasser-, Brücken- u. Hochbau's; der Konstruktionslehren als: darstell. Geometrie, Polar- u. Parallel-Perspektive, Schattenkonstruktionen etc. etc.

für

Schüler, Studierende, Kandidaten, Lehrer, Techniker jeder Art, Militärs etc.

zum einzig richtigen und erfolgreichen

Studium, zur Forthülfe bei Schularbeiten und zur rationellen Verwertung der exakten Wissenschaften,

herausgegeben von

Dr. Adolph Kleyer,

Mathematiker, vereideter königl. preuss. Feldmesser, vereideter grossh. hessischer Geometer I. Klasse

in **Frankfurt a. M.**

unter Mitwirkung der bewährtesten Kräfte.

Die Induktionselektricität.

Nach System Kleyer bearbeitet von **Dr. Adolf Krebs** in Berlin.

Fortsetzung v. Heft 583. — Seite 273—288. Mit 2 Figuren.

Inhalt:

Elektrische Energieübertragung mittels Gleichstrommotoren. — Elektrische Energieübertragung mittels Wechselstrommotoren. — Ueber die Elektrolyse. — Ueber die Verteilung elektrischer Energie in grossem Massstabe. (Die elektrischen Zentralstationen) — Ueber die Verteilung elektrischer Energie mittels Gleichstrom. — Ueber die Verteilung elektrischer Energie mittels Gleichstrom auf direktem Wege.

Stuttgart 1889.

Verlag von Julius Maier.

☞ Das vollständige Inhaltsverzeichnis der bis jetzt erschienenen Hefte kann durch jede Buchhandlung bezogen werden.

PROSPEKT.

Dieses Werk, welchem kein ähnliches zur Seite steht, erscheint monatlich in 3—4 Heften zu dem billigen Preise von 25 ₰ pro Heft und bringt eine Sammlung der wichtigsten und praktischsten Aufgaben aus dem Gesamtgebiete der Mathematik, Physik, Mechanik, math. Geographie, Astronomie, des Maschinen-, Strassen-, Eisenbahn-, Brücken- und Hochbaues, des konstruktiven Zeichnens etc. etc. und zwar in vollständig gelöster Form, mit vielen Figuren, Erklärungen nebst Angabe und Entwickelung der benutzten Sätze, Formeln, Regeln in Fragen mit Antworten etc., so dass die Lösung jedermann verständlich sein kann, bezw. wird, wenn eine grössere Anzahl der Hefte erschienen ist, da dieselben sich in ihrer Gesamtheit ergänzen und alsdann auch alle Teile der reinen und angewandten Mathematik — nach besonderen selbständigen Kapiteln angeordnet — vorliegen.

Fast jedem Hefte ist ein Anhang von ungelösten Aufgaben beigegeben, welche der eigenen Lösung (in analoger Form wie die bezüglichen gelösten Aufgaben) des Studierenden überlassen bleiben, und zugleich von den Herren Lehrern für den Schulunterricht benutzt werden können. Die Lösungen hierzu werden später in besonderen Heften für die Hand des Lehrers erscheinen. Am Schlusse eines jeden Kapitels gelangen: Titelblatt, Inhaltsverzeichnis, Berichtigungen und erläuternde Erklärungen über das betreffende Kapitel zur Ausgabe.

Das Werk behandelt zunächst den Hauptbestandteil des mathematisch-naturwissenschaftlichen Unterrichtsplanes folgender Schulen: Realschulen I. und II. Ordn., gleichberechtigten höheren Bürgerschulen, Privatschulen, Gymnasien, Realgymnasien, Progymnasien, Schullehrer-Seminaren, Polytechniken, Techniken, Baugewerkschulen, Gewerbeschulen, Handelsschulen, techn. Vorbereitungsschulen aller Arten, gewerbliche Fortbildungsschulen, Akademien, Universitäten, Land- und Forstwissenschaftsschulen, Militärschulen, Vorbereitungs-Anstalten aller Arten als z. B. für das Einjährig-Freiwillige- und Offiziers-Examen etc.

Die Schüler, Studierenden und Kandidaten der mathematischen, technischen und naturwissenschaftlichen Fächer werden durch diese, Schritt für Schritt gelöste, Aufgabensammlung immerwährend an ihre in der Schule erworbenen oder nur gehörten Theorien etc. erinnert und wird ihnen hiermit der Weg zum unfehlbaren Auffinden der Lösungen derjenigen Aufgaben gezeigt, welche sie bei ihren Prüfungen zu lösen haben, zugleich aber auch die überaus grosse Fruchtbarkeit der mathematischen Wissenschaften vorgeführt.

Dem Lehrer soll mit dieser Aufgabensammlung eine kräftige Stütze für den Schul-Unterricht geboten werden, indem zur Erlernung des praktischen Teils der mathematischen Disciplinen — zum Auflösen von Aufgaben — in den meisten Schulen oft keine Zeit erübrigt werden kann, hiermit aber dem Schüler bei seinen häuslichen Arbeiten eine vollständige Anleitung in die Hände gegeben wird, entsprechende Aufgaben zu lösen, die gehabten Regeln, Formeln etc. anzuwenden und praktisch zu verwerten. Lust, Liebe und Verständnis für den Schulunterricht wird dadurch erhalten und belebt werden.

Den Ingenieuren, Architekten, Technikern und Fachgenossen aller Art, Militärs etc. etc. soll diese Sammlung zur Auffrischung der erworbenen und vielleicht vergessenen mathematischen Kenntnisse dienen und zugleich durch ihre praktischen in allen Berufszweigen vorkommenden Anwendungen einem toten Kapital lebendige Kraft verleihen und somit den Antrieb zu weiteren praktischen Verwertungen und weiteren Forschungen geben.

Alle Buchhandlungen nehmen Bestellungen entgegen. Wichtige und praktische Aufgaben werden mit Dank von der Redaktion entgegengenommen und mit Angabe der Namen verbreitet. — Wünsche, Fragen etc., welche die Redaktion betreffen, nimmt der Verfasser, Dr. Kleyer, Frankfurt a. M., Fischerfeldstrasse 16, entgegen, und wird deren Erledigung thunlichst berücksichtigt.

Stuttgart.   **Die Verlagshandlung.**

Frage 521. Durch welche Formel kann man die Leistung eines Motors ausdrücken?

Antwort. Die elektrische Energie eines Motors pro Sekunde ist $= e \cdot i$ (siehe Antw. auf Frage 237), wo e die elektromotorische Gegenkraft und i die Stromstärke ist. Diese setzt sich um in eine mechanische Energie $K \cdot v$. Es ist also, wenn wir von Energieverlusten in dem Motor absehen:

$$e \cdot i = K \cdot v$$

Frage 522. Wie teilt man die elektrischen Motoren (Elektromotoren) ein?

Antwort. Die Einteilung der Elektromotoren ist dieselbe wie die der elektrischen Maschinen. Wir unterscheiden daher zwischen:

1). Gleichstrommotoren und
2). Wechselstrommotoren.

a). Elektrische Energieübertragung mittels Gleichstrommotoren.

Frage 523. Welcher Art kann der Motor einer elektrischen Energieübertragung mittels Gleichstrom sein?

Erkl. 383a. Compoundmotoren werden augenblicklich noch nicht viel verwendet, weshalb wir sie hier nur erwähnen.

Antwort. Der Motor einer elektrischen Energieübertragung mittels Gleichstrom ist eine Gleichstrommaschine. Wir unterscheiden daher nach Analogie der Hauptstrom-, Nebenschluss- und Compound-Dynamomaschinen:

1). Hauptstrommotoren,
2). Nebenschlussmotoren,
3). Compoundmotoren (siehe die Erkl. 383a).

Frage 524. Wie gestaltet sich die Umsetzung elektrischer Energie in mechanische mittels eines Hauptstrommotors?

Antwort. Für die Umsetzung elektrischer Energie in mechanische gilt die Gleichung:

$$1). \ldots e \cdot i = \frac{e(E-e)}{R} = K \cdot v$$

(siehe Antw. auf Frage 518).

Ist die Geschwindigkeit $v = 0$, d. h. ist der Motor so belastet, dass er sich nicht drehen kann, so wird in dem Motor keine Gegenkraft e erzeugt; es ist daher $e = 0$ und

$$2). \ldots i = \frac{E-e}{R} = \frac{E}{R}$$ (siehe Antw. auf Frage 518)

hat für $e = 0$ seinen grössten Wert,
mithin auch K; es entspricht also bei
einem Hauptstrommotor e der Geschwindigkeit v und i der Zugkraft K. Wird
die Belastung Null, so erreicht der Motor
seine grösste Geschwindigkeit; dadurch
aber entsteht eine grosse elektromotorische Gegenkraft e, welche schliesslich
gleich E werden kann. Für $E = e$ ist
aber nach 2). $i = 0$, mithin auch die
Zugkraft $K = 0$. Es leistet also der
Hauptstrommotor für $v = 0$ und $v =$
Maximum keine Arbeit, da für $v = 0$

$$K \cdot v = 0$$

und für $v =$ Maximum

$$K \cdot v = 0,$$

weil dann $K = 0$. Zwischen diesen Wer-
ten von $v = 0$ und $v =$ Maximum muss
aber ein Wert v liegen, bei welchem $K \cdot v$,
d. i. $e \cdot i$ seinen grössten Wert hat. Dies
ist der Fall, wenn sich der Motor so
schnell bewegt, dass die dadurch erzeugte elektromotorische Gegenkraft e

$$e = \frac{1}{2} E$$

(siehe Antw. auf Frage 519)

ist. Die Arbeitsleistung eines Hauptstrommotors wächst von $v = 0$, bis
v einen Wert erreicht, dass eine Gegenkraft $e = \frac{1}{2} E$ erzeugt wird; sie nimmt
von da ab wieder ab und ist für $v =$
Maximum Null.

Frage 525. In welcher Beziehung
steht die Zugkraft und die Geschwindigkeit eines Hauptstrommotors?

Antwort. Die Zugkraft eines Hauptstrommotors ist um so grösser, je
kleiner die Geschwindigkeit, d. h. je
grösser die Belastung des Motors ist;
ist die Geschwindigkeit Null, so ist die
Zugkraft am grössten, dagegen ist die
Zugkraft Null, wenn die Geschwindigkeit
ihren grössten Wert erreicht.

Frage 526. Zu welchen Zwecken
ist der Hauptstrommotor vermöge der
in voriger Antwort angegebenen Eigenschaft zu verwenden?

Antwort. Wenn von einem Motor
grosse Arbeitsleistungen ohne konstante
Geschwindigkeit gefordert werden, so ver-

wendet man Hauptstrommotoren, da es bei schwer zu bewegenden Massen darauf ankommt, dass beim Angehen der Bewegung, also im Augenblick, wo die grösste Reibung vorhanden ist, die Zugkraft am stärksten ist (z. B. bei elektrischen Trambahnen).

Frage 527. Was lässt sich allgemein über den Nebenschlussmotor sagen?

Erkl. 384. Der Nutzeffekt einer Nebenschlussmaschine, wie überhaupt jeder elektrischen Maschine ändert sich mit der Spannung und der Stromstärke derselben. Bei einer Nebenschlussmaschine speziell werden wir, wenn dieselbe erst benutzen wollen, sobald die Spannung sich nur noch wenig ändert, den höchsten Nutzeffekt nur für einen ganz bestimmten äusseren Widerstand erhalten. (Man sehe Kurve *l* in Fig. 173).

Antwort. Bei der Betrachtung der Nebenschlussmaschine (siehe Antw. auf Frage 371 und 372) haben wir gesehen, dass sie bei gleichbleibender Umdrehungszahl trotz veränderlichem äusserem Widerstand eine einigermassen gleichbleibende Klemmspannung hatte. Verwenden wir daher eine Nebenschlussmaschine als Motor, so wird umgekehrt bei gleichbleibender Spannung der eingeleiteten elektrischen Energie die Geschwindigkeit die gleiche sein, während die Zugkraft in gewissen Grenzen mit der Belastung wächst. Jedoch wird ebenso wie bei der Nebenschlussmaschine der höchste Nutzeffekt nur bei einer bestimmten Geschwindigkeit und einer ganz bestimmten Belastung erreicht sein (siehe Erkl. 384).

Frage 528. Auf welche Weise lässt sich die Geschwindigkeit eines Nebenschlussmotors verändern?

Erkl. 384a. Die Geschwindigkeit eines Nebenschlussmotors ist dann am grössten, wenn durch den Anker am meisten und durch die Elektromagnete am wenigsten Strom fliesst. Um einen Motor anzulassen, müssen wir den Schenkelwiderstand ausschalten (kurzschliessen) und die Stromstärke im Anker allmählich steigern. Sodann schalten wir den Ankerwiderstand aus und in die Schenkel Widerstand ein. Auf diese Weise gelangen wir allmählich zu immer grösserer Geschwindigkeit.

Antwort. Um die Geschwindigkeit eines Nebenschlussmotors zu ändern, schalten wir einen veränderlichen Widerstand in den Nebenschluss und einen zweiten hinter die Ankerwindungen. Wir sind dann im stande, die von dem Generator gelieferte, für den Motor nutzbare Spannung in den beiden Widerständen teilweise zu zerstören und dadurch eine grössere oder geringere Geschwindigkeit zu erzielen (siehe Erkl. 384a).

Frage 529. Wann finden Nebenschlussmotoren vorwiegend Verwendung?

Erkl. 385. Man betreibt elektrische Maschinen mit Nebenschlussmotoren, da einesteils die Geschwindigkeit derselben gleichbleibt,

Antwort. Die Eigenschaft der Nebenschlussmotoren, bei konstanter Spannung eine konstante Geschwindigkeit zu liefern, macht sie hauptsächlich für Werkzeugmaschinen,

anderntheils die Grösse der Geschwindigkeit leicht verändert werden kann, so dass man Maschinen, welche bei verschiedenen Umdrehungsgeschwindigkeiten ihre vorgeschriebene Leistung geben, ohne weiteres betreiben kann. Man kann also z. B. mit einem einzigen Nebenschlussmotor die verschiedensten elektrischen Maschinen auf ihre Leistung prüfen und bestimmen, bei welcher Geschwindigkeit sie dieselbe geben. Dies ist für Fabriken elektrischer Maschinen von grosser Bedeutung.

zum Betriebe elektrischer Maschinen u. s. w. verwendbar (siehe Erkl. 385).

Frage 530. In welchem Falle verwendet man Nebenschlussmotoren zum Betrieb elektrischer Maschinen?

Erkl. 386. Liefert der Generator etwa 1000 Volt und 40 Ampère und brauchen wir an der Verwendungsstelle eine Energie von 100 Volt (etwa zur Beleuchtung), so müssen wir die Energie des Generators umwandeln. Wir erhalten dann statt 1000 Volt und 40 Ampère 100 Volt und 400 Ampère, wenn wir von den Verlusten absehen.

Antwort. In Erkl. 385 wurde bereits ein Fall der Verwendung von Nebenschlussmotoren zum Betriebe elektrischer Maschinen gegeben. Ein anderer Fall ist der, dass man die Beschaffenheit der Energie des Generators umwandeln will, dass man etwa, wenn der Generator elektrische Energie von hoher Spannung liefert, dieselbe in eine Energie niederer Spannung umwandeln will (siehe Erkl. 386). In diesem Falle betreibt man mit der elektrischen Energie des Generators zunächst einen Nebenschlussmotor und mit diesem eine Dynamomaschine, welche auf Grund ihres Baues einen Strom von niederer Spannung erzeugt.

Frage 531. Auf welche Weise kann die Umwandlung der Beschaffenheit der Energie des Generators auf einfachere Weise geschehen?

Erkl. 387. Wie wir wissen, ist die elektromotorische Kraft, welche beim Drehen eines Leiters im magnetischen Felde erregt wird, proportional der Länge des Leiters, also der Zahl der Windungen.

Antwort. Wickeln wir auf den Anker des Nebenschlussmotors eine zweite Ankerwicklung, welche mit einem zweiten Stromsammler verbunden ist, so wird in dieser, da sie sich beim Bewegen des Nebenschlussmotors in einem magnetischen Feld bewegt, ein Strom induziert, welcher mittels Bürsten von dem zweiten Stromsammler abgenommen werden kann. Je nach der Anzahl der Windungen und der Dicke des verwendeten Drahtes der zweiten Wicklung erhalten wir eine elektrische Energie von einer ganz bestimmten Beschaffenheit (siehe Erkl. 387).

Frage 532. Wie nennt man eine Maschine, welche Gleichströme von hoher in solche von niederer Spannung umwandelt?

Antwort. Man nennt dieselben Gleichstromtransformatoren, weil sie gestatten, die elektrische Energie des Generators in eine elektrische Energie von anderer Beschaffenheit umzuwandeln.

b). Elektrische Energieübertragung mittels Wechselstrommotoren.

Frage 533. Welche beiden Hauptarten von Wechselstrommotoren sind zu unterscheiden?

Antwort. Die erste Art von Wechselstrommotoren sind gewöhnliche Wechselstrommaschinen, welche dieselbe Beschaffenheit wie die Generatoren haben. Eine zweite Art beruht auf der Thatsache, dass sich ein Leiter (z. B. Kupferscheibe) zwischen den Polen eines Elektromagnets dreht, wenn die Windungen des Elektromagnets von Wechselströmen durchflossen werden, so dass die Pole fortwährend ihre Polarität wechseln. Auf diesem Prinzip lässt sich also allgemein die Energie der Wechselströme des Generators wieder in mechanische Energie (Drehung) umsetzen (siehe Erkl. 388).

Erkl. 388. *Tesla* konstruierte auf Grund dieser Thatsache, welche zuerst von *Ferraris* angegeben wurde, einen Wechselstrommotor. Wir übergehen jedoch die spezielle Beschreibung desselben, da er für die Praxis noch nicht den Grad der Vollkommenheit besitzt, welcher bei den Gleichstrommotoren zu finden ist.

Frage 534. Was lässt sich allgemein über die Wechselstrommotoren der ersten Art sagen?

Antwort. Benutzen wir eine der Generatormaschine gleichgebildete Wechselstrommaschine als Motor, so müssen wir zunächst dafür Sorge tragen, dass die Elektromagnete des Motors durch einen gleichgerichteten Strom erregt werden (siehe Erkl. 389). Dies geschieht entweder durch eine besondere Stromquelle, oder dadurch, dass man die Wechselströme eines Teils der Rollen durch einen Stromwender gleichrichtet und in die Elektromagnetwindungen sendet.

Gehen die Spulen des Generators und des Motors gleichzeitig (synchron) vor den Elektromagnetpolen vorbei, so läuft der Wechselstrommotor mit voller Stärke, denn dann fallen die Polwechsel beider Maschinen zusammen. Stehen jedoch die Spulen des Motors in der Mitte zwischen zwei Polen, während in diesem

Erkl. 389. Wir brauchen bei dem Wechselstrommotor einen Gleichstrom, ebenso wie wir ihn bei einer Wechselstrommaschine benötigen (siehe Antw. auf Frage 414).

Augenblick die Spulen des Generators vor den Elektromagnetpolen stehen, so bleibt der Motor stehen. Zwischen diesen beiden gleichzeitigen Lagen der Spulen und der Pole des Generators und Motors schwankt also die Arbeitsleistung des Motors. Bleibt der Motor mit seinen Polwechseln nur wenig hinter denen des Generators zurück, so sinkt sofort seine Leistung und zwar erheblich, da von der Mitte zwischen zwei Polen bis zu einem der Pole nur ein kleiner Weg ist und die Leistung auf diesem kleinen Weg zwischen Null und ihrem grössten Werte schwankt (siehe Erkl. 390).

Erkl. 390. Der Wechselstrommotor läuft nur dann mit voller Stärke, wenn er gleichzeitigen Polwechsel mit dem Generator hat. Nun wird jeder Motor einmal mehr oder weniger belastet. Im Moment, wo er stärker belastet wird, als seiner Leistung entspricht, wird mithin der Wechselstrommotor langsamer laufen, die Polwechsel werden nicht mehr gleichzeitig mit dem Generator erfolgen und der Motor nicht mehr so stark wirken als bei gleichzeitigem Polwechsel, und dies gerade in einem Moment, wo eine stärkere Leistung des Motors absolut notwendig wäre.

Frage 535. Wie hat man es versucht, den Wechselstrommotor mit gleicher Geschwindigkeit und gleichzeitigem Polwechsel mit Generator, also mit voller Stärke trotz veränderlicher Belastung laufen zu lassen?

Antwort. In allerneuester Zeit hat man es versucht, den Wechselstrommotor auf folgende Weise in gleicher Geschwindigkeit und gleichzeitigen Polwechsel mit dem Generator in Betrieb zu halten: Man macht sowohl den Anker als auch die Elektromagnete gegeneinander beweglich. An der Axe des einen beweglichen Teils (des Ankers oder der Elektromagnete) wird die Vorrichtung (Riemenscheibe) für die mechanische Arbeit angebracht. Wird wenig mechanische Arbeit gebraucht, so läuft z. B. der Anker mit der Riemenscheibe schnell und die Elektromagnete in entgegengesetzter Richtung langsam (oder bleiben stehen). Wird eine grössere Arbeit verlangt, der Bewegung des Ankers also ein grösserer Widerstand entgegengesetzt, so läuft er langsamer, dagegen die Elektromagnete in entgegengesetzter Richtung schneller und zwar ist das Verhältnis der Geschwindigkeiten derart, dass die relative Bewegung des Ankers gegen die Elektromagnete immer gleich schnell ist. Die Grösse dieser relativen Bewegung ist aber derart, dass die Polwechsel im Generator und Motor gleichzeitig erfolgen, so dass der Motor immer mit gleicher Stärke läuft. Wird endlich der Motor so stark belastet, dass seine höchste Leistung

Erkl. 391. Die Beweglichkeit des Ankers und der Elektromagnate gegeu einander und die dadurch erzielte gleichbleibende Stärke des Wechselstrommotors ist ganz neuen Datums und rührt von *Zipernowski* her (einem der bekannten Erfinder des Transformators von *Zipernowski*, *Déri* und *Blathy*, siehe Antw. auf Frage 429). Mittels dieser Einrichtung hat man nach Angabe des Erfinders einen Wirkungsgrad von 70—80 %, erreicht, so dass man die Erwartung hegt, der Wechselstrommotor werde den Wirkungsgrad des Gleichstrommotors erreichen.

nur wenig überschritten wird, so bleibt der Anker stehen, leistet also keine mechanische Arbeit mehr, dagegen drehen sich die Elektromagnete.

Frage 536. Was lässt sich über die Leistung des Wechselstrommotors der zweiten Art sagen?

Erkl. 392. So einfach der Wechselstrommotor der zweiten Art im Prinzip erscheint, so wird es doch bezweifelt, dass er einen Nutzeffekt von über 50 % ergeben kann; erwiesen ist es jedoch noch nicht.

Antwort. Die Leistung des Wechselstrommotors der zweiten Art ist gänzlich unabhängig von dem Augenblick des Polwechsels des Generators, da er ja auf einem ganz anderen Prinzip beruht. Dagegen wird allgemein seine Leistung um so grösser sein, je grösser die Zahl der Polwechsel ist, da dann die Aenderung des magnetischen Felds (also die Aenderung der Zahl der Kraftlinien) weit schneller ist. Die Leistung des Wechselstrommotors der zweiten Art ist also unabhängig von der Grösse der Bewegung des Wechselstrommotors (siehe Erkl. 392).

Frage 537. Welche besondere Bezeichnungen hat man für die Wechselstrommotoren der ersten und der zweiten Art?

Antwort. Den Wechselstrommotor der ersten Art nennt man den synchronen Wechselstrommotor, da er seine volle Leistung nur dann hat, wenn die Polwechsel des Motors und Generators gleichzeitig, d. i. synchron, erfolgen. Den Wechselstrommotor der zweiten Art nennt man den asynchronen (d. i. nicht gleichzeitigen) Wechselstrommotor, da seine Leistung unabhängig ist von dem Zeitpunkt des Polwechsels des Generators.

F. Ueber die Elektrolyse.

Frage 538. Was versteht man allgemein unter Elektrolyse?

Erkl. 393. Man vergl. dieses Lehrb., Abschnitt f Seite 73, und *May*, Kontaktelektricität, Abschnitt B Seite 173.

Antwort. Unter der Elektrolyse versteht man allgemein die chemischen Wirkungen des elektrischen Stroms (siehe Erkl. 393).

Frage 539. Auf welche Weise geben sich die chemischen Wirkungen eines Stromes zu erkennen?

Antwort. Die chemischen Wirkungen eines Stroms bestehen darin, dass der Strom einen Leiter im allgemeinen in seine Bestandteile zerlegt, d. i. zersetzt.

Frage 540. Wie muss ein Leiter beschaffen sein, damit ihn der Strom zersetzen kann?

Erkl. 394. Man unterscheide genau zwischen mechanischen Verbindungen (Legierungen u. s. w.) und chemischen Verbindungen einfacher Körper. Die zersetzbaren Körper nennt man Leiter zweiter Klasse oder Elektrolyte.

Antwort. Der Strom sucht einen Leiter in seine Bestandteile zu zerlegen; besteht daher der Leiter aus einem chemisch einfachen Körper (Eisen, Kupfer, oder Legierungen aus verschiedenen einfachen Körpern), so kann der Strom keine chemischen Wirkungen, keine Zersetzungen verursachen. Der Leiter muss daher allgemein eine chemische Verbindung von einfachen Körpern sein, damit ihn der Strom zersetzen kann (siehe Erkl. 394).

Frage 541. Welche Gesetze gelten für die Elektrolyse?

Antwort. Für die Elektrolyse gelten:
1). das Gesetz von *Faraday*,
2). das Gesetz von *Sir W. Thomson*.

Frage 542. Was besagt das elektrolytische Gesetz von *Faraday?*

Figur 206.

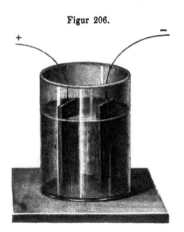

Antwort. Fliesst ein Strom durch einen Leiter zweiter Klasse (Elektrolyt), welcher sich zwischen den beiden Platten (Elektroden) K_1 und K_2 (siehe Fig. 206) befindet, welche mit der Stromquelle verbunden sind, so wird das Elektrolyt in zwei Bestandteile zerlegt, von denen der eine an der einen, der andere an der zweiten Platte lagert. Das Faradaysche Gesetz bezieht sich auf die Menge der beiden Bestandteile, in welche das Elektrolyt von einem bestimmten Strom in einer gewissen Zeit zerlegt wird; es lautet:
1). Die von einem Strome von der Stärke i in der Zeit t ausgeschiedenen oder zersetzten Mengen M des Elektrolyts sind proportional dem Produkt aus der Stromstärke i und der Zeit t, also:

$$M = a \cdot i \cdot t \qquad a = \text{Konstante}$$

Erkl. 395. Zersetzen wir z. B. Wasser, so wird an der einen Elektrode Sauerstoff, an der andern Wasserstoff abgeschieden, jedoch erhalten wir doppelt so viel Wasserstoff als Sauerstoff, da 1 Molekül Wasser aus 2 Gewichtsteilen Wasserstoff (H) und 1 Gewichtsteil Sauerstoff (O) besteht, daher die chemische Formel für Wasser H₂O. Ueber die zum Verständnis der Elektrolyse erforderlichen chemischen Grundbegriffe siehe *May*, Lehrbuch der Kontaktelektricität, Seite 168.

oder auch proportional der Elektricitätsmenge E, da $E = i.t$ (siehe Seite 176 unter 2), also:

$$M = a.E$$

2). Die aus einem Leiter an beiden Elektroden ausgeschiedenen Mengen sind einander chemisch äquivalent (siehe Erkl. 395).

Frage 543. Wovon handelt das Gesetz von *Thomson?*

Antwort. Das Gesetz von *Thomson* bezieht sich auf die zur Zersetzung einer bestimmten Substanz notwendigen Spannung (elektromotorischen Kraft). Denn bei jeder Zersetzung bilden die an den beiden Elektroden abgeschiedenen Elektrolyte ein galvanisches Element, dessen elektromotorische Kraft derjenigen des Hauptstroms entgegenwirkt. Es muss also die elektromotorische Kraft des Hauptstroms mindestens ebenso gross sein als die elektromotorische Gegenkraft der Elektrolyte (siehe Erkl. 396).

Erkl. 396. Wir haben bereits bei der Besprechung der Akkumulatoren (siehe Antw. auf Frage 389) einen Fall einer Zersetzung (Elektrolyse) gehabt und über die dazu notwendige Spannung nach Massgabe der elektromotorischen Gegenkraft gesprochen.

Frage 544. In welcher Weise findet *Thomson* die Grösse der zur Zersetzung einer chemischen Substanz notwendigen elektromotorischen Kraft?

Antwort. *Thomson* leitet die Grösse der zu der Zersetzung einer bestimmten chemischen Substanz notwendigen elektromotorischen Kraft aus der Arbeit (Wärme) ab, welche bei der Bildung der chemischen Substanz aus ihren Grundstoffen geleistet wird.

Frage 545. Was besagt das Gesetz von *Thomson?*

Antwort. Nach *Thomson* findet man die Grösse der zu einer Zersetzung notwendigen elektromotorischen Kraft e aus der Formel:

$$e = 0,000010386 . C . a$$
(Gesetz von *Thomson*).

Hierin bedeutet C die Zahl der Grammkalorien (siehe Erkl. 338), welche bei der chemischen Verbindung der einzelnen Grundstoffe für je 1 Gramm der Substanz entstehen, und a das chemische Aequivalentgewicht der Substanz.

Frage 546. Wie kann man die in voriger Antwort aufgestellte Formel ableiten?

Erkl. 397. Verbindungswärme, Aequivalentwärme oder Wärmetönung nennt man das Produkt aus dem Atom- (Aequivalent-) Gewicht und der Zahl der Grammkalorien, welche bei der Bildung von 1 Gramm der Substanz entstehen. Die Grössen der Verbindungswärmen zu bestimmen ist Aufgabe der Thermochemie. Dieselben sind teils positiv, d. h. es wird Wärme gebildet, teils negativ, d. h. es wird Wärme absorbiert.

Erkl. 398. Wir müssen die Zahl der Grammkalorien mit dem Faktor 0,0000 10 3 86, der Menge des von 1 Ampère pro Sekunde ausgeschiedenen Wasserstoffs multiplizieren, da die Atomgewichte auf Wasserstoff bezogen werden.

Antwort. Verbinden sich chemisch einfache Körper zu einer Substanz, so wird dabei eine Arbeit geleistet, welche in Gestalt von Wärme [sog. Verbindungswärme (siehe Erkl. 397)] auftritt. Um diese chemische Verbindung durch einen elektrischen Strom in ihre Bestandteile zu zerlegen, muss der Strom die gleiche Arbeit leisten, welche der Verbindungswärme der Einzelsubstanzen entspricht (Gesetz der Erhaltung der Energie). Bedeutet C die Zahl der Grammkalorien, welche bei der chemischen Verbindung der einzelnen Grundstoffe für je 1 Gramm der Substanz entstehen und a das chemische Aequivalentgewicht der Substanz, so ist $C \cdot a =$ der Verbindungswärme, ferner

$$0,000010386 \cdot C \cdot a$$

die Zahl der entstandenen Grammkalorien, da 1 Ampère pro Sekunde 0,000 103 86 . a Gramm Wasserstoff liefert, indem 1 Ampère pro Sekunde 0,000010386 Gramm Wasserstoff abscheidet und $a = 1$ ist (s. Erkl. 398). Die Anzahl Q der Grammkalorien ist also

$$Q = 0,000010386 \cdot C \cdot a$$

Da ferner 1 Grammkalorie $= 0,424$ Meterkilogramm ist, so folgt für die zur Bildung der chemischen Substanz notwendigen Arbeit A pro Sekunde:

1). . . $A = 0,424 \cdot 0,000010386 \cdot C \cdot a$
  Meter-Kilogramm.

Nun leistet ein Strom von der elektromotorischen Kraft e und der Stromstärke i eine Arbeit A pro Sekunde:

$$A = \frac{e \cdot i}{9,81} \text{ Meter-kg}$$

oder für $i = 1$

2). . . . $A = \frac{e}{9,81}$ Meter-kg.

Setzen wir diese beiden Arbeiten A [1). und 2).] einander gleich, so erhalten wir:

$$\frac{e}{9,81} = 0,424 \cdot 0,000010386 \cdot C \cdot a$$

woraus:

$$e = 0,000043 . C . a \text{ Volt}$$

Erkl. 399. Als Beispiel zu *Thomsons* Gesetz wollen wir die zur Zersetzung des Wassers notwendige elektromotorische Kraft bestimmen. Zur Bildung 1 Aequivalents Wasser sind $c.a = 34\,180$ Grammkalorien notwendig. Mithin ist

$$e = 0,00\,00\,43 . 34\,180 \text{ Volt.}$$

woraus:

$$e = 1,47 \text{ Volt.}$$

Das Gesetz von *Thomson* besagt daher:

Um die zur Zersetzung einer gegebenen Substanz notwendige elektromotorische Kraft in Volt zu finden, haben wir die Verbindungswärme in Grammkalorien mit dem Faktor 0,000043 zu multiplizieren (siehe Erkl. 399).

Anmerkung. Dass wir zur Zersetzung verschiedener chemischer Substanzen verschieden grosse elektromotorische Kräfte benötigen, ist klar; denn bei einzelnen Substanzen sind die Bestandteile fester, bei anderen weniger fest miteinander verbunden; manche Substanzen zersetzen sich schwer, manche leichter. Ein Analogon finden wir beim Sieden von Substanzen. Die eine siedet bei höherer, die andere bei niederer Temperatur. Was wir in der Wärme mit Temperatur bezeichnen, das ist in der Elektricität die elektromotorische Kraft oder Spannung. Ebenso wie man in den Lehren der Wärme kennen lernt, dass einunddieselbe Substanz je nach ihrer Beschaffenheit bei höherer oder niederer Temperatur siedet, so ist auch zur Zersetzung von Substanzen je nach ihrer Beschaffenheit eine verschieden grosse Spannung nötig, so dass das *Thomson*sche Gesetz immer nur für eine ganz bestimmte Beschaffenheit der Substanz gültig ist. So siedet z. B. das Wasser allgemein bei einem Barometerstande von 760 mm bei 100° Celsius; bei niederem Barometerstande früher, bei höherem erst bei über 100°. Ist das Wasser vollkommen luftfrei, so siedet es auch bei keiner noch so hohen. Temperatur (*G. Krebs*, Siederverzüge, Poggend. Ann.). Aehnlich zersetzt sich vollkommen reines Wasser bei keiner noch so hohen Spannung; dagegen bei 1,47 Volt, wenn wir dasselbe etwas mit Schwefelsäure mischen. Ebenso wie das Wasser im allgemeinen nicht siedet, wenn die Wärmequelle nicht eine Temperatur von 100° C. erzeugt, so zersetzt sich angesäuertes Wasser nicht, wenn die Stromquelle nicht eine Spannung von 1,47 Volt hat.

Anderseits hängt die Menge der in den gasförmigen Zustand übergeführten Substanz allein ab von der Wärmemenge, welche die Wärmequelle bei der zum Sieden notwendigen Temperatur pro Sekunde an die Substanz abgibt, wie die Mengen der zersetzten Substanz abhängen von der pro Sekunde durch sie fliessenden Elektricitätsmenge (Gesetz von *Faraday*), also von der Stromstärke.

Halten wir uns diese Beziehungen zwischen Wärme und Elektricität vor Augen, so werden wir die bei der Elektrolyse auftretenden Verhältnisse leicht verstehen und ein klares Bild der Begriffe Stromstärke und Spannung erhalten.

Frage 547. Was versteht man unter Stromdichte bei elektrolytischen Zersetzungen?

Antwort. Verbinden wir die Elektroden mit einer Stromquelle, so fliesst zwischen denselben eine bestimmte Stromstärke. Das Verhältnis der Stromstärke zur Fläche einer Elektrode nennt man die Stromdichte.

Frage 548. Welchen Einfluss hat die Stromdichte auf die elektrolytischen Zersetzungen?

Antwort. Die Stromdichte ist für die elektrolytischen Zersetzungen von ganz ausserordentlicher Bedeutung.

Erkl. 400. Zersetzen wir z. B. Silbernitrat zwischen Silberelektroden, so erhalten wir bei einer wenig konzentrierten Silbernitratlösung und bei zu grosser Stromdichte einen schwarzen Silberniederschlag, indem der durch die gleichzeitige Wasserzersetzung entstehende Wasserstoff den Silberniederschlag schwarz färbt. Bei denselben Verhältnissen erhalten wir aus einer Kupfersulfatlösung Kupferoxydul statt Kupfer.

Sie ist es, welche die Beschaffenheit und die Natur der Zersetzungsprodukte bestimmt. Bei einer gewissen Stromdichte erhalten wir einen körnigen, bei einer anderen einen fein verteilten Niederschlag der Zersetzungsprodukte; ausserdem kommt es vor, dass wir bei verschiedenen Stromdichten nicht das gewünschte Zersetzungsprodukt, sondern ein Oxydul, Oxyd u. s. w. erhalten (siehe Erkl. 400).

Frage 549. Wie lässt sich die für zur Erlangung eines bestimmten Zersetzungsprodukts günstigste Stromdichte ganz allein bestimmen?

Antwort. Nur durch zahlreiche Versuche können wir erfahren, welche Stromdichte für die Erlangung eines besimmten Zersetzungsprodukts am günstigsten ist.

Frage 550. Welche Ströme sind allein zur Elektrolyse verwendbar?

Antwort. Alle elektrolytischen Zersetzungen erfordern Ströme von immer gleicher Richtung, also Gleichströme. Denn würden wir Wechselströme verwenden, so würden die in einem Augenblick erhaltenen Zersetzungsprodukte im nächsten Augenblick infolge der entgegengesetzten Stromesrichtung wieder verbinden, da jetzt an beiden Elektroden die entgegengesetzten Zersetzungsprodukte · auftreten.

Frage 551. In welche Hauptteile zerfällt die Elektrolyse?

Antwort. Wir unterscheiden bei der Elektrolyse folgende Hauptteile:
1). Die Elektrometallurgie,
2). die Darstellung von chemisch-technischen Stoffen,
3). die Galvanoplastik.
4). die Galvanostegie.

Frage 552. Welche Aufgabe hat die Elektrometallurgie?

Antwort. Die Elektrometallurgie beschäftigt sich mit der Reingewinnung von Metallen. Für gewisse technische Zwecke ist es unumgänglich notwendig, vollkommen reine Metalle [z. B. Kupfer zu Leitungsdräthen (siehe Erkl. 401)] zu haben. Zu diesem Zwecke werden die Rohmetalle chemisch gelöst (in Säuren) und mittels des elektrischen Stromes niedergeschlagen.

Frage 553. Womit beschäftigt sich die Darstellung von chemisch-technischen Stoffen auf elektrolytischem Wege?

Antwort. Dieser Zweig der Elektrolyse sucht chemisch-technische Stoffe auf elektrolytischem Wege zu bilden. So z. B. Chlor aus Chlornatrium zum Bleichen, Soda aus Chlornatrium (*Kerner* und *Marx*), elektrolytische Herstellung von Farbstoffen etc.

Frage 554. Welche Aufgabe hat die Galvanoplastik?

Antwort. Die Galvanoplastik hat die Aufgabe, kupferne, plastische Abbilder, z. B. Clichés, zu liefern. Zu dem Ende wird an die Stelle der einen Elektrode die Form gebracht, von welcher ein Abbild genommen werden soll, z. B. die Matrizze eines Holzschnitts, welche fein mit Graphit überstrichen ist, damit sie leitet. Die zweite Elektrode ist eine Kupferplatte. Beide werden in eine Lösung von Kupfersulfat gestellt und ein Strom durchgeschickt. Es bildet sich dann über der Matrizze ein Kupferniederschlag, welcher sämtliche Erhabenheiten und Vertiefungen des Holzschnitts zeigt, mit einem Worte, ein getreues Abbild des Holzschnitts gibt (siehe Erkl. 402).

Frage 555. Was versteht man unter der Galvanostegie?

Antwort. Die Aufgabe der Galvanostegie ist es, Gegenstände mit Metallüberzügen zu versehen. Sie beschäftigt sich also z. B. mit Verkupferung, Vernickelung, Versilberung, Vergoldung u. s. f. Zu dem Ende wird in das Bad als die eine Elektrode der Gegenstand eingehängt, und als andere Elektrode eine Platte des Metalls, von welchem ein Ueberzug gewünscht wird. Also etwa Kupfer-, Nickel-, Silber-, Goldplatten. Als Flüssigkeit allgemein eine Lösung

eines der Salze des betr. Metalls [wie
Kupfersulfat oder Kupferacetat, Nickel-
sulfat, Silbernitrat, Goldchlorid u. s. f.
(siehe Erkl. 402)].

G. Ueber die Verteilung elektrischer Energie in grossem Massstabe.

(Die elektrischen Zentralstationen.)

Frage 556. Welcher Art sind die heutigen Systeme der Verteilung elektrischer Energie in grossem Massstabe?

Antwort. Alle bislang in die Praxis eingeführten Verteilungssysteme elektrischer Energie in grossem Massstabe beruhen auf dem Prinzip der Parallelschaltung (siehe Abschnitt 2 Seite 263). Alle Apparate, seien es Lampen, Motoren oder Akkumulatoren sind in Parallelschaltung unabhängig von einander. Die Parallelschaltung bietet die grösste Betriebssicherheit.

Frage 557. Welche Forderungen müssen an ein System zur Verteilung elektrischer Energie in grossem Massstabe gestellt werden?

Antwort. Die Parallelschaltung bedingt die erste und hauptsächlichste Forderung:

Die Spannung an den einzelnen Punkten des Leitungsnetzes soll trotz wechselnder Energieentnahme immer dieselbe sein (siehe Erkl. 404).

Vom wirtschaftlichen Standpunkte aus ist die Forderung zu stellen:

Die jeweilig erzeugte elektrische Energie soll nie grösser sein, als die jeweilig beanspruchte, oder:

Die jeweilig überschüssige elektrische Energie soll aufgespeichert werden (siehe Erkl. 405).

Vom kommunalen Standpunkte aus muss gefordert werden:

Das System muss derart sein, dass es alle Arbeiten, welche der elektrische Strom leisten kann,

Erkl. 404. Bei der Parallelschaltung sind alle Apparate für eine ganz bestimmte Spannung hergestellt, bei welcher sie allein in volle Thätigkeit treten. Eine Aenderung dieser Spannung hat namentlich für die elektrischen Lampen (siehe Abschnitt 2 Seite 263) grosse Nachteile.

Erkl. 405. Die Aufspeicherung elektrischer Energie bei Ueberschuss und die Abgabe bei Mangel an elektrischer Energie ist von grosser wirtschaftlicher Bedeutung. Wenn auch bei der Aufspeicherung 25 % Energie verloren geht, so ist dies doch immer noch weit besser, als wenn man den gesamten jeweiligen Energieüberschuss etwa durch Widerstände nutzlos zerstören würde. Man hätte dann einen Energieverlust von 100 %, da die gesamte überschüssige elektrische Energie verloren geht.

Erkl. 406. Die Verteilung elektrischer Energie in grossem Massstabe, d. h. die Anlage von Zentralstationen ist von grosser wirtschaftlicher Bedeutung. Alle kommunalen Unternehmungen müssen dem Allgemeinen (d. h. der gesamten Bevölkerung) und mithin allen Zwecken dienen. Eine elektrische Zentrale darf daher nicht nur als Hauptzweck die Beleuchtung haben, nein, sie muss auch für motorische Arbeit u. s. w. eingerichtet sein. Nur dadurch, dass alle Fähigkeiten des elektrischen Stroms ausgenutzt werden, kann die Unternehmung dem Allgemeinen zum Vorteil gereichen und die Energie auch dem Kleingewerbe zugänglich gemacht werden. Denn ebenso wie z. B. ein chemisches Produkt umso billiger wird, je mehr alle Nebenprodukte verwertet werden können, so wird auch die elektrische Energie umso breiteren Schichten zugänglich gemacht, je mehr das System in der Lage ist, möchlichst alle Fähigkeiten des elektrischen Stroms auf einfache und gefahrlose Weise auszunützen.

auf möglichst einfache, gefahrlose Weise leistet, dass es allen Zwecken dient (siehe Erkl. 406).

Frage 558. Worauf hat man bei der Verteilung elektrischer Energie in grossem Massstabe am meisten zu achten?

Antwort. Die Verteilung elektrischer Energie in grossem Massstabe hat in erster Linie mit den Entfernungen zu rechnen, auf welche die Energie verteilt werden soll. Mit Rücksicht darauf werden wir immer an die Notwendigkeit gebunden sein, eine elektrische Energie von grösserer Spannung zu wählen, um keine allzu grossen Leitungsquerschnitte zu erhalten und um ohne einen bestimmten Spannungsverlust zu überschreiten auf grosse Entfernungen hin Energie zu verteilen (siehe Erkl. 407).

Erkl. 407. Wir haben gesehen (siehe Antw. auf Frage 478), dass wir eine bestimmte Menge elektrischer Energie bei gleichem Querschnitt der Leitungen umso weiter leiten können, ehe wir einen bestimmten Spannungsverlust erleiden, je höher die Spannung ist.

Frage 559. Welche Hauptsysteme der Verteilung elektrischer Energie in grossem Massstabe haben sich bis jetzt herausgebildet?

Antwort. Augenblicklich streiten zwei Hauptsysteme der Verteilung elektrischer Energie um den Vorrang:
1). das Gleichstromsystem,
2). das Wechselstromsystem.

I). Ueber die Verteilung elektrischer Energie mittels Gleichstrom.

Frage 560. Welchen Hauptvorteil hat die Verteilung elektrischer Energie mittels Gleichstrom?

Antwort. Der Gleichstrom kann jede Arbeit, welche von einem elektrischen Strom gefordert wird, leisten. Er betreibt die Beleuchtung, und zwar die mittels Bogenlampen, erheblich vorteilhafter als der Wechselstrom (siehe Antw. auf Frage 460); er steht bis jetzt unerreicht da in der Lieferung mechanischer Kraft (siehe Erkl. 408); er allein ist in der Lage, überschüssige

Erkl. 408. In neuester Zeit ist allerdings von *Zipernowski* (siehe Antw. auf Frage 535) ein Wechselstrommotor konstruiert worden, welcher den Wirkungsgrad des Gleichstrommotors erreichen soll. Theoretisch ist diese Behauptung sehr wohl verständlich und es liegt kein Grund vor, dass sich der Wechselstrommotor nicht auch praktisch bewähre.

Energie aufzuspeichern; er allein kann elektrolytische Zersetzungen ausführen.

Frage 561. Auf welche Weise kann man mittels Gleichstrom elektrische Energie in grossem Massstabe verteilen?

Antwort. Mittels Gleichstrom kann man entweder auf direktem Wege Energie in grossem Massstabe verteilen, wobei die zu betreibenden Apparate direkt von der Stromquelle gespeist werden, oder auf indirektem Wege, wobei die Energie der Stromquelle nicht direkt mit den zu betreibenden Apparaten in Verbindung steht, sondern erst durch einen Zwischenapparat in eine Energie von anderer Beschaffenheit umgewandelt wird.

a). Ueber die Verteilung elektrischer Energie mittels Gleichstrom auf direktem Wege.

Frage 562. Welche Arten der direkten Verteilung elektrischer Energie in grossem Massstabe mittels Gleichstrom bestehen augenblicklich?

Antwort. Für eine geringere Ausdehnung der Verteilung wählt man das sog. Dreileitersystem, für grössere Ausdehnung das Fünfleitersystem meist in Verbindung mit dem Dreileitersystem.

Frage 563. Wie ist das Dreileitersystem eingerichtet?

Figur 207.

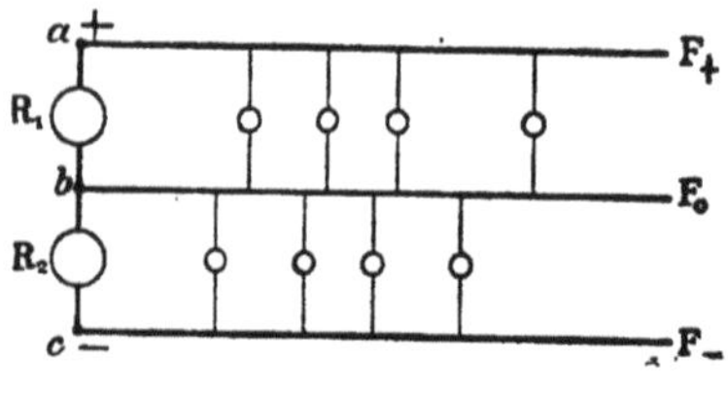

Antwort. Die Notwendigkeit, bei grösseren Entfernungen mit höheren Spannungen zu arbeiten, um allzu grosse Spannungsverluste und allzu grosse Querschnitte der Leitungen zu vermeiden und dabei gleichzeitig die Bedingung zu erfüllen, trotz dieser höheren Spannung die eingeschalteten Apparate mit einer Spannung von ca. 110 Volt zu betreiben (siehe Erkl. 412), vereint das Dreileitersystem auf folgende Weise: Zwei Gleichstrommaschinen R_1 und R_2 (siehe Fig. 207) sind hintereinandergeschaltet, so dass bei *a* der positive und bei *c* der negative Pol ist. Da beide Maschinen hintereinandergeschaltet sind, so herrscht zwischen den Polen *a* und *c*, also auch zwischen den Leitungen F_+ und F_- die Summe der Spannungen beider Maschinen; liefern z. B. beide je 100 Volt, so herrscht zwischen F_+ und F_- eine Spannung von 200 Volt. Legen wir jetzt eine dritte Leitung F_0 an die Verbin-

Der **ausführliche Prospekt** und das **ausführliche Inhaltsverzeichnis** der „vollständig gelösten Aufgabensammlung von Dr. Ad. Kleyer" kann von jeder Buchhandlung, sowie von der Verlagshandlung **gratis und portofrei** bezogen werden.

Bemerkt sei hier nur:

1). Jedes Heft ist aufgeschnitten und gut brochiert, um den **sofortigen und dauernden** Gebrauch zu gestatten.

2). Jedes Kapitel enthält sein besonderes Titelblatt, Inhaltsverzeichnis, Berichtigungen und Erklärungen am Schlusse desselben.

3). Auf jedes einzelne Kapitel kann abonniert werden.

4). Monatlich erscheinen 3—4 Hefte zu dem **Abonnementspreise** von 25 Pfg. pro Heft.

5). Die **Reihenfolge** der Hefte im nachstehenden, kurz angedeuteten Inhaltsverzeichnis ist, **wie aus dem Prospekt** ersichtlich, **ohne jede Bedeutung** für die Interessenten.

6). Das Werk enthält **Alles**, was sich überhaupt auf mathematische Wissenschaften bezieht, alle Lehrsätze, Formeln und Regeln etc. mit Beweisen, alle praktischen Aufgaben in vollständig gelöster Form mit Anhängen ungelöster analoger Aufgaben und vielen vortrefflichen Figuren.

7). Das Werk ist ein **praktisches Lehrbuch** für Schüler aller Schulen, das **beste Handbuch** für Lehrer und Examinatoren, das **vorzüglichste Lehrbuch zum Selbststudium**, das **vortrefflichste Nachschlagebuch** für Fachleute und Techniker jeder Art.

8). Alle Buchhandlungen nehmen Bestellungen entgegen.

Das vollständige

Inhaltsverzeichnis
der bis jetzt erschienenen Hefte

nn durch jede Buchhandlung bezogen werden.

Halbjährlich erscheinen Nachträge über die inzwischen neu erschienenen Hefte.

Druck von Carl Hammer in Stuttgart.

593. Heft.

Preis
des Heftes
25 Pf.

Die Induktionselektricität.

Forts. v. Heft 592. — Seite 289—302
u. I—X. (Schlussheft.)
Mit 6 Figuren.

Vollständig gelöste

Aufgaben-Sammlung

— nebst Anhängen ungelöster Aufgaben, für den Schul- & Selbstunterricht —

mit

Angabe und Entwicklung der benutzten Sätze, Formeln, Regeln, in Fragen und Antworten

erläutert durch

viele Holzschnitte & lithograph. Tafeln,

aus allen Zweigen

der Rechenkunst, der niederen (Algebra, Planimetrie, Stereometrie, ebenen u. sphärischen Trigonometrie, synthetischen Geometrie etc.) u. höheren Mathematik (höhere Analysis, Differential- u. Integral-Rechnung, analytische Geometrie der Ebene u. des Raumes etc.); — aus allen Zweigen der Physik, Mechanik, Graphostatik, Chemie, Geodäsie, Nautik, mathemat. Geographie, Astronomie; des Maschinen-, Strassen-, Eisenbahn-, Wasser-, Brücken- u. Hochbau's; der Konstruktionslehren als: darstell. Geometrie, Polar- u. Parallel-Perspektive, Schattenkonstruktionen etc. etc.

für

Schüler, Studierende, Kandidaten, Lehrer, Techniker jeder Art, Militärs etc.

zum einzig richtigen und erfolgreichen

Studium, zur Forthülfe bei Schularbeiten und zur **rationellen Verwertung** der exakten Wissenschaften,

herausgegeben von

Dr. Adolph Kleyer,

Mathematiker, vereideter königl. preuss. Feldmesser, vereideter grossh. hessischer Geometer I. Klasse

in Frankfurt a. M.

unter Mitwirkung der bewährtesten Kräfte.

Die Induktionselektricität.

Nach System Kleyer bearbeitet von **Dr. Adolf Krebs** in Berlin.

Forts. von Heft 592. — Seite 289—302 u. I—X. Mit 6 Figuren.

(Schlussheft.)

Inhalt:

Stuttgart 1889.

Verlag von Julius Maier.

☞ **Das vollständige Inhaltsverzeichnis der bis jetzt erschienenen Hefte kann durch jede Buchhandlung bezogen werden.**

PROSPEKT.

Dieses Werk, welchem kein ähnliches zur Seite steht, erscheint monatlich in 3—4 Heften zu dem billigen Preise von 25 ₰ pro Heft und bringt eine Sammlung der wichtigsten und praktischsten Aufgaben aus dem Gesamtgebiete der Mathematik, Physik, Mechanik, math. Geographie, Astronomie, des Maschinen-, Strassen-, Eisenbahn-, Brücken- und Hochbaues, des konstruktiven Zeichnens etc. etc. und zwar in vollständig gelöster Form, mit vielen Figuren, Erklärungen nebst Angabe und Entwickelung der benutzten Sätze, Formeln, Regeln in Fragen mit Antworten etc., so dass die Lösung jedermann verständlich sein kann, bezw. wird, wenn eine grössere Anzahl der Hefte erschienen ist, da dieselben sich in ihrer Gesamtheit ergänzen und alsdann auch alle Teile der reinen und angewandten Mathematik — nach besonderen selbständigen Kapiteln angeordnet — vorliegen.

Fast jedem Hefte ist ein Anhang von ungelösten Aufgaben beigegeben, welche der eigenen Lösung (in analoger Form wie die bezüglichen gelösten Aufgaben) des Studierenden überlassen bleiben, und zugleich von den Herren Lehrern für den Schulunterricht benutzt werden können. Die Lösungen hierzu werden später in besonderen Heften für die Hand des Lehrers erscheinen. Am Schlusse eines jeden Kapitels gelangen: Titelblatt, Inhaltsverzeichnis, Berichtigungen und erläuternde Erklärungen über das betreffende Kapitel zur Ausgabe.

Das Werk behandelt zunächst den Hauptbestandteil des mathematisch-naturwissenschaftlichen Unterrichtsplanes folgender Schulen: Realschulen I. und II. Ordn., gleichberechtigten höheren Bürgerschulen, Privatschulen, Gymnasien, Realgymnasien, Progymnasien, Schullehrer-Seminaren, Polytechniken, Techniken, Baugewerkschulen, Gewerbeschulen, Handelsschulen, techn. Vorbereitungsschulen aller Arten, gewerbliche Fortbildungsschulen, Akademien, Universitäten, Land- und Forstwissenschaftsschulen, Militärschulen, Vorbereitungs-Anstalten aller Arten als z. B. für das Einjährig-Freiwillige- und Offiziers-Examen etc.

Die Schüler, Studierenden und Kandidaten der mathematischen, technischen und naturwissenschaftlichen Fächer werden durch diese, Schritt für Schritt gelöste, Aufgabensammlung immerwährend an ihre in der Schule erworbenen oder nur gehörten Theorien etc. erinnert und wird ihnen hiermit der Weg zum unfehlbaren Auffinden der Lösungen derjenigen Aufgaben gezeigt, welche sie bei ihren Prüfungen zu lösen haben, zugleich aber auch die überaus grosse Fruchtbarkeit der mathematischen Wissenschaften vorgeführt.

Dem Lehrer soll mit dieser Aufgabensammlung eine kräftige Stütze für den Schul-Unterricht geboten werden, indem zur Erlernung des praktischen Teils der mathematischen Disciplinen — zum Auflösen von Aufgaben — in den meisten Schulen oft keine Zeit erübrigt werden kann, hiermit aber dem Schüler bei seinen häuslichen Arbeiten eine vollständige Anleitung in die Hände gegeben wird, entsprechende Aufgaben zu lösen, die gehabten Regeln, Formeln, Sätze etc. anzuwenden und praktisch zu verwerten. Lust, Liebe und Verständnis für den Schulunterricht wird dadurch erhalten und belebt werden.

Den Ingenieuren, Architekten, Technikern und Fachgenossen aller Art, Militär etc. etc. soll diese Sammlung zur Auffrischung der erworbenen und vielleicht vergessenen mathematischen Kenntnisse dienen und zugleich durch ihre praktischen in allen Beruf zweigen vorkommenden Anwendungen einem toten Kapital lebendige Kraft verleihen un somit den Antrieb zu weiteren praktischen Verwertungen und weiteren Forschungen gebe

Alle Buchhandlungen nehmen Bestellungen entgegen. Wichtige und praktische Au gaben werden mit Dank von der Redaktion entgegengenommen und mit Angabe der Name verbreitet. — Wünsche, Fragen etc., welche die Redaktion betreffen, nimmt der Verfass Dr. Kleyer, Frankfurt a. M., Fischerfeldstrasse 16, entgegen, und wird deren Erledigu thunlichst berücksichtigt.

Stuttgart.   Die Verlagshandlung.

dungsstelle b der beiden Maschinen, so läuft auf ihr im allgemeinen kein Strom, wenn die Maschinen gleiche Spannung haben. Dagegen ist die Spannung zwischen F_+ und F_0, sowie zwischen F_0 und F_- gleich der Hälfte der Spannung zwischen F_+ und F_-, also gleich der Spannung einer Maschine. Besitzt z. B. jede Maschine 100 Volt, so herrscht zwischen F_+ und F_0, sowie zwischen F_0 und F_- eine Spannung von 100 Volt während zwischen F_+ und F_- eine solche von 200 Volt herrscht.

Frage 564. Welchen Vorteil bietet das Dreileitersystem?

Erkl. 409. Schalten wir die zu betreibenden Apparate zwischen zwei Stromzuleitungen, so haben wir ein (gewöhnliches) Zweileitersystem.

Erkl. 410. Dass wir trotz der erhöhten Spannung unsere Apparate mit einer niederen Spannung betreiben können, ist namentlich für die Lampen wichtig, welche ja höchstenfalls mit 150 Volt betrieben werden können.

Antwort. Der wesentliche Vorteil des Dreileitersystems besteht in dem Umstand, dass man die doppelte Spannung eines gewöhnlichen Zweileitersystems (siehe Erkl. 409) anwenden kann. Haben wir aber eine bestimmte Energiemenge von einer doppelt so grossen Spannung zu leiten, so benötigen wir den halben Querschnitt der Kupferleitungen des Zweileitersystems, oder wir können bei gleichem Querschnitt doppelt so weit leiten, ehe wir denselben Spannungsverlust erleiden (siehe Antw. auf Frage 478). Ausserdem gestattet das Dreileitersystem die einzuschaltenden Apparate durch Hinzunahme einer dritten Leitung F_0 mit der Hälfte der Spannung zu betreiben (siehe Erkl. 410); denn wir können zwischen die Leitungen F_+ und F_0, sowie zwischen F_0 und F_- unsere Apparate schalten. Durch die dritte Leitung F_0 fliesst im allgemeinen kein Strom, nur wenn der Strom i_1 in F_+ und i_2 in F_- verschieden sind, d. h. wenn die beiden Zweige F_+ und F_0, sowie F_0 und F_- ungleich belastet sind, so fliesst durch F_0 die Differenz $i_1 - i_2$ oder $i_2 - i_1$. Die Leitung braucht daher nicht sehr dick zu sein; man wählt sie $^3/_4$ der Leitungen F_+ und F_-, so dass das Dreileitersystem in Bezug auf das gewöhnliche Zweileitersystem mehr als 35 % an Kupfer spart; oder bei gleicher Kupfermenge auf eine viel weitere Entfernung elektrische Energie verteilen kann, ehe derselbe Spannungsverlust auftritt.

Frage 565. Was ist bei dem Dreileitersystem zu beachten?

Antwort. Bei dem Dreileitersystem
ist darauf zu sehen, dass beide Zweige
möglichst gleichstark belastet sind,
dass mit andern Worten zu jeder Zeit
in jedem Zweige gleichviel Ampère benötigt werden, damit nicht die mittlere
dünne Leitung F_0 durch einen zu starken Strom beschädigt wird, ausserdem
hätten wir, wenn ein Zweig unbelastet
wäre, kein Dreileitersystem mehr, sondern
nur ein Zweileitersystem und mit ihm
seine Nachteile.

Frage 566. Auf welche Weise kann
man eine gleichgrosse Belastung der
beiden Zweige eines Dreileitersystems
trotz verschiedener Beanspruchung
erreichen

Erkl. 411. Letztere Art ist natürlich nicht
rationell, da eine nicht geringe Energiemenge
in den Widerständen nutzlos verloren geht.
Wenn man daher mittels Akkumulatoren auch
nur 75 % an Energie retten kann, so ist dies
umsomehr von Vorteil, als in Widerständen
100 % einfach vergeudet werden.

Antwort. Um eine gleichgrosse
Belastung der beiden Zweige eines
Dreileitersystems zu erzielen, schalten
wir in jeden Zweig eine Akkumulatorenbatterie ein, welche den in einem
Zweige jeweilig überschüssigen Strom
aufnimmt. Anderseits versucht man eine
gleichgrosse Belastung durch Ein- und
Ausschalten von Widerständen herbeizuführen (siehe Erkl. 411).

Frage 567. Wie ist das sog. Fünfleitersystem eingerichtet?

Figur 208.

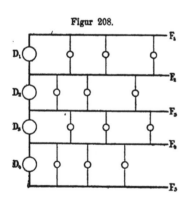

Antwort. Bei Anlagen, welche über
2 km Radius haben, wird auch das Dreileitersystem nicht mehr ausreichen, indem es trotz seiner höheren Spannung
zu grosse Kupferquerschnitte erfordern
oder zu grosse Spannungsverluste be-
dingen würde. Man sieht sich für solche
Entfernungen mit Rücksicht auf die
Kosten der Leitungen gezwungen, die
Spannung noch weiter zu erhöhen. Um
diese Erhöhung der Spannung mit der
Bedingung in Einklang zu bringen, dass
die eingeschalteten Apparate erstens
direkt angeschlossen sind und zweitens
mit der ihnen eigentümlichen niederen
Spannung betrieben werden (siehe Erkl.
412) ist das Fünfleitersystem hergestellt
worden (siehe Erkl. 413). Es besteht
aus 4 hintereinandergeschalteten Gleichstrommaschinen D_1, D_2, D_3, D_4 (siehe
Fig. 208) von gleicher Spannung und
5 Leitungen F_1, F_2, F_3, F_4. Sind alle

Erkl. 412. Wollen wir elektrische Lampen direkt betreiben, so ist die höchste zulässige Spannung 150 Volt (siehe Antw. auf Frage 444).

Erkl. 413. Das Fünfleitersystem praktisch auszuführen hat *Siemens* zuerst unternommen und durch eine allerdings kleinere Anlage die praktische Durchführbarkeit dargethan, indem er mittels desselben von Charlottenburg (Fabrik *Siemens & Halske*) aus in dem Berliner Ausstellungspark elektrische Energie zu verteilen im stande ist.

4 Zweige des Fünfleitersystems gleich belastet und die Dynamomaschinen von gleicher Grösse (d. h. gleicher Stromstärke), so fliesst nur durch die Leitungen F_1 und F_5 Strom, während die Leitungen F_2, F_3, F_4 stromlos sind. Die Leitungen F_1 und F_5 brauchen aber, da sie die 4fache Spannung eines Zweileitersystems haben, nur den 4. Teil des Leitungsquerschnitts zu haben, um die gleiche Energiemenge mit gleichem Spannungsverlust zu verteilen. Nehmen wir ausserdem die Leitungen F_2, F_3, F_4 $^3/_4$ so stark wie F_1 und F_5, da sie ja nur ausnahmsweise stromdurchflossen sind (nur wenn die einzelnen Zweige ungleich belastet sind), so sparen wir 66 % an Kupfer in Bezug auf das Zweileitersystem. Wir können mit anderen Worten mit dem Fünfleitersystem auf viel grössere Entfernungen hin elektrische Energie verteilen als mit dem Dreileiter- oder gar Zweileitersystem, ohne einen aussergewöhnlichen unrationellen Aufwand an Kupfer für Leitungen.

Frage 568. Was ist bei dem Fünfleitersystem zu beachten?

Erkl. 414. Auf eine möglichst gleiche Belastung der einzelnen Zweige muss umsomehr Rücksicht genommen werden, als die Vorteile des Fünfleitersystems verschwinden, sobald ein oder mehrere Zweige unbelastet sind, denn dann haben wir kein Fünfleitersystem mehr.

Antwort. Bei dem Fünfleitersystem haben wir ebenso wie bei dem Dreileitersystem darauf zu sehen, dass die einzelnen Zweige gleichstark belastet sind. Wir erreichen dies durch Einschalten von Akkumulatorbatterien in die einzelnen Zweige, wenn wir von der Regulierung durch Ein- und Ausschalten von Widerständen absehen (siehe Erkl. 414).

Frage 569. In welcher Verbindung wird das Fünfleitersystem angewandt?

Antwort. *Siemens* bringt sein Fünfleitersystem in Verbindung mit einem Dreileitersystem. Mit letzterem versieht er die näherliegenden, mit ersterem die entfernteren Punkte mit Strom.

Frage 570. Auf welche Weise können wir gleichzeitig ein Dreileiter- und ein Fünfleitersystem mit nur 4 Maschinen betreiben?

Antwort. In Fig. 209 ist eine derartige Anordnung dargestellt. D_1, D_2, D_3, D_4 sind 4 Dynamomaschinen von

Figur 209.

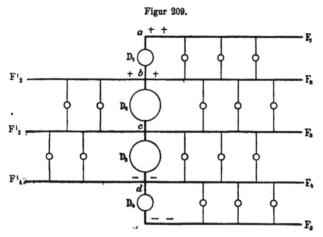

Erkl. 415. Nehmen wir an die Maschinen D_1 und D_4 liefern einen Strom von je 2 + und 2 —, die Maschinen D_2 und D_3 also einen solchen von 4 + und 4 —, so ist im Punkte c (bei gleicher Belastung der Zweige) und in der Leitung F_3 und F_3^1 der Strom Null, da bei c die zwei Ströme + 4 und — 4 sich aufheben. An der Stelle b liefert D_2 etwa 4 + und D_1 2 —, mithin haben wir einen Strom von 2 +, von welchem 1 + nach dem Dreileiter- und 1 + nach dem Fünfleitersystem geht. Im Punkte a und in der Leitung F_1 haben wir einen Strom 2 +. Analog finden wir für die Leitung F_4^1 und F_4 einen Strom von je 1 — und in F_5 einen solchen von 2 —. Diese Anordnung wurde zuerst von *Siemens* für die Anlage einer einzigen Zentralstation in Frankfurt a. M. in Vorschlag gebracht.

gleicher Spannung. D_2 und D_3 liefern doppelt soviel Ampère (sind doppelt so gross, wie man sagt) wie D_1 und D_4. Nach der rechten Seite zweigt sich das Fünfleiter-, nach der linken das Dreileitersystem ab. Bei dieser Art der Anordnung ist jedoch nur mehr die mittelste Leitung F_3 und F_3^1 bei gleicher Belastung der Zweige stromlos (siehe Erkl. 415).

---

b). Die Verteilung elektrischer Energie mittels Gleichstrom auf indirektem Wege.

Frage 571. Welche Systeme der Verteilung elektrischer Energie mittels Gleichstrom auf indirektem Wege sind zu nennen?

Antwort. Zu diesem System gehört:
1). die Verteilung mittels Gleichstromtransformatoren (siehe Antw. auf Frage 572),
2). die Verteilung mittels Akkumulatoren.

Frage 572. Wie ist das System der Verteilung mittels Gleichstromtransformatoren eingerichtet?

Antwort. Die Notwendigkeit, bei grossen Entfernungen mit hohen Spannungen zu arbeiten, zeitigte das System

Erkl. 416. Ueber die Einrichtung der Gleichstromtransformatoren siehe Antw. auf Frage 582.

der Verteilung mittels Gleichstromtransformatoren. Die stromerzeugende Maschine liefert elektrische Energie von hoher Spannung und der Gleichstromtransformator setzt dieselbe in die für die Lampen u. s. w. notwendige niedere Spannung um (siehe Erkl. 416).

Frage 573. Inwiefern wird bei Anlage von grossen Zentralstationen das Gleichstromtransformatorensystem angewandt?

Antwort. Die Verwendung von Gleichstromtransformatoren kommt bei Zentralstationen nur für die am entferntesten liegenden Punkte zur Anwendung. Es wird daher eine Anlage mit Transformatoren etwa folgende Verteilungsweise

Figur 210.

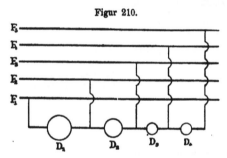

haben. Vier hintereinandergeschaltete Gleichstrommaschinen D_1, D_2, D_3, D_4 (siehe Fig. 210) von gleicher Spannung liefern Strom auf 5 Verteilungsschienen F_1, F_2, F_3, F_4, F_5 (siehe Erkl. 417) derart, dass zwischen den einzelnen Schienen eine Spannung herrscht, welche derjenigen der Maschine gleich ist (also etwa 100 Volt). Es herrscht dann zwischen F_1 und F_5 die 4fache Spannung (also etwa 400 Volt), zwischen F_2 und F_5 die 3fache (etwa 300 Volt), zwischen F_1 und F_3 die 2fache (etwa 200 Volt) und zwischen F_1 und F_2 die einfache Spannung von 1 Maschine (also etwa 100 Volt). Die ganz nahe liegenden Punkte werden mittels Zweileitersystems von den Schienen F_1 und F_2 aus gespeist, die entferneren mittels Dreileitersystems mit den Schienen F_1, F_2, F_3 verbunden und die ganz entfernten Punkte von den Schienen F_1 und F_5 aus ge-

Erkl. 417. Verteilungsschienen sind starke Kupferbarren, auf welche die von den Maschinen erzeugten Ströme zunächst hingeleitet werden. Von diesen Schienen aus werden die Anschlüsse für die verschiedenen Leitungen gemacht.

Erkl. 418. Die Bogenlampen werden aus dem Grunde mit höherer Spannung betrieben, da sie in einfacher Parallelschaltung (Zweileitersystem) zu grosse Leitungsquerschnitte wegen der beträchtlichen Stromstärke notwendig machten. Nehmen wir z. B. 300 Volt und rechnen wir auf jede Bogenlampe 50 Volt (siehe Antw. auf Frage 461), so können wir 6 gleiche Bogenlampen hintereinanderschalten und benötigen eine Stromstärke von einer Lampe, also etwa 2 bis 30 Ampère (siehe Antw. auf Frage 462) Bei 100 Volt Spannung können wir nur 2 hintereinanderschalten; wir benötigen also für 6 Lampen die 3fache Stromstärke, mithin auch den 3fachen Querschnitt, wenn wir denselben Spannungsverlust voraussetzen; oder wir können bei gleichem Leitungsquerschnitt dreimal so weit leiten, ehe wir den gleichen Spannungsverlust erleiden.

speist und die 4fache Spannung, welche zwischen F_1 und F_5 herrscht, an der Verwendungsstelle durch Transformatoren in die einfache Spannung umgesetzt. Von den Schienen F_1 und F_4 ab werden die Leitungen für die Bogenlampen abgezweigt und diese etwa zu je 6 hintereinandergeschaltet (s. Erkl. 418).

Die Verteilung elektrischer Energie auf grosse Entfernungen ist in dieser Weise zuerst von *Schuckert* angegeben worden.

An Stelle der Gleichstromtransformatoren kann man auch hintereinandergeschaltete Akkumulatoren verwenden. Herrscht z. B. zwischen den Punkten a und c eine Spannungsdifferenz von 400 Volt, so schalten wir 4 Batterien von je 100 Volt hintereinander und ziehen die Leitungen F_1, F_2, F_3, F_4, F_5. Zwischen je 2 aufeinanderfolgenden Leitungen herrscht dann eine Spannungsdifferenz von 100 Volt; wir können also unsere Apparate in den einzelnen Zweigen direkt betreiben.

Frage 574. Wie ist das System der Verteilung elektrischer Energie auf grosse Entfernungen mittels Akkumulatoren eingerichtet?

Erkl. 419. Dieses System ist theoretisch das vollkommenste und auch in der Praxis wird es sich bewähren, sobald die Akkumulatoren eine vollkommene Betriebssicherheit gestatten. Dieser Vollkommenheit ist man heute schon ziemlich nahe gekommen, so dass die Anwendung des Systems bald in grossem Massstabe stattfinden wird.

Antwort. Dieses System ist, wie aus Fig. 211 erhellt, folgendermassen eingerichtet: Eine Gleichstrommaschine R liefert elektrische Energie von hoher Spannung, wir nehmen beispielsweise an 1000 Volt. Dann schalten wir in den Stromkreis der Maschine 10 Akkumulatorbatterien A von etwa 100 Volt hintereinander und zweigen an den einzelnen Batterien die Speiseleitungen F für die einzuschaltenden Apparate ab. Jede Akkumulatorbatterie legen wir nahezu in den Mittelpunkt ihres Verteilungskreises, also von der Maschine entfernt. Da eine Energie von 1000 Volt sehr weit zu leiten ist, ohne dass wir bedeutendere Querschnitte oder Spannungsverluste notwendig haben, so ist es klar, dass wir mit einem solchen System die grössten Städte mit Strom versorgen können. Die Maschine R ladet die Akumulatoren und diese geben je nach Bedarf Strom in die Speiseleitungen, und

zwar immer gerade soviel, als jeweils
gebraucht wird (siehe Erkl. 419).

Figur 211.

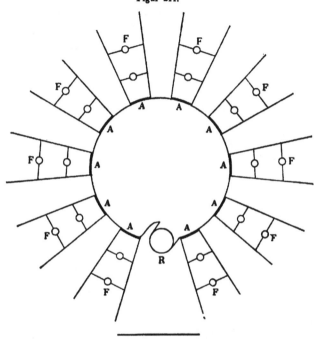

2). Ueber die Verteilung elektrischer Energie mittels Wechselstrom.

Frage 575. Wie ist das Wechselstromsystem eingerichtet?

Antwort. Die Einrichtung des Wechselstromsystems erkennt man aus der
schematischen Fig. 212. Hierin bedeuten R die Stromquelle (Wechselstrommaschinen), T, T Transformatoren (siehe
Antw. auf Frage 429), S_1, S_2 die Verteilungsschienen, F_1, F_2 die Speiseleitungen und g die eingeschalteten Apparate. Die Wechselstrommaschine liefert
Ströme hoher Spannung (etwa 2000 Volt);
diese durchfliessen die dünne Wicklung
der Transformatoren und induzieren in
den dicken Wicklungen Ströme niederer
Spannung (etwa 100 Volt) und grosser
Stromstärke. Es ist klar, dass wir auf
diese Weise auf ganz grosse Entfer-

Erkl. 420. Das Wechselstromsystem ist in
Europa von *Zipernowski*, *Déri & Blathy* bis
zu grosser Vollkommenheit ausgebildet worden
und ist bereits in einzelnen grösseren Städten
(Rom) verwendet worden.

Figur 212.

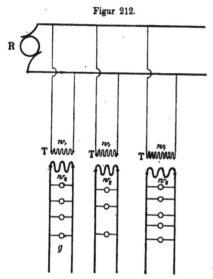

nungen elektrische Energie verteilen können; denn die Leitungen für 2000 Volt haben für die weitesten Entfernungen nur geringe Querschnitte und Spannungsverluste. Die einzelnen Transformatoren werden nahezu in den Mittelpunkt ihres Verteilungskreises gesetzt. Um ferner sicher zu sein, dass ein Verteilungskreis Energie empfängt, auch wenn der ihn speisende Transformator beschädigt ist, verbindet man die Speiseleitungen einer Anzahl nahegelegener Transformatoren untereinander, so dass die andern den Verteilungskreis des beschädigten Transformators mit Strom versorgen (siehe Erkl. 420).

Frage 576. Welche Vorteile hat das Wechselstromsystem?

Erkl. 421. Die Spannungen der bei dem Wechselstromsystem verwendeten Maschinen ist meist 2000 Volt. In London hat man neuerdings eine Spannung von 10000 Volt angewandt, wodurch man im stande sein soll, gegebenenfalls ganz London von einer Station aus mit Energie zu versehen.

Erkl. 422. Der Transformator von *Zipernowski, Déri & Blathy* hat einen Nutzeffekt von ca. 95%, so dass nur 5% an Energie bei der Umsetzung verloren geht.

Antwort. Der wesentlichste, nicht zu unterschätzende Vorteil des Wechselstromsystems besteht darin, dass es auf die weitesten Entfernungen hin elektrische Energie zu verteilen im stande ist, denn einfache, selbstthätige Apparate (Transformatoren) ermöglichen die Umsetzung der hohen Spannungen (siehe Erkl. 421) an den Verwendungsstellen und zwar ohne nennenswerten Verlust (siehe Erkl. 422), so das die in die zu betreibenden Apparate geschickte Energie von niederer Spannung ist (etwa 100 Volt).

Frage 577. Welche Nachteile hat das Wechselstromsystem?

Erkl. 423. In jüngster Zeit hat *Zipernowski* einen Wechselstrommotor hergestellt, welcher den Nutzeffekt des Gleichstrommotors erreichen soll (siehe Antw. auf Frage 535).

Erkl. 424. Die menschlichen Nerven empfinden einen elektrischen Strom dann am meisten, wenn sich die Stärke desselben fort-

Antwort. Aus Antw. auf Frage 460 wissen wir, dass die Wechselstrombogenlampen für die gleiche Bodenhelligkeit mehr Energie verbrauchen, als die mit Gleichstrom betriebenen Bogenlampen; ausserdem verursachen sie ein summendes Geräusch. Ferner sind die bis jetzt hergestellten Wechselstrommotoren den Gleichstrommotoren nicht ebenbürtig (siehe Erkl. 423). Als weiteren Nachteil und zwar als den wesent-

während ändert. Ein Strom von gleichbleibender Stärke übt eine merkliche Wirkung nur dann aus, wenn er sehr stark (von hoher Spannung) ist. Ein Wechselstrom ist daher weit mehr für die Nerven empfindlich, als ein Gleichstrom von gleicher Spannung, denn bei ersterem schwankt die Stärke fortwährend und um so beträchtlicher, je höher die Spannung desselben ist, während bei dem Gleichstrom die Schwankungen ganz unerheblich sind (man sehe Fig. 147). Die Schwankungen in der Stromstärke sind es, welche die Nerven am meisten alterieren. Durch Versuche ist festgestellt, dass Wechselströme von nur 300 Volt Spannung lebensgefährlich sein und dass niedrigere Spannungen schon empfindlich und schädigend wirken können. In Amerika werden Wechselströme von 1200 Volt zu Hinrichtungen verwendet. Es ist daher bei dem Wechselstrom darauf zu achten, dass die Leitungen möglichst unzugänglich gemacht werden.

lichsten haben wir anzuführen, dass der Wechselstrom keine elektrolytischen Arbeiten ausführen kann, so dass die Aufspeicherung der überschüssigen Energie (Laden von Akkumulatoren) unmöglich ist. Ausserdem aber darf nicht in Abrede gestellt werden, dass der Wechselstrom viel gefährlicher ist, als der Gleichstrom von gleicher Spannung (s. Erkl. 424). Endlich aber ist zu beachten, dass trotzdem die Zuleitungen zu den Transformatoren nur geringen Querschnitt haben, die Kosten des Wechselstromnetzes im allgemeinen teurer sind als die eines Gleichstromnetzes von derselben Grösse. Denn die Speiseleitungen bilden Zweileitersysteme und müssen grossen Querschnitt haben, da in ihnen niedere Spannung ist; dazu verursacht die Anlage von Transformatoren nicht geringe Kosten.

Frage 578. Wann lässt sich das Wechselstromsystem mit Vorteil verwenden?

Erkl. 425. Das einzige System, welches in diesem Falle dem Wechselstromsystem ebenbürtig und überlegen werden dürfte, da es die Nachteile des Wechselstroms nicht hat, ist das System der Verteilung elektrischer Energie mittels Akkumulatoren (siehe Antw. auf Frage 574).

Antwort. Das Wechselstromsystem wird man mit Vorteil da anwenden, wo fern von der Verwendungsstelle eine billige Kraft (Wasserfall) zur Verfügung steht, da Entfernungen bis zu 10 und mehr Kilometern mit Leichtigkeit überwunden werden können. Mit Rücksicht auf die billige Wasserkraft, welche man doch anders nicht würde verwerten können, können die Nachteile dieses Systems vernachlässigt werden (siehe Erkl. 425).

Anhang.

Gelöste Aufgaben.

Aufgabe 1. Wie gross muss der Querschnitt und der Durchmesser einer Kupfergewählt, wenn wir 80000 Voltampère von 150 Volt Spannung auf eine Entfernung von 1000 Meter leiten wollen und der Spannungsverlust 20 Volt höchstenfalls betragen darf?

Erkl. 426. Bekanntlich ist:

$$q = \frac{1}{4}\,\pi\,d^2$$

folglich:

$$d = \sqrt{\frac{4\,q}{\pi}}$$

oder:

$$d = 2\sqrt{\frac{q}{\pi}}$$

Auflösung. Zur Bestimmung des Querschnitts q der Leitung bedienen wir uns der Formel V, Seite 257:

$$q = \frac{1}{27,5}\cdot\frac{i\,.\,L}{p}$$

Hierin setzen wir:

$$i = \frac{80\,000}{150} = 533,8\ \text{Ampère},$$

$$L = 1000\ \text{Meter},$$

$$p = 20\ \text{Volt}$$

und erhalten:

$$q = \frac{1}{27,5}\cdot\frac{533,3\,.\,1000}{20}$$

$$= \frac{1}{27,5}\cdot 533,3\,.\,50 = \frac{5333}{5,5}$$

oder:

$$q = 970\ \text{Quadratmillimeter}.$$

Der Durchmesser d einer kreisförmigen Leitung von 970 Quadratmillimeter Querschnitt ist:

$$d = 35,1\ \text{Millimeter}\ \text{(siehe Erkl. 426).}$$

Aufgabe 2. Wie gross ist der Spannungsverlust in einer Leitung von 500 Quadratmillimeter Querschnitt, wenn die elektrische Maschine 5000 Meter von der Verwendungsstelle entfernt ist und wenn 100000 Voltampère von 2000 Volt Spannung (etwa Wechselstrom) zu leiten sind?

Auflösung. Zur Bestimmung des Spannungsverlusts p bedienen wir uns der Formel III, Seite 257:

$$p = \frac{1}{27,5}\cdot\frac{i\,.\,L}{q}$$

Hierin ist zu setzen:

$$i = \frac{100\,000}{2000} = 50\ \text{Ampère},$$

$$L = 5000\ \text{Meter},$$

$$q = 500\ \text{Quadratmillimeter},$$

mithin:

$$p = \frac{1}{27,5} \cdot \frac{50 \cdot 5000}{500}$$

$$= \frac{1}{27,5} \cdot 500$$

oder:

$$p = 18,2$$

Der Spannungsverlust beträgt also 18,2 Volt, d. i. 0,91 % von 2000.

Aufgabe 3. Wie gross muss der Zusatzwiderstand einer Bogenlampe sein, welche bei 50 Volt und 6 Ampère brennt und in einer Anlage von 65 Volt betrieben wird, wenn wir 150° Erwärmung des Widerstands zulassen?

Auflösung. Wir denken uns einen Widerstand aus blankem Kupferdraht vorgeschaltet. Um zunächst eine Erwärmung von 150° nicht zu überschreiten, muss allgemein

$$q = \left(0,04 \cdot \frac{i^2}{T}\right)^{\frac{2}{3}} \cdot \pi$$

sein. Da ferner:

$$i = 6 \text{ und } T = 150$$

ist, so folgt:

$$q = \left(0,04 \cdot \frac{36}{150}\right)^{\frac{2}{3}} \cdot 3,1416$$

oder nach nebenstehender Hilfsrechnung:

$$q = 0,3057 \text{ Quadratmillimeter.}$$

Damit dieser Kupferdraht 15 Volt Spannung verzehrt, muss er allgemein L Meter lang sein. L bestimmen wir aus der Gleichung:

$$p = \frac{1}{27,5} \cdot \frac{i \cdot L}{q}$$

woraus:

$$L = \frac{27,5 \cdot p \cdot q}{i}$$

oder da:

$$i = 6, \ p = 65 - 50 = 15 \text{ und } q = 0,3057$$

so folgt:

$$L = \frac{27,5 \cdot 15 \cdot 0,3057}{6}$$

oder:

$$L = 20,54$$

Der vorgeschaltete Kupferwiderstand muss einen Querschnitt von 0,3057 Quadratmillimeter und eine Länge von 20,54 Meter haben.

Hilfsrechnung:

$$\log q = \frac{3}{2}(\log 0,04 + \log 36 - \log 15) + \log 3,1416$$

$$= \frac{3}{2}(0,60206 - 2 + 1,55630 - 2,17609) + 0,49715$$

$$\log q = 0,48583 - 1$$

$$q = 0,3057$$

Aufgabe 4. Gegeben sind 120 Akkumulatoren, welche von einer Dynamomaschine mit 100 Volt geladen werden. Wie sind dieselben bei der Ladung zu schalten und wie bei der Entladung, wenn wir einen

Auflösung. Wir wissen, dass ein Akkumulator beim Laden eine elektromotorische Gegenkraft entwickelt, welche beiläufig 2,5

Entladestrom von 100 Volt Spannung verlangen?

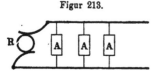

Erkl. 427. Die Schaltung von Akkumulatoren beim Laden und Entladen geschieht mittels eines sog. Pachytroys (siehe *May*, Lehrbuch der Kontaktelektricität Seite 84).

Volt beträgt. Wir können also nur 40 Akkumulatoren beim Laden hintereinander schalten, da der Ladestrom nur 100 Volt Spannung hat und da diese 40 Akkumulatoren eine elektromotorische Gegenkraft von 2,5 . 40 also 100 Volt entwickeln. Um aber 120 Akkumulatoren zu laden, müssen wir 3 Reihen Akkumulatoren *A* von je 40 mit der Dynamomaschine *D* parallel schalten (siehe Fig. 213).

Beim Entladen sinkt, wie wir wissen, die Spannung der Akkumulatoren schnell bis auf 1,8 Volt und bleibt dann etwa bis zur halben Entladung ziemlich konstant. Um jetzt aus den geladenen Akkumulatorenbatterie 100 Volt zu erhalten, schalten wir die Akkumulatoren in 2 Reihen von je 60 Zellen, da dann 60 . 1,8 = 108 Volt, also annähernd 100 Volt ist. Die überschüssigen 8 Volt vernichten wir entweder durch einen Widerstand, oder wir laden damit 3 hintereinandergeschaltete Akkumulatoren, denn 3 . 2,5 = 7,5, also annähernd = 8 Volt (s. Erkl. 427).

Aufgabe 5. In einer Beleuchtungsanlage sollen 8 Glühlampen von 8 Uhr morgens bis 11 Uhr abends und 32 Glühlampen von 5 Uhr nachmittags bis 9 Uhr abends gespeist werden. Auf welche Weise wird man die Beleuchtung ohne grosse Betriebskosten einrichten?

Erkl. 428. Von 5 bis 9 Uhr brennen erstens 8 Glühlampen, welche je von morgens 8 Uhr bis abends 11 Uhr in Betrieb sind, ferner noch die 32 übrigen Lampen, so dass die Maschine im stande sein muss, 40 Lampen zugleich zu speisen. Die Maschine muss also bei 110 Volt 40 . 0,5 = 20 Ampère zu liefern im stande sein (siehe Antw. auf Frage 447).

Auflösung. Auf jeden Fall sind wir genötigt, eine Akkumulatorenbatterie neben Dynamo- (Nebenschluss-) Maschine aufzustellen, denn sonst müssten wir für die 4 Glühlampen die Dynamomaschine von 8 Uhr morgens bis 11 Uhr abends fortwährend in Betrieb, also auch grosse Betriebskosten haben. Diese Akkumulatorenbatterie wollen wir jedoch so gross wählen, dass sie bei der Stromentnahme nur zur Hälfte entladen wird.

Ia). Wir haben eine Dynamomaschine von 110 Volt. Bei dieser Spannung braucht jede Glühlampe 0,5 Ampère. Um daher 40 Lampen gleichzeitig zu brennen (siehe Erkl. 428), muss die Maschine 110 Volt und 40 . 0,5 = 20 Ampère liefern. Hierdurch haben wir zunächst die Grösse der Dynamomaschine bestimmt. Wir wählen eine Akkumulatorbatterie von 64 Zellen und 60 Ampèrestunden Kapacität (siehe Antwort auf Frage 397). Bei der Ladung schalten wir dieselben in 2 Reihen von je 32 Zellen mit der Maschine parallel. Es benötigt dann die Ladung der Batterie eine Spannung von 2,5 . 32 = 80 Volt. Da wir jedoch 110 Volt haben, so müssen wir 30 Volt durch einen vorgeschalteten Widerstand verzehren (siehe Erkl. 429). Bei der Entladung haben wir die 64 Zellen in einer Reihe hintereinander zu schalten und erhalten, wenn die mittlere Spannung bei der Entladung 1,8 Volt pro Zelle beträgt, eine Spannung von $1,8 \cdot 64 = 115,2$ Volt. Wir müssen also $115,2 - 110 = 5,2$ Volt durch den vorgeschalteten Widerstand verzehren, um unsere Lampen mit 110 Volt zu betreiben.

Wir werden nun folgenden Betrieb haben: Die Dynamomaschine wird um 1 Uhr nachmittags in Betrieb gesetzt, lädt die Akkumulatorbatterie bis 5 Uhr und betreibt gleichzeitig die 8 Glühlampen. Von 5 Uhr ab werden die Akkumulatoren ausgeschaltet und die Maschine speist die nunmehr erforderlichen 40 Glühlampen bis 9 Uhr. Von da ab wird die Maschine ausser Betrieb gesetzt und die Akkumulatorbatterie speist die 8 Glühlampen von 9 bis 11 Uhr und folgenden Tags von morgens 8 Uhr bis mittags 1 Uhr. Von da ab wird die Maschine wieder in Gang gesetzt, lädt bis 5 Uhr die Akkumulatoren, speist bis 9 Uhr die 40 Glühlampen u. s. f.

Aus der Akkumulatorbatterie wird entnommen: morgens für 8 Glühlampen 5 Stunden lang (von 8—1) je 0,5 Ampère pro Lampe, also $8 \cdot 5 \cdot 0,5 = 20$ Ampèrestunden und abends 8 Glühlampen 2 Stunden lang (von 9—11) je 0,5 Ampère pro Lampe, also $8 \cdot 2 \cdot 0,5 = 8$ Ampèrestunden, zusammen also 28 Ampèrestunden. Geladen werden die Akkumulatoren 4 Stunden mit 10 Ampère, da wir in 2 parallelen Reihen laden (siehe Erkl. 430), so dass wir 40 Ampèrestunden erhalten. Von diesen 40 Ampèrestunden gehen 25 % verloren (siehe Antwort auf Frage 403), so dass wir in der Batterie

$$40 - \frac{40}{100} \cdot 25 = 30 \text{ Ampèrestunden}$$

verfügbar haben. Es entspricht also die bei der Ladung entnommene Zahl von Ampèrestunden (28) der Zahl der bei der Ladung wieder zugeführten Ampèrestunden (30). Wir wählen ferner die Akkumulatoren von 60 Ampèrestunden, da wir dieselben nur zur Hälfte entladen dürfen (siehe Antwort auf Frage 404).

b). Wir schalten 60 Akkumulatoren in eine Reihe hintereinander. Dann benötigen wir zur Ladung $2,5 \cdot 60 = 150$ Volt, während beim Entladen $1,8 \cdot 60 = 108$ Volt verfügbar sind. Zu dem Ende nehmen wir eine Nebenschlussmaschine und lassen sie soviel Touren machen, dass 150 Volt erzeugt werden. Wollen wir dann von 5—9 Uhr die Lampen mit der Maschine direkt

Erkl. 429. Anstatt die 30 Volt durch Widerstände zu verzehren, könnten wir auch 12 Akkumulatorzellen vorschalten, da $12 \cdot 2,5 = 30$ Volt ist, und diese dann zu andern Zwecken benutzen.

Erkl. 430. Die Dynamomaschine liefert 20 Ampère, welche durch die 2 parallel geschalteten Akkumulatorbatterien gehen; es geht demnach durch jede Reihe ein Strom von 10 Ampère und dies ist der Ladestrom.

Erkl. 431. Nach Antw. auf Frage 447 benötigt eine 16 kerzige Glühlampe ungefähr 50 Voltampère zur vollen Leuchtkraft; mithin eine 65 Volt-Lampe $= \dfrac{50}{65} =$ ca. 0,8 Ampère.

Erkl. 432. Eine Nebenschlussmaschine von der angegebenen Grösse benötigt z. B. für 65 Volt 1350 Touren. Um 85 Volt zu erhalten, müssen wir die Tourenzahl auf etwa 1450 steigern. Um nun bei 1450 Touren 65 Volt zu erhalten, müssen wir in die Elektromagnetwindungen etwa 10 Ohm einschalten. Je nach Art der Maschinen sind selbstverständlich die Verhältnisse andere.

Die Tourenzahl ist nicht zu ändern, da die Betriebsmaschine (Dampf-, Gaskraftmaschine) eine bestimmte Tourenzahl hat.

speisen, so haben wir das magnetische Feld derart abzuschwächen, dass die Maschine bei der betr. Tourenzahl nur mehr 110 Volt liefert. Dies geschieht durch Einschalten eines Widerstands (Nebenschlussregulators) in die Elektromagnetwindungen (Nebenschluss).

II. Wir haben eine Dynamomaschine von 65 Volt Spannung. Um hiermit 40 Glühlampen zu betreiben, muss die Maschine $40 . 0,8 = 32$ Ampère (siehe Erkl. 431) liefern können. Damit ist die Grösse der Dynamomaschine bestimmt.

a). Wir nehmen 36 Akkumulatoren und schalten sie beim Laden in 2 Reihen parallel. Der Ladestrom muss dann $2,5 . 18 = 45$ Volt sein. Nun besitzt die Maschine 65 Volt; wir haben also $65 - 45 = 20$ Volt durch einen Widerstand zu verzehren. Beim Entladen schalten wir die Akkumulatoren in 1 Reihe hintereinander und erhalten für den Entladestrom $36 . 1,8 = 64,8$, also 65 Volt Spannung.

b). Wir nehmen 36 Akkumulatoren und schalten sie in eine Reihe hintereinander; dann benötigen wir zur Ladung $2,5 . 18 = 88$ Volt. Die Maschine muss also auf eine Tourenzahl gebracht werden, dass sie 88 Volt liefert.

Um aber von 5—9 Uhr die Lampen direkt mit der Maschine zu betreiben und zwar ohne die Tourenzahl zu verringern, müssen wir in die Elektromagnetwindungen einen passenden Widerstand einschalten, welcher das magnetische Feld in passender Weise abschwächt, so dass die Maschine 65 Volt gibt (siehe Erkl. 432).

Nachstehende Bände von **Kleyers Encyklopädie** sind bis jetzt erschienen:

Lehrbuch der Potenzen und Wurzeln nebst einer Sammlung von 3296 gelösten und ungelösten analogen Beispielen. Von **Ad. Kleyer.** Preis: M. 6. —.

Lehrbuch der Logarithmen nebst einer Sammlung von 1996 gelösten und ungelösten analogen Beispielen. Von **Ad. Kleyer.** Preis: M. 4. —.

Fünfstellige korrekte Logarithmentafeln nebst einer trigonometrischen Tafel und einer Anzahl von anderen Tabellen. Von **Ad. Kleyer.** Preis: gebunden M. 2. 50.

Lehrbuch der Körperberechnungen. Erstes Buch. Mit vielen gelösten und ungelösten analogen Aufgaben nebst 184 in den Text gedruckten Figuren. Zweite Auflage. Von **Ad. Kleyer.** Preis: M. 4. —.

Lehrbuch der Körperberechnungen. Zweites Buch. Eine Sammlung von 772 vollständig gelösten und ungelösten analogen Aufgaben nebst 742 Erklärungen und 256 in den Text gedruckten Holzschnitten. Von **Ad. Kleyer.** Preis: M. 9. —.

Lehrbuch der arithmetischen und geometrischen Progressionen, der zusammengesetzten-, harmonischen-, Ketten- und Teilbruchreihen mit vielen gelösten und ungelösten analogen Aufgaben. Von **Ad. Kleyer.** Preis: M. 4. —.

Lehrbuch der Zinseszins- und Rentenrechnung mit vielen gelösten und ungelösten analogen Aufgaben. Von **Ad. Kleyer.** Preis: M. 6. —.

Lehrbuch der Gleichungen des 1. Grades mit e i n e r Unbekannten. Sammlung von 2381 Zahlen-, Buchstaben- und Textaufgaben, grösstenteils in vollständig gelöster Form, erläutert durch 230 Erklärungen und 26 in den Text gedruckte Figuren. Von **Ad. Kleyer.** Preis: M. 8. —.

Lehrbuch der Gleichungen des 1. Grades mit m e h r e r e n Unbekannten. Sammlung von 905 Zahlen-, Buchstaben- und Textaufgaben, grossenteils in vollständig gelöster Form, erläutert durch 403 Erklärungen und Anmerkungen nebst Resultaten der ungelösten Aufgaben. Für das Selbststudium und zum Gebrauch an Lehranstalten bearbeitet nach **System K l e y e r** von **Otto Prange.** Preis: M. 7. —.

Lehrbuch der Goniometrie (Winkelmessungslehre) mit 307 Erklärungen und 52 in den Text gedruckten Figuren nebst einer Sammlung von 513 gelösten und ungelösten analogen Aufgaben. Von **Ad. Kleyer.** Preis: M. 7. —.

Lehrbuch der ebenen Trigonometrie. Eine Sammlung von 1049 gelösten, oder mit Andeutungen versehenen, trigonometrischen Aufgaben und 178 ungelösten, oder mit Andeutungen versehenen trigonometrischen Aufgaben aus der angewandten Mathematik. Mit 797 Erkl., 563 in den Text gedruckten Figuren und 65 Anmerkungen nebst einem ausführlichen Formelverzeichnis von über 500 Formeln. Von **Ad. Kleyer.** Preis: M. 18. —.

Lehrbuch der Differentialrechnung. Erster Teil: Die einfache und wiederholte Differentiation explizieter Funktionen von einer unabhängigen Variablen. Nebst einer Sammlung gelöster Aufgaben. Von **Ad. Kleyer.** Preis: M. 5. —.

Lehrbuch der ebenen Elementar-Geometrie. (Planimetrie.) Erster Teil: Die gerade Linie, der Strahl, die Strecke, die Ebene und die Kreislinie im allgemeinen. Nebst einer Sammlung gelöster Aufgaben. Mit 234 Erklärungen und 109 in den Text gedruckten Figuren. Von **Ad. Kleyer.** Preis: M. 1. 80.

Lehrbuch des Projektionszeichnens. Erster Teil: Die rechtwinklige Projektion auf eine und mehrere Projektionsebenen. Nebst einer Sammlung gelöster Aufgaben. Mit 271 Erklärungen und 226 in den Text gedruckten Figuren. Bearbeitet nach **System Kleyer** von **J. Vonderlinn,** Privatdocent an der techn. Hochschule in München. Preis: 8. 50.

Lehrbuch des Projektionszeichnens. Zweiter Teil. Ueber die rechtwinklige Projektion ebenflächiger Körper. Mit 130 Erklärungen und 99 in den Text gedruckten Figuren. Für den Schulunterricht und das Selbststudium bearbeitet nach **System Kleyer** von **J. Vonderlinn,** Privatdocent an der techn. Hochschule in München. Preis: M. 3. 50.

Nachstehende Bände von **Kleyers Encyklopädie** sind bis jetzt erschienen:

Lehrbuch der Grundrechnungsarten. Erstes Buch: **Das Rechnen mit unbenannten ganzen Zahlen.** Mit 71 Erklärungen und einer Sammlung von 657 gelösten und ungelösten analogen Aufgaben. Nebst Resultaten der ungelösten Aufgaben. Bearbeitet nach **System Kleyer** von **August Frömter,** Rektor. Preis: M. 3. —.

Lehrbuch der Statik fester Körper (Geostatik) mit 291 Erklärungen und 380 in den Text gedruckten Figuren und einem ausführlichen Formelverzeichnis nebst einer Sammlung von 359 gelösten und ungelösten analogen Aufgaben. Bearbeitet nach **System Kleyer** von **Richard Klimpert,** Physiker und Seminarlehrer in Bremen. Preis: M. 9. —.

Lehrbuch der Elasticität und Festigkeit mit 212 Erklärungen, 186 in den Text gedruckten Figuren und einem ausführlichen Formelverzeichnis, nebst einer Sammlung von 167 gelösten und ungelösten analogen Aufgaben. Bearbeitet nach **System Kleyer** von **Richard Klimpert.** Preis: M. 5. 50.

Lehrbuch der Dynamik fester Körper (Geodynamik) mit 690 Erklärungen, 380 in den Text gedruckten Figuren und einem ausführlichen Formelverzeichnis nebst einer Sammlung von 500 gelösten und ungelösten analogen Aufgaben, mit den Resultaten der ungelösten Aufgaben. Für das Selbststudium und zum Gebrauch an Lehranstalten, sowie zum Nachschlagen für Fachleute bearbeitet nach **System Kleyer** von **Richard Klimpert.** Preis: M. 13. 50.

Lehrbuch über die Percussion oder den Stoss fester Körper. Für das Selbststudium und zum Gebrauch an Lehranstalten, sowie zum Nachschlagen für Fachleute bearbeitet nach System **Kleyer** von **Richard Klimpert. Separat-Abdruck aus Klimpert, Lehrbuch der Dynamik.** Preis: M. 3. —.

Geschichte der Geometrie für Freunde der Mathematik gemeinverständlich dargestellt von **Richard Klimpert.** Mit 100 in den Text gedruckten Figuren. Preis: M. 3. —.

Lehrbuch des Magnetismus und des Erdmagnetismus nebst einer Sammlung von gelösten und ungelösten Aufgaben, erläutert durch 189 in den Text gedruckte Figuren und 10 Karten. Von **Ad. Kleyer.** Preis: M. 6. —.

Lehrbuch der Reibungselektricität (Friktions-Elektricität, statisches oder ruhenden Elektricität) erläutert durch 860 Erklärungen und 278 in den Text gedruckte Figuren, nebst einer Sammlung gelöster und ungelöster Aufgaben. Von **Ad. Kleyer.** Preis: M. 7. —.

Lehrbuch der Kontaktelektricität (Galvanismus) nebst einer Sammlung von gelösten und ungelösten Aufgaben. Mit zahlreichen Figuren und einem Formelverzeichnis. Bearbeitet nach **System Kleyer** von **Dr. Oscar May,** Elektrotechniker, Frankfurt a. M. Preis: M. 8. —.

Lehrbuch der Elektro-Dynamik (Erster Teil) mit 105 in den Text gedruckten Figuren. Bearbeitet nach **System Kleyer** von **Dr. Oscar May.** Preis: M. 3. —.

Lehrbuch des Elektromagnetismus mit 302 Erklärungen, 152 in den Text gedruckten Figuren und einem ausführlichen Formelverzeichnis, nebst einer Sammlung gelöster Aufgaben. Bearbeitet nach **System Kleyer** von **Dr. Oscar May** und **Adolf Krebs.** Preis: M. 4. 50.

Lehrbuch der Induktionselektricität und ihrer Anwendungen (Elemente der Elektrotechnik). Für das Selbststudium und zum Gebrauch an Lehranstalten, sowie zum Nachschlagen für Fachleute bearbeitet nach **System Kleyer** von **Dr. Adolf Krebs.** Preis: M. 6. —.

Der **ausführliche Prospekt** und das **ausführliche Inhaltsverzeichnis** der „vollständig gelösten Aufgabensammlung von Dr. Ad. Kleyer" kann von jeder Buchhandlung, sowie von der Verlagshandlung **gratis und portofrei** bezogen werden.

Bemerkt sei hier nur:

1). Jedes Heft ist aufgeschnitten und gut brochiert, um den **sofortigen und dauernden** Gebrauch zu gestatten.

2). Jedes Kapitel enthält sein besonderes Titelblatt, Inhaltsverzeichnis, Berichtigungen und Erklärungen am Schlusse desselben.

3). Auf jedes einzelne Kapitel kann abonniert werden.

4). Monatlich erscheinen 3—4 Hefte zu dem **Abonnementspreise** von 25 Pfg. pro Heft.

5). Die **Reihenfolge** der Hefte im nachstehenden, kurz angedeuteten Inhaltsverzeichnis ist, wie aus dem Prospekt ersichtlich, ohne jede Bedeutung für die Interessenten.

6). Das Werk enthält **Alles,** was sich überhaupt auf mathematische Wissenschaften bezieht, alle Lehrsätze, Formeln und Regeln etc. mit Beweisen, alle praktischen Aufgaben in vollständig gelöster Form mit Anhängen ungelöster analoger Aufgaben und vielen vortrefflichen Figuren.

7). Das Werk ist ein **praktisches Lehrbuch** für Schüler aller Schulen, das **beste Handbuch** für Lehrer und Examinatoren, das **vorzüglichste Lehrbuch zum Selbststudium,** das **vortrefflichste Nachschlagebuch** für Fachleute und Techniker jeder Art.

8). Alle Buchhandlungen nehmen Bestellungen entgegen.

 Das vollständige

Inhaltsverzeichnis
der bis jetzt erschienenen Hefte

kann durch jede Buchhandlung bezogen werden.

Halbjährlich erscheinen Nachträge über die inzwischen neu erschienenen Hefte.

Druck von Carl Hammer in Stuttgart.

Lightning Source UK Ltd.
Milton Keynes UK
UKHW020352190119
335821UK00006B/269/P